Klinische Monatsblätter Für Augenheilkunde
by Unknown

Klinische Monatsblätter

für

Augenheilkunde.

Herausgegeben

von

Dr. W. Zehender,

Grosshzgl. Meckl.-Strel. Med.-Rath a. D. u. ord. Prof. in Rostock.

VIII. Jahrgang.

Erlangen.

Verlag von Ferdinand Enke.

1870.

Druck von Adler's Erben in Rostock.

Inhalt des Jahrganges 1870.

I. Original-Abhandlungen.

II. Klinische Beobachtungen.

III. Referate aus der ophthalmologischen Litteratur.

IV. Offene Correspondenz.

VIII

Briefliche Mittheilung an den Herausgeber über peripheren Linearschnitt

von

A. v. Graefe.

. . . . College Steffan setzt in seiner neuesten Schrift (Klinische Erfahrungen und Studien), welche verschiedene, sehr schätzenswerthe Abhandlungen enthält, den Widerspruch gegen den peripheren Linearschnitt fort. Er sucht diesmal, abgesehen von seinen eigenen Erfahrungen, die Fachgenossenschaft für den peripheren Lappenschnitt zu gewinnen durch eine numerische Parallele zwischen den Erfolgen dieser letzteren und der von mir befürworteten Methode. Wunderbarer Weise stützt er sich hierbei vorwiegend auf die Zahlen von Jacobson und Wecker, obwohl diese beiden Autoren, nachdem sie dem peripheren Lappenschnitt eine umfassende Cultur zugewandt hatten — der erstere in einer ganz besonders verdienstlichen, man darf sagen, historisch gewichtigen Weise — doch zu eifrigen Anhängern des peripheren Linearschnittes geworden sind*). Dass dies bei Männern, welche im Rufe stehen, ihre Ueberzeugungen den Thatsachen zu entnehmen, eben auf Grund noch glänzenderer Erfolge der

---

*) Steffan scheint irrthümlicher Weise (p. 18 seiner Schrift) von Wecker das Gegentheil zu glauben. Ich verweise auf Wecker's Erklärung in der Heidelberger Gesellschaft 1868 (siehe diese Monatsblätter 1866, p. 331), welche grade nach den Bedenken, die derselbe früher gegen den Linearschnitt erhoben, einen Beweis für die

letzteren Methode geschehen ist, versteht sich wohl von selbst. Wie gelang es nun Steffan, aus den Zahlen Jacobson's und Wecker's einen anderen Schluss zu ziehen, als derjenige es war, zu dem jene beiden Autoren durch ihre persönliche Erfahrung getrieben wurden, welcher wir noch deshalb unser besonderes Vertrauen entgegentragen müssen, weil sie neben den numerisch aufzuzählenden Dingen noch unendlich vielen, der numerischen Methode nicht zugängigen Umständen Rechnung trägt? Es geschah dies so, dass Steffan rücksichtlich auf den peripheren Linearschnitt aus den Erfolgen sämmtlicher Autoren, welche darüber Veröffentlichungen gemacht haben, eine Durchschnittsrechnung anstellt. Es ergiebt sich hierbei immer noch ein höchst befriedigendes Resultat, aber es wird, soweit ich die Tabelle überblicke, in manchen Punkten der Linearschnitt von dem peripheren Lappenschnitt überflügelt. Steffan ist ein zu einsichtsvoller Fachmann, als dass er nicht bei eingehender Betrachtung das Unrecht zugestehen müsste, welches hierbei der Linearmethode widerfährt. Während der periphere Lappenschnitt durch drei Autoren repräsentirt wird, welche denselben jahrelang mit Consequenz ausübten und ohne Zweifel in dem längsten Abschnitt der Gesammtzeit ihrer Technik, die sich noch dazu dem älteren Lappenschnitt enger anschloss, vollkommen Herren waren, wird hinsichtlich des Linearschnittes die Schulperiode, wenn ich mich so ausdrücken darf, von 14 Augenärzten mit in Rechnung gezogen — und es bildet dieselbe einen sehr gewichtigen, vielleicht den dominirenden Summanden — welche selbst grösstentheils eingestehen, dass sie es lange Zeit hindurch in der Technik verfehlt und zu den eigentlich glücklichen Resultaten erst gelangt seien, seitdem sie sich durch Anschauung regelrechter Operationen aller Minutien gehörig bewusst geworden seien. Unter ihnen befindet sich unter

---

jetzige Bestimmtheit seiner Ueberzeugungen abgiebt, wie sie andererseits dessen Gerechtigkeit und Unbefangenheit bei der Discussion dieser Frage bezeugt.

anderen ein Autor, welcher 28,6 %/₀ Verluste zu beklagen hatte! Ich kann die Bemerkung nicht unterdrücken, dass Verfahren, welche so auffällige Resultate liefern, einigermassen von dem peripheren Linearschnitt, wie ich ihn ausübe, verschieden sein dürften. Aber noch mehr: Unter dieser Summe von Operationen befinden sich die allerverschiedensten Variationen, welche die Operateure absichtlich periodenweise ausführten; viele von denselben verdienen kaum den Namen eines peripheren Linearschnittes, da der gemachte Schnitt, abgesehen von den Wundwinkeln und einer ganz kurzen benachbarten Strecke nächst denselben, in die Continuität der Hornhaut fällt, so dass selbst die äussere Wunde den Skleralbord gänzlich verlässt. Noch andere ergeben eine von der meinigen so abweichende Wunde, dass die Operateure (nach einer brieflichen Mittheilung von Steffan selbst) in je drei Operationen einmal mit der Scheere zu erweitern gezwungen sind, was mir, wenigstens unter dem ersten Tausend meiner Operirten, noch nicht ein einziges Mal begegnet ist.

Ich gebe es zu, dass wir zu solchen Durchschnittsrechnungen zuweilen flüchten und anstatt des Gleichartigen das halbwege Aehnliche als Unterlage für eine Statistik nehmen. Allein es darf dies meines Erachtens nur in der Noth geschehen, d. h. wo wir bessere Vergleichspunkte zu benutzen verhindert sind. Liefert uns die persönliche Erfahrung gewiegter Fachgenossen den Boden zu einer wirklichen Parallele, d. h. hat ein und derselbe Mann mit gleicher Gewandtheit, unter ungefähr gleichen äusseren Umständen, successive zwei Methoden in grösserem Umfange cultivirt, so werden uns dessen vergleichende Resultate natürlich werthvoller sein, als wenn wir die Erfolge verschiedener Autoren, welche mit verschiedener Gewandtheit unter abweichenden äusseren Verhältnissen und nicht alle bis zur Erlangung der nöthigen technischen Geläufigkeit operirt haben, in den Vergleich ziehen. Für unsere Frage sind wir nun in der glücklichen Lage, auf den Vergleich in denselben Händen recurriren zu können. Es stellt sich zur Zeit die Sache so,

1*

dass fast sämmtliche Autoren, welche successive den alten Lappenschnitt und den peripheren Linearschnitt cultivirten, sich zu Gunsten des letzteren entschieden haben. Weiter aber stellt sich heraus, dass sämmtliche Autoren, welche successive den peripheren Lappenschnitt und den peripheren Linearschnitt cultivirt haben (Jacobson, Wecker), diesen letzteren adoptirt haben. Wenn nun die persönliche Erfahrung aller einzelnen Autoren, welche zu vergleichen Gelegenheit hatten, sich für den Linearschnitt erklärt, so glaube ich nicht, dass man einer Verarbeitung der Zahlen mit so colossalen Fehlerquellen, wie sie die Steffan'sche Durchschnittsrechnung bietet, selbst wenn sie ein noch viel schlagenderes Ereigniss böte, einen Einfluss auf die Entscheidung der Frage einzuräumen hätte.

Den Zahlen von Jacobson und Wecker reiht Steffan die eigenen an. Ich weiss es aus eigener Anschauung, wie sicher und correct derselbe seine Staaroperationen verrichtet, und wundere mich daher nicht darüber, dass er gute Erfolge aufzuweisen hat. Aber immerhin müsste bei einer Gesammtzahl von 62 ein ganz auffälliger Unterschied gegen das Uebliche hervortreten, um nicht zu sagen: die Zahl ist für Schlüsse zu klein. Dies aber findet keinesweges statt; der Procentsatz, sowohl der anomalen Operationsverläufe, als der anomalen Heilungen, ist sogar noch grösser, als ich es beim Linearschnitt zu beobachten gewohnt bin. Dazu kommt, dass Steffan, was bei der Linearmethode überflüssig ist, die unreifen Cataracten durch eine Voroperation maturirt, dass er — wenigstens war es vor einiger Zeit noch so — aus Bedenken, die wahrscheinlich für seine Methode gerechtfertigt sind, vielfach nach unten operirt, längere Kurzeiten hat u. s. w. Kurz, ich meine, dass, so beherzigenswerth sonst Steffan's Erfahrungen sind, die seiner eigenen Praxis entnommenen Zahlen für die Anhänger des Linearschnitts wenig Verführung bieten werden.

Auf pag. 18 seiner Schrift zeiht mich Steffan einer Ungenauigkeit, die ich von mir abwehren muss. Er be—

hauptet auf Grund der Arlt'schen Messungen über die Dimensionen der vorderen Kammer, dass bei einem nach meinen Angaben ausgeführten Schnitt die Länge der inneren Wunde nicht $4\frac{1}{2}'''$, sondern nur $4'''$, höchstens $4\frac{1}{5}'''$ betragen könne. Sonderbar genug, aber meine Rechnung, grade nach den Arlt'schen Messungen, ergiebt für die innere Wunde genau $4,5'''$. Sollte vielleicht Steffan vergessen haben, dass ich die Messerspitze anfänglich nicht der Contrapunktionsstelle zuwende, sondern damit nach unten innen ziele, um sie erst später zu heben. Durch dies Manöver erhält man einen Zuwachs für die innere Wunde von $0,3$ bis $0,4'''$, so dass sich aus einer Nichtberücksichtigung desselben unsere Zahlendifferenz eben erklären würde. Im Uebrigen kann sich ein Jeder die Dimensionen der inneren Wunde anschaulich machen, wenn er auf der Vorderfläche seines Messers die vierte, fünfte, sechste Linie der Messerlänge durch feine Strichelchen markiren lässt und im Augenblick, wo die Messerspitze zur Contrapunktion angesetzt wird, ohne noch in die Cornea wieder einzudringen, am temporalen Winkel der äusseren Wunde abliest. Die Länge, die man so erhält, bezeichnet den in diesem Augenblick intraocularen Theil der Messerlänge. Ich fand hierfür im Durchschnitt $5'''$ (Schwankungen etwa von $4,8$ bis $5,2$). Zieht man hiervon für die schräge Passage des Skleralbords und der Conjunctiva das betreffende Quantum mit $0,8'''$ ab und fügt dem Reste von $4,2'''$ für den Zuwachs der inneren Wunde durch die erwähnte Messerhebung nur $0,3'''$ hinzu, so gelangt man wiederum auf die Grösse von $4,5'''$ (Schwankungen etwa von $4,3$ bis $4,7$). Im Uebrigen geben ja die Schwankungen des Kammerdiameters, selbst unter den gewöhnlichen Umständen, wie sie sich für Staaroperationen bieten, zu gewissen Variationen der Schnittgrösse, d. h. zu tieferer und mehr skleraler Anlegung der Wundwinkel bei kleineren Hornhäuten, Veranlassung, wobei indessen die Lappenhöhe die von mir angegebenen Grenzen, in maximo von $0,5'''$, nie zu überschreiten braucht.

Wenn ich die Opposition, welche Steffan dem Linearschnitt *) macht, überblicke, so wurzelt dieselbe immer in der Ansicht, dass eine g r ö s s e r e L a p p e n h ö h e für e i n e n l e i c h t e n D u r c h t r i t t des S t a a r s n o t h w e n d i g s e i. Ich kann hinsichtlich dieser Ansicht nur wiederholen, dass ich sie für einen Irrthum halte, welchen mir die alltägliche Erfahrung widerlegt. Wenn College S t e f f a n sich überzeugen würde, wie auch die allergrössten und dicksten Cataracten beim ersten Ansetzen des Stürzers sich einstellen und bei dem leisesten Andrücken widerstandslos durch die Wunde, sofern sie anders regelrecht angelegt ward, hindurchschlüpfen, so würde er, glaube ich, jene Ansicht bald aufgeben und mit allen denen, welche technisch richtige Linearextractionen unter allen möglichen Staargrössen in Beschauung nahmen, einräumen, dass eine jede grössere Lappenhöhe etwas Ueberflüssiges ist. Ich sage mit Absicht etwas U e b e r f l ü s s i g e s, denn ich will sehr gern zugeben, dass sie bei einem mittleren Verhalten des Augendrucks, ruhigen Patienten und bei leidlich günstigen Heiltendenzen, die Chance nicht verschlechtert. Wenn

---

*) Bei dieser Gelegenheit will ich dem geehrten Collegen die Beobachtung machen, dass er in seiner ersten Schrift (1867 auf p. 50) eine Operationsmethode verwirft, die zu den segensreichsten und meiner Meinung nach unentbehrlichsten gehört, ich meine die m o - d i f i c i r t e D i s c i s i o n. Ich würde wirklich nicht wissen, auf welche Weise ich unter gleich günstigen Chancen, als bei eben dieser Methode, die Schichtstaare zwischen 15 und 25 Jahre, sofern das Diameter gegen Iridectomie spricht, oder die hinteren Corticalstaare angreifen sollte. Dass Extraction der einen oder anderen Form, mit oder ohne vorausgeschickter Kapselpunktion, die Gefahren nicht auf ein gleiches Minimum, um nicht zu sagen auf 0, herabsetzt, ist für mich ausser Zweifel. Und auch der Satz, welchen S t e f f a n hierbei anführt, dass v o r 15 Jahren aus der Linsenquellung bei einfacher Discision keine Gefahren hervorgingen, bedarf sehr der Einschränkung. Es kommt dabei sowohl auf die Natur der Cataract als auf die Erweiterbarkeit der Pupille an. Schon an Neugeborenen kann bei engen Pupillen die Quellung grosse Gefahren bringen. Staare, die reich an Kalksalzen sind, thun ein Gleiches bei Kindern selbst mit weiten Pupillen. Wer die üblichen angeborenen Staare i m m e r durch e i n f a c h e und nicht bedingungsweise durch m o d i f i c i r t e Discision operiren will, wird unnützerweise ziemlich viele Augen zum Ruin bringen.

aber der Augendruck während der Operation und in der ersten Heilungsperiode relativ stark ist, oder wenn übertriebene Muskelcontractionen wirken, dann wird das U e b e r - f l ü s s i g e sofort zum S c h ä d l i c h e n. Wir sehen dann, eventualiter schon während der Operation, die Uebelstände sich geltend machen, namentlich wenn nach oben operirt und das Auge fixirt wird; später leidet der exacte Wundchluss, woran sich nach allgemein anerkannten chirurgischen Principien auch die Gefahren einer schlechten Wundheilung knüpfen. Kommen nun hierzu ungünstige individuelle Heilbedingungen, so kann durch den Zusammentritt der Schädlichkeiten der Stab über das Auge gebrochen sein. E i n e g r ö s s e r e L a p p e n h ö h e i s t a l s o a l l e m a l e t w a s U e b e r f l ü s s i g e s, u n t e r U m s t ä n d e n e t w a s S c h ä d l i c h e s u n d d a r i n l i e g t z u r G e n ü g e d i e C o n t r a i n d i c a t i o n. Es giebt auch andere Operationsmethoden, welche unter v i e l e n Conjuncturen keine Nachtheile bieten, wohl aber unter m a n c h e n, und welche, weil sie anderen gegenüber n i e m a l s Vortheile gewähren, von uns mit Recht aus der Praxis gestrichen werden. Dahin gehört z. B. die Discision des Staars durch die Sklera, deren wesentliche Nachtheile eigentlich nur da hervortreten, wo die Quellungsvorgänge des aufgebrochenen Staars zu fürchten sind, nicht aber bei bereits verdünnten Rudimenten. Die betreffende Operation hat niemals Vortheile vor der Keratonyxe, in vielen Fällen wird sie von dem Uebelstand begleitet, eine unberechenbare Linsenquellung herbeizuführen: deshalb versetzen wir sie in das geschichtliche Terrain. Nicht anders soll es meines Erachtens mit einer grösseren Lappenhöhe bei dem peripheren Staarschnitt geschehen. Deren Nachtheile zeigen sich eben unter manchen Verhältnissen, deren Vortheile nie. Ich stehe bereits im eilften Hundert meiner peripheren Linearschnitte, und so sehr ich mir bewusst bin, dass die Cultur der Staaroperation mit der Form, die ich befürworte, nicht abgeschlossen ist, so bin ich mir doch ebenso bewusst, dass die bevorstehenden Verbesserungen in eine andere Richtung hin fallen, als in W i e d e r e i n f ü h r u n g e i n e r g r ö s s e r e n L a p p e n h ö h e. Diese erscheint mir geradezu wie ein Rückfall in alte schlechte Gewohnheiten, und da ich fest überzeugt bin, dass ein solches Recidiviren Niemandem Glück bringt, so halte ich es auch für Pflicht, die Fachgenossenschaft nach Kräften davon zurückzuhalten.

Selbstverständlich weiss ich die offene Meinungsäusserung eines jeden Collegen, wenn über die Reinheit seiner Intentionen kein Zweifel obwaltet, zu schätzen. Dass auch der Widerspruch des Collegen Steffan aus innigster Ueberzeugung und dem Wunsche, die Sache zu fördern, stammt, davon kann Niemand mehr durchdrungen sein, als ich. Es wäre wirklich ein schlimmes Ding, wenn man über wissenschaftliche Fragen nicht verschiedener Meinung sein und dieselbe ohne Rückhalt formulirt sehen könnte, ohne dadurch verstimmt zu sein und ohne dass die persönliche Werthschätzung darunter litte. Dies sei bemerkt in Rücksicht auf die freundlichen Worte, welche Steffan in der Einleitung des Werkchens seiner Polemik vorausschickt.

Ueber die letzten vier Hunderte meiner peripheren Schnitte habe ich noch nicht berichtet. Es ist aber auch thatsächlich wenig darüber zu sagen. Ich bin ganz bei derselben Technik geblieben, wie ich sie in meiner letzten Publication geschildert habe. Nur hinsichtlich der Kapselöffnung habe ich denjenigen Modus acceptirt, den ich Ad. Weber bei seiner Methode verrichten sah, und der sich von meinem früheren dadurch unterscheidet, dass statt zweier schräg aufsteigender Risse eine vierfache Bewegung ausgeführt wird, nämlich zweimal längs der seitlichen Pupillar— und Colobomränder, in der ganzen Höhe des Pupillarraumes, und zweimal transversal, das eine Mal hart an der unteren Pupillen-Peripherie, das andere Mal ungefähr 1 mm. unterhalb des oberen Linsenaequators. Besonders wichtig von diesen beiden transversalen Richtungen scheint mir gerade diese letztere, weil durch dieselbe die erste Einstelluug des Staares noch erleichtert wird. Um die beiden Transversalschnitte gehörig zu führen, habe ich die Fliete meines alten Cystitoms so schmal machen lassen, dass sie sich der Form eines einfachen senkrechten Hakens sehr nähert. Bei diesem vierfachen Schnitt stelle ich mir keineswegs vor, dass man wirklich meist ein rechteckiges Stück der Kapsel umschneidet, resp. ausschneidet, ich glaube vielmehr, dass dies nur höchst selten erreicht wird; aber wenn die Risse auch nicht an allen Punkten eingreifen, so schiebt das Instrument jedenfalls die bereits eröffnete Kapsel wie einen Vorhang zurück, wodurch eine leichtere Auslösung der Linse bewirkt wird. Ausserdem ergänzt der eine Schnitt, was etwa bei dem anderen defectuös blieb, und diese Sicherheit ist namentlich da, wo wir bei total harten Cataracten aus Furcht, die Linse zu luxiren, das Cystitom seicht einsetzen, und deshalb die Kapsel leicht nicht ausreichend eröffnen, von Belang.

Rücksichtlich auf die Resultate hätte ich höchstens hinzuzufügen, dass sie, je geübter ich in der Technik werde, auch desto gleichmässiger ausfallen. Natürlich giebt es im operativen Leben Glücksschwankungen; und so wird man auch periodenweise mit dem peripheren Linearschnitt etwas mehr oder weniger glänzende Resultate erlangen. Das hängt theils von atmosphärischen und Hospitaleinflüssen, theils von der Qualität des uns zukommenden Krankenmaterials ab. Aber wie überhaupt die Unglücksfälle bei dem peripheren Linearschnitt relativ selten sind, so sind wenigstens nach meinen persönlichen Erfahrungen auch jene Glücksschwankungen von unendlich geringerer Excursion, als bei der älteren Methode.

Wiederholtes Unwohlsein, wodurch mein Wirken hier in Berlin im Laufe des letzten Jahres vielfach unterbrochen ward, gab mir Gelegenheit, mich sowohl in verschiedenen Kliniken unseres Vaterlandes als auch unter geringeren Breitengraden umzusehen, wie es mit dem peripheren Linearschnitt gehalten wird. Ich habe hierbei die Erfahrung gemacht, dass die Variationen der Technik jetzt unendlich geringer sind, als vor 2 Jahren, dass über die Lage des Schnittes im Skleralbord, über die sorgfältige Ausschneidung der Iris, selbst über eine correcte und ausgiebige Kapselöffnung, die Praxis sich in einer erfreulichen Weise zu einigen beginnt. — Wenn

manche Operateure vorwaltend nach unten operiren, so muss
ich dies freilich im Principe missbilligen, will aber gern
bekennen, dass unter exceptionellen Umständen bei äusserst
unruhigen Patienten, welche den Lidschlag gar nicht zu zü-
geln wissen, bei reizbaren Lidern, enger Lidspalte, der Schnitt
nach unten, besonders wenn man im concreten Falle das
Chloroform fürchtet, in sofern weniger verletzend ist als die
Operation unter einem geringeren Drucke ausgeführt werden
kann. Kommt es nun wirklich bei hochbetagten Greisen, Ho-
spitaliten u. s. w. zuweilen auf kleine Differenzen der optischen Resultate nicht an, so will ich gern dem Schnitt nach
unten, falls er eben nicht zur Regel erhoben wird, sein Recht
lassen, so selten ich selbst ihn vollführe.

Anders aber als mit der Ausführung der Operation steht
es mit der Nachbehandlung. Nach dem, was ich selbst
gesehen und mir habe in authentischer Weise berichten lassen, walten hier ganz wesentliche Differenzen ob, und ich
erkläre mir allenfalls hieraus, dass manche Hände, an deren
Kunstfertigkeit nicht zu zweifeln ist, doch mit dem peripheren
Linearschnitt nicht so gleichmässige Erfolge erzielten, als es
mir in diesen Jahren vergönnt war. Es ist desbalb vielleicht
nicht überflüssig, dass ich bei dieser Gelegenheit noch einmal
meine Principien in der Nachbehandlung hervorhebe.

Zunächst kann ich mich mit den incorrekten Verbänden, wie ich sie mehrfach sah, nicht einverstanden erklären. Bei einer guten Heiltendenz mag es oft genügen,
dass man dem Patienten ein Taschentuch über die geschlossenen Lider bindet oder ihm einige Convolute Charpie darauf
legt, welche durch eine einfache Bindentour angehalten werden. Aber wir sollen unsere Nachbehandlung auf die Prä-
sumption einer möglichst schlechten Heiltendenz gründen und
hiernach die Details berechnen. Deshalb lege ich Gewicht
darauf:

1) dass ein gutes, d. h. ein feines und weiches Material zum Polster benutzt wird und nicht etwa grobe
Charpie mit harten Fäden;

2) dass dies in der mehrfach beschriebenen Weise sorgfältig angeordnet wird, so dass man selbst bei einem
starken Andrücken der Hand gegen das Polster nur
eine ebene Fläche und nichts mehr von der Convexität
des Bulbus hindurch fühlt, und dass auch dem Patienten
ein mässiger Druck durch das Polster hindurch nicht
die mindeste wehe Empfindung erregt;
3) dass die 3 Monoculustouren nicht blos das Polster an-
halten, sondern für eine völlig gleichmässige Unterstützung der Bulbusoberfläche von der unteren bis zur
oberen Uebergangsfalte sorgen.

Wenn man beim Abnehmen des Verbandes jemals fest-
stellt, dass ein sanfter Druck mit der Fingerkuppe auf die
obere Peripherie des Bulbus schmerzhafte Empfindung erregt,
so hat man allen Grund, das Material des Polsters oder die
Technik des Verbandes zu beargwohnen. Man vergegen-
wärtige sich wohl die Sachlage: Es handelt sich darum, dass
die Wunde in ihrem innigen Contact erhalten, und zugleich
der kleine Conjunctivallappen exact gegen die Episkleralfläche
angedrückt werde, um unmittelbar mit derselben zu verkleben.
Wird statt der empfohlenen drei nur eine Tour angelegt, und
drückt dieselbe zufälliger Weise (was vornehmlich von der Stellung
abhängt, die Patient beim Anlegen des Verbandes seinem Auge
giebt) durch das Polster hindurch etwas mehr auf die untere Hälfte
der Bulbusperipherie und auf die Hornhautmitte als auf die
Wunde, so wird geradezu das Umgekehrte des Intentionirten
erreicht, d. h. es wird durch den Verband die Wunde zum
Hiat und der Conjunctivallappen zum Abstehen von der Episkleralfläche disponirt. Bei ungünstigen Heiltendenzen kann
dies den Ausschlag für einen anomalen Heilverlauf geben.

Nächst einer incorrecten Anlegung des Verbandes liegt
eine weitere Gefahr darin, denselben, selbst wenn die Patienten nicht klagen, längere Zeit, z. B. mehrere Tage
anerneuert zu lassen. Ich glaube hierüber sorgfältig genug
experimentirt zu haben, um mit gutem Gewissen meine jetzige
Praxis empfehlen zu können. Dieselbe besteht darin, dass

der Verband jedenfalls noch am Operationsabend und zum zweiten Male am nächsten Morgen gewechselt wird. Von dann ab mag es in vierundzwanzigstündigen Intervallen geschehen, obwohl die zwölfstündigen gewiss keine Nachtheile bieten. Bei der ersten Erneuerung des Verbandes, am Operationsabend, findet man fast immer Spuren von Blut, Thränen, Unreinlichkeiten des Conjunctivalsacks, selbst minimale Quantitäten von Corticalmassen, welche unter das obere Lid geschlüpft waren, an den Lidrändern, und es ist, selbst wenn die Patienten in keiner Weise leiden, nöthig, diese Materien, welche sonst durch Zersetzung infectuös werden können, abzureinigen. Ein leichtes Oeffnen der Lider, ein flüchtiger Blick auf den unteren Theil der Cornea bei vorsichtiger Beleuchtung mit einem Wachsstock hat sicher keinen Nachtheil. Die Wunde, rathe ich, wenn es nicht Studien halber geschieht, am ersten Abend nicht zu entblössen.

Weiter möchte ich gegen eine gewisse Gleichgültigkeit in der Nachbehandlung, wenn die Heilung eine anomale Richtung einschlägt, wie sie selbst von Männern höchsten Verdienstes an den Tag gelegt wird, Protest erheben. Ich meinestheils halte ungeheuer viel von einer prompten Berücksichtigung der ersten Zufälle und einem energischen Einschreiten gegen dieselben. Zunächst kann es nie vortheilhaft sein, dass ein Operirter an dem verwundeten Theil irgend eine Schmerzempfindung habe, die sich nicht mit absoluter Nothwendigkeit an die Heilungsvorgänge knüpft. An Schmerz schliesst sich unmittelbar Wallung an, und abnormer Säftezufluss in der ersten Heilungsperiode begründet feindliche Vorgänge an der Wunde. Folgende Rücksichten scheinen mir hier von Belang:

1) Der natürliche Wundschmerz, welcher der Operation unmittelbar folgt, und der selbstverständlich sehr variabel ist (auch gänzlich fehlen kann), darf nicht so lebhaft werden, dass er die Patienten unruhig macht, am Einschlafen hindert, dass er statt einer mässigen „gut auszuhaltenden" Empfindung sich zu reissenden, brennenden, stechenden, bohrenden Paroxysmen

steigert. Excedirt er in einer dieser Richtungen, so ist sofort eine hypodermatische Injection von Morphium an der Schläfe zu ordiniren*). Hört hiernach der Schmerz nicht auf, so muss der Verband erneuert und die Lider hierbei mit einem in kaltes Wasser getauchten weichen Schwämmchen einige Minuten — eine lange Anwendung kalter Applicationen halte ich für unzweckmässig — erfrischt werden.

2) Der Wundschmerz muss von der dritten Stunde ab entschieden nachlassen, widrigenfalls dieselben Maassregeln, die so eben bei excedirendem Wundschmerz empfohlen worden, einzuschlagen sind.

3) Von der sechsten Stunde ab darf überhaupt gar keine continuirliche Empfindung im operirten Auge vorhanden sein. Es darf sich ein secundenlanges leichtes Stechen nur periodenweise oder dann einstellen, wenn Patient unter dem Verbande das Auge zu bewegen sucht. Verhält es sich nicht so, sondern persistirt eine continuirliche Empfindung, so fängt man jetzt mit Erneuerung des Verbandes an und schickt eine Morphiuminjection nach, falls auch unter dem neuen Verbande die Empfindung wiederkehrt. — Namentlich jenem indolenten Publicum, welches theilweise die Hospitalräume füllt, und sich vorstellt, es könne bei einem so gewichtigen Acte, wie eine Staaroperation ihn darstellt, füglich nicht ohne tüchtige Schmerzen abgehen, muss es recht eingeschärft werden: dass jede anhaltende Empfindung am operirten Auge, mag sie mehr oder weniger peinlich sein, nicht zum normalen Verlauf gehöre und sofort der Wärterin angegeben werden müsse. —

---

*) Der Einwurf gegen diese Injectionen, dass sie Brechen verschulden, scheint mir wenig gewichtig. Einmal bricht unseren Erfahrungen nach nur unter 12 Patienten einer, sodann fürchten wir bei der jetzigen Operationsmethode das Brechen nicht. Ist man indessen in dieser Beziehung besonders ängstlich, so mag man zwei Tage vor der Operation eine probatorische Einspritzung machen. Da die betreffenden Nebenwirkungen fast exclusive auf individueller Unverträglichkeit beruht, so wird sie sich auch hierbei herausstellen, in welchem Falle dann später die innere Verabreichung, obwohl sie weit unsicherer auf den Wundschmerz wirkt, substituirt werden könnte.

Genügen die angegebenen Maassregeln nicht, den Wundschmerz zu normiren, so darf entweder noch eine zweite
Morphiuminjection nachgeschickt, oder, wenn die Patienten
vollsaftig sind und deren Circulation erregt ist, bereits selbst
ein kleiner Aderlass von 4—5 ʒ (der in der Regel erst in der
Reactionsperiode zur Sprache kommt) ordinirt werden.

Am Abend der Operation — ich operire gewöhnlich in
den Nachmittagsstunden — muss Patient sich ruhig und zum
Einschlafen geneigt fühlen. Man darf entschieden nicht
dulden, dass er eine schlaflose oder grossen Theils schlaflose
Nacht verbringt. Hatte der Wundschmerz nicht schon zu
einer localen Application des Morphiums aufgefordert, so
verabreicht man, um das Einschlafen zu fördern, sehr passend
eine Dose von 3 Grammen Chloralhydrat mit Gummi und
Zucker gehörig involvirt, etwa so:

Rec. Hydrat. Chlorali 3,0
Mucilag. Gummi arab.
Syrup. flor. Aurant. an. 15,0
Aq. destillat. 30,0
Mds. Auf einmal (allenfalls noch mit einem halben Wein-
glase Zuckerwasser gem.) als Schlaftrunk zu nehmen.

Es ist, da unseren Hospital-Erfahrungen nach die einen
längeren Schlaf zuverlässig vermittelnden Dosen sich zuweilen
auf 4 Gramm und bei Säufern in der Regel auf 5 Gramm
erheben, zweckmässig, noch ein weiteres Quantum des Mittels
zur Verfügung zu haben und 4 Stunden nach der ersten
Verabreichung, falls der Schlaf zu häufigeren Unterbrechungen
neigt, noch 1 Gramm, bei Säufern 2 Gramm nachzuschicken.
— Haben die Patienten, anomalen Wundschmerzes halber,
bereits eine Morphiuminjection (in der Regel von $1/_6$ bis $1/_3$
Gran) erhalten, und will, obwohl der Schmerz gewichen,
doch kein gehöriger Schlaf eintreten, so gebe man 2 Gramm
Chloral, bei Säufern 3—4 Gramm. Ich glaube, dass der Vortheil einer guten Nacht nicht hoch genug angeschlagen werden kann, und dass man die Sorgfalt hierfür bis ins Kleinliche
ausdehnen soll. Es ist auch theilweise aus diesen Rücksich-

ten, dass ich den Patienten am Tage vor der Operation eine ausreichende Quantität Ricinusöl verabreiche, weil bekanntlich die narkotische Methode nach vorausgeschickten Ausleerungen viel gleichmässigere und schönere Resultate liefert. Abgesehen von sehr seltenen Ausnahmen, in denen die Hergänge sich verfrühen, fällt die eigentliche Zeit der Wundreaction von der 12. bis zur 24. Stunde, in der Mehrzahl der Fälle von der 14. bis zur 18. Stunde. Bei normalem Verlauf soll dieselbe nicht von den mindesten Schmerzen begleitet sein, und ist das Auftauchen jedweder abnormen Empfindung am Ende der ersten Nacht oder gegen Morgen von der höchsten Bedeutung, da gerade die schwersten Zufälle (eitrige Wundprocesse) sich jetzt ankündigen. Es muss alsdann, selbst wenn der für die zweite Erneuerung des Verbandes bestimmte Zeitpunkt noch nicht gekommen ist, der Verband unbedingt gewechselt und der Zustand des Auges beurtheilt werden. Ist gar keine vermehrte Thränenabsonderung oder Lidschwellung oder Chemosis vorhanden, hat die Cornea den erwünschten Glanz, so ist es kaum nöthig, die Wunde selbst zu controliren. Die Erneuerung des Verbandes, nach Anfrischung der Augenlider, und noch eine kleine Morphiuminjection pflegt auszureichen. Hält aber der Schmerz an, so mache man bei kräftigeren Individuen sofort einen Aderlass von 4 Unzen. Zeigen sich vollends die unteren Lagen des Polsters durchnässt, enthält das Leinwandplättchen selbst trübere Absonderungsmassen (ein längs der Lidspalte vorfindlicher schmaler Streifen angebackenen Secretes ist ohne Bedeutung), ist das obere Lid gedunsen, so muss energisch eingeschritten werden; denn es handelt sich dann jedenfalls, mag auch die Wundregion noch völlig gut aussehen, um androhende Wundeiterung (in dem weitesten Sinne des Wortes). Nach sorgfältiger Reinigung der Lider rathe ich, alsdann deren Hautfläche in der ganzen Breite mit Lapis mitigatus unter gehöriger Neutralisation und sorgfältigem Abtrocknen zu touchiren, ferner dem sogleich zu erneuernden Verbande die Form des Schnürverbandes (Monoculus mit 4 Touren, die zweite und dritte am kräftigsten angezogen) zu geben, bei robusten Individuen eine Venäsection von 6 Unzen zu instituiren, der nach einer halben Stunde eine Morphiuminjection an der Schläfe nachgeschickt wird. Ausserdem erhalten meine Patienten bald nach dem Aderlass ein Abführpulver von Calomel, Rheum, Elaes. Foenicul. $\overline{aa}$ 0,6 *). Sind die Individuen weniger kräftig, so bleibt der Aderlass weg und die Dose Calomel wird etwas geringer genommen; sonst das gleiche Verfahren. Bei diesen Ordinationen, wenn sie wirklich früh genug gemacht werden, sieht man sehr häufig bereits beim nächsten Wechsel des Verbandes, welcher unter diesen Umständen längstens in 6 Stunden stattfinden muss, ein deutliches Rückgehen der Symptome und das Einkehren in einen völlig normalen Verlauf.

Bekanntlich giebt es Patienten, deren Empfindlichkeit so gering ist, dass Wundeiterung sich ohne jede namhafte Schmerzen einstellt. Eben dieses Factum motivirt den Rath, den Verband auch da, wo zur Reactionszeit gar keine Schmerzen wiederkehren, doch zu erneuern und nachzusehen. Sonst kann es sich ereignen, dass man bei der ersten Controle Zustände von völlig ausgeprägter Richtung und unabänderlichem Ausgange vorfindet. Zeigen sich bei solchen torpiden Patienten eben jene drohenden örtlichen Symptome, so würde ich besonders auf die energische Aetzung der Lidfläche, welche bei dem folgenden Verbande zu wiederholen ist, auf die Schnurverbände und auf die Abführpulver Gewicht legen. Die Morphiuminjectionen unterbleiben bei völliger Schmerzlosigkeit, den Aderlass verordne ich indessen auch hier bedingungsweise, wenn das Individuum besonders kräftig und der Puls zur Spannung geneigt ist.

Ueber die Bedeutung der antiphlogistischen Methode unter den erwähnten Umständen ist viel gestritten worden. Ich glaube, dass man eher zur Einigung der Meinungen gekommen wäre, wenn man den Zeitpunkt recht genau bestimmt

---

*) Folgt demselben innerhalb 10 Stunden kein Stuhlgang, so verabreichen wir einen Esslöffel Ricinusöl.

hätte. So fällt der Nutzen* des Aderlasses meiner Ueberzeugung nach nur in eine ganz kurze initiale Periode; sowie einmal ein eitriger Wundprocess sich entfaltet hat, kann man denselben wohl für überflüssig*) erklären.

Obenan hinsichtlich der Wirksamkeit in der Reactionsperiode stelle ich übrigens die Aetzung der äusseren Lidfläche und die Application der Schnürverbände, welche mindestens alle 6 Stunden zu erneuern sind. Bei sehr heruntergekommenen oder marastischen Individuen beschränke ich mich auf diese beiden Mittel, verabreiche innerlich gewöhnlich Chinin, nachdem ein einziges einfaches Abführmittel vorangeschickt.

Ueber die weitere Behandlung habe ich nichts Specielles zu bemerken. Behält der Verlauf eine anomale Richtung (es handelt sich dann meist um partielle Wundeiterung mit den zugehörigen inducirten Processen), so gebe ich, namentlich wenn gastrische Reizungen vorhanden, am zweiten Tage gern ein Emeticum, fahre mit Schnürverbänden und Lidätzungen fort. Aromatische warme Umschläge intercalire ich den Verbänden immer nur für kurze Zeit ($^1/_4$ bis $^1/_2$ Stunde), und stehe gänzlich von denselben ab, wenn während der Anwendung mehr Schwellungstendenz hervortritt. Ich habe früher von diesem Mittel bald nach der Extraction mehr Gebrauch gemacht als jetzt; selbstverständlich behält es seine Bedeutung gegen manchen der späteren Zufälle, als fortgepflanzte Iritis u. s. w. — Für die Bekämpfung dieser letzten folge ich durchaus den angenommenen Grundsätzen. Das Regime lasse ich nach dem Kräftezustande und den Gewohnheiten**) der Patienten variiren.

———

*) Blutegel in der Nähe des Auges, d. h. an der Schläfe, gelegt, halte ich bei noch drohender Wundeiterung für unbedingt schädlich; hinter das Ohr sind sie weniger gefährlich, doch beunruhigt die Application die meisten Patienten. Wir machen vor dem 3. Tage von den localen Blutentziehungen kaum mehr Gebrauch.

**) Diese sind namentlich entscheidend und müssen sorgfältig erforscht werden. Es nutzt thatsächlich nichts, wenn man Patienten Speisen und Getränke, die ihnen völlig ungewohnt und vielleicht wider-

Im Allgemeinen fallen für die Nachbehandlung sehr viele individuelle Umstände und Rücksichten in die Wagschale, deren Erörterung mir nicht im Sinne liegt. Ich wollte lediglich die Principien betonen, die mir im Allgemeinen die Erfolge der Operation am meisten zu sichern scheinen, und deren Nichtbefolgung vielleicht auch manche Revers erklärt. Die Sorgfalt concentrirt sich in Summa auf wenige Tage. Wenn von diesen das Glück eines Menschenlebens abhängt, so haben wir wohl Grund, unsere Achtsamkeit zu verschärfen. Ist doch die Zeit der Angst und Sorge so unendlich kürzer als bei der älteren Methode! Sind 24 Stunden vorüber, ohne dass sich irgend Vorboten einer Wundeiterung zeigen, so ist dieselbe (bei sorgfältiger Pflege) auch kaum noch zu fürchten. Sind 3 bis 4 weitere Tage tadellos verflossen, so bedarf es eigentlich nur noch der Abwehr von Schädlichkeiten und der Atropineinträufelungen *). Die Verbände lasse ich, wenn die Conjunctiva sie verträgt, und die Patienten keine ununterbrochene Aufsicht haben, schon aus Vorsicht gegen Verletzungen bis zum Ende der ersten Woche fortsetzen. Auch müssen dieselben nie plötzlich, sondern immer allmälig, zuerst stundenweise, weggelassen werden. Selbst jetzt in der Winterszeit wird die Mehrzahl unserer Patienten, auch der doppelseitig operirten, vor Ablauf der zweiten Woche entlassen.

---

wärtig sind, als „Tonica" darbietet. Namentlich mit Verabreichung des Weins wird meines Erachtens oft zu sehr nach allgemeinen Principien verfahren.

*) Ich fange bei normalem Verlaufe nicht gern, und nur etwa wenn Corticalmassen zurückblieben, vor dem dritten Tage mit Atropin an.

Klinische Beobachtungen.

171. Ein phthisischer Augapfel mit theils erweiohtem, theils verknöchertem Chorioidealsarkom.

Die klinische Beobachtung, dass Chorioidealsarkome mitunter zu Phthisis bulbi führen, ist bis jetzt nur durch wenige Sectionen erhärtet worden. Es dürfte daher die Beschreibung eines solchen Augapfels um so mehr gerechtfertigt erscheinen, als sich hier die interessante Erscheinung von Verknöcherung des Sarkoms vorfand. Leider bin ich nicht im Stande, über den klinischen Verlauf der Krankheit etwas Näheres angeben zu können, da Pat., ein 45 J. alter Arbeiter, erst nachdem sein linkes Auge phthisisch geworden war, wegen der heftigen Schmerzen, die er auf demselben empfand, in der Klinik meines Bruders Rath suchte. Ophthalmoskopisch konnte keine genaue Diagnose gestellt werden; nur der Umstand, dass das Auge phthisich war und dennoch dem Pat. heftige Schmerzanfälle bereitete, liess einen intraocularen Tumor erwarten. — Mein Bruder, Dr. E. B e r t h o l d aus Königsberg, machte daher die Exstirpation, bewahrte den Augapfel in M ü l l e r ' scher Flüssigkeit mehrere Monate auf und übergab ihn mir zur Untersuchung.

Der Augapfel hat eine nahezu birnförmige Gestalt, sein von hinten nach vorne gerichteter Durchmesser misst 17 Mm., der von oben nach unten und der von links nach rechts ziehende betragen im vorderen Abschnitt 19 Mm., im hinteren 15 Mm.

Die Cornea ist abgeflacht. Die Sklera zeigt an ihrer Aussenfläche, besonders nahe der Cornealgrenze, in der Richtung der Meridiane verlaufende Einziehungen, denen leistenförmige Hervorragungen auf der Innenfläche entsprechen. Auf der horizontalen Durschnittsfläche erscheinen Cornea und Sklera verdickt. Den hinteren Theil der Augenkapselhöhle nimmt ein Tumor ein; sein von hinten nach vorne gehender Durchmesser beträgt 1 Ctm., während der Abstand seiner fast planen vorderen Begrenzungsfläche von der hinteren

2*

Cornealfläche 5 Mm. misst. Die Farbe des Tumors ist an manchen Stellen derjenigen der Chorioidea gleich, an anderen finden sich bedeutende Abstufungen in's Hellere. In der Mitte desselben sieht man zwei Lücken, eine kleinere links gelegene und eine erbsengrosse rechterseits, welche mit zähen, schmutzig-weissen Massen ausgefüllt sind. Am Rande des Tumors nimmt man stellenweise bläuliche Streifen von Knochenhärte wahr. Die Chorioidea ist bis auf eine in der Gegend des Aequators rechterseits gelegene Stelle überall sichtbar, hierselbst ist aber keine scharfe Grenze zwischen Tumor und Chorioidea sichtbar, letztere schickt linkerseits, auch in der Gegend des Aequators, einen ca. 2 Mm. langen und 1 Mm. breiten Streifen von bräunlicher Farbe in die Sklera hinein. Im Uebrigen ist die Chorioidea von gewöhnlicher Dicke und etwas hellerer Farbe, als normal. Die Retina kann man vom Opticus an noch als einen 3 Mm. langen Streifen durch die Geschwulst hindurch verfolgen, von da ab ist sie aber nicht mehr deutlich zu erkennen, wird dann aber an der vorderen Fläche des Tumors, welcher sie fest anliegt, wieder sichtbar; links geht sie direct in die Pars ciliaris über, während sie rechterseits erst einige Windungen macht, bis sie an die betreffende Stelle herantritt. Der Glaskörper ist von elastisch weicher Beschaffenheit und weisslicher Farbe. Die Linse ist nach links verschoben und von weicher Consistenz, die Kapsel gefaltet. Die Iris ist ganz entfärbt und liegt der Cornea und der vorderen Linsenkapsel fest an.

    Mikroskopischer Befund. — Der Tumor ist im Ganzen verkalkt und dadurch seine Structur] zum grossen Theile undeutlich, resp. gar nicht zu erkennen; nur an der Peripherie ist dieselbe gut erhalten und zeigt ein schönes Spindelzellensarkom. Der reine Typus desselben ist nur stellenweise durch verschieden geformte Pigmentzellen und einzelne Gruppen runder, theils kleiner, theils grosser Zellen getrübt. Letztere präsentiren sich mitunter als Mutterzellen mit 2 bis 4 Töchterzellen. Die alten makroskopisch bläulich aussehenden Streifen erweisen sich als kleine Schüppchen gut ausgebildeten Knochens; die Knochenkörperchen haben die charakteristische Form, und sind mit zahlreichen Ausläufern versehen, die zum Theil Anastomosen mit einander eingehen; auch ist das Lamellensystem schon angedeutet. Diese Knochenschüppchen übertreffen an Zahl bei weitem die nach dem makroskopischen Aussehen angenommenen, und sind meistens längs der Peripherie neben einander, stellenweise aber auch concentrisch hinter einander gelagert. Ihre äussere Begrenzung wird meistens von einer mehrschichtigen Lage von Spindelzellen gebildet, während auf der inneren Seite, woselbst die Verkalkung beträchtlicher ist, die runde Zellenform vorherrschend ist; hier treten auch die oben erwähnten Mutterzellen auf, die Tochterzellen sind oft sehr gross und nehmen manchmal eckige Formen an. Wo mehrere Knochenpartien nahe an einander liegen, findet man häufig reichliche Vascularisation des zwischenliegenden Gewebes. Nach der Mitte der Geschwulst hin ist dieselbe zu starren Balken zerklüftet, und zeigt nach Salzsäurezusatz noch einzelne geschrumpfte Zellen und eine grössere Anzahl von Kernen, ausserdem trifft man hierselbst verschieden geformte Lücken an, welche wahrscheinlich auch mit erweichten Massen, die bei der Präparation herausgefallen sind, erfüllt waren. Der Inhalt der makroskopisch sichtbaren Höhlen ist ganz opak, und lässt nach Salzsäurezusatz nur noch Kerne als einzige morphologische Bestandtheile erkennen.

Die Chorioidea ist ihres Pigmentreichthums mehr oder weniger beraubt, und ausserdem von Sarkomelementen, theils spindelförmigen, theils runden Zellen durchsetzt, die Lamina elastica ist zum grössten Theil erhalten, und wellenförmig geschlängelt; nur in der rechten Aequatorialgegend, woselbst die Chorioidea in allen Schichten von Tumorelementen ganz und gar überwuchert ist, fehlt sie, das Pigmentepithel ist meistens noch vorhanden, aber zu unregelmässigen Haufen gruppirt.

Die Stroma—Zellen der Iris enthalten sehr wenig Pigment und sind durch kleine runde Zellen etwas auseinander gedrängt, das Epithel ist von dem eigentlichen Gewebe der Iris durch neugebildetes Bindegewebe stellenweise abgehoben, letzteres reicht bis zur vorderen Linsenkapsel heran.

Die Retina ist zu einem areolaren Netzwerk, in dessen Maschen man noch sparsame runde Zellen und Kerne sieht, entartet und von kleineren und grösseren Kalkkörnchen durchsetzt.

Der Glaskörper zeigt eine feinfasrige Grundsubstanz mit eingelagerten Zellen der verschiedensten Form und Grösse, theils langen, oft mit mehreren Ausläufern versehenen spindelförmigen, theils runden und sternförmigen; ausserdem sieht man, in den der Retina näheren Partien, Gefässe, in deren Umgebung die Verkalkung, welche den ganzen Glaskörper betroffen hat, am stärksten ist. Stellenweise lassen sich auch rostfarbene Pigmentkörnchenhaufen wahrnehmen.

Die Linse hat ihre normale Structur vollkommen eingebüsst, man sieht hierselbst nur noch eine körnig getrübte Masse, aus der sich grössere Kalkkörnchen und Myelinkugeln hervorheben. Die Linsenkapsel ist homogen.

Die Grundsubstanz der Hornhaut hat ihre regelmässige Faserung verloren, die Hornhautkörperchen zeigen im Ganzen normale Form und Grösse, lassen mitunter einen Kern deutlich erkennen, sind aber zum grössten Theil mit Kalkkörnchen vollständig ausgefüllt; an der vorderen Hornhautfläche sieht man in der Peripherie viele junge Zellen und Gefässe weit über den Limbus corneae hinaus zwischen das eigentliche Hornhautgewebe und das vordere Epithel sich hinziehen. Die Bowman'sche Membran ist bis auf diese peripheren Stellen, woselbst sie nicht mehr sichtbar ist, normal. Desgleichen auch die Descemet'sche Haut, welche dem Irisgewebe dicht anliegt. Das Epithel der vorderen Hornhautfläche ist kaum verändert, das der hinteren zerstört.

Die Sklera zeigt stellenweise zwischen ihren Fibrillen befindliche, hauptsächlich dem Verlaufe der Gefässe folgende, theils streifige, theils rundliche Nester von kleinen runden, resp. spindelförmigen Zellen. Erstere findet man hauptsächlich in den der Innenfläche nahen Schichten, besonders zahlreich in der rechten Aequatorialgegend, letztere in den mittleren Schichten der Sklera. Diese Zellen haben ein zartes Protoplasma, lassen deutlich einen Kern erkennen und haben eine äusserst sparsame Zwischensubstanz, so dass man sie als die jüngsten Sarkomelemente betrachten muss. In der linken Aequatorialgegend nimmt man in den makroskopisch sichtbaren bräunlichen Streifen kleine Knocheninselchen inmitten von theils pigmentirten, theils unpigmentirten Zellen wahr. Im Uebrigen ist die Sklera bis auf eine diffuse Verkalkung wenig verändert.

Ich hebe hier besonders hervor, dass in diesem Falle eine Fortpflanzung des chorioidealen Sarkoms auf die Sklera stattgefunden hat. Wie ich in einer Arbeit, die brieflicher Mittheilung zufolge im 15. Bande des A. f. O. erscheinen wird, erwähnt habe, ist diese Art der Fortpflanzung eine sehr gewöhnliche, und findet, nach dem Material zu urtheilen, das mir zur Disposition stand, in allen Fällen, in denen es zur Bildung von extraocularen Tumoren kommt, statt. Bekanntlich hatte v. Graefe die entgegengesetzte Ansicht, dass eine continuirliche Uebertragung durch die Sklera nicht die zu den chorioidealen sich hinzugesellenden episkleralen Sarkome erzeuge. Neuerdings hat aber Hirschberg*) aus dem von Graefe'schen Material selbst, unter mehreren Geschwülsten der Orbita und des Bulbus auch zwei Fälle, in denen chorioideale und episklerale Sarkome sich vereint vorfanden, beschrieben, und in beiden zeigte sich die Sklera an der Stelle, wo sie die beiden Tumoren von einander trennt, sarkomatös entartet. Ich darf hierin wohl eine Bestätigung meiner Angaben erblicken, und da der eine Fall von Hirschberg so gedeutet wird, dass die episklerale Geschwulst früher entstanden sei, wie die chorioideale, die Vermuthung aussprechen, dass die episkleralen Sarkome sich ebenso durch die Sklera

---

*) Kl. Monatsblätter für Augenheilkunde, Juni 1868, S. 168, Ibid. März und April 1869, S. 88.

auf die Chorioidea, wie die chorioidealen auf das episklerale Gewebe fortpflanzen. Dieses Verhalten der Sklera ist darum besonders wichtig, weil es in Fällen, wo Phthisis bulbi eintritt, sehr leicht dahin kommen kann, dass die älteren chorioidealen Sarkomtheile wegen regressiver und progressiver Metamorphose ihre Structur nicht mehr erkennen lassen, während die jüngeren in der Sklera befindlichen Sarkomelemente noch gut erhalten sind, und die ursprüngliche Krankheit des Auges verrathen. Man findet, wenn man die Litteratur über „Knochenbildung im Auge" durchgeht, mehrere Fälle, die dem unsrigen ganz analog sind, verzeichnet; es ist aber die zwischen der Chorioidea und der abgelösten Retina befindliche „dichte Masse" für ein organisirtes Exsudat gehalten worden. Die in letzterem vorhandenen Zellen stimmen aber nach Beschreibung sowohl in der Gruppirung, wie in der Form, so genau mit denen, welche man für gewöhnlich in chorioidealen Sarkomen findet, überein, dass, Alles zusammengenommen, ich der Vermuthung Raum geben muss, es seien diese dichten Exsudatmassen Chorioidealsarkome gewesen. Vielleicht hätte eine genaue Durchmusterung der Sklera auf die richtigere Erkenntniss der Grundkrankheit, die sich aus den übrigen Theilen des Bulbus vermuthlich nicht mehr ermitteln liess, geführt.

Dr. H. Berthold.

Referate aus der ophthalmologischen Litteratur.

Halbertsma, Stephanus Justus. Die Operation des Schielens.

Inaugural-Dissertation. Utrecht 1869.

Verfasser theilt seine Arbeit in drei Theile. Im ersten, „die Schieloperation bei Contractur oder einfacher Verkürzung der Augenmuskeln" betitelt, bespricht er nach einer geschichtlichen Einleitung, in der die Namen Dieffenbach,

Stromeier, Lucien Boyer, v. Graefe glänzen, die einzelnen gegenwärtig in den verschiedenen Ländern gebräuchlichen Methoden.

Bei der englischen, sogenannten subconjunctivalen Methode macht er auf die bei derselben häufig eintretende Subconjunctivalblutung aufmerksam, weshalb es nach Bowman·als Regel gelte, zum leichteren Abfluss des Blutes eine Contrapunction an der entgegengetzten Seite der Sehne vorzunehmen. v. Graefe verwerfe diese Methode wegen Beschränkung im „Dosiren" nach des Verfassers Ansicht mit Unrecht. Wäre die subconjunctivale Lage der Sehnenwunde schon ein Vortheil, so würde hierbei sicher das Einsinken der Karunkel vermieden, was doch sonst nach ergiebigen Schieloperationen, auch nach der v. Graefe's Methode, eintrete.

Der Liebreich'schen Modification zollt Verfasser das verdiente Lob und hebt er hervor, dass sie seit 1867 in der Donders'schen Klinik bei hochgradigem Strabismus stets ausgeführt werde.

Auf einen wichtigen Punkt mache Dr. Snellen dabei aufmerksam. Bei dem tiefen Eindringen unter die Conjunctiva treffe die Scheere auf ziemlich ansehnliche Arterien; beim Oeffnen der Tenon'schen Kapsel könne daher in die durch sie gebildete Höhle ein Blutaustritt erfolgen, der bei Abschluss der Luft höchst ansehnlich werde.

Als Beleg dafür bringt Verfasser zwei Fälle. In beiden trat nach der Blutung starke Protrusio bulbi ein; doch konnte im ersten Falle die Tenotomie noch ausgeführt werden, während im anderen Falle der Bulbus durch das bedeutende Blutextravasat so stark nach vorn gepresst wurde, dass von der weitern Operation abgestanden werden musste und nur mit Mühe der Lidhalter entfernt wurde. Sofortiger Druckverband; die Resorption ging in beiden Fällen günstig von statten.

Dr. Snellen glaube, in beiden Fällen die Scheere dem Bulbus zu nahe geführt zu haben; seitdem er näher der Innenfläche der Conjunctiva, mehr vom Bulbus ab, operirt, hat dieser Unfall sich nie wieder ereignet.

Nunmehr kommt Verfasser auf Seite 23 auf die gegenwärtig in der Donders'schen Klinik übliche Snellen'sche Methode zu sprechen, die Referent selbst, Dank der Liebenswürdigkeit ihres Erfinders, häufig zu sehen Gelegenheit hatte und der wohlverdienten Beachtung empfiehlt. Verfasser schreibt:

„Die Operation geschieht im Liegen; Chloroform wird nicht angewendet; die Conjunctiva wird in meridionaler Richtung (bei lateralem Schielen also im horizontalen Meridian), parallel dem Verlaufe der Sehne, mit einer scharfen Scheere eingeschnitten. Diese Wunde kann ziemlich gross sein.

Der Cornealperipherie parallele Conjunctivawunden haben namentlich bei Bewegung des Auges nach der entgegengesetzten Seite, Neigung zum Klaffen; Wunden in meridionaler Richtung dagegen bei Spannung, Neigung, sich zu schliessen. Bei dennoch ungenügendem Verschluss der Wunde kann auch unbeschadet des Effects eine Sutur angelegt werden.

Alsdann werden beide Wundränder der Conjunctiva hintereinander mit der Pincette abgehoben und die Bindehaut wird mit einer stumpfspitzigen Scheere nach oben und unten in gleichem Verhältnisse gelöst. Auch die Karunkel wird von dem darunterliegenden Zellgewebe getrennt. Man setzt nun die geschlossene Pincette zwischen den Wundrändern auf die Mitte der Sehne, lässt dieselbe aufspringen, die Wundränder auseinander weichen; schliesst die Pincette mit leichtem Druck und ist sicher, die Sehne zwischen der Pincette zu haben.

Der Sklera so nah als möglich wird mit der Scheere eine Oeffnung in der Sehne gemacht, in dieselbe der eine Arm der Scheere, der andere zwischen Sehne und Conjunctiva geführt. Auf diese Weise kann man leicht in beiden Richtungen in gleichem Maasse operiren, und mit dem stumpfen Haken sich schliesslich überzeugen, ob noch Fasern stehen, wie das besonders bei dem rectus externus bisweilen vorkommt."

Nach des Verfassers Meinung hat diese Methode folgende Vortheile:

1) Die Operation sei leichter. Operire man „à jour", so bestehe keine Gefahr, den Bulbus einzuschneiden. Auch könne man nicht die Tenon'sche Kapsel in einer Richtung unwillkürlich zu viel einschneiden.

2) Die Operation sei weniger schmerzhaft. Der Druck mit dem stumpfen Haken auf das Auge, wie das bei der früheren Methode geschah, schien den Patienten sehr unangenehm. Dieser Druck sei hier vermieden.

3) Ebenso eine Blutanhäufung, wie sie namentlich bei der englischen Methode vorzukommen pflege.

4) Man habe es vollkommen in der Hand, nach der einen oder anderen Seite hin die Kapsel mehr einzuschneiden und nach der Individualität des Falles zu dosiren.

Am Schluss des ersten Theiles werden die guten Erfolge dieser Operation mit Recht hervorgehoben.

In der Einleitung zum zweiten Theil über „operative Behandlung bei Parese der Augenmuskeln" bemerkt Verfasser, dass in den meisten Fällen, namentlich bei Strabismus convergens ex hypermetropia, das Schielen auf Contractur beruhe. Bemerkenswerth sei nun in diesen Fällen die geringe Beweglichkeitsbeschränkung des tenotomirten Muskels, auch schon unmittelbar nach der Operation, wiewohl später ein genügender Effect erzielt würde. Bei gut ausgeführten Operationen, namentlich wenn der Antagonist nicht paretisch ist, sähe man später eine auffallend ergiebige Excursion des Auges. In einigen Fällen könne man sagen, das Beweglichkeitsgebiet werde durch die Operation nur verlegt, ohne dass eine merkliche Beschränkung bestehen bleibt. Sowohl der durchschnittene Muskel wie der Antagonist würden durch den veränderten Stand des Auges zu lang. Durch Veränderung in der Ernährung der zu langen Muskelfasern könne wohl eine Verkürzung derselben und daraus eine Ergiebigkeit in der Bewegung resultiren.

Verfasser hofft hierüber später Studien zu machen.

Kurz wird hierauf die Insufficienz der Muskeln, ihre Ursache und Behandlung nach D i e f f e n b a c h, nach der G u é r i n – G r a e f e ' schen Methode der Vorlagerung und der C r i t c h e t t ' schen „Operation of re–adjustment" (Vornähung) besprochen und zum Schluss Dr. S n e l l e n ' s Verfahren bei Muskelinsufficienz, das in Verbindung steht mit der beschriebenen neuen Methode der Schieloperation und hier kurz beschrieben werden mag:

Die Conjunctivawunde wird im horizontalen Meridian (von vorn nach hinten) gemacht, die Sehne in der gewöhnlichen Weise losgetrennt, aber ein wenig mehr nach hinten als bei Tenotomie, so dass ein kleines Stück Sehne an der Sklera bleibt. Zwei Nadeln werden alsdann in folgender Weise gelegt: die eine durch den oberen Wundrand der Conjunctiva, durch das Sehnenende an der Sklera, durch den nach vorn gezogenen Muskel und wieder durch denselben Wundrand der Conjunctiva. Die zweite Nadel wird ganz auf dieselbe Weise und parallel der ersten durch den unteren Rand geführt. Beide Faden werden nun stark angezogen. Das frühe Einreissen der Conjunctiva ist hier nicht möglich. Die Knoten liegen an der Aussenseite der Conjunctiva und die Nähte sind also später leicht zu entfernen.

Die Conjunctivawunde kann für sich besonders genäht werden, was die Gefahr einer Entzündung vermindert. Bei der festeren Verwachsung ist das Durchschneiden des Antagonisten nicht immer nothwendig.

Verfasser ist der Ansicht, dass diese Methode namentlich bei Insufficienz mit paretischer Complication des Antagonisten die gewöhnliche Tenotomie verdrängen wird.

Der letzte Theil führt die Ueberschrift: „Einige Fragen, nach den hier in den lezten Jahren beobachteten Fällen erörtert".

Verfasser giebt eine kleine Statistik über die seit 1. Ja-

nuar 1866 bis 1. October 1869 in der Donders'schen
Klinik vorgenommenen Schiel-Operationen, die hier folgt:

im J. 1866	48 Tenotomien bei	38 Personen,
im J. 1867	50 „	bei 31 „
im J. 1868	51 „	bei 35 „
im J. 1869 (bis 1. Octbr.) 43	„	bei 27 „

im Ganzen 192 Tenotomien bei 131 Personen.

Die nun folgenden aetiologischen Erörterungen über
Schielen bringen nichts Neues. Als Ursachen werden angeführt Hypermetropie, Myopie und Ophthalmien in früherer
Zeit mit Verschluss und Nichtgebrauch des kranken Auges,
wobei Doppelsehen, das bei seiner Lästigkeit für den Patienten der binocularen Einstellung sonst so dienlich werde, nicht
eintreten könne.

Utrecht, im Dec. 1869.   Dr. Schroeder.

Listing. Ueber eine neue Art der stereoskopischen
Wahrnehmung.

Nachrichten von der Königl. Gesellschaft der Wissenschaften zu Göttingen. 1869, Nr. 21.

Die neue Art der stereoskopischen Wahrnehmung, eine
monogrammatische, beruht auf der Anwendung nur eines
ebenen Bildes statt wie beim Stereoskop zweier. Man
zeichne auf Papier zwei gleich starke, einander unter einem
Winkel von etwa 30 Graden durchkreuzende gerade Linien
in Gestalt eines X und orientire die Zeichnung so, dass die
verticale Halbirungslinie des spitzen Winkels in der Medianebene des Beobachters liege, dass also beide Linien symmetrisch auf beiden Seiten um etwa 15° gegen die Medianebene
geneigt stehen. Die Linien können als die beiden Diagonalen
eines mit seinen grösseren Seiten aufrecht oder vertical stehenden Rechtecks betrachtet werden. Wir bezeichnen in Gedanken die obere linke Ecke dieses Rechtecks mit A, die
obere rechte mit B, die Ecke unten links mit B', die untere
rechts mit A'. Die binoculare Betrachtung dieser einfachen
Zeichnung ergiebt nun unter gewohnten Verhältnissen natür-

lich nur den Eindruck eines in der Ebene enthaltenen Andreas-Kreuzes. Dieser Eindruck geht aber sofort in einen stereoskopischen über, sobald man durch ein Prisma (etwa 4°) übereinander stehende Doppelbilder erzeugt. Z. B. mit Prisma Basis oben vor dem rechten Auge erscheint die Linie B B' dem Beobachter ferner zu liegen, als die andere.

Zur Erklärung der Erscheinung genügt, daran zu erinnern, dass, wenn man eine Doppelzeichnung, wie sie das Stereoskop erfordert, anfertigt, bestehend aus zwei geometrisch gleichen und gleichgerichteten Andreas-Kreuzen, und die Verbindungslinie ihrer Kreuzpunkte, mit der die optischen Mitten beider Stereoskoplinsen, als auch mit der die Augencentra des Beobachters verbindenden Linie parallel legt, diese Doppelzeichnung keinen stereoskopischen Eindruck erzeugt; dass ein solcher aber sofort hervortreten muss — wie auch der wirkliche Versuch zeigt — sobald man durch mässige Verschiebung beider Hälften der Zeichnung ohne Drehung in ihrer Ebene in verticalem Sinne den Kreuzpunkt der einen Hälfte aufwärts oder abwärts rückt. Wird z. B. das rechte Kreuz nach unten gesenkt, so wird dadurch offenbar eine Verringerung der Entfernung der beiden Linien BB' bewirkt, und es muss nun im binocularen Eindruck wegen Verstärkung der Convergenz der Sehaxen die Linie A A' näher, wegen Verminderung der Convergenz der Sehaxen die Linie BB' entfernter erscheinen. Die im Stereoskop aus der gegenseitigen Verschiebung beider Hälften einer Doppelzeichnung hervorgehende Wirkung wird ohne Stereoskop monogrammatisch durch die Disjunction der Augenaxen erzielt: der binoculare Effect muss also physiologisch derselbe sein.

In überraschendster Weise treten die Erscheinungen der monogrammatischen Stereoskopie hervor, wenn man statt einfacher Linien Figuren benutzt, in welchen sich, ähnlich wie in Tapetenmustern, gewisse Attribute von gleicher Configuration in gleichen Abständen wiederholen. Auf diesem Princip beruhen die dieser Abhandlung beigegebenen Tafeln. In Taf. I. sind die schrägen Kreuzlinien gar nicht wirklich gezeichnet, sondern durch Reihen von Punkten ersetzt, die in geradlinig schräger Richtung in gleichen Intervallen auf einander folgen, und zwar so, dass jede dieser Reihen in gleicher Figur und Stellung dieselben Buchstaben als Attribute der Punkte trägt. Drei dieser Reihen mit den Lettern G, F, E laufen unter einander parallel in der Richtung der vorhin genannten Linie A A', die andern drei unter sich parallelen Reihen mit den Lettern E' F' G' entsprechen in der Lage der früheren zweiten Linie B B'. Horizontale ausgezogene Linien verbinden je 6 Punkte, von denen gelegentlich zwei an den Kreuzstellen zusammenfallen. Die begleitenden Buchstaben stehen bei den drei ersten Reihen über, bei den andern drei Reihen unter den entsprechenden Punkten. Die Zeichnung stellt also eine Art von Doppelleiter vor, wo bei der, unter Anwendung der Disjunction angestellten binoculären Betrachtung, sobald die disjunctive Deflexion eine ganze, zwischen zwei nächsten Horizontalen enthaltene Stufe beträgt, die eine Leiter, mit ihren Punkten und Buchstaben stereoskopisch über die andere emporgehoben erscheint. Dies Relief wird natürlich verstärkt, wenn die Disjunction sich auf zwei oder mehr Stufen erstreckt. Die Horizontallinien erleichtern dem binoculären Blick die genaue Verschiebung um eine oder mehrere ganze Stufen bei der Disjunction, obwohl diese Linien als solche im stereoskopischen Eindruck ebenso wie beim freien Sehen sich unserem Urtheil über die Entfernung entziehen, weil bei ihnen die binoculare Parallaxe, d. h. der Convergenz-winkel der Augenaxen, aufhört, eine bestimmte Grösse zu sein und somit als Hülfsmittel zur Beurtheilung der Distanz ihren Dienst versagt. Eine genauere Beachtung des Eindrucks, den diese Linien während der disjunctiven Stereoskopie gewähren, zeigt in der That, dass wir ohne Empfindung des physiologischen Zwanges, der ein so wesentliches Element des stereoskopischen Sehens bildet, lediglich in psychologischer Deutung diese Linien nach Belieben, sei es mit der erhobenen, sei es mit der vertieften Leiter vereint, sei es von beiden getrennt in irgend welcher anderen eingebildeten Entfernung sehen zu können glauben.

Die auf Taf. II. enthaltene Druckschrift in ähnlicher Anordnung zweier Leitern, deren jede in gleichen Intervallen oder Stufen dieselben Worte wiederholt, zeigt den stereoskopischen Eindruck in mehr correcter, complicirterer, aber beim Gelingen überraschenderer Gestalt. Die Erleichterung, welche auf Taf. I. die horizontalen Linien boten, um bei der Disjunction die volle Stufe zu erreichen, fällt hier weg. Andererseits geben sich alle kleinen Ungleichheiten, die der gleichförmigste Letternsatz noch übrig lässt, durch kleine Relief–Verschiedenheiten kund; eine Beigabe, die uns in neuer Gestalt, die bekannte zuerst von Dove besprochene Erscheinung exemplificirt.

Taf. III. enthält zwei einander durchkreuzende Wellenlinien, die eine gleichförmig stark ausgezogen, die andere perlschnurartig punktirt*). Eine mässige Disjunction bewirkt sofort einen stereoskopischen Effect dahin, dass beide Linien als Schraubenlinien erscheinen. Die lineare Deflexion muss hierbei nur eine geringe Quote einer ganzen Wellenlänge betragen. Beträgt sie nun eine solche Quote weniger als eine ganze Wellenlänge, so wird der Windungstypus der entgegengesetzte. Bei genau einer vollen Wellenlänge aber erscheinen begreiflich zwei fast gleichstarke mit erkennbarer Punktirung versehene, in der Papierebene gelegene, sich kreuzende Wellenlinien ohne stereoskopisches Relief.

In Bezug auf die mathematische Behandlung des Gesagten glauben wir auf das Original verweisen zu müssen.

(Um Missverständnissen vorzubeugen, erlaubt sich Ref. die Bemerkung, dass der stereoskopische Eindruck selbstverständlich wegfällt, sobald die durch das Prisma hervorgerufenen übereinanderstehenden Doppelbilder durch eine compensirende Ablenkung der Sehaxen verschmolzen werden.)

Schweigger.

---

*) Die Taf. III. des Originals konnte hier nicht reproducirt werden.

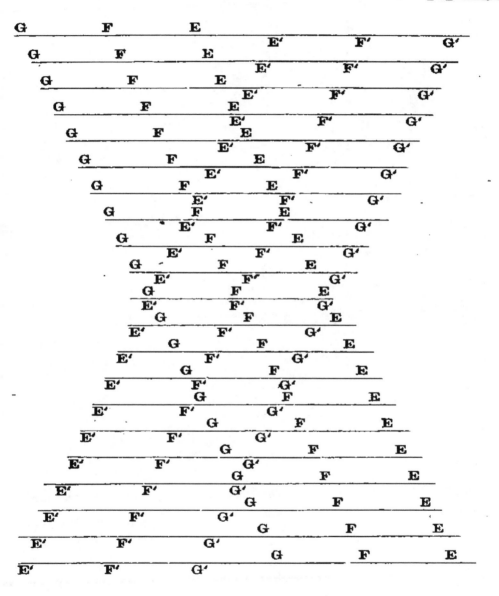

Taf. II.

Stereoskopischer Eindruck

        Disjunction der Seh-Axen

  Stereoskopischer Eindruck

         Disjunction der Seh-Axen

    Stereoskopischer Eindruck

          Disjunction der Seh-Axen

      Stereoskopischer Eindruck

           Disjunction der Seh-Axen

        Stereoskopischer Eindruck

            Disjunction der Seh-Axen

          Stereoskopischer Eindruck

              Disjunction der Seh-Axen

            Stereoskopischer Eindruck

                Disjunction der Seh-Axen

              Stereoskopischer Eindruck

                  Disjunction der Seh-Axen

                Stereoskopischer Eindruck

                    Disjunction der Seh-Axen

                  Stereoskopischer Eindruck

                      Disjunction der Seh-Axen

                    Stereoskopischer Eindruck

Disjunction der Seh-Axen

                      Stereoskopischer Eindruck

Disjunction der Seh-Axen

                        Stereoskopischer Eindruck

    Disjunction der Seh-Axen

                          Stereoskopischer Eindruck

      Disjunction der Seh-Axen

                            Stereoskopischer Eindruck

      Disjunction der Seh-Axen

                              Stereoskopischer Eindruck

Disjunction der Seh-Axen

                            Stereoskopischer Eindruck

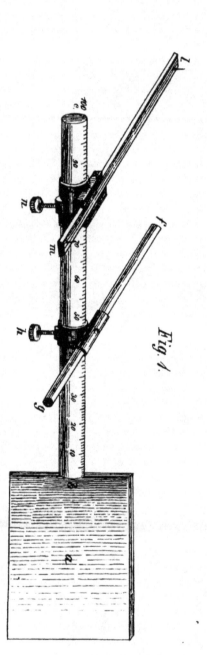

Fig. 1.

Fig. 1. zu pag. 33. gehörig.
Fig. 2. zur klinischen Beobachtung № 172. gehörig.

Beschreibung eines neuen Exophthal-
mometers *)

von

Dr. Emil Emmert.

Nachdem Cohn in Breslau schon im Jahre 1868 ein
Instrument zur Messung der Prominenz der Augen, von
ihm Exophthalmometer genannt, construirt hatte, für dessen
Anwendung er den Supraorbitalrand als Vergleichspunkt
für die Prominenz des Hornhautgipfels wählte, und von
Hasner im Frühjahr 1869 sein in seiner Schrift über die
„Statopathien des Auges" beschriebenes Orthometer erfun-
den wurde, mit welchem er nicht nur die Prominenz der
Augen beziehungsweise zum äusseren Orbitalrand, sondern
auch anderweitige, angeborene oder erworbene Lage- und
Richtungsveränderungen der Augen sowohl als des menschlichen Schädels messen will, war es ein Fall von sehr bedeutendem Exophthalmus in Folge eines Intraorbitaltumors,
der mir zur Construction eines neuen Instrumentes, welches
ich auch Exophthalmometer nennen möchte, Veranlassung
gab, nachdem ich das Exophthalmometer von Cohn, welches mir zu Gebote stand, bei eben diesem Fall und ausserdem bei einer Reihe weiterer Untersuchungen über die Prominenz der Augen im Allgemeinen in Anwendung gebracht
hatte.

Ich glaube, bei meinem Instrumente wenigstens einen
Theil der Schattenseiten des Cohn'schen Instrumentes, wie
Complicirtheit in der Zusammensetzung, Schwierigkeit beim

---

*) Hierzu die Abbildung Fig. 1.

Halten des Instrumentes, den Nachtheil, dass es nicht auch in liegender Stellung applicirt werden kann, ferner denjenigen der Wahl des Supraorbitalrandes als Stützpunkt wegen der variablen Fettmengen, den Nachtheil, die Messungsresultate erst auf indirectem Wege zu erhalten, Ungenauigkeit durch die Vorrichtung zum Visiren auf den Hornhautgipfel u. a. m., vermieden zu haben, ohne dass dadurch eine gleich grosse Reihe anderer an deren Stelle gesetzt worden wäre.

Zugleich möchte ich auch das Wort P r o t r u s i o n als allgemeine Bezeichnung für die Lage des Auges beziehungsweise zu seinem Vergleichspunkt, nicht für alle Fälle gebraucht wissen, sondern das Wort P r o m i n e n z an dessen Stelle setzen, denn jedes Auge zeigt einen gewissen Grad von Prominenz, nicht aber jedes eine Protrusion; das Wort Protrusion schliesst schon einen [pathologischen Begriff in sich, die Prominenz wird erst zur Protrusion durch gewisse pathologische Vorgänge.

Eine kurze Beschreibung des Instrumentes, bei welcher ich mich auf die Zeichnung Fig. 1 beziehe, die dasselbe in seiner natürlichen Grösse wiedergiebt, mag einen Begriff von der Zusammensetzung desselben geben.

Es besteht aus einer Messingplatte a, die auf beiden Seiten gleich ist und eine Länge hat von 45 mm., eine Höhe von 30 mm. und eine Dicke von 3 mm.; in diese Messingplatte a ist eine, um das Gewicht zu vermindern, hohle, runde Messingstange b c so in die Mitte einer der Höhenseiten eingeschraubt, dass sie bei einem Dickendurchmesser von 6 mm. die Flächen der Platte a auf beiden Seiten um 1,5 mm. überragt. Diese Stange hat eine Länge von 100 mm. und trägt auf der einen ihrer in der Fortsetzung der Länge der Platte liegenden Seite zu der Platte rechtwinklige Millimetertheilung.

An dieser Metallstange b c lässt sich eine Metallhülse d von 5 mm. Länge sowohl in der Längenrichtung der Stange verschieben, als um die Längenachse derselben drehen, und in jeder beliebigen Stellung durch die Fixationsschraube h, auf deren Knopf die Länge der Hülse (5 mm.) verzeichnet ist, feststellen. Auf dieser Hülse d ist eine zu der Stange b c rechtwinklige Metallhülse e befestigt von 13 mm. Länge und 4 mm. Durchmesser, in welcher eine massive Messingstange f g von 6 mm. Länge und 3 mm. Durchmesser vor- und rückwärts geschoben werden kann.

Zwischen Ende c der Stange b c und Hülse d ist eine zweite Hülse i angebracht, mit welcher dieselben Bewegungen auszuführen sind, wie mit Hülse d; auch sie kann in der Längenaxe der Stange verschoben und ebenso um dieselbe gedreht und durch eine Stellschraube n, auf deren Knopf die Länge der Hülse i (12 mm.) markirt ist, in jeder beliebigen Stellung fixirt werden. Auf Hülse i ist ein Schlitten k in rechtem Winkel zu Stange b c befestigt, dessen Länge gleich Hülse e 13 mm., dessen Breite aber 9 mm. beträgt; in diesem Schlitten liegt ein Lineal l m., welches mit Stange f g parallel, wie diese vor- und rückwärts geschoben werden kann und gleichfalls eine Länge von 60 mm. besitzt; seine untere Fläche hat eine Breite von 5 mm., seine obere eine solche von 3 mm. und seine Höhe misst 1,5 mm. In der Mitte des Lineals, ungefähr 2 mm. von jedem Ende desselben entfernt, sind 2 Stahlspitzen eingeschraubt, welche sich ungefähr 2 mm. über seine Fläche erheben; eine durch ihre beiden Spitzen gelegte senkrechte Ebene würde also Hülse i in zwei gleiche Hälften von je 6 mm. theilen.

Ueber die Anwendungsweise dieses sehr einfachen Instrumentes mag noch Folgendes gesagt sein:

Zur Vornahme von Messungen fixirt der Untersuchende vor Allem Stange f g an einer bestimmten, nachher näher zu beschreibenden Stelle der Stange b c mittelst Hülse d durch Schraube h, nachdem er sie so verschoben hat, dass auf beiden Seiten der Stange b c ein ungefähr gleich grosses Stück der Stange f g vorsteht und sie eine möglichst horizontale, zur senkrechten Platte a rechtwinkelige Stellung

3*

einnimmt. Dann legt er das Instrument so an, dass der vorderste Theil eines Endes der Stange f g mit seiner der Platte a zusehenden Cylinderfläche an den äussern knöchernen Orbitralrand, welchen ich als Punctum fixum und Vergleichspunkt wähle, anstösst und Platte a vor das Ohr des zu Untersuchenden, also auf die hintere Jochbeingegend zu liegen kommt; dabei muss das ganze Instrument möglichst horizontal gehalten werden, und wird es also in einem gegebenen Falle lediglich vom Höher - oder Tieferstehen des äusseren Orbitalrandes abhängen, ob auch Platte a höher oder tiefer vor dem Ohre stehen wird*). Nachdem der Untersuchende dem Instrumente die erwähnte Stellung gegeben, erfasst er, während er mit der einen Hand die Platte fixirt hält, mit der anderen die Schraube n, lüftet diese und verschiebt die das Lineal l m tragende Hülse i so lange, bis die beiden Stahlspitzen, mittelst welcher man auf den Hornhautgipfel des geradeaus in die Ferne blickenden Auges visirt, mit letzterem in eine gerade Linie fallen, wobei das Lineal so weit wie thunlich vorgeschoben wird, damit alle 3 Punkte möglichst schnell und gleichzeitig von dem beobachtenden Auge übersehen werden können. In dem Augenblicke, wo die 3 Punkte in Einer Linie stehen, schraubt der Untersuchende die Schraube n fest und das Instrument kann entfernt werden. Es handelt sich nur noch darum, zu wissen, wie gross die am äusseren Orbitalrand relative Prominenz des Auges sei. Wir erhalten das Resultat direct.

Da Hülse d 5 mm. lang ist und Stange f g, die auf

---

*) Anfangs hatte ich versucht, durch eine auf dem hinteren Plattenrande von unten nach oben und hinten oder eine auf dem oberen Rande von vorn nach hinten laufende Feder, die wie bei einer Brille über das Ohr gehängt werden sollte, das Instrument noch sicherer zu fixiren, musste mich jedoch bald davon überzeugen, dass bei der ausserordentlichen Form- und Stellungsverschiedenheit des äusseren Ohres, die übrige Stellung des Instrumentes dadurch beeinträchtigt werde und liess sie deshalb weg.

ihrer Mitte liegt, 3 mm. im Durchmesser hat, so stehen auf
beiden Seiten der Stange je 1 mm. der Hülse vor und es
bleiben von der dem Orbitalrand anliegenden Cylinderfläche
der Stange fg bis zu dem dem freien Ende der Stange b c
zusehenden Rande der Hülse d 4 mm. und ebenso von der
von den Stahlspitzen auf Lineal 1 m gebildeten Mittellinie
bis zu dem der Hülse d zusehenden Rande der Hülse i
6 mm., 4 mm. und 6 mm. sind also constante Grössen, die
wir bei jeder Messung haben müssen, das Einzige variable
ist die zwischen beiden Hülsen bleibende Anzahl Millimeter;
es ist nun sehr leicht, zu der constanten Zahl 10 diese
Millimeter zu addiren. Liegen also beispielsweise zwischen
beiden Hülsen 5 mm., so haben wir eine Prominenz von
10 mm. + 5 mm. = 15 mm., stossen sie ganz aneinander,
eine solche von 10 mm.

Nachdem ich mein Instrument einige Male in Anwendung gebracht, hatte ich zur Messung Eines Auges nicht
mehr als 0,25 Minute nothwendig und erhielt bei wiederholten Controllversuchen entweder stets dieselben oder höchstens um 0,5 mm., in seltenen Fällen auch um 1 mm
schwankende Resultate.

Man könnte mir, nach dem bisher Gesagten, den Einwurf machen, ich wolle mich also nie darauf einlassen,
Prominenzen unter 10 mm. zu messen — ein entschiedener
Nachtheil des Instruments, würde ich mir nicht auf anderem
Wege zu helfen wissen. Habe ich eine geringere Prominenz
als 10 mm., so entferne ich Stab fg, indem ich ihn entweder nur so weit zurückziehe, bis er das Gesicht nicht
mehr berührt, oder ihn ganz herausziehe und dann die Hülse d
so weit gegen Platte a verschiebe, bis sie mir nicht mehr
im Wege steht; sollte dies aber dennoch der Fall sein, so
entferne ich sie ganz, indem ich sie über Stange b c herausziehe. Dann verschiebe ich Hülse i, bis das Lineal, welches
ich deshalb auch den Vorschlag mache, an seinen beiden
Längenseiten cylindrisch abzurunden, an den äussern Orbitalrand stösst, merke mir die Millimeterzahl, bei welcher dies

der Fall gewesen, halte mein Instrument möglichst ruhig, verschiebe die Hülse wieder, bis die Stahlspitzen mit dem Hornhautgipfel in Eine Linie fallen, und lese die Anzahl Millimeter ab auf Stange b c, die zwischen meinem erst gefundenen Punkte und dem demselben zustehenden Rande der Hülse i sich befinden, + 6 mm. Auf diese Weise kann ich natürlich auch Prominenzen von 0 mm. nachweisen.

Ueber die Stellung von Hülse d sei noch bemerkt, dass ich sie bei Untersuchungen an Erwachsenen immer so einstelle, dass ihr gegen das freie Ende der Stange b c sehender Rand auf 20 der Millimetertheilung fällt, da ich gefunden habe, dass bei dieser Einstellung, wenn die gegen die Platte gerichtete Cylinderfläche der Stange f g gegen den Orbitalrand drückt, der hintere Plattenrand beinahe immer noch vor das Ohr fällt. Nur in denjenigen Fällen, wo dies nicht der Fall ist, wo die Distanz zu gering, wie hie und da bei Erwachsenen und beinahe immer bei Kindern, stellte ich den Rand auf 15, 10 oder noch weniger ein; in den verhältnissmässig seltenen Fällen, wo sie zu gross wäre, auf eine Millimeterzahl über 20.

Was Hülse i anbelangt, so könnte sie bedeutend schmäler gemacht werden, so dass sie näher an Hülse d herangebracht werden könnte und wir ohne Stange f g oder Hülse d entfernen zu müssen, auch kleinere Prominenzen als von 10 mm. noch messen könnten; allein auf diese Weise würden wir die bequeme Zahl 10 verlieren, ein Vortheil, der bei den verhältnissmässig selten unter 10 mm. vorkommenden Prominenzen nicht zu verkennen ist.

Aus der Beschreibung des Instrumentes und seiner Anwendung mag auch klar geworden sein, dass es, da es auf seinen beiden Seiten vollkommen gleich ist, auf beiden Kopfseiten auch in derselben Weise zu gebrauchen ist und wir sofort, wenn ein Auge gemessen, die Messung am anderen vornehmen können.

Um mit meinem Instrumente zu mathematisch genauen Resultaten zu gelangen, sollten Platte a und Stange b c selbstverständlich vollkommen parallel stehen zu der Medianebene des Kopfes. Da es aber bis jetzt unmöglich ist, die mathematische Medianebene jedes Kopfes zu finden, so ist es auch unmöglich, das Instrument ihr mathematisch parallel zu stellen. Wir müssen uns daher mit einem approximativen Parallelismus zufrieden geben, der theils durch das Augenmaass bei einiger Uebung und namentlich bei wiederholten Untersuchungen an demselben Individuum — wie dies ja ohnehin in praxi am häufigsten der Fall sein wird — theils, wie ich bei den meisten Individuen gefunden habe, ziemlich leicht dadurch herzustellen ist, dass man den hinteren Theil der Platte etwas fest andrückt, indem die unmittelbar vor dem Ohre gelegene Partie, der Medianebene des Kopfes am meisten parallel zu laufen scheint. Convergirt oder divergirt das Instrument zu sehr zur Medianebene, so erhalten wir zu grosse oder zu kleine Resultate.

Das beschriebene Instrument dient also dazu, uns darüber aufzuklären, wie weit ein Auge im Verhältniss zum äussern Orbitalrand seiner Seite vorsteht. Ich wählte diese Stelle, weil sie, wie auch Cohn gefunden, selbst bei den corpulentesten Individuen ganz oder wenigstens beinahe fettlos ist, in verschiedenen Lebensperioden also durch Schwund oder Zunahme des übrigen Panniculus adiposus keine Differenzen erfahren wird; ferner weil dieser Punkt bei jedem Individuum schnell und leicht gefunden werden kann und wir es dabei nicht mit positiven und negativen Grössen zu thun haben. Das ungleiche Vorstehen beider äusseren Orbitalränder im Verhältniss zu einer durch die beiden Processus mastoidei von oben nach unten gelegten senkrechten Ebene kann kein Grund sein für die Nichtwahl dieses im Uebrigen so zweckmässigen Punctum fixum, da wir wohl nicht weniger Schädel finden würden, bei welchen zwei gleiche Punkte der Supraorbitalränder von einer so gelegten Ebene auf beiden Kopfseiten mathematisch nicht gleich weit abstehen würden. Ausserdem kommt es ja, wenigstens bei Untersuchungen in praxi, nicht sowohl darauf an, wie viel die relative Prominenz bei einer einmaligen Messung betrug, sondern lediglich darauf, um wie viel die Prominenz bei pathologischen Zuständen an demselben Individuum in Beziehung auf die vorhergehende Messung zu- oder abgenommen hat; es kann uns dabei also ganz gleichgültig sein, um wie viel der eine Orbitalrand vor dem anderen vor- oder zurücktsehe. — Auch kann ich mich damit nicht einverstanden erklären wegen des physiognomischen Ausdrucks des Glotzens, der allerdings weit weniger davon abhängt, um wie viel das Auge den äusseren, als um wie viel es den oberen Orbitalrand überragt, der aber eben nur ein Ausdruck ist und dem Einen mehr, dem Anderen weniger bedeutend erscheinen kann, nur wegen des Scheinens, eine für unsere Messungen, die es eben nicht mit dem Scheinen zu thun haben sollen, so günstige Stelle, wie den äusseren Orbitalrand, aufzugeben.

Es bleibt mir noch übrig, von den Resultaten zu sprechen, zu welchen ich durch eine Reihe von Messungen mit meinem Instrumente gelangt bin.

Zuvor sei bemerkt, dass wir es bei diesen Messungen nur mit positiven Prominenzen und Protrusionen zu thun haben von 0 mm. bis + x mm., negative können mit dem Instrumente nicht gemessen werden und würden jedenfalls nur phthisischen Bulbis angehören, da wohl kein gesundes Auge, geschweige denn ein krankhaft vorgetriebenes noch hinter dem äusseren Orbitalrand liegend gefunden werden dürfte.

In Betreff der Resultate selbst, zu denen ich gekommen bin durch Messungen an circa 200 Individuen, also 400 Augen, die ich aber als lange nicht genügende Zahl betrachten möchte, um allgemein gültige Schlüsse daraus ziehen zu dürfen, muss ich sagen, dass sie nicht viel differiren von denjenigen von Cohn, der sie auf 427 Individuen stützt. Männer, Frauen und Kinder jeden Alters, Gesunde und Kranke, Emmetropen, Myopen, Hypermetropen ohne

Unterschied wurden dazu benutzt, ausgenommen Morbus Basedowii und Tumoren des Augapfels oder der Augenhöhle.

Als Grenzwerthe meiner Messungen ergaben sich mir + 9 mm. und + 20 mm. Die bedeutenderen Prominenzen fanden sich, wie auch Cohn angiebt, im Allgemeinen bei Myopie, ohne dass andere Refractionszustände davon ausgeschlossen gewesen wären. Der Spielraum zwischen beiden Grenzwerthen, innerhalb welchem sich keine pathologische Prominenzen vorfanden, würde wohl eine höhere Zahl als 10 mm. erreicht haben, hätten mir zu meinen Messungen nicht gerade Individuen mit sehr tief liegenden und stark glotzenden Augen gefehlt.

Weitaus in der Mehrzahl der Fälle schwankte die Prominenz P zwischen 12 mm. und 14 mm.; denn unter 400 Augen fand ich 51 mit 14 mm., 34 mit 12 mm., 30 mit 12,5 mm. und 28 mit 13,5 mm. Prominenz. Von 10 mm. bis 12 mm. fanden sich im Verhältniss ungefähr gleichviel wie von 14 mm. bis 19 mm. Prominenzen unter 10 mm. und über 19 mm. waren schwach vertreten. In der grossen Mehrzahl der Fälle schwankte P beider Augen am selben Kopfe zwischen 0 mm. und + 2,75 bis 3 mm.; doch fand ich auch Differenzen bis zu 6,5 mm.

Auffallend ist, wie selten P beider Augen gleich gross ist; Cohn fand bei seinen Untersuchungen 17,33 %, ich nur 6,5%. Ob dieser Unterschied von wirklich verschiedener Prominenz der Augen oder von der verschiedenen Genauigkeit der mit dem einen oder anderen Instrumente zu erzielenden Resultate oder von der verschiedenen Wahl des Vergleichspunktes herrührt, liesse sich nur dadurch entscheiden, dass mit beiden Instrumenten eine grössere Anzahl von Individuen, und zwar dieselben untersucht würden; ebenso liesse sich annehmen, dass bei zahlreicheren Messungen sich vielleicht ein anderes procentisches Verhältniss herausstellen würde.

Doch muss ich beifügen, dass es meine Ueberzeugung ist, dass, je genauere Messungen wir mit einem Instrumente auszuführen im Stande sind, wir um so seltener eine vollständige Gleichheit der Prominenz der Augen beider Kopfseiten finden werden.

Indem ich mir noch weitere Mittheilungen über dieses neue Instrument und die damit erzielten Resultate vorbehalte, überlasse ich es Anderen, über die Zweckmässigkeit oder Unzweckmässigkeit desselben zu urtheilen.

Noch ein neues Exophthalmometer

von

W. Zehender.

Die vergeblichen Versuche, unter gleichen Bedingungen gleiche und übereinstimmende Resultate mit dem Cohn-schen Exophthalmometer zu erzielen, veranlassten mich ebenfalls zu dem Versuch, ein anderes und zweckmässigeres Instrument zu construiren. Ich liess mich anfänglich dazu verleiten — ebenso wie Cohn — den über der Pupillenmitte liegenden Punkt des Supraorbitalbogens als Ausgangspunkt der Messung zu wählen, allein die Unsicherheit der erhaltenen Resultate überzeugte mich bald, dass von hier aus keine sichere Messung möglich sei; ich kehrte daher zu derjenigen Stelle zurück, von welcher aus schon früher solche Messungen oder Abschätzungen vorgenommen worden sind, nämlich zu der der äusseren Lidcommissur entsprechenden Stelle des Orbitalrandes.

Diese Stelle hat zwei wichtige Vorzüge:
1) unter derselben liegt keine Musculatur, welche das Anlehnen eines Maassstabes unsicher macht, und
2) liegt diese Stelle ungefähr in gleicher Höhe und gleicher Tiefe mit dem Drehpunkte des Auges.

Der erstere Umstand erleichtert die genaue Messung dadurch, dass das angelehnte Ende des Maassstabes durch unterliegende Muskeln nicht gehoben und verschoben werden kann; es bleibt als Unterlage nur noch die wenig comprimirbare Haut übrig. Der zweite Umstand erleichtert das Messungs-Verfahren dadurch, dass geringe Abweichungen vom Parallelismus zwischen der Richtung des Maassstabes und der Richtung der Gesichtslinie keine bemerkbaren Fehler verursachen.

Wir wollen auf unsere früheren Versuche nicht zurückkommen und bemerken nur, dass unser, vor etwa $1\frac{1}{2}$ Jahren construirtes Instrument, durch das Bestreben, alle Fehlerquellen zu eliminiren, zu complicirt wurde, um für klinische Zwecke brauchbar zu sein. Gegenwärtig, nachdem es — im Uebrigen wesentlich unverändert — so eingerichtet worden, dass der Anfang des Maassstabes an den temporalen Rand der Orbita angelegt wird, ist es zu seiner früheren einfachen Form zurückgeführt und leistet die gewünschten Dienste mit der nöthigen Genauigkeit.

Die Messung der Hervortreibung des Augapfels in elementarster Einfachheit geschieht so, dass man einen Maassstab an die genannte Stelle des Orbitalrandes anlegt, denselben in möglichste Parallel-Richtung zu der geradeaus blickenden Gesichtslinie bringt, und dass man nun, über den Maassstab hinweg, gegen den Scheitelpunkt der Hornhaut visirt.

Dieses Visiren muss aber in einer auf den Maassstab genau senkrechten Richtung stattfinden, weil jede Abweichung hiervon einen Fehler giebt, welcher gleich ist der Tangente des Abweichungswinkels multiplicirt mit der Entfernung der Gesichtslinie vom Maassstabe. Nur wenn die Abweichung von der Senkrechten $= 0$, wird auch die Tangente, und folglich auch der aus unrichtigem Visiren hervorgehende Fehler $= 0$ werden.

Um das richtige Visiren zu erleichtern, hat E. Emmert an seinem Maassstabe einen senkrecht auf demselben verschiebbaren, mit zwei Visirpunkten versehenen Arm angebracht. Wenn die Richtung dieser beiden Visirpunkte mit dem Scheitelpunkt der Hornhaut zusammentrifft, dann giebt in der That der Punkt, in welchem diese Visirlinie den Maassstab schneidet, das richtige Maass für die Prominenz des Hornhautscheitels.

In einer etwas weniger bequemen, aber desto exacteren Weise hat Volkmann den erwähnten Fehler zu vermeiden gesucht, indem er mit einem Fernrohr, aus einer Entfernung von circa 12 Fuss, die richtige Visirlinie bestimmte.

Wir haben endlich in derselben Absicht eine kleine Vorrichtung angebracht, welche — wie wir glauben — bei gleicher Genauigkeit die Hülfe eines Fernrohres entbehrlich macht.

Auf unserem Maassstabe (M) verschiebbar, befindet sich nämlich eine Hülse mit einem temporalwärts, und einem medianwärts gerichteten Arm. Ersterer trägt ein kleines Visirzeichen (V); letzterer ein ganz kleines, zur Richtung des Maassstabes genau paralleles Spiegelchen (S). Beim Vorschieben der Hülse schiebt sich der Spiegel — dessen spiegelnde Fläche temporalwärts gerichtet, und also dem

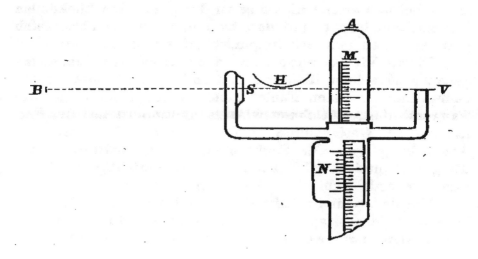

Visirzeichen zugekehrt ist — gegen die Region des inneren Augenwinkels vor. — Visirt man nun von Aussen her so, dass das Visirzeichen (V) und das Bild dieses Visirzeichens (B) in dem kleinen Spiegelchen sich genau decken, dann steht die Visirlinie (V B) offenbar senkrecht auf der Spiegelebene. Wenn nun die Spiegelebene — wie es sein muss — mit der Richtung des Maassstabes parallel läuft, dann steht auch die Visirlinie senkrecht auf der Richtung des Maassstabes. Schiebt man die Hülse so weit vor, bis das mit seinem Spiegelbilde sich deckende Visirzeichen zugleich den Hornhautscheitel (H) zu tangiren scheint, dann hat man die gesuchte Visirrichtung und braucht nur noch an dem mit einem Nonius (N) versehenen Maassstabe die Länge der gesuchten Grösse abzulesen*).

Unser Maassstab ist verschiebbar an einem Stativ befestigt. An demselben Stativ befindet sich noch ein, gleichfalls verschiebbarer, zweiter Spiegel, dessen spiegelnde Fläche dem beobachteten Auge zugekehrt ist. Sieht dieses Auge (falls es überhaupt sehtüchtig ist) sich selbst gespiegelt und zwar so, dass die Mitte der Pupille mit einer in der Mitte des Spiegels angebrachten Marke congruirt, dann ist dadurch seine Gesichtslinie hinreichend genau fixirt. Die richtige Kopfhaltung muss nach Augenmaass bestimmt werden. Das Kinn des Beobachteten wird durch eine stellbare Vorrichtung gestützt.

Mit Hülfe dieses kleinen, klinisch sehr gut brauchbaren Instrumentes lässt sich die Prominenz jedes Auges leicht und mit genügender Sicherheit bestimmen.

---

*) Der Endpunkt A des Instrumentes wird gegen den Orbitalrand in der Gegend des äusseren Augenwinkels angelegt. Der Bogen H repräsentirt die Hornhautkrümmung des linken Auges. S ist der kleine Spiegel und V ein Visir, dessen Bild in B sichtbar wird. Die Linie V B, welche den Hornhautscheitel tangiren muss, ist die Visirlinie. Der ganze Visirapparat mit dem Nonius N lässt sich auf dem Maassstabe M mit Hülfe einer (hier nicht gezeichneten) Mikrometerschraube verschieben.

Zum Schluss wollen wir noch die Bemerkung hinzufügen, dass vor länger als Jahresfrist Dr. Keyser in Philadelphia uns mitgetheilt hat, er habe ein sehr einfaches Exophthalmometer construiren lassen. Die nähere Einrichtung dieses Instrumentes kennen wir nicht; wir erhielten jedoch auf unsere bezügliche Anfrage zur Antwort, dass eine Publication hierüber in der nächsten Lieferung des Archivs für Augen- und Ohrenheilkunde bevorstehe. — Hoffentlich sind wir bald in der Lage, auch hierüber nachträglich referiren zu können.

Klinische Beobachtungen.

172. Exquisiter Fall von monoculärer Triplopie.
(Hierzu die chromolithographische Abbildung Fig. 2.)

Wäre das menschliche Auge frei von unregelmässigem Astigmatismus und von Farbenzerstreuung, so würde ein jeder Zerstreuungskreis, welcher, bei der Lage des Objectes ausserhalb der Accommodationsgrenzen, entsteht, eine gleichmässig beleuchtete Fläche darstellen. Auf Grund der monochromatischen und chromatischen Aberration aber befinden sich in jedem solchen Zerstreuungskreise eine Anzahl heller erleuchteter Stellen, und es wird nur von Nebenumständen abhängen, ob sich diese Stellen derartig hervorheben, um dem Beobachter als Nebenbilder eines Hauptbildes, resp. überhaupt als getrennte Bilder zu erscheinen. — Besonders fällt hierbei in die Waagschale die Grösse des Zerstreuungskreises, die Beleuchtung, die Beschaffenheit der Fixirobjecte und die Differenzen in dem obwaltenden unregelmässigen Astigmatismus. Wir wissen indessen, dass wir unter allen Umständen den Versuch so einrichten können — durch die Wahl punktförmiger oder linienförmiger Objecte in geeigneter Beleuchtung — dass in den Zerstreuungskreisen Neben-

bilder hervortreten, so dass wir auch diese m o n o c u l ä r e
P o l y o p i e bei unserer Untersuchung geradezu als einen
Prüfstein für die Schärfe oder Nichtschärfe der Accommo-
dation (als optometrisches Princip) benutzen.

Was im normalen Auge jenseits der Accommodations-
grenze stattfindet, das stellt sich natürlich bei Refractionskrankheiten auch mehr oder weniger in der üblichen Sehstrecke heraus, und wir hören deshalb Kurzsichtige über
monoculäre Polyopie, beziehungsweise auf entfernte Objecte,
und umgekehrt Hyperopen oder Presbyopen über Polyopie
beziehungsweise auf nähere Objecte klagen. Aber solche bei
den Refractionskrankheiten so häufige Polyopie bezieht sich
meist auf Objecte von bestimmter Form und geringen Dimensionen, da, bei grösseren Netzhautbildern, allemal
eine theilweise Deckung der betreffenden Nebenbilder eintritt, wobei sich die Polyopie wiederum auf ein, wenn
man will, a b g e s e t z t e s Verschwommensehen der Randcon-
touren reducirt. — Um von allen Objecten durch die ganze
Sehstrecke hindurch distincte Doppelbilder oder Mehrbilder
zu erhalten, bedarf es wiederum besonderer (meistens noch
mit Refractionsanomalien gepaarter) Unregelmässigkeiten,
z. B. einer Theilung des Pupillargebiets durch bestimmt ge-
formte iritische Exudationen oder auch einer Theilung des
Sehkreises auf der Hornhaut durch scharf abgesetzte Trübungen, oder der Verschiebung des Linsenkörpers u. s. w. Bei
einem grossen Theil dieser Ursachen leidet die Sehschärfe
erheblich und verringert dieser Umstand die Zahl der Patienten, die eine distincte monoculäre Polyopie für die ganze
Strecke des Gesichtsfeldes und für alle Objecte angeben. —
Vollends aber ist es eine Seltenheit, dass bei einer für die
Distinction ausreichenden Sehschärfe, eine grössere Anzahl
von Bildern als zwei durch die ganze Sehstrecke und für
alle Objecte angegeben werden. Aus diesen Ursachen und
wegen der nicht uninteressanten anatomischen Basis hat auch
der vorliegende Fall einiges Anrecht, speciell beschrieben zu
werden. Er bot sich in der Klinik meines verehrten Lehrers,

Herrn Prof. v. Graefe, dar, — dem ich hier für seine hülfreiche Hand meinen innigsten Dank ausspreche, — und ward dort zum Gegenstand einer klinischen Analyse.

Hermann B., 20 Jahre alt, aus Mecklenburg, hatte, abgesehen von einer hochgradigen Kurzsichtigkeit, in seiner ersteren Kindheit über seine Augen nicht zu klagen*). Im 12. Lebensjahre erhielt er einen Faustschlag auf das linke Auge, welcher die eigenthümliche Consequenz hatte, dass Patient unmittelbar darauf mit diesem Auge alle Objecte dreifach sah. Der Zustand blieb völlig unverändert und stellte sich Patient, erst neuerdings durch die Militairuntersuchung wieder auf sein Augenübel aufmerksam gemacht, mit der Frage vor, ob vielleicht durch irgend eine Operation dem Uebelstande abzuhelfen sei.

Die Untersuchung ergiebt die linke Hornhaut entschieden von grösserem Diameter, etwas über 6''', deren Krümmung aber, soweit aus der Schätzung der Reflexe entnommen werden konnte, nicht verändert, so dass die Anomalie lediglich in einer grösseren Oeffnung der Cornea besteht. Die vordere Kammer ganz entsprechend diesem Umstande tiefer, in Summa demnach ein gewisser Grad von Cornea globosa. Die Pupille ist eng, zieht sich auf Lichteinfluss zusammen, erweitert sich auch auf Atropin, jedoch beides in etwas geringeren Excursionen. Sie liegt beziehungsweise zur Hornhaut nicht central, sondern um stark 1 mm. (siehe die Figur) decentrirt nach innen und oben. Die Iris hat eine eigenthümliche, unbestimmt ins Gelblich-grün stechende Farbe; deren fasriges Relief ist aber weniger, und vorwaltend in radialer Richtung ausgeprägt. An derselben zeigen sich bei genauer Betrachtung unzählig viele dunkle radien-

---

*) Die Eltern desselben waren Blutsverwandte (Cousin und Cousine) gewesen, was ich in Betreff der angeborenen Anomalie hier anführe. Blutsverwandtschaften constituiren nach v. Graefe's Erfahrungen eine nicht seltene Ursache fast aller angeborenen und in ihrem Keime angelegten Krankheiten des Auges: Cornea globosa, Mikrophthalmus, Coloboma, Cataracta congenita etc.

förmige Linien (s. d. Fig.) in unmessbar kleinen Abständen, mit dem gefärbten Gerüst alternirend, von welchen sich ihrer kleinen Dimensionen wegen vor der Hand nicht direct ermessen lässt, ob sie völligen Gewebsdefecten oder nur ausgesprochenen Rarefactionen — letzteres ist schon aus aprioristischen Gründen anzunehmen — entsprechen. Dass es sich jedenfalls um eine Verdünnung des Gewebes handelt, geht aus der summarischen Stärke der Durchscheintheile der Iris, wenn man sie bei schiefer Beleuchtung prüft, hervor. Im Uebrigen muss schon der Analogie wegen für die unendliche Mehrzahl jener Linien lediglich Verdünnung und nicht völliger Defect angenommen werden. — Es markiren sich ferner 2 besonders gestaltete Stellen, die eine dem Umfange nach grössere, temporalwärts liegende (siehe d. Fig.), bildet ein radial gerichtetes Oval, nach der Pupille zu spitz ausgezogen, von derselben durch eine schmale Brücke getrennt. Es lässt sich von dieser mit Sicherheit beweisen, dass sie eine völlige Lücke constituirt, da man durch dieselbe ganz unbehindert den Augenhintergrund erleuchten und — wie es sogleich noch angegeben werden wird — auch den hinterliegenden Linsenrand mit völliger Präcision erkennen kann. Dagegen zeigt sich nach der Nasenseite zu an einer ganz symmetrischen Stelle (s. d. Fig.) eine Rarefaction von geringerer Breite, und auch nach der Pupille zu weniger ausgedehnt als jene, welche keine völlige Lücke oder wenigstens nur in einem Theile seines Umfanges eine solche darstellt. Man sieht bei schiefer Beleuchtung und Loupenvergrösserung in deren Bereich überall radiale Gewebsreste, doch ist die Verdünnung so bedeutend, dass man mit dem Augenspiegel den Augenhintergrund leidlich gut durchschimmern sieht.

Die Stellung der Linse ist genau zu bestimmen; deren äusserer Rand theilt den beschriebenen temporalen Schlitz in 2 fast gleiche Theile. Derselbe erscheint wie gewöhnlich bei durchfallendem Licht dunkel, bei schief auffallendem als ein gelber seidenglänzender Strich. Ebenso erlaubt die genauere Untersuchung des letzterwähnten, unvollkommenen Hiats noch eben festzustellen, dass der Linsenrand dort ganz in seiner gewöhnlichen relativen Lage zum Hornhautrand, circa $3/4$ mm. einwärts von demselben steht. Es resultirt hieraus, dass die Linse in derselben Richtung wie die Pupille und ebenso viel decentrirt ist, — dass ferner dieselbe trotz des grösseren Hornhaut-Durchmessers, ungefähr ihren normalen Diameter hat. Auch darf geschlossen werden, was sich aus der Functionsprüfung, nämlich in ausreichender Accommodationsbreite mit Sicherheit ergiebt, dass die Linse nur decentrirt, nicht etwa luxirt ist, denn man bemerkt nicht das geringste Schwanken, und ausserdem zeigen sich bei geeigneter Untersuchung temporalwärts von dem äusseren Linsenrande unläugbare Andeutungen der offenbar erhaltenen Zonula. Von den sonstigen Gebilden des Auges wäre, abgesehen von einem mässigen Grad von Ectasia posterior, nichts Anomales zu berichten.

Es kann, wenn man diesen Befund überblickt, keinem Zweifel unterliegen, und das rechte Auge — welches ganz dasselbe Verhalten der Cornea, der Iris, der Pupille, nur nicht der beiden grösseren Hiate bot — giebt hierfür den besten Beleg, dass hier ein angeborenes Leiden, nämlich ein hoher Grad von Megalocornea mit Decentrirung der Pupille und des Linsensystems nach innen-oben, ferner mit einer eigenthümlichen, quasi-atrophischen Beschaffenheit der Iris, vorgelegen habe; und dass durch das im 12. Lebensjahre eingetretene Trauma sich der temporalwärts gelegene vollständige (möglicherweise auch der nasenwärts gelegene unvollkommene) Hiat gebildet hat, von denen der erstere, wie wir gleich sehen werden, die Quelle der Triplopie constituirt.

Die functionelle Störung wurde zunächst auf folgende Weise festgestellt: Hält man dem Patienten ein brennendes Licht auf Abstand einiger Fuss vor, so bemerkt er 3 distincte Bilder, zwischen welchen sich vollkommen unbeleuchtete Intervalle befinden. Das mittlere Bild ist für gewöhnlich relativ das klarste, obwohl es, der Myopie wegen, ebenfalls an Präcision zu wünschen lässt, das zur Linken liegende, in horizontaler Richtung verzogene Bild, und das rechts liegende, in verticaler Richtung verzogene sind beide undeutlicher. Geht man mit dem Licht weiter ab, so bleibt dieses Verhältniss ungefähr dasselbe, nähert man es noch mehr an, so gewinnt die Präcision des mittleren Lichtes noch mehr, im Wesentlichen aber bleiben die Verhältnisse unverändert.

Nimmt man statt des brennenden Lichtes andere Objecte, so tritt auch hier die Triplopie in derselben Form hervor, nur werden bei sehr schlecht erleuchtetem Objecte die beiden Seitenbilder so undeutlich, dass Patient sie nur periodisch wahrnimmt. — Nach dieser oberflächlichen Feststellung, welche selbstverständlich beim Verdecken des rechten Auges vorgenommen wird, wird nunmehr ermittelt, von welchen Theilen des Sehkreises die 3 Bilder herrühren. Was theoretisch unbedingt zu vermuthen, dass das centrale der natürlichen Pupille, dass das links projicirte dem inneren von der Linse gedeckten Theile des temporalen Hiats, das nach rechts projicirte dagegen dem äusseren quasiaphakischen Abschnitt eben dieses Hiats entspricht, stellt sich auf's Deutlichste heraus, wenn man mit irgend einem undurchsichtigen Object z. B. mit einem geschwärzten Schirme das Sehfeld des linken Auges allmählig von der Schläfenseite her verkleinert. Es fiel beim Vorschieben eines solchen Schirmes vor die Hornhaut zunächst das nach rechts projicirte Nebenbild (entsprechend dem temporalen Abschnitt des Hiats), dann das nach links herüber projicirte Bild (entsprechend dem nasalen Abschnitt des Hiats), und erst bei noch weiterem Vorrücken das centrale Bild (entsprechend der natürlichen Pupille) weg. Es war durch diese Reihenfolge mit Bestimmtheit der Nachweis geliefert, dass die drei Bilder von den drei betreffenden Abschnitten des Sehkreises und zwar in der theoretisch supponirten Weise herrührten.

52

Analysiren wir mit einigen Worten den optischen Hergang:

Das Auge selbst ist myopisch, und zwar ergiebt die Prüfung bezüglich auf das mittlere, der Pupille angehörige Bild eine Myopie von ungefähr $^1/_4$. Lassen wir nun von entfernten Objecten (paralleles) Licht auf die Hornhaut fallen, so dringt dasselbe in 3 Bündeln durch den Glaskörper vor. Zwei dieser Bündel (siehe die schematische

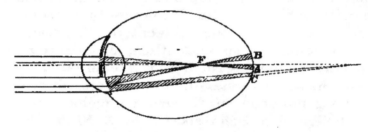

Figur), nämlich der, der natürlichen Pupille und der der Randzone der Linse zugehörige sind zu beziehen auf den vorhandenen myopischen Refractionszustand des Auges. Ihre Strahlen kommen v o r der Netzhaut zur Vereinigung; es werden nach erfolgter Ueberkreuzung die der Randzone der Linse zugehörigen Strahlen die Netzhaut in dem reell nach rechts herüber liegende Bezirke B, die der natürlichen Pupille zugehörigen in dem centralen Bezirke A treffen. Dem letzteren entspricht das centrale, relativ deutliche Bild, dem ersteren das links liegende horizontal verschobene. — Ein dritter Lichtbündel fällt direct in den aphakischen Theil des Hiats ein, welcher sich wie ein hyperopisches Auge verhält. Es wird der Vereinigungspunkt dieser Strahlen, respective der Coïncidenzpunkt mit dem Axenstrahl erst hinter der Netzhaut eintreten, und es werden demgemäss diese Strahlen, noch vor ihrer Kreuzung, und deshalb auch natürlich temporalwärts von der Fovea, die Netzhaut in dem Bezirke C treffen, welchem das nach rechts herüber projicirte, vertical verzogene Bild entspricht.

Sehr schön stellen sich diese Verhältnisse dar, wenn man durch negative und positive Gläser die Vereinigungsweite der, den betreffenden 3 Lichtbündeln zugehörigen, Strahlen modificirt. Nimmt man Concavgläser, so wird man natürlich den Vereinigungspunkt der, der centralen Pupille und dem Linsenrandbezirke zugehörigen Strahlen der Netzhaut annähern, und hiermit werden auch die beiden beleuchteten Stellen A und B auf der Netzhaut selbst zusammenrücken, resp. wenn die Myopie durch Concav 4 approximativ corrigirt ist, aufeinander fallen. Dagegen wird eben durch diese Gläser der Vereinigungspunkt der dem aphakischen Bezirke angehörigen Strahlen immer weiter hinter die Netzhaut, und der durch dieselben Strahlen beleuchtete Netzhautbezirk immer mehr temporalwärts von der Fovea gerückt, so dass auch das rechtsseitige Nebenbild immer weiter und weiter nach rechts entweicht; selbstverständlich wird es hierbei undeutlicher, während die beiden anderen sich nähernden, resp. sich verschmelzenden Bilder an Präcision gewonnen haben.

Dasselbe wird im Wesentlichen beobachtet, wenn man, statt Zuhülfenahme der Gläser, das Fixirobject selbst annähert. Nothwendig müssen hierbei die beiden, dem myopischen Auge angehörigen Bilder sich auf der Netzhaut nähern, resp. coïncidiren und an Präcision gewinnen, während das dem aphakischen Auge angehörige Licht, entsprechend der grösseren Distanz seiner Vereinigungsweiten, die Netzhaut immer weiter von der Fovea trifft und demnach auch eine immer stärker excentrische Projection veranlasst.

Nimmt man positive Gläser, so wird zunächst die Vereinigungsweite der dem myopischen Auge zugehörigen Lichtbündel noch weiter vor die Netzhaut gebracht werden, und es wird demgemäss der Abstand der beiden beleuchteten Stellen A und B zunehmen und hiermit das die Stelle B betreffende Bild weiter nach links entweichen. Dagegen wird die Vereinigungsweite entsprechend dem aphakischen Bezirk der Netzhaut näher gerückt, und hier-

mit auch die Stelle C mehr und mehr dem hinteren Augenpol, resp. der diesen einnehmenden beleuchteten Stelle A
genähert. Da ferner bei der Benutzung positiver Gläser
das der Stelle A entsprechende Bild immer undeutlicher, —
aber das dem aphakischen Bezirk entsprechende deutlicher
wird, verringert sich jetzt das Dominiren des Bildes A oder
dreht sich das Beleuchtungsverhältniss selbst um. Nimmt
man $+ 6$, welches approximativ die Hyperopie des temporalen Abschnitts des Hiats neutralisirt, so fällt das betreffende Bild in dem hinteren Augenpol mit dem Bilde A
zusammen. Nimmt man noch stärkere Gläser, z. B. $+ 4$,
so wird die aphakische Hyperopie übercorrigirt, die Vereinigungsweite des betreffenden Lichtbündels fällt vor die
Netzhaut und es rückt nun die beleuchtete Stelle C nasenwärts von der Fovea, so dass das entsprechende Bild C
schläfenwärts von dem Bilde A zu liegen kommt. Bei alledem ist natürlich die Vereinigungsweite für das myopische
Auge noch immer weiter von der Netzhaut gerückt, was
sich durch ein progressives Entweichen des Bildes B nach
links herüber, natürlich unter excessiver Undeutlichkeit,
erkennen lässt.

Hinsichtlich der Sehschärfe der drei Bilder ist bereits bemerkt worden, dass das centrale, der natürlichen
Pupille angehörige Bild nach Correction der Kurzsichtigkeit
weitaus die besten Verhältnisse ergiebt. S erreicht dann
für dasselbe ungefähr $\frac{1}{5}$, während für die beiden anderen
Bilder S dann ungefähr gleichmässig auf $\frac{1}{30}$ bis $\frac{1}{40}$ herabsinkt. Werden gar keine Gläser benutzt, so ist die Seh-
schärfe entsprechend dem mittleren Bilde nur $\frac{1}{14}$, die des
Linsenrandbildes ungefähr $\frac{1}{50}$, die des aphakischen Bildes
dagegen $\frac{1}{90}$. Bei $+ 6$ steigert sich die letztere noch etwas
weiter und sinkt die des mittleren Bildes so weit, dass ungefähr Equivalenz eintritt, während das linke Bild kaum
$\frac{1}{60}$ Sehschärfe erreicht. Mit $+ 3$ endlich zeigt das aphakische Bild wiederum $\frac{1}{90}$, das centrale Bild dagegen nur
$\frac{1}{50}$ und das Linsenrandbild nicht viel über $\frac{1}{100}$ Sehschärfe.

Farben werden entsprechend allen drei Bildern richtig erkannt.

Da alle drei Bilder in einem Netzhautmeridian liegen, so hat es einiges Interesse, die relative Lage der denselben zukommenden Nachbilder als Index für die Meridianstellung bei den verschiedenen Augenstellungen zu prüfen, doch fielen die Angaben des Patienten nicht scharf genug aus, um etwelche Schlüsse zu ziehen.

Das Accommodationsvermögen bestand unbehindert fort. Es mochte, so weit die Herabsetzung der Sehschärfe eine Prüfung der Accommodationsgrenzen zuliess, A ungefähr $^1/_4$ betragen. Sehr hübsch fielen übrigens in dieser Beziehung die Versuche mit einem Lichtpunkt aus; stellten doch die beiden durch die Linse vermittelten Bilder, nämlich das centrale an das linksseitige, gewissermaassen die Doppelbilder im Scheiner'schen Versuche dar, — wobei wir uns lediglich die zwischen dem traumatischen Spalt und der natürlichen Pupille stehende Irisbrücke als Unterbrechung der dem myopischen Auge zugehörigen Pupillarfläche zu denken haben. — Wo diese beiden Bilder, jetzt natürlich am besten durch ein Licht vermittelt, zusammenfielen, musste unbedingt angenommen werden, dass das Auge accommodirt sei. Der geringste Defect an der Augen-Accommodation trieb diese Bilder auseinander. Auch bei diesem Versuche ergab sich A etwas mehr als $^1/_4$, woraus gewiss zu schliessen, dass die Linse nicht luxirt, sondern nur decentrirt, wie wir es übrigens schon als Resultat der objectiven Untersuchung erwähnt hatten. Da die durch die Accommodation vermittelten Veränderungen natürlich gar keinen Einfluss auf die Brechung des aphakischen Theiles des Hiats ausübten, so liess sich natürlich a priori erwarten, dass, je stärker brechend das Auge durch Accommodationswirkung ward, desto weiter auch die Vereinigungsweite der jenes Bereich treffenden Lichtstrahlen hinter die Netzhaut fallen musste, was sich wieder durch ein stärkeres Entweichen des Bildes C nach rechts aussprechen musste.

Allein die Angaben des Patienten, wenn der Versuch mit einem Lichtpunkt angestellt wurde, zeigten wegen zu geringer Lichtintensität des Bildes C sich nicht recht einschlägig.

Dagegen konnte derselbe Nachweis in einer anderen Weise sehr deutlich geliefert werden. War das Auge für seinen Fernpunkt accommodirt, so genügte es, ein 15° Prisma (Basis nach innen) allmälig von links vor den Sehkreis zu schieben, um das dem aphakischen Bereich angehörige Bild den (durch Accommodation) fundirten beiden anderen Bildern völlig anzunähern; war dagegen das Auge für seinen Nahpunkt accommodirt, so wurde nunmehr zu demselben Zweck ein 22° Prisma erforderlich.

Wurde vor das eine oder das andere Auge ein abwärts brechendes Prisma geschoben, so stellten sich nunmehr vier Bilder ein, wobei, da Patient keine Muskelstörung hatte, das vierte ungefähr über dem mittleren der drei in einer Linie liegenden zu stehen kam.

Wurden dagegen adducirende und abducirende Prismen angelegt, so blieb es, sofern die Grenzen der Fusionsbreiten nicht überschritten wurden, bei der Triplopie, und stellte alsdann das mittlere Bild das binoculäre Fusionsbild dar. Ganz ebenso verhielt es sich beim gewöhnlichen binoculären Sehen.

Lausanne.   D u f o u r.

172. Aneurysma orbitae; Exophthalmus.

Da die Fälle von Exophthalmus nach Aneurysma nicht sehr häufig sind, theile ich folgenden exquisiten Fall mit.

Marie Liniger, 40 J., von Eich, Kanton Luzern, stellte sich am 14. April 1869 in unserer Anstalt vor wegen Hervortreten des linken Auges. Sie giebt an, sonst gesund gewesen zu sein, ist aber nach der Angabe ihres Begleiters dem Branntweingenuss ergeben. Im December 1867 gerieth sie, wahrscheinlich im trunkenen Zustand, bei Schneewetter in einen Pferdestall, wo sie die Nacht zubrachte und dabei von einem Pferde geschlagen wurde. Am Morgen wurde sie bewusstlos auf dem Boden liegend gefunden. Das Gesicht war stark geschwollen und sie blutete aus einer Wunde unter dem Auge. Von Ende December bis Mitte März wurde sie im Luzerner Spital behandelt; erst in den 3 letzten Wochen ihres Spitalaufenthalts soll es ihr möglich gewesen sein, das linke Auge zu öffnen; eine Wunde am Unterkiefer habe lange geeitert. Das Auge wird fortwährend verbunden gehalten, weil es „zweierlei", d. h. Doppelbilder gesehen.

Schon früh hatte sie in der linken Schläfengegend ein Gefühl von Rauschen oder Sägen gehabt; die Vortreibung des Auges habe seit einem Jahre nicht wesentlich zugenommen.

Die Patientin ist ein mässig gut genährtes Individuum mit starker Anlage zur Bartbildung. Das linke Auge ist bedeutend vorgetrieben und steht zugleich tiefer als das rechte. Die Lidspalte ist beiderseits gleich weit geöffnet. Beim Blick gerade nach vorne steht der freie Rand des linken oberen Lids in gleicher Höhe mit dem freien Rand des rechten unteren Lids; das Auge erscheint auch etwas nach aussen gedrängt.

Unterhalb des Infraorbitalrandes befindet sich eine fast horizontal verlaufende schmale Hornhautnarbe; eine etwas breitere unter dem Unterkieferrande, demselben parallel verlaufend.

Die Conjunctiva palpebrarum links etwas geröthet; das Auge thränt leicht. Vom Uebergangstheil her kommen verschiedene stark entwickelte, bedeutend geschlängelte subconjunctivale Venen, die vor dem Limbus die Sklera durchbohren. Auch in der Gegend des oberen Lids, sowie in der Schläfengegend sind ziemlich stark entwickelte Hautvenen. Die Gegend des oberen Lids ist besonders stark vorgetrieben und bildet einen sackartigen Vorsprung, über welchen die Haut sich leicht verschieben lässt. Die Geschwulst erscheint nach oben unmittelbar über dem Auge liegend, lässt sich leicht eindrücken, fluctuirt, ist sehr elastisch. Die Grenzen nach hinten gegen die Orbita lassen sich nicht genau feststellen. Nach beiden Seiten hin sphärisch begrenzt, reicht sie nach aussen, unter dem Augenhöhlenrand sich forterstreckend, bis in die Thränendrüsengegend; nach innen setzt sie sich in einen allmälig härter werdenden Vorsprung fort, der über den inneren Augenhöhlenrand hervortritt und in die Richtung der Arteria frontalis sich etwa einen Centimeter weit, spindelförmig sich verjüngend, nach oben erstreckt, hier von der Mittellinie nur wenig entfernt. Dieser Fortsatz sowohl als auch die ganze Geschwulst selber ist kräftig pulsirend und schwirrend; Pulsation vollkommen isochron mit dem Radialpuls. Noch heute ist keine Begrenzung der Geschwulst zu eruiren. Von der Seite her kann man das Pulsiren der Geschwulst sehr deutlich sehen, sieht auch, wie mit jedem Pulsschlag das Auge etwas vorgetrieben wird. Bei der Untersuchung mit dem Stethoskop hört man ein blasendes Geräusch, an welches sich ein zweiter kurzer Ton anschliesst. Comprimirt man die sehr leicht auffindbare Carotis der linken Seite, so hört, sowohl die subjective Wahrnehmung eines Geräusches, als Pulsation und objectives Geräusch auf; die Geschwulst wird weich, schlaff, lässt sich sehr leicht zusammendrücken. Man kann dann auch den Bulbus tiefer in die Orbita zurückdrücken; sobald die Compression aufhört, stellt sich sogleich Pulsation und Geräusch wieder her. Die subjectiven Geräusche hören auch bei Compression des oben erwähnten Fortsatzes der Geschwulst nach innen und oben auf, während die Pulsation fortdauert.

Doppelbilder werden spontan angegeben; das Bild des linken Auges steht durchweg tiefer. Mittlere Excursionen des linken Auges sind möglich. Beim Blick nach rechts entstehen gekreuzte, nach links gleichnamige Doppelbilder; nach oben ist die Bewegung am meisten beschränkt, wird bei Carotiscompression etwas excursiver.

S. $\frac{1}{2}$ links, rechts S. 1, H. $\frac{1}{20}$. Se. ist beiderseits gut. Ophthalmoskopisch existirt eine starke Promi-

nenz und Röthung der Papille nebst mangelhafter Begrenzung derselben und ganz exquisite Schlängelung sowohl
der arteriellen als der venösen Gefässe; die letzteren sind
etwas stärker gefüllt.

Auch an der Carotis fühlt man ein deutliches Schwirren; etwas Blasegeräusch. Die von Herrn Prof. Liebermeister vorgenommene Herzuntersuchung ergiebt: Herz-
stoss schwach und diffus, an normaler Stelle. Erster Herzton
an der Spitze unrein, zweiter Pulmonalton nicht verstärkt,
erster Aortenton etwas unrein. Am linken Sternalrand, in
der Höhe des dritten Intercostalraums und abwärts, ein
schwaches systolisches Blasegeräusch.

Am 18. April wurde während 15 Minuten die Digitalcompression der Carotis sinistra ausgeführt; das subjective und
objective Geräusch sistirt während der Compression. Nach
derselben stellt sich die Pulsation nicht plötzlich, sondern
allmälig wieder ein. Diagnose: Aneurysma orbitae,
wahrscheinlich der Arteria frontalis. Für die letzere
Annahme spricht sowohl die Fortsetzung der pulsirenden Geschwulst nach innen und oben über den Orbitalrand hinaus,
als auch die Art und Weise der Verdrängung des Bulbus.

Da eine Unterbindung der Carotis in Aussicht gestellt
wurde, transferirte ich am 19. April die Kranke auf die
chirurgische Abtheilung des Herrn Prof. Socin und verdanke ich die nachfolgenden Notizen der Güte des Herrn
Dr. Courvoisier, Assistenten der chirurgischen Klinik.

Zur Aufnahme des ophthalmoskopischen Befundes wurde
die Kranke uns zeitweise zugeschickt.

8. Mai. Pulsirender Tumor grösser. Exophthalmus
stärker; ebenso die Injection der Conjunctivalgefässe und
das Thränen des Auges.

Subcut. Injection von Ergotin:

Extr. Ergot. aquos. p. 2,5 ⎫ davon gr. 5
Spir. vin. rectifiss. ⎬ p. 7,5 ⎬ unter die Haut
Glycerin. āā. ⎭ des oberen Lids.

nach Langenbeck.

Darauf mässige Schmerzen. Bis zum Abend diffuses Oedem des Lids. Puls. 60. Tp. Abends: 36,5.

9. Mai. Tumor etwas kleiner. Pulsation kaum geringer. Mrgs. Tp. 36. P. 60. Nachmitt. Uebelkeit, Brechreiz. Abds. Tp. 36,2. P. 54. Pat. blieb zu Bette. Oedem der Stirn und des Lids. Ergotin-Inj. gr. 5.

10. Mai. Oedem fast verschwunden. Pulsation scheint geringer.

Nach einer neuen Injection Nachmittags Appetitlosigkeit, Brechreiz, Brennen, wie von Nesseln, im Lid; Pat. bleibt zu Bette. Abds. Tp. 36,4, Puls 54, schwach an d. Radialis. Augenlid Abds. stark geschwollen. Ergotin-Inj. gr. 10.

11. Mai. Keine Injection wegen sehr starken Oedems.

12. Mai. Noch Oedem. Sägegeräusch gleich. Pulsation wieder wie vor den Injectionen.

In den folgenden Tagen wurde eher eine Zunahme des Tumors bemerkt, die besonders am 19. Mai sehr entschieden sich zeigt.

21. Mai.	$1\frac{3}{4}$	Stunden lang	Digitalcompression d. linken Carotis, wobei stets grosse Blässe der linken Gesichtshälfte; auch Abnahme des Tumors, Aufhören d. Pulsat. Stets aber kurze Zeit nach Aufhören der Compr. wieder d. alte Zustand.
22. „	$1\frac{1}{2}$	„ „	
23. „	0	„ „	
24. „	$1\frac{1}{2}$	„ „	
25. „	$5\frac{3}{4}$	„ „	
26. „	5	„ „	
27. „	0	„ „	
28. „	5	„ „	
29. „	5	„ „	

6. Juni. Die bisher durch Andrücken der Carotis gegen die Wirbelsäule nur mühsam und unvollständig bewerkstelligte Compression der Carotis wird von heute an bequemer für die Patientin und vollständiger durch Hervorziehen der sehr beweglichen Arterie und Andrücken derselben gegen den Kopfnicker mittelst 2 Finger erreicht.

6. Juni.	5$\frac{1}{2}$	Stunden lang	
7. „	1$\frac{1}{2}$ u. 9$\frac{1}{2}$ „	„	**Digitalcompres-**
8. „	9$\frac{1}{2}$	„	„	**sion,** wobei endl.
9. „	11	„	„	eben so wenig ein
10. „	8$\frac{1}{2}$	„	„	deutl. Erfolg erzielt
11. „ -	7	„	„	- wird.
12. „	9$\frac{1}{2}$	„	„	

15. Juni. **Ligatur der Carotis communis sinistra,** ohne irgend welche Schwierigkeit.

Unmittelbar nachher verschwindet jedes subjective Geräusch, sowie die Pulsation, der Sack collabirt.

Nach einer halben Stunde schon wieder leichte Pulsation und beginnende Füllung des Sackes.

Die folgenden Tage hindurch ziemlich schwache Pulsation.

19. Juni. Sehvermögen $\frac{1}{3}$. Ophthalmoskop. Befund wie früher.

Wunde eitert mässig. Kein Fieber. . Ueberhaupt normaler Verlauf der Wundheilung.

21. Juni. Sehvermögen $\frac{1}{4}$. Papillengrenzen viel schärfer als früher.

6. Juli. Ligaturfaden gelöst.

In den folgenden Tagen viel Eiter. Induration der Wundumgebung.

Sägegeräusch, Pulsation und Füllung wieder stärker.

13. Juli. Morgens 2 Uhr: **Nachblutung:** 1 Glas voll im Strahl. Nach 20 Minuten langer Digitalcompression unterhalb der Wunde sistirt die Blutung. Inj. von Sol. Arg. nitr. ℈ i auf ℥ i (Morgens 11 Uhr).

Die folgenden Tage wieder wohl. Stets etwas Blut im Eiter. Auf mehrmaliges Touchiren mit dem Höllenstein beginnt die Fistel sich einzuziehen.

24. Juli. Pulsation, Sägen im Aneurysma, Schwirren in der Frontalis wieder ebenso stark wie je. — Noch ziemlich beträchtliche Eiterung.

25. Juli. Neue **Nachblutung,** Abends 8$\frac{1}{4}$ Uhr.

1 Trinkglas voll, rasch durch Compression unterhalb der Wunde gestillt.

28. Juli. Abends 10 Uhr und 11¹/₂ Uhr je eine kleine Nachblutung, das erste Mal ʒ 2 bis ʒ¹/₂, das zweite Mal ʒ 1.

29. Juli. Aneurysma entschieden grösser. Exophthalmus gleich. Pulsation stärker.

12. Aug. Wunde endlich geheilt.

27. Aug. Die Kranke klagt wieder über starkes Sägen; die früher über dem oberen Lid gespannte Haut erscheint eher schlaff und faltig; die Prominenz des Bulbus besteht noch, hat aber gegen früher bedeutend abgenommen. Pulsation und Blasen gegen früher vermindert. Der aneurysmatische Sack lässt sich leicht comprimiren und hinter den Orbitalrand zurückdrücken, so, wie es früher nur bei Compression der Carotis möglich war. In der Conjunctiva bulbi grössere vordere Ciliarvene nach unten. Pupille auf Lichteinfall etwas träge, aber deutlich beweglich. Papille noch roth, ganz exquisite Schlängelung der Gefässe, besonders der Venen.

19. Sept. In letzter Zeit hat sich die Frontalis mehr und mehr erweitert, lebhaftes Schwirren, starke Pulsation. Aneurysma wächst nicht mehr. Conjunctiva mehr injicirt.

6. Oct. Links S. ¹/₂. Die Stauung des Retinalkreislaufs und die Ektasie der vorderen ciliaren Venen dauert fort.

12. Nov. Die Pulsationen des Hauptsackes sind geringer, als in dem Fortsatz gegen die Frontalis. Bei Compression der rechten Carotis hören subjective Erscheinungen und Pulsation vollständig auf. Entsprechend der links erweiterten Frontalis zeigt sich rechterseits ebenfalls ein leicht prominenter, nach oben laufender Gefässstrang. Vollständige Verwischung der Papillengrenzen, die korkzieherartige Schlängelung der Vene dauert fort, während die Arterien jetzt mehr gestreckt verlaufen.

23. Nov. Ohne Chloroformnarkose wird der Versuch

gemacht, die Frontalis zu unterbinden, dicht über dem Orbitalrand. Allein da man sogleich beim Hautschnitt in ein vielverzweigtes Netz erweiterter Arterien gelangt, ist von einer eigentlichen Unterbindung der Frontalis keine Rede. Man begnügt sich, die im Schnitt spritzenden Gefässe (3 an der Zahl) zu unterbinden.

Die Wunde heilt per primam, geht aber am 11. Dec. wieder auf und entleert ohne Blutung die Ligaturfäden.

Vom 4. December an Druckbinde.

12. Dec. Ophthalmoskopischer Befund und S. unverändert.

29. Jan. 1870. Der Sack über dem oberen Lid pulsirt nur schwach, fühlt sich bei leichtem Druck wie gerunzelt an; bei tieferem Druck lässt er sich bis ziemlich tief in die Orbita hinter den Aequator bulbi zurückdrücken. Beim Versuch, ihn zwischen 2 Finger zu fassen, weicht sein offenbar immer noch flüssiger Inhalt in der schlaffen Hülle nach hinten. Auch der spindelförmige Fortsatz nach der Stirngegend ist weniger entwickelt; dagegen sieht man leichte Pulsationen in der Gegend der rechten Frontalis; die Haut der ganzen linken Gesichtshälfte ist viel blutreicher und rother als rechts.

Dass ein Aneurysma hier vorliegt, darüber kann wohl kein Zweifel sein. Ist's ein Aneurysma verum, ist's ein Cyrsoideum? Prädilectionsstelle des Cyrsoideum ist nach Foerster, neben occipitalis, temporalis, auricularis grade die frontalis, während das gewöhnliche Aneurysma mehr an grösseren Stämmen auftritt. Es fehlt nur das eigenthümliche Pulsationsgefühl, als wenn man es mit einer Anzahl kleiner Aeste zu thun hätte; es bleibt immer nur ein fluctuirender Sack, der nach der Carotisunterbindung und jetzt nach der Unterbindung der vorderen Aestchen bedeutend collabirt ist. Wahrscheinlich haben die hinteren Parthien sich bereits durch Bildung von Fibringerinnsel theilweise gefüllt, so dass jetzt eben nur noch ein mangelhafter Durchpass des Blutes stattfindet.

In unserem Falle wurden zuerst Ergotineinspritzungen, Digitalcompression und Unterbindung der Carotis mit nur theilweisem Erfolg ausgeführt.

Basel.   Dr. Schiess-Gemuseus.

174. Ein Fall von Xanthelasma palpebrarum.

In dem Novemberhefte der Ophthalm. Hosp. Rep. des Jahres 1869 hat Hutchinson 3 Fälle von Xanthelasma bekannt gemacht, die bei Gelegenheit anderer Augenkrankheiten zur Beobachtung kamen*). Diese erworbene Entfärbung der Lidhaut ist bei uns unter dem Namen Vitiligoidea bekannt, aber, so viel mir erinnerlich, nur von v. Bärensprung in der deutschen Klinik (1855, No. 2) ausführlicher besprochen worden. Die Handbücher der Augenheilkunde, auch die neuesten, enthalten nichts darüber.

Wiewohl nun diese Anomalie keine praktische Wichtigkeit hat, so mag doch, da Hutchinson ausdrücklich zur Mittheilung solcher Fälle auffordert, die nachfolgende Beobachtung hier einen Platz finden.

Bei einer 44jährigen, ganz gesunden Frau ist diese Entfärbung an beiden Lidern vorhanden. Sie stellt einen hufeisenförmigen, continuirlich fortlaufenden Streifen vor, dessen Basis die Haut der Gegend des inneren Lidbandes einnimmt. Am linken Auge misst der Schenkel am unteren Lide 4''', am oberen 2'''; am rechten Auge ist der Schenkel des unteren Lides 3''', des oberen 10''' lang, überschreitet also hier lateralwärts die Mitte des Lides. Die Ränder der Streifen sind nicht geradlinig, sondern unregelmässig ausgebuchtet, ohne indess einzelne Flecken zu bilden. Nur am Ende des Streifens, rechts oben, befindet sich dicht daneben ein rundlicher, isolirter Fleck. Die Breite der Streifen beträgt stellenweise kaum 1''', an den buchtigen Stellen über 2'''. Sie verlaufen ungefähr in der Mitte der Lider und treten nirgends an den Wimperrand heran. Ihre Farbe ist etwas dunkler als strohgelb, mit einem Stich

---

*) Vergl. weiter unten d. Referat über diese Fälle.

in's Röthliche; am besten lässt sie sich mit der Farbe des
Lehms vergleichen. Die Streifen sind ganz scharf von der
übrigen Cutis getrennt, sind ein Minimum über dem Niveau
der Lidhaut erhaben und fühlen sich etwas weicher · und
fettiger als die sonstige Haut an. Sie falten sich beim
Lidschlag ganz so wie die übrige Haut, die Falten lassen
sich leicht durch Zug glätten. Mit der Loupe sind weder
Poren noch Härchen auf den Streifen zu entdecken.

Die Frau hat vor 4 bis 5 Jahren zuerst rechts unten die
Entfärbung bemerkt; über die Weiterentwickelung kann
sie keine Auskunft geben. Dass seit $1/2$ bis $3/4$ Jahren kein
weiteres Wachsthum vorgekommen ist, davon habe ich
mich selbst überzeugt.

Dr. Arthur Geissler.

Referate aus der ophthalmologischen Litteratur.

Graefe, A. von. Beiträge zur Pathologie und Therapie des Glaukom's.

Archiv für Ophthalmologie, Bd. XV. Abthl. 2, pag. 108
bis 252.

Verf. beginnt diese Beiträge mit der Bemerkung, dass
wir uns auf dem Boden eingebürgerter pathologischer
Anschauungsweisen befinden, wenn wir das primäre entzündliche Glaukom als eine bestimme Form von Iridochoroiditis auffassen, in deren Wesenheit die intraoculäre
Drucksteigerung mit allen ihren Consequenzen liegt. Was
das Verhalten der Netzhaut bei dieser Glaukomform betrifft, so glaubt Verf., dass der Verdacht eines begleitenden
Netzhautleidens namentlich da gerechtfertigt erscheint, wo
eine Druckexcavation noch nicht zu Stande gekommen, und
wo für etwaige Functionsstörungen der Netzhaut eine andere Erklärung aufgesucht werden muss. Gestützt wird
diese Annahme durch das Entstehen von Netzhautecchy-

mosen (sei es spontan, sei es nach einer Iridektomie), welches bei nicht entzündlichem Glaukom nicht beobachtet wird und ebenso wenig vorkommt nach Iridektomien bei anderen Erkrankungszuständen. Die defectuöse arterielle Blutzufuhr mag einen gewissen Zustand von Brüchigkeit des Netzhautgewebes bedingen; die Erblindung bei dem acut-entzündlichen Glaukom muss jedoch der Hauptsache nach als eine ischämische Netzhautparalyse, als Behinderung der arteriellen Blutzufuhr aufgefasst werden.

Verf. kommt dann auf die Beobachtung, dass bei entzündlichem Glaukom die Ausführung der Iridektomie auf der einen Seite zum Ausbruch glaukomatöser Erscheinungen auf dem anderen Auge disponire, und bemerkt gegen L a q u e u r (Ann. d'Oculist 1869, p. 58), dass die rasche Succession sich bei acutem Glaukom etwa verhalte wie 1 zu 15 bis 18, dass aber, nach einer während des entzündlichen Stadiums ausgeführten Iridektomie, das Verhältniss steige bis auf annähernd 1 zu 10; ja, wo unter den angegebenen Umständen das zweite Auge bereits Prodromalzufälle darbot, zeigte sich ein glaukomatöser Insult binnen 14 Tagen auf dem zweiten Auge, schon in einem Verhältniss von 1 zu 4 und selbst noch häufiger.

Zur Lehre vom Secundärglaukom bemerkt Verfasser, dass es kaum ein entzündliches Augenleiden giebt — besonders wenn dieses geneigt ist, während seines Verlaufes den Augendruck innerhalb erlaubter Grenzen zum Schwanken zu bringen — welches nicht unter Umständen den Ausgangspunkt eines secundären Glaukoms bilden könnte. Hornhautaffectionen können, durch Vermittelung iritischer oder iridochoroiditischer Complication, secundäres Glaukom hervorrufen; sie können aber auch — das ist für den Verfasser zur vollen Ueberzeugung geworden — ohne Zwischenglied, also durch blosse Irritation der Hornhautnerven, glaukomatöse Druckerhöhung bedingen.

Die diffuse Keratitis hat in ihrem gewöhnlichen Verlauf eine nicht unbeträchtliche Tendenz, den Augendruck zu influenciren; doch ruft sie nur ausnahmsweise ein secundäres Glaukom hervor. Verf. hat diesen Vorgang nur viermal beobachtet. — Auch die sogen. Sclerotico-choroiditis anterior führt nicht übertrieben häufig und fast nur in einer späteren Periode zu glaukomatöser Spannungsvermehrung.

Weit häufiger wird die pannöse Keratitis Ausgangspunkt eines secundären Glaukom's und zwar entweder direct oder — vielleicht noch häufiger — indirect durch eine allmälig sich hinzugesellende schleichende Iritis, welche nach des Verfassers Erachten nicht selten überhaupt die Ursache der Hartnäckigkeit des veralteten Pannus ist. — Dass Hornhautnarben — besonders narbige Hornhautektasieen — nach eingreifenden geschwürigen Processen der verschiedensten Art späterhin zu Secundär-Glaukom führen können, ist eine den Ophthalmologen bereits hinreichend bekannte Thatsache; es ist in dieser Beziehung die vordere Synechie (ebenso wie bei Iritis die hintere Synechie) ein damnum permanens, welches nicht selten noch Glaukom einleitet, wenn die Kranken — vielleicht nach langen Jahren — ins Greisenalter einrücken. Da diese Vorgänge am allerhäufigsten im kindlichen Alter vorkommen, so empfiehlt Verf., das operative Eingreifen nicht wegen des zarten Alters zu verschieben, sondern in jedem Lebensalter zu operiren, sobald sich eine auf Druckzunahme hindeutende Ausdehnung der vorderen Kammer und Vergrösserung des Hornhautdurchmessers zu erkennen giebt.

Bei dem Keratoglobus oder Hydrophthalmus congenitus lässt es Verf. unentschieden, ob hier ein anomales Verhalten der inneren Membranen von Anfang an zu Grunde liegt, oder ob die Dehnung der Hornhaut für sich den Quellpunkt secretorischer Reizung darstellt. Bezüglich zur Operation bleibt nach des Verfasser's Ansicht die unendliche Mehrzahl hierher gehöriger Fälle ein noli me tangere.

Endlich verweilt Verf. noch bei einem eigenthümlichen, in der Litteratur bis jetzt noch nirgends naturgetreu beschriebenen Hornhautübel, welches mit einer, der halbgeöffneten Lidspalte entsprechenden, quer über die Hornhaut verlaufenden Trübung beginnt und mit chronischer Iritis, Pupillarverschluss, Linsenverkalkung, Augapfelatrophie und mit glaukomatöser Spannungs-Vermehrung endigt. Von dieser Erkrankungsform sind einige sehr sauber ausgeführte Farbendruck-Abbildungen dem Artikel hinzugefügt.

Ueber den verschiedenen Werth der Iridektomie bei den verschiedenen hier angeführten Hornhautleiden bei ihrem Uebergang in Secundär-Glaukom giebt Verf. sehr beachtenswerthe, im Original nachzulesende Winke.

Unter den Iriserkrankungen sehen wir bei eitriger Iritis kaum jemals glaukomatöse Zustände nachfolgen; ebensowenig wie bei der gewöhnlichen plastischen Iritis. Doch hat Verf. — fast nur an dem zweiten Auge, nachdem das erstere bereits längere Zeit glaukomatös war — ein Krankheitsbild beobachtet, welches von dem typischen entzündlichen Glaukom hauptsächlich nur durch Pupillarverengung in Folge von hinteren Synechien und geringere Trübung des Kammerwassers abweicht.

Am nächsten unter den Iriserkrankungen steht dem Glaukom unstreitig die Iritis serosa. Die bei derselben vorhandene ungewöhnliche Druckerhöhung steigert sich, in allen Lebensaltern, leicht zu Glaukom. Uebrigens ist die Iritis serosa nicht selten selbst schon eine inducirte, von anderen Primärzuständen abhängige Folgekrankheit.

Eine ganz besonders häufige Entstehungsweise des secundären Glaukom's begründet das Zurückbleiben hinterer Synechien. Aus des Verfassers Erfahrungen resultirt für die Praxis der Grundsatz, dass bei circulärer Synechie unbedingt, und zwar selbst dann noch zu operiren sei, wenn auch das Sehvermögen des Pat. sich angeblich stationär erhält.

Eine Causalbeziehung der Kataraktbildung zum

Glaukom weist Verf. einstweilen noch zurück, wiewohl ihm 5 Erfahrungen zur Seite stehen, welche einer Deutung in diesem Sinne nicht widersprechen würden.

Anders verhält es sich mit den Stellungsanomalien der Linse. Es ist bekannt, dass ein nicht unbeträchtlicher Theil solcher Augen, die mit angeborener Linsenluxation behaftet sind, späterhin glaukomatös werden. Aber auch spätere, durch Ruptur der Zonula entstandene Linsendislocationen veranlassen abnorm gesteigerte Secretionsverhältnisse, ja es scheint, als ob unbedeutende Lockerungen, an welche sich nur eine abnorme Beweglichkeit der Linse knüpft, schon grosse Gefahren hinsichtlich einer Drucksteigerung involviren.

Hiervon wesentlich verschieden sind die Quellungsvorgänge nach Linsenkapsel-Verletzung. Dieselben sind gefährlicher im späteren Alter, weil die Linsensubstanz härter und weil zugleich bei steigendem Augendruck die Disposition zur Sehnervenexcavation mit zunehmendem Alter zunimmt. Kindliche, resp. jugendliche Augen vertragen selbst eine erhebliche Vermehrung des Augendruckes eine gewisse Zeit hindurch ohne Gefahr; bei älteren Individuen kann der Gegendruck einer quellenden Linse gegen die hintere Irisfläche schon eine gefährliche Drucksteigerung bedingen. Besonders trostlos verhält sich die Sache bei dem Reclinationsglaukom. — Endlich bemerkt Verfasser, dass Aphakie nicht, wie man früher wohl glaubte, als eine Art Präservativ gegen Glaukom betrachtet werden dürfe.

Unter den Aderhauterkrankungen haben die plastische und die eiterige Choroiditis wenig Neigung, den Augendruck andauernd zu steigern; wir sehen im Gegentheil dem Höhestadium der Krankheit in der Regel sehr bald eine Abnahme der Druckhöhe nachfolgen. Die seröse Choroiditis, wenn sie auch nicht geradezu mit dem acut entzündlichen Glaukom identificirt werden kann, zeigt jedenfalls ihre nahe Verwandtschaft zu demselben durch ihren ziemlich häufigen Uebergang in secundäres Glaukom. Fast nie gewahrt man glaukomatöse Druckzunahme, wenn bei entzündlichen Processen ein subretinaler Bluterguss hinzugetreten ist.

Eine wegen ihrer Affinität zum Glaukom ganz besonders wichtige Krankheit bildet die hintere Sklerektasie.

Der Zusammenhang dieser beiden Augenleiden ist schon öfter Gegenstand eingehender Erörterungen gewesen. Verf. legt ein besonderes Gewicht darauf, dass die ektatische Stelle am hinteren Augenpol zugleich Durchtrittsbezirk der hinteren Ciliarnerven ist. Ferner macht Verf. darauf aufmerksam, dass die Excavationsform bei gleichzeitig vorhandener hinterer Ektasie des Sehnerven besonders dann etwas flach erscheint, wenn die umschriebene Aderhaut-Atrophie den Sehnerven bereits umkreist. In anderen Fällen hat Verf. dagegen Excavationen von eminent typischer Form beobachtet, bei denen die Sehschärfe sowohl wie das Gesichtsfeld wenig oder gar nicht beeinträchtigt erschien. Endlich bleiben noch Fälle zu erwähnen, in welchen bei ausgeprägter Sehaxen-Verlängerung und umschriebener Choroidalatrophie die Sklera in einem grösseren Abstand von der Pupille ziemlich plötzlich zurückweicht; ja, es kann sich sogar noch eine zweite Excavation an der Sehnervengrenze vorfinden.

Die Erkrankungen der Netzhaut scheinen auf die Schwankungen des intraocularen Druckes keinen wesentlichen Einfluss zu haben. Nichtsdestoweniger sieht man nicht so ganz selten (Verf. hat in den letzten 8 Jahren 20 Fälle verzeichnet) glaukomatöse Erkrankungen nach vorausgegangener Netzhauthämorrhagie, gemeiniglich in der Nachbarschaft der Papille. Verf. sah das secundäre Glaukom etwa 2 bis 6 Monate nach dem Beginn der Netzhauterkrankung eintreten. In $^2/_3$ sämmtlicher Fälle fiel der Termin des Glaukomausbruches in die 4. bis 10. Woche nach der ersten Functionsstörung. In einem Falle sah Verf. erst 2 Jahre nach dem Beginn der Netzhautblutung und länger als ein Jahr nach dem völligen Verschwinden der Blutextravasate ein subacutes Glaukom auftreten. Verf. bringt diese Beobachtungen in Zusammenhang mit seiner früher gehegten Ansicht, dass das Glaukom eine von Arteriosklerose abhängige Erkrankung sei. Hinsichtlich des spontanen Verlaufs der eben erwähnten Fälle bleibt noch zu bemerken, dass ein verhältnissmässig grosser Theil der Patienten nicht allzulange nach Beginn des Leidens apoplektisch zu Grunde geht. Auch die therapeutischen Erfolge bei dieser Krankheitsform sind sehr wenig ermuthigend; nur in einem von Coccius*) mitgetheilten Falle war der Effect der Iridektomie vortrefflich. Verf. war dagegen mit der Operation solcher Fälle so wenig glücklich, dass er bei persistirenden Beschwerden nach erloschenem Sehvermögen die Enucleation des erkrankten Auges empfiehlt.

Während wir bei den Secundärglaukomen stets gewisse Ursachen erkennen, welche zu vermehrter Secretion führen, so sehen wir uns genöthigt, bei dem Glaucoma simplex eine latente, intraoculare Ursache vorauszusetzen. Hierfür spricht auch die unsichere Wirkung der Iridektomie, deren Resultate nach den bisherigen Erfahrungen in etwa 90 % der Fälle dauernd vor Erblindung schützen, in etwa 2 % dagegen Schaden stiften. Zuweilen bemerkt man, dass unmittelbar nach der Operation eine erhebliche Spannungsvermehrung zurückbleibt. Unter stärkerer pericornealer Injection wird Iris und Linse fest gegen die Hornhaut gepresst. In einigen dieser Fälle restituirt sich die vordere Augenkammer erst im Verlaufe der zweiten Woche oder noch später, eine langsame Wiederbildung der Kammer (nach dem zweiten Tage) bemerkt man in etwa 10 bis 12 % der hierher gehörenden Fälle; weit seltener bleibt die Aufhebung der Kammer permanent, selbst wenn nachträglich die Spannung rückgängig wird. Regelmässiger Weise bemerkt man aber in der der Wunde benachbarten Ciliar-

*) Archiv für Ophthalmologie. Band IX. Abth. 1, p. 8.

partie eine erhöhte Schmerzhaftigkeit bei der Palpation, welche nach des Verf.'s Auffassung als Anfachung eines erneuerten glaukomatösen Anfalles zu betrachten ist. Diese Fälle sind jedoch wesentlich zu unterscheiden von jenen malignen Fällen, welche sich mit Netzhautblutung combiniren und von denen weiter oben die Rede war.

Verf. glaubt, dass pathologische Schrumpfung der Sklera, nicht sowohl durch eine Compression der contenta bulbi oder durch Verengung der venösen Ausführungswege, als vielmehr durch Zerrung und Functionsstörung der durch dieselbe hindurchtretenden secretorischen Nerven hervorgerufen wird. Hierin sucht Verf., besonders aus Exclusionsgründen, die latente, intraoculare Ursache des einfachen Glaukom's. Vom Atropin glaubt. Verf., dass es unter Umständen acute Steigerung des Druckes verschulden kann; ebenso kann auch der auf ein relativ gespanntes Auge angelegte Druckverband die Gefahren des Verlaufes bedeutend steigern. Sind die Erfolge einer Iridektomie unzureichend, so zieht Verf. die Anlegung einer zweiten, diametral gegenüber liegenden künstlichen Pupille der Verbreiterung einer ersten Iridektomie durch eine zweite, dicht daneben angelegte, entschieden vor.

Bezüglich zur Aetiologie des Glaukom's lässt sich eine traumatische Entstehungsweise nicht in Abrede stellen, wie aus den Quellungserscheinungen nach verletzter Linsenkapsel oder aus den Folgen einer Linsendislocation nach einer Sprengung der Zonula und ähnlichen Vorgängen zur Genüge hervorgeht. Ungemein viel seltener dürften aber solche Fälle sein, in denen, ohne anderweitige vermittelnde Zwischenglieder, durch einfache traumatische Nervenerregung ein Glaukom sich herausbildet; an einem völlig gesunden Auge dürfte durch eine Verletzung kaum je ein Glaukom in directer Weise zu Stande kommen.

Ein anderes ätiologisches Moment von nicht geringer Wichtigkeit bildet das erbliche Auftreten des Glaukom's, wovon

Verf. mehrere frappante Beispiele anführt; im Allgemeinen giebt er jedoch zu, dass über die Aetiologie des Glaukom's, trotz aller eifrigen Nachforschung, noch immer das alte Dunkel walte; selbst das überwiegend häufigere Vorkommen in einer vorgerückten Lebensperiode erleidet eine Einschränkung dadurch, dass der Process eben so gut auch in der infantilen Lebensperiode zur Entwickelung kommt, wenn nur eine ausreichend mächtige Ursache die secretorische Thätigkeit anfacht.

Zur Symptomenlehre bemerkt Verf., dass die Sehnervenexcavation nicht einfach durch Unterbrechung der Faserleitung das Sehvermögen aufhebt; denn vereinzelte Fälle kommen oft genug vor, bei denen die Excavation im Verhältniss zur Sehstörung ausserordentlich gering ist. Ausserdem sprechen hierfür aber noch gewisse pathologisch-anatomische Thatsachen, nämlich gewisse sehr merkwürdige Veränderungen der Retina, welche von Leber aufgefunden worden sind.

Verf. schliesst mit der Bemerkung, dass jede Einheilung der Iris nach Glaukomoperationen die secretorische Reizbarkeit des Auges sicherlich steigert und dass er daher, jetzt noch mehr als früher, darauf dringe, die Operation nicht früher zu schliessen, als bis man die völlige Auslösung der Iris aus dem Wundkanal constatirt habe.

Sämisch, Th. Das Ulcus corneae serpens und seine Therapie. Eine klinische Studie. Max Cohen & Sohn. Bonn 1870. p. 45.

Verf. nennt Ulcus corneae serpens oder kriechendes Hornhautgeschwür eine besondere Geschwürsform, welche sich durch ihre Tendenz zur Ausdehnung in die Fläche, besonders nach einer Seite hin, auszeichnet; es ist fast ganz dieselbe Geschwürsform, welche Roser mit dem Namen Hypopyon-Keratitis bezeichnet hat.

Nachdem Verf. im ersten Abschnitte eine die Krankheit scharf bezeichnende Schilderung gegeben und im

zweiten unsere bisher gegen dieses Uebel angewendeten therapeutischen Hülfsmittel, besonders Atropin, feuchte
Wärme, Paracenthesen und Iridektomien, als solche Mittel
gekennzeichnet hat, welche zwar in einzelnen Fällen
zu günstigen Erfolgen führen können, welche uns jedoch
in anderen Fällen im Stiche lassen, geht er im dritten
Abschnitte zur Beschreibung seines eigenen Verfahrens
über, welches ihn — wie er versichert — unter 35 auf solche
Weise behandelten Fällen nur ein einziges Mal im Stiche
liess. Der Grad des übrig gebliebenen Sehvermögens war
begreiflicherweise nach individueller Lage sehr verschieden,
doch versichert Verf., dass der Krankheitsprocess durch
das von ihm angewendete Verfahren stets sofort sistirt, und
also vom Sehvermögen stets noch so viel gerettet worden
sei, als überhaupt zu retten war.

Das neue Verfahren beruht auf einer so früh wie möglich ausgeführten Spaltung des Geschwürsgrundes in seiner
ganzen Breite, welche sich über die Ränder des Geschwüres
nach beiden Seiten hin in das benachbarte gesunde Gewebe
fortsetzt, und in einem Offenhalten dieses Schlitzes bis zur
beginnenden Vernarbung des Geschwüres (p. 12).

Zunächst macht Verf. darauf aufmerksam, dass zwischen seinem Verfahren und den früher schon längst geübten Paracenthesen und der von verschiedenen Autoren
(Weber, Walton, Galezowski) empfohlenen Spaltung
des Hornhautabccesses ein grosser Unterschied bestehe.
Dann geht er zur genaueren Beschreibung seines eigenen
Verfahrens über. Die Operation wird mit dem v. Graefeschen Schmalmesser ausgeführt, und zwar so, dass die Ein-
stichs- und Ausstichsstelle diesseits und jenseits der infil-
trirten Hornhautpartie liegt und dass der eigentliche Schnitt
mitten durch dieselbe hindurchgeht. — Die anfängliche
günstige Wirkung dieser Operation ist nicht von langer
Dauer; man muss daher die Herabsetzung des intraoculären
Druckes durch Aufreissen des verklebten Schnittes wiederholt
einleiten. Dies geschieht in den ersten Tagen in der Regel

zweimal täglich. Verf. bedient sich zu diesem letzteren Zwecke am liebsten des W e b e r'schen Thränenmesserchen oder eines feinen Stilets, dessen stumpfe Spitze vorher ein wenig gekrümmt werden muss, und versichert, dass diese Procedur, wegen der in der erkrankten Hornhautpartie herabgesetzten Sensibilität, sehr wenig schmerzhaft sei.

Verf. vertheidigt sein Operations-Verfahren im Voraus gegen einige mögliche Einwürfe und erklärt dasselbe als ein durchaus ungefährliches.

In dem vierten und letzten Abschnitte lässt Verf. nach einigen vorausgeschickten Vorbemerkungen noch 9 Krankengeschichten nachfolgen, welche zum besseren Verständniss des vorher Gesagten dienen sollen.

Langhans, Th. Ein Fall von Melanom der Cornea. Mit Abbildungen.

Virchow's Archiv, Bd. 49 (4. Folge, Bd. 9) pag. 117 bis 126.

Verf. hatte Gelegenheit, einen melanotischen Tumor der Hornhaut zu untersuchen; freilich erst, nachdem derselbe schon mehrere Monate lang in Spiritus aufbewahrt worden war. Der Tumor sass pilzförmig der einen Hälfte der Hornhaut auf, mit einer von der Hauptmasse der Geschwulst nach allen Seiten überragten schmalen Basis, welche die Grenze der Cornea nirgends überschritt und also nirgends auf den Bindehautüberzug der Sklera überging. Derselbe sass nicht im Gewebe der Hornhaut selbst, sondern in einer pannusartigen Masse, welche sich von der Skleralconjunctiva auf die Vorderfläche der Hornhaut erstreckte und die eigentliche Substanz der letzteren unberührt liess. In den oberen Schichten der Hornhaut, und zwar mehr in die Breite als in die Tiefe, erstreckte sich eine die Basis der Geschwulst überragende braune Färbung. Auf der Durchschnittsfläche der äusserlich glatten und leicht grau gefärbten Geschwulst finden sich die oberflächlichsten Schichten und Randpartien pigmentfrei, während die tieferen, durch weite Gefässe wie porös erscheinenden Schichten stark schwarzbraun gefärbt sind.

Verf. theilt die Resultate seiner Untersuchung dieser selten vorkommenden Geschwulstform ausführlich mit, im Anschluss an einen unmittelbar vorausgehenden, gleichfalls von ihm selbst geschriebenen Artikel über Resorption der Extravasate und Pigmentbildung in denselben (ebendas. p. 66 bis 116), worin er die Entstehung pathologischen Pigments aus morphologischen Veränderungen, denen die rothen Blutkörperchen unterliegen, nachzuweisen sucht.

Das Vorkommen von Blutkörperchen haltenden Zellen in melanotischen Geschwulsten ist schon in mehreren Fällen beobachtet worden. Die hierauf zuerst von Ecker[1]) und Virchow[2]) gebaute Theorie, wonach das Pigment aus den rothen Blutkörperchen entstehen sollte, ist aber fast vollständig in Vergessenheit gerathen, weil man bei den meisten Melanosen die anscheinend unumgänglich erforderlichen vorausgehenden Blutextravasate nicht finden, oder doch nicht nachweisen konnte. Seit den Beobachtungen von Stricker und Cohnheim, wonach die Blutkörperchen durch die unverletzten Gefässwandungen hindurchtreten können, ist die Hauptschwierigkeit, welche jener Theorie entgegenstand, vollständig beseitigt.

Obwohl nun das Präparat, welches längere Zeit in Spiritus aufbewahrt worden, für beweisende Schlüsse nicht geeignet ist, so stehen doch die an demselben gemachten Beobachtungen mit den vom Verf. durch das Experiment gewonnenen Resultaten im besten Einklang. — Die Hauptmasse des Tumor besteht aus Zellen von epithelialem Charakter mit grossem runden oder ovalen, scharf und deutlich contourirten Kern. Nicht alle Zellen enthalten Pigment; selbst in den Schichten, die am stärksten gefärbt sind, finden sich viele farbstofffreie Zellen.

---

[1]) Zeitschr. f. wissenschaftl. Zoologie II. 276.
[2]) Archiv f. patholog. Anatomie IV. 531.

Dagegen findet sich in dem vorliegenden Tumor alles Pigment in Zellen. Dieses Eingeschlossensein des Pigments in den Zellen ist eine bei den melanotischen Tumoren bereits allgemein bekannte Thatsache. Nur da, wo zugleich Rückbildungsprocesse und fettiger Zerfall vorhanden, findet sich das durch den Zerfall frei gewordene Pigment ausserhalb der Zellen. Solche Rückbildungsvorgänge waren in dem vorliegenden Tumor noch nicht eingetreten. Das in den Zellen eingeschlossene Pigment hat vielmehr zum Theil noch ganz die Gestalt und Grösse der normalen rothen Blutkörper; sie sind scheibenförmig, von der Fläche gesehen rund, von der Kante stäbchenförmig. Ein anderer Theil ist kugelig und etwas kleiner, ganz ähnlich den in extravasirtem Blute kugelig gewordenen Blutkörperchen. Endlich kommen auch noch alle anderen unregelmässigen und eckigen Formen des Pigments vor, die Verf. auch in Blutextravasaten gefunden, die aber alle dieselbe Farbe haben und kleiner sind als die scheibenförmigen und kugeligen Körner, offenbar also dem Zerfall dieser letzteren ihren Ursprung verdanken.

Hutchinson Jonathan. Xanthelasma palpebrarum mit Amaurose.

Ophth. Hosp. Rep. VI. 4, p. 265, 275 und 282.

Xanthelasma nennt Erasmus Wilson jene nicht selten bei ältlichen Personen am Augenlid vorkommenden Flecke. — An solchen litt — zugleich mit Leber- und Digestions-Störungen, jedoch ohne Gelbsucht — ein 45j. Patient. Derselbe klagte, dass er in früheren Jahren öfter auf einem Auge, zwei oder drei Mal, aber auch schon auf beiden Augen zugleich, plötzlich auf 1 oder 2 Minuten vollständig erblindet sei. Gewöhnlich folgten hierauf sehr heftige Kopfschmerzen.

Der zweite Fall betrifft einen 57j. Irländer, der nie geraucht und nie unmässiger Trinker gewesen. Dieser hat erst seit 6 Monaten die Flecke auf den Augenlidern bemerkt. Das Sehvermögen des linken Auges war seit vielen, das des rechten seit 9 Jahren ohne Schmerzen zu Grunde gegangen. An der medialen Seite jedes Augenlids und an den seitlichen Abhängen der Nasenwurzel sieht man eine Menge stecknadelkopf- bis halb erbsengrosser, etwas erhabener, zum Theil mit einem schrägen Centralflecke (dem Ausführungsgang einer Schmeerdrüse) versehener gelber Flecke. Die Flecke sind auf beide Augen auffallend symmetrisch vertheilt. — Am linken Auge war bereits vor 7 Jahren eine Iridektomie gemacht. Die rechte Sehnervenscheibe ist atrophisch. Ausserdem zeigten sich noch Symptome beginnender Ataxia locomotrix, und waren die Kopf- und Augenbrauenhaare fast sämmtlich ausgefallen.

Verf. scheint an irgend einen causalen Zusammenhang zwischen den Augenlidflecken und den übrigen Gesundheitsstörungen zu denken; er fordert schliesslich die Collegen auf, ihn bei seinen Nachforschungen über Xanthelasma palpebrarum unterstützen zu wollen.

Ein dritter Fall findet sich gelegentlich ebendaselbst auf p. 265 erwähnt bei einem 58jähr., an heftigem Herpes frontalis leidenden Patienten. Bei demselben sah man auf beiden unteren Augenlidern kleine, gelblich-weisse, kaum etwas erhabene Flecke, welche so aussahen, wie erweiterte Schmeerfollikel. An dem inneren Augenwinkel fand sich jederseits ein weisslicher Fleck von der Grösse einer kleinen Fingerspitze.

Dr. Narkiewicz-Jodko, Favus auf den Lidern und in den Thränenkanälen. (Gazéta Lekarska in Warschau. Nr. 34. 1869.)

Den klinischen Monatsblättern theilen wir zwei interessante Fälle von parasitischen Krankheiten mit, welche unlängst in einer polnischen medicinischen Zeitschrift veröffentlicht worden sind.

1. Bei einem 48jähr. Hebräer existirte bereits seit

einigen Jahren auf dem oberen Lide des linken Auges ein Schorf, 2¹/₂ Ctm. lang, 1¹/₂ Ctm. breit, 2 Mm. über der Haut erhaben. Der schmutzig gelbe Schorf war hart, doch sehr brüchig; selbstverständlich behinderte er das Oeffnen des Auges; das Auge selbst war vollkommen normal. Auf den Kopfdecken und der Haut des übrigen Körpers fanden sich weder Geschwüre noch Schorfbildungen, die die Diagnose unterstützen. Der entfernte Schorf gab bei der mikroskopischen Untersuchung, vorgenommen von Prof. Brodowsky, die Pilzmassen von Achorion Schoenleini. Unter dem Schorf fand sich eine 4 Mm. betragende Vertiefung, mit einem röthlich dünnen Häutchen bedeckt.

2. Eine 54jähr. Dame aus höheren Ständen litt zwei Jahre lang an dem linken Auge; letzteres thränte fortwährend, war lichtscheu bei gleichzeitiger Hyperämie und Schwellung des inneren Augenwinkels und vorzüglich der Caruncula lacrimalis. Zuweilen bemerkte die Kranke, wenn sie das Auge rieb,' eine kleine Verhärtung in dem inneren Augenwinkel und eine unbedeutende Eiterung aus dem erweiterten unteren Thränenpunkt. Mittelst einer Sonde überzeugte sich der Autor von der Erweiterung des unteren Thränenkanals, in welchem er einen weisslichen Körper wahrnahm, den er für polypöse Wucherungen hielt. Der Kanal wurde mittelst eines Weber'schen Messers geöffnet, und bei dem Ausspritzen mit der Anel'schen Spritze fanden sich in den entleerten Massen drei bräunlich-weisse Kügelchen, deren Durchmesser 1¹/₂ bis 2 Mm. betrug; weich an an der Oberfläche, zeigten sie bedeutende Härte im Centrum.

Nach einigen Stunden fand sich bei wiederholter Einspritzung noch ein Kügelchen von der Grösse eines Mm. Am Tage darauf wieder ein Kügelchen und zwar ein grösseres, 3 Mm. Mit dieser Operation war die Kranke sofort hergestellt. Diese Kügelchen bestanden, wie sich das answies, aus Pilzmassen der Achorion Schoenlein's. Dr. Narkiewicz vergleicht diese letzteren Fälle mit zweien von Graefe beobachteten, die im ersten Buch seines Archivs niedergelegt worden sind. Graefe, der damals noch unbekannter mit den verschiedenen Pilzformen war, wie er selbst zugiebt, hielt jene damals gefundenen Kügelchen für Favuspilze, jetzt aber, gegründet auf die genauere Untersuchung von Leber, für ein Leptothrix bucalis (Archiv für Ophth. B. 15, Abth. 1). Aehnliches bestätigt auch die Untersuchung Waldeyer's in einem Falle, den Förster beobachtete, welcher letztere sagt: „Seit jener Zeit (das ist seit 14 Jahren) sind meiner Kenntniss nach weitere Fälle nicht veröffentlicht worden."

Man muss annehmen, dass auch der letzte Fall von Dr. Narkiewicz zu jener Kategorie hinzuzuzählen ist.

Dr. Jos. Talko.

Tiflis, 10. December 1869.

Heiberg, Hjalmar. Periferien af Tunica Descemeti og dens Inflydelse pa Akkommodationen. Med 1 Planche.

Nordisk medicinskt Archiv. Bd. 2 No. 11.

Indem ich Ihnen, Herr Professor, einen Separat-Abdruck meines Aufsatzes: „Die Peripherie der Tunica Descemeti und deren Einfluss auf die Acommodation" schicke, erlaube ich mir ein kurzes Referat seines Inhaltes zu geben.

„Die Veröffentlichung wurde durch die Aufsätze von G. Haase und Pelechin in Gräefe's Archiv erregt. (Rollett's und Iwanoff's Artikel über denselben Gegenstand war noch nicht erschienen.) Die jetzige Accommodationstheorie nimmt wohl gewöhnlich an, dass die radiären und circulären Fasern des M. ciliaris gleichzeitig wirken, um die Linse convexer zu machen, und dass dies direct durch die Erschlaffung der Zonula Zinnii geschieht. Da aber die Zonula ziemlich fest haftet längs den Ciliarfortsätzen, wird es natürlich wesentlich der von diesen zur Linse ausgespannte Theil desselben (Lig. suspensorium lentis), welcher erschlafft werden kann. Die Hauptwirkung des Muskels muss also die sein, dass das Lumen des von demselben gebildeten Ringes vermindert wird, was zum Theil dadurch geschieht, dass die circulären Fasern sich zusammenziehen, zum anderen Theil aber dadurch, dass der ganze Muskel sich bei der Zusammenziehung der übrigen longitudinalen Fasern verdickt. Gewöhnlich nimmt man an, dass das vordere Ende des Muskels fix ist. Dass dieses aber wahrscheinlich nicht so ist, will ich im Nachstehenden aus der Anatomie zu beweisen suchen, und ist dadurch zugleich die Erklärung des Zurücktretens der peripherischen Partie der Iris unter der Accommodation für die Nähe gegeben.

Es ist nicht schwer, die Regenbogenhaut mit den Ciliarfortsätzen abzupräpariren und dann den Ciliarmuskel mit der Peripherie der Tunica Descemeti von der Hornhaut und Sklera loszureissen. Untersucht man nun die peripherische Descemetipartie von der hinteren, vom Epithel befreiten Fläche (Fig. 1), so sieht man an ihr eigenthümliche wirbelförmige Zeichnungen (Fig. 1 a), welche sich in der Nähe des Schlemm'schen Canals zu radiär gestellten kurzen Balken (Fig. 1 b) ordnen, die aber eigentlich nur glasige Verdickungen der Haut darstellen. Diese fangen nach kurzem Verlaufe an, mit einander zu anastomosiren, lösen sich von der Descemeti ab als ein grossmaschiges Netz ziemlich dicker, glänzender Fasern (Fig. 1 c u. Fig. 2) und schlagen sich dann als das eigentliche Ligam. pectinatum iridis auf die Regenbogenhaut herüber, hängen aber nicht direct mit dem Ciliarmuskel zusammen. Es ist zu bemerken, dass die Maschen dieses Netzes viereckig oder mehr oder weniger polygonal sind, mit ungefähr gleichem Diameter in allen Richtungen. — Die unten liegende (die vorn liegende) Tunica Descemeti ändert aber gleichzeitig ihre Structur. Sie blättert sich auf in mehrere hinter einander liegende Lamellen, welche aber jede für sich ihr homogenes, glasiges

Aussehen einbüssen und sich gleichsam zu fenestrirten Membranen umbilden. Aber das Fenestriren ist ganz eigenthümlich; indem nämlich die Maschen oval oder spindelförmig sind und den längsten Durchmesser quer gestellt (parallel dem Schlemm'schen Kanale) haben. Die Fasern, welche die Maschen von einander trennen, sind nicht sehr breit, und der ganze peripherische Theil der Tunica Descemeti macht daher bei wenig sorgfältiger Untersuchung den Eindruck, als ob hier ein Ring von Bindegewebsfasern läge. Dieser Theil bildet nun hauptsächlich die hintere Wand des Schlemm'schen Kanals und muss als die eigentliche Sehne des Ciliarmuskels betrachtet werden, in dessen bindegewebiges Gerüst es auch direct übergeht. Wahrscheinlich gehen auch einige Lamellen dieser fenestrirten Häute in die Skleralsubstanz über und bilden dadurch die vordere Wand des Schlemm'schen Kanals. — Betrachtet man nun den vorderen Theil des Ciliarmuskels, so sieht man dessen longitudinale Fasern deutlich an diesen tieferen gefensterten Descemeti-Lamellen sich inseriren. Die Muskelzellen liegen alle parallel, bis sie den Schlemm'schen Kanal erreichen; hier endet ein grosser Theil des Muskels, während andere Muskelzellen deutlich fächerförmig nach den Seiten umbiegen und so zwischen den Fasern des gefensterten Theiles der Descemeti, bis ungefähr zur Mitte des Schlemm'schen Kanals verlaufen. — Folglich sieht man in dem äussersten gefensterten Theil der Descemeti mehrere schräge gestellte und einige ganz quer verlaufende Muskelkerne, die dadurch ein förmlich circulär verlaufendes Muskelbündel in der hinteren Wand des Canalis Schlemmi darstellen, wo die Muskelkerne etwas schematisch angelegt sind. Dieser bildet zwar keine mächtige Lage, hat aber doch wahrscheinlich seine Bedeutung und ist nicht zu verwechseln mit den von Müller und Lambl beschriebenen Circulärfasern. — Noch wird darauf aufmerksam gemacht, dass die Skleralfasern in dem vorderen, inneren, an die Cornea grenzenden Theile, welche die sklerale

Begrenzung des Canalis Schlemmi bilden, einen circulären Verlauf, parallel dem Schlemm'schen Kanal, haben.

Dieses hier beschriebene Verhältniss hat offenbar einen Einfluss auf die Accommodation. Ich meine nämlich, dass die circulär, mit ihrem längsten Diameter quer gestellten Maschen der peripherischen Tunica Descemeti durch die Wirkung der an ihnen sich inserirenden Längsfasern des Ciliarmuskels verbreitert werden, so dass ihre Maschen mehr die Form der oberflächlichen Lage, die sich auf die Regenbogenhaut herüberschlägt, annehmen, oder dass sie sogar ihren längsten Durchmesser in meridionaler Richtung bekommen, was offenbar durch die im Ligamente selbst verlaufenden circulären Fasern unterstützt wird.

Hierdurch wird natürlich der ganze gefensterte Theil der Descemeti-Peripherie verbreitert, die vordere Insertion des Ciliarmuskels rückt rückwärts, und mit dieser natürlich auch der peripherische Theil der Regenbogenhaut, welcher mit den Ciliarfortsätzen gleichsam auf den Schultern des Ciliarmuskels getragen wird. — Die Hornhaut ändert hierdurch natürlich gar nicht ihre Krümmung, aber der Ciliarmuskel muss sich bedeutend verkürzen und verdicken, indem sein vorderes und hinteres Ende gegen einander rücken. — Wäre nun, wie Pelechin meint, der Schlemm'sche Kanal weder ein Venensinus noch ein Lymphraum, so würde er eine Art von modificirter Sehnenbursa repräsentiren, um die Excursionen der gefensterten Haut zu erleichtern.

In praktischer Beziehung glaube ich auch, dass diese Auffassung der Tunica Descemeti vielleicht Bedeutung haben kann. Wenn man auch Myopie und Hypermetropie nicht heilen kann, so meine ich doch, dass man bei Astigmatismus durch eine Art von Rücklagerung des Ciliarmuskels in dem am schwächsten brechenden Meridiane, eine Convexitätsvergrösserung der Linse in diesem erreichen könnte. Ich denke mir, dass es eine ungefährliche Operation wäre,

6*

84

wenn man zwei kurze, subcorneale Durchschneidungen der Sehne des Ciliarmuskels in den beiden Enden des am schwächsten gekrümmten Meridianes machte, in einer Richtung parallel zum Schlemm'schen Kanale.

Die Fig. 4 zeigt ein junges Seehundsauge mit mächtigem Ligam. pectinatum, welches zu beweisen scheint, dass dies Gebilde bei der Accommodation eine Rolle spielt, denn der Seehund, der bald im Wasser, bald auf dem Lande lebt, muss eine grosse Accommodation haben."

H. Heiberg.

p. t. Wien, den 28. Nov. 1869.

Max Schultze. Ueber die Nervenendigung in der Netzhaut des Auges bei Menschen und bei Thieren. (Mit einer Tafel.)

Arch. f. Mikroskop. Anatom., Bd. V., p. 379 bis 403.

(Sitzungsber. der Niederrhein. Gesellschaft für Natur und Heilkde. vom 3. Mai 1869.)

Verf. hat bereits in der Sitzung der Niederrheinischen Gesellschaft für Natur und Heilkunde vom 3. Mai 1869 vorläufige Mittheilung gemacht von einem bis dahin noch unbekannt gebliebenen Fasersystem in der Netzhaut, welches er, nach Vergleichung mit dem Befunde bei verschiedenen Thiergattungen, für die Endausbreitung des Sehnerven halten muss. Bei Präparation mit Ueberosmiumsäure und Anwendung sehr starker Vergrösserungen sieht man nämlich die Limitans zusammengesetzt aus einer Reihe feiner, glänzender Punkte, von welchen feine, kurze, fast genau gleich lange Fäserchen wie Wimperhaare hervorragen.

Verf. richtete nun mit vermehrter Spannung seine Aufmerksamkeit auf die Bedeutung jener eigenthümlichen kurzen feinen Fäserchen, welche er aus der Limitans externa zwischen

Stäbchen u. Zapfen hinausragend, schon früher bei Vögeln gesehen hatte, und welche ihm neuerdings auch bei Untersuchung eines frischen menschlichen Auges aufgefallen waren. Diese Fäserchen drängen sich um die Basen der Zapfen und Stäbchen herum und präsentiren sich auf der Flächenansicht der Limitans externa als punktirte Kreise, welche an der Basis der Zapfen etwa aus 40, an der Basis der Stäbchen etwa aus 8 bis 10 oder 12 Punkten bestehen. Das Innere dieser Kreise, welches dem Körper der Stäbchen und Zapfen entspricht, ist frei von jeder Punktirung *).

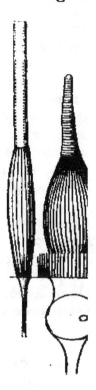

Fig. 1

---

*) Nebenstehende Fig. 1 ist l. c. der Tafel XXII, Fig. 14 entnommen; sie soll darstellen die Stäbchen und Zapfen vom Menschen ungefähr aus der Gegend des Aequators des Auges, bei 1000 bis 1500facher Vergrösserung, in ihrem Grössenverhältniss zu einander und mit ihren Aussengliedern, von denen das des Zapfens in Plättchen zerfallen, das des Stäbchens noch in vollem inneren Zusammenhange ist. Die Ebene, in welcher die Innenglieder in die Aussenglieder übergehen, ist, wie hier gezeichnet, durchweg bei den Zapfen mehr nach vorn gelegen als bei den Stäbchen. Auch hier ist an der Basis des Zapfens ein Theil der Fäserchen abgeplatzt, wie man dies sehr häufig sieht.

Fig. 2.

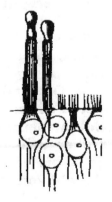

Die zweite Figur zeigt einige Stäbchen und einen Theil der äusseren Körnerschicht von einem in schwächerer Osmiumsäurelösung conservirten menschlichen Auge. Die Aussenglieder sind geschrumpft, aber die feinen über die Limitans externa hinausragenden Fäserchen, deren Verhältniss zu den Stäbchen und Zapfen bis dahin unbekannt blieb, sind hier bei ca. 500maliger Vergrösserung sichtbar.

Alle Innenglieder der Zapfen lassen auf ihrer Oberfläche eine fein gezeichnete Streifung erkennen. Diese Streifung beruht auf den mit der Oberfläche der Zapfen verbundenen feinen Fäserchen, welche aus den oben erwähnten Punkten (Löchern) der Limitans externa austreten. Die
feinen Fäserchen, welche aus den von Zapfen und Stäbchen
entblösten Stellen der Limitans externa hervorragen, sind
alle von geringer und gleicher Länge. Die in Zerzupfungs-
präparaten abgelösten und frei herumschwimmenden Zapfen
zeigen die erwähnte Streifung meistens nicht von ihrer
Basis, sondern von einer Stelle an, welche der Länge der
gewöhnlich auf der Limitans sitzenbleibenden Fäserchen
entspricht. An den dünnsten Zapfen der Macula lutea und
Fovea centralis konnte Verf. freilich überhaupt keine Streifung mehr erkennen.

Bei guter Conservirung und Anwendung einer 1000
bis 1500maligen Vergrösserung lässt sich auch an der
Oberfläche der Stäbchen-Innenglieder eine parallele Streifung erkennen, welche bis dahin der Beobachtung entgangen war.

Die Frage, ob die in Rede stehenden feinen Fasern,
welche die Limitans durchbrechen und auf der Oberfläche
der Stäbchen und Zapfen liegen, auch auf die Aussenglieder übergehen, lässt sich für die Zapfen vorläufig noch
nicht ganz sicher stellen; bei den Stäbchen stellt sich
das Verhältniss insofern günstiger heraus, als Verf. an
Stäbchen, deren Aussenglied abgefallen war, fast regelmässig eine kurze, aus 8 bis 12 Oberflächenfasern bestehende Verlängerung erkennen konnte, welche frei über
das conservirte Innenglied hinausragte.

Die andere Frage, nach dem Zusammenhange der feinen Fasern mit der äusseren Körnerschicht, glaubt Verf.
dahin beantworten zu können, dass die von ihm schon
früher behauptete Zusammensetzung der Stäbchenfasern aus
je 8 bis 12, und der Zapfenfasern aus einer noch grösseren
Anzahl von Primitivfibrillen, zu der Annahme führt, dass die

nenentdeckten, auf der Oberfläche der Stäbchen und Zapfen verlaufenden Fasern aus einer Theilung der Stäbchen- und Zapfen-Fasern hervorgehen.

Durch diese Annahme würde die Analogie der äusseren Schichten der Netzhaut mit denjenigen Epithelien der Sinnesorgane hergestellt sein, in welchen nicht nervöse Epithelzellen mit Nervenfibrillen abwechseln.

Merkel, Fr. Ueber die Macula lutea des Menschen und die Ora serrata einiger Wirbelthiere. Mit 2 Tafeln. Leipzig. 1870. pp. 20 in 4⁰.

Die uns vorliegende Arbeit besteht zum grössten Theil aus Aphorismen zur näheren Kenntniss der betreffenden Netzhautregion, welche theils neue Entdeckungen, theils kritische, bestätigende oder verwerfende Bemerkungen über die bisher angenommenen Ansichten enthalten.

Bei Besprechung der Limitans externa erwähnt Verf. die von W. Krause beschriebenen „Nadeln", welche seiner Meinung nach mit den von M. Schultze neuestens beschriebenen Nervenfäserchen nicht unwahrscheinlicher Weise identisch sind.

In der äusseren Faser- und Körnerschicht hat Verf. an sehr frischen Präparaten, die in Platin oder in Osmiumsäure erhärtet waren, gefunden, dass das Bindegewebe, welches die nervösen Zapfenfasern auseinanderhält, aus an einander gekitteten Schläuchen besteht, in denen erstere verlaufen. Die Durchschnitte ihres Ursprunges in der Limitans externa sind dunkle Punkte, welche M. Schultze neuestens für Durchtrittsstellen der in Fibrillen zerfallenen Zapfenfasern erklärt. Die Punkte der Limitans stehen aber hier mit dem Stützapparat und durchaus nicht mit den Nervenendigungen in Verbindung. Verf. versichert, wiederholt so klare Präparate erhalten zu haben, dass von einer Täuschung hierüber durchaus keine Rede sein kann. In den äusseren Schichten des gelben Fleckes würde sich also der Stützapparat als ein eigenthümliches geschlossenes Röhrensystem darstellen, in welchem die nervösen und unverzweigten Fasern verlaufen, die mit Zapfen und Zapfenkorn in Zusammenhang stehen.

Trügen die Zapfenfasern nicht so vollkommen das Gepräge von Nervenelementen, so möchte Verf. sich wohl versucht fühlen, die plattenförmigen Verdickungen, in welche die Nervenelemente der inneren Körnerschicht auslaufen, als Nervenendigung zu betrachten. Einen Zusammenhang dieser stark lichtbrechenden Plättchen mit den Zapfenfasern konnte Verf. jedoch nicht auffinden und sieht sich daher genöthigt, die Constatirung dieses Zusammenhanges späteren Beobachtungen zu überlassen.

Verf. recapitulirt die Bauverhältnisse der Macula lutea ungefähr in folgender Weise.

Die nervösen Gebilde. Die dünnen Opticusfasern treten je in eine Ganglienzelle, aus welcher ein sich in zwei eben so dicke Fasern theilender Fortsatz gerade nach aussen geht; diese Fasern treten wieder je in ein Korn der äusseren Körnerschicht, verdicken sich hier abermals um das Doppelte und setzen sich dann vielleicht direct in eine Zapfenfaser fort.

Der Bindegewebsapparat ist ebenso einfach. In der inneren Körnerschicht findet sich ein ziemlich enges, reichlich mit Zellen und Kernen versehenes Netz; dasselbe sendet unverzweigte Fasern nach innen, welche weiterhin ein Netzwerk von schmalen, mit ihren Enden in die Limitans interna übergehenden Fasern bildet. Die nach aussen abgehenden Fasern verwandeln sich in Zapfenfaserscheiden und finden ihren Endpunkt in der Limitans externa.

Es folgt noch eine Reihe von Betrachtungen über den Bau der Netzhaut an der Ora serrata, auf deren Mittheilung wir jedoch für dieses Mal verzichten müssen.

Iwanoff, A. Beiträge zur Anatomie des Ciliarmuskels. Mit 2 Tafeln.

Arch. f. Ophthalm. Band XV., Abth. 3, pag. 284 bis 298. 1869.

Von der Idee ausgehend, dass bei vorhandener Hypermetropie sehr viel grössere Anforderungen an den Ciliarmuskel gestellt werden, als bei myopischem Bau des Auges, glaubte Verf. a priori schòn vermuthen zu dürfen, dass sich die vorhandenen Refractionsverhältnisse durch Verschiedenheiten in der Conformation des Ciliarmuskels zu erkennen geben würden.

Bei zwölf exquisit myopischen Augen, welche Verf. zu untersuchen Gelegenheit hatte, von denen das kürzeste eine Sehaxenlänge von 28, das längste eine solche von 34 Mm. besass, fand sich bei makroskopischer Betrachtung ein den Erwartungen nicht ganz entsprechendes Verhalten. Der Ciliarmuskel zeigte sich keineswegs atrophisch; er zeigte im Horizontalschnitte nur eine etwas ungewöhnliche Gestalt, welche, besonders im Vergleich mit dem Horizontaldurchschnitt des Ciliarmuskels eines hypermetropischen Auges, in auffallender Weise hervortrat. Dieselbe Beobachtung hat Verf. späterhin an vielen anderen Augen zu wiederholen Gelegenheit gehabt.

Denken wir uns den Querdurchschnitt des Ciliarmuskels als ein rechtwinkliches Dreieck, dessen rechter Winkel der Sklera nach vorne, dessen kleinerer spitzer Winkel der Sklera nach hinten anliegt und dessen dritter, abgerundeter Winkel gegen das Innere des Auges und gegen den Linsenrand vorspringt, so hat sich aus den Untersuchungen von F. E. Schulze ergeben, dass in diesem nach innen vorspringenden Winkel die zahlreichsten Circulärfasern liegen und dass dieselben der Hypothenusenfläche entlang sich nach hinten ziehen*). In dem hypermetropischen Auge weicht nun dieses Verhalten in

---

*) Mon.-Bl. f. Augenhlkde. V. p. 390.

so fern von der Norm ab, als die Circulärfasern in sehr viel
grösserer Menge vorhanden und sehr viel stärker entwickelt
sind. Dem entsprechend tritt auch der nach innen vor-
springende Winkel etwas weiter nach vorne vor, während der
rechte, der Sklera anliegende, Winkel in einen etwas stumpfen
Winkel übergeht. Bei myopischen Augen fand Verf. dagegen, dass die radiären Muskelfasern vorzugsweise stark
entwickelt sind, während die circulären ausserordentlich
zurücktreten, ja fast gänzlich verschwinden. Dem entsprechend verwandelt sich das auf dem Horizontaldurschschnitt
sichtbare Dreieck des Ciliarmuskels in ein solches, dessen
nach innen vorspringender Winkel sich sehr beträchtlich
abstumpft und weiter nach hinten zurücktritt, während der der
Sklera anliegende vordere Winkel in einen spitzen übergeht.
Es scheint hiernach, als ob vorzugsweise die circulären Fasern
des Ciliarmuskels beim Accommodationsacte betheiligt sind.

Verf. hat diese Verhältnisse durch einige schematische
Figuren versinnlicht und hat seiner Arbeit noch zwei, nach
der Natur gezeichnete, sehr sauber ausgeführte Lithogra-
phien hinzugefügt.

Offene Correspondenz.

Frankfurt a. M. Offene Zugeständnisse an von
Graefe's peripheren Linearschnitt.

Nach den Ergebnissen einer brieflichen Correspondenz
und von der unzweifelhaften Richtigkeit der Versicherung
v. Graefe's überzeugt, „dass bei seinem peripheren Linearschnitt auch die allergrössten und dicksten Katarakten
beim ersten Ansetzen des Stürzers sich einstellen und bei
dem leisesten Andrücken widerstandslos durch die Wunde,
sofern sie anders regelrecht angelegt ward, hindurch
schlüpfen," ziehe ich ohne Bedenken den Satz zurück,
„dass es für die Extraction harter Katarakten nur eine
Schnittform giebt, welche dem Kerne erlaubt, ohne Belei-

digungen des Wundkanales spontan das Auge zu verlassen,
das ist der Lappenschnitt". (Vergl. meine klinischen Erfahrungen und Studien, Erlangen 1869, S. 4.) Ich gestehe
ferner mit Freuden zu, dass es bei sorgfältigst einge-
übter Technik und genauestem Festhalten an
den v. Graefe'schen Vorschriften möglich ist, einen
peripheren Linearschnitt von solchen Dimensionen zu erhalten, dass bei einer Lappenhöhe von in maximo 0,5''', dessen
„innere" Schnittbasis 4,5''' beträgt. Dagegen halte ich an
der Ueberzeugung fest, dass die Technik eines regel-
rechten peripheren Linearschnittes weit schwieriger ist,
als die eines peripheren Lappenschnittes von 1 ½ bis 2''' Lappenhöhe. Ich wenigstens kann mich meinerseits nicht entschliessen, zur Ausübung des Graefe'schen peripheren
Linearschnittes überzugehen, ohne vorher diesen Schnitt
von Graefe's eigener Hand ausgeführt gesehen zu haben.
v on Graefe muss wahrlich recht haben, davor zu war-
nen, alles das für seine Operationsmethode hinzunehmen,
was von den verschiedenen Autoren als periphere Linearextraktion ausgegeben wird; habe ich doch selbst bei
achtungswerthen Collegen die Scheere eine nicht zu unter-
schätzende Rolle spielen sehen, um nachträglich ihrem sogenannten peripheren Linearschnitte den jeweilig vorliegenden Katarakt-Dimensionen entsprechendere Grössenverhält-
nisse zu geben, während v. Graefe unter einem ganzen Tausend von Operationen auch nicht ein einziges Mal zur
Scheere zu greifen nöthig hatte! — Abgesehen von der
grösseren Schwierigkeit der Technik, wie sie auch Jacobson zugesteht (Archiv f. Ophth. XIV. 2, S. 269), kann
ich bis jetzt noch nicht zu der Ueberzeugung gelangen,
dass v. Graefe's peripherer Linearschnitt bessere End-
resultate liefert, wie der periphere Lappenschnitt. Von
diesem Gesichtspunkte aus — und er ist für den Prak-
tiker doch der hauptsächlich massgebende — zieht Jacobson die periphere Linearextraktion dem peripheren
Lappenschnitte nicht vor; seine Verlustzahlen stimmen bei

beiden Methoden überein. So sehr Jacobson, mit der Technik der v. Graefe'schen Linearextraktion vollkommen vertraut, sich jetzt dieser Operationsmethode zuneigt, so überlässt er es doch anderen Collegen, welchen die Schwierigkeit dieser Technik nicht zusagt, eine höhere Lappenbildung ihres peripheren Schnittes zu wählen, ohne darum schlechtere Resultate zu erzielen. Auch Wecker (Sitzungsbericht der ophthalmologischen Gesellschaft im Jahre 1868, S. 331) spricht sich, wie v. Graefe ganz richtig angiebt, zu Gunsten des peripheren Linearschnittes aus, wenn derselbe mit der allergrössten Genauigkeit nach v. Graefe's Vorschriften vollführt wird. Jedenfalls muss damals das Urtheil Wecker's noch auf sehr jungen Füssen gestanden haben, denn noch kaum ein halbes Jahr früher (vergl. Annales d'Oculistique, Mars-Avril 1868: L. Wecker, Des nouveaux procédés opératoires de la cataracte) trat Wecker, nachdem er selbst ein halbes Hundert periphere Linearextraktionen ausgeführt hatte, entschieden zu Gunsten des peripheren Lappenschnittes auf. Auch schliesst Wecker's günstiges Urtheil über einen exact ausgeführten peripheren Linearschnitt nicht den Satz aus, dass der periphere Lappenschnitt vollkommen gleich gute Resultate erzielt. Jacobson hat sich, wie wir oben gesehen haben, in diesem Sinne „bejahend" ausgesprochen, Wecker's Endurtheil steht noch zu erwarten und wäre jedenfalls höchst wichtig. Jacobson's und Wecker's Ausspruch stimmen darin überein, dass es nur dann möglich ist, mittelst des peripheren Linearschnittes vollkommen gute Resultate zu erzielen, wenn man sich auf's Minutiöseste an v. Graefe's Vorschrift hält. Dieses „wenn" ist für mich immer noch ein Stein des Anstosses. v. Graefe nimmt in der Ophthalmologie eine ausnahmsweise hohe Stellung ein, und ich glaube kaum, dass einer meiner Collegen sich mit v. Graefe, was technische Operationsfertigkeit betrifft, auf gleiche Stufe zu stellen wagen wird. Alle Zweifel, welche ich bisher an der Trefflichkeit des von

Graefe'schen Linearschnittes ausgesprochen habe, nehme ich vollkommen zurück, bezweifle aber noch, ob der periphere Linearschnitt in den Händen aller Ophthalmologen das gleich gute Resultat liefern wird, wie in denen von Graefe's. Mag auch eine Lappenhöhe von $1\,^1/_2$ bis $2'''$ für den leichten Durchtritt harter Staare, selbst von Maximalgrösse, nicht unumgänglich nöthig sein, wie ich es jetzt sehr gerne zugestehe, so erleichtert sie doch sehr die operative Technik, ohne darum das Endsehresultat zu beeinflussen (Jacobson). Die Schädlichkeit der betreffenden Lappenhöhe, sofern man nur einmal auf dem Boden der peripheren Schnittführung überhaupt steht, wird, glaube ich, von v. Graefe überschätzt; denn mag mein operatives Material auch noch so bescheiden sein, es hätte mir von dieser Schädlichkeit doch schon etwas auffallen müssen. Ich glaube, v. Graefe basirt in dieser Beziehung zu sehr auf der früheren cornealen Schnittführung.

Was von Graefe's Vergleich des Procentsatzes sowohl der anormalen Operationsverläufe als der anormalen Heilungen bei seiner Methode und bei der bescheidenen Zahl meiner peripheren Lappenextraktionen betrifft, so stehe ich freilich nach, allein daraus ist selbstverständlich noch nicht der Schluss zu ziehen, dass auch der periphere Lappenschnitt dem peripheren Linearschnitte nachsteht; denn es kann meiner Wenigkeit nicht in den Sinn kommen, mir dieselbe Operationsfertigkeit, wie sie v. Graefe besitzt, anzumaassen; v. Graefe muss mir schon einige Procente anormaler Operationsverläufe und Heilungen mehr zugeben, ohne daraus Schlüsse auf einen geringeren Werth des von mir geübten Operationsverfahrens zu ziehen. Dass ich der Operation unreifer Staare deren Reifung durch Punktion der vorderen Kapsel nach vorausgeschickter Iridektomie vorziehe, beruht nur auf der mir persönlich durch die Praxis bis jetzt noch aufgedrängten Ueberzeugung, dass die Operation reifer Staare reinere Operations- und somit auch bessere Sehresultate liefert, wie die unreifer, hat aber gar keinen speciellen Bezug zum peripheren Lappenschnitt, ebensowenig meine Gewohnheit nach unten zu extrahiren, wie ja auch umgekehrt Anhänger des peripheren Linearschnittes aus persönlichen Beweggründen denselben nach unten vollführen.

Nach meinen vorstehenden Bemerkungen kann in Zukunft, wenn ich zunächst auch noch bei dem peripheren Lappenschnitte stehen bleibe, bis ich erst die Technik des peripheren Linearschnittes von v. Graefe's eigener Hand in Augenschein genommen habe, von meiner Seite aus nicht mehr von einer Opposition oder einem Widerspruche gegen v. Graefe die Rede sein; ich erkenne die Trefflichkeit seiner Operationsmethode, sofern sie strengstens nach seinen Vorschriften ausgeführt wird, vollkommen an.

Zwar weiss ich, dass v. Graefe meine Erörterungen über den peripheren Lappenschnitt niemals anders aufgefasst hat, als was sie wirklich sind: Beiträge zur Erkenntniss der Wahrheit, aus ernst wissenschaftlichem Streben hervorgegangen. Gleichwohl habe ich es für gewissenhaft gefunden, meinem geschätzten Lehrer vor dem Forum der Collegen obige Zugeständnisse offen darzulegen.

Steffan.

Cassel. Burchardt's Sehproben.

In der Berl. Klin. Wochenschr. VI., Nr. 48, vom 29. Nov. 1869, verspricht Verf. eine Ausgabe photographischer Sehproben mit Hinzufügung von Tafeln, welche die Bestimmung des Astigmatismus, nicht blos der Axenrichtung, sondern auch der Grösse nach, ohne Hülfe von anderen Apparaten gestatten und welche insofern Anspruch auf einen internationalen Charakter machen, als sie von der Kenntniss des Lesens völlig unabhängig sind, im Buchhandel erscheinen zu lassen. — Das Princip dieser Sehproben ist gleichsam eine Rückkehr zu den älteren, für genauere Sehprüfungen benutzten Objecte, nämlich die

Rückkehr zu gleich weit von einander abstehenden Punkten, die in verschiedener Entfernung noch gezählt oder nicht mehr gezählt werden können. — Verf. hat gefunden, dass der dem gegenseitigen Abstand gleiche Durchmesser der Punkte sich beim normalsichtigen Auge zu dem grössten Abstande, in welchem die Punkte noch einzeln gesehen und gezählt werden können, verhält wie 1 zu 1800, woraus sich ein Distinctionswinkel von 2,15 Minuten berechnen lässt. — Für eine Entfernung von 15 Fuss (oder 4,8 Meter) würden beispielsweise Punktfiguren von 3 Mm. Durchmesser und gegenseitigem Abstand, an der Grenze der Zählbarkeit stehen. Solche Punktfiguren können durch Photographie in völlig exacten Grössenverhältnissen so zu sagen bis in's Unendliche verkleinert werden und gestatten daher, selbst bei Myopen, die unmittelbare Messung des kleinsten Gesichtswinkels in nächster Nähe.

Diese sogen. internationalen Sehproben sind inzwischen erschienen; sie bestehen aus 5 Tafeln von der Grösse einer etwas verlängerten Spielkarte, die sich nebst einem kleinen erläuternden Textbuche sehr bequem in der Tasche tragen lassen. Unsere bisherigen, freilich noch nicht sehr zahlreichen, Versuche mit diesen Sehproben bestätigen vollkommen deren allgemeine Brauchbarkeit.

Dresden. Heymann's Astigmatismus-Tafeln. Heymann hat zwei xylographirte Tafeln herausgegeben, von denen die eine 12 grosse Buchstaben des deutschen Alphabets, die andere 12 arabische Ziffern enthält. — Buchstaben und Zahlen bestehen aus schwarzen Parallelstrichen, deren Richtung sich bei jedem Schriftzeichen unter anderen Winkeln mit dem Horizont schneidet. Diese zuerst von Dr. Pray angegebenen Buchstabenformen sind zur Diagnose des Astigmatismus vielleicht noch bequemer als die bekannten Becker'schen Tafeln, mit denen sie übrigens principiell auf gleicher Grundlage stehen.

Tiflis. Biographie.

Gustav Braun (in Moskau): Handbuch für Augen-krankheiten (russisch). Die erste Lieferung, 18 Bogen mit 20 in den Text gedruckten Abbildungen, enthält Lidkrank-heiten, Krankheiten der Thränenorgane und Bindehaut-krankheiten. St. Petersburg 1868. Herausgegeben von der Militär-Medicinal-Verwaltung. Verfasst ist das Werk kurz, aber zeitgemäss und klar.

Victor Szokalski (in Warschau): Abhandlungen über Krankheiten des Sehorganes beim Menschen (polnisch). Die ganze Arbeit ist mit 320 Abbildungen geschmückt und wird aus 2 Bänden von 60 Druckbogen in 8vo maj. bestehen. Ausser der Geschichte der Ausbildung der gegenwärtigen Theorie des Sehens, der Pathologie und Therapie des Auges, sind in dem erschienenen ersten Bande beschrieben: die Bindehautkrankheiten, Hornhautkrankheiten, Krankheiten der Sklera des Auges im Allgemeinen, sowie der Lider- und Thränenorgane. Diese Arbeit, die Frucht vieljähriger Mühe und Beobachtungen, liest sich mit wahrem Vergnügen; be-sonders ist unserer Ansicht nach die Theorie des Sehens und der allgemeine Theil der Augenheilkunde gut ausein-andergesetzt.

In der genauen Erläuterung der Augenkrankheiten er-sieht man eine ausgedehnte Belesenheit des Autors, wobei das reiche casuistische Material, welches er (als Assistent von Demarres und später als dirigirender Arzt der Augen-heilanstalt des Fürsten Labomirsky in Warschau) auf klinischem Weg gesammelt hat, ihm erlaubte, eine kritische Richtung einzuhalten. Mit Ungeduld erwarten wir den 2. Band, welcher Cataract-, Refractions- und Accommodations-anomalien u. s. w. enthalten wird. Dem Schlusse des ganzen Werkes wird ein lateinisch-polnisches Wörterbuch der in der Ophthalmologie üblichen Benennungen hinzu-gefügt werden. Preis 10 Rbl. mit Versendung.

Dr. J. Talko.

Ein Aphorismus über den Erfolg der neueren Staaroperationsmethoden

von

Dr. J. Stilling.

Dass seit der Verallgemeinerung der Skleralextractions-methoden des grauen Staars eine überraschend geringere Procentzahl operirter Augen durch Cornealvereiterung und Panophthalmitis zu Grunde geht, ist nunmehr unumstössliche Thatsache. Dass dennoch in neuerer Zeit das Bestehen dieser Thatsache angefochten worden ist, hat zum Theil wenigstens wohl in dem Umstande seinen Grund, dass bis jetzt noch keine genügende Erklärung für das Rationelle der neuen Methode gegenüber der alten hat gefunden werden können. Die folgenden Zeilen sind bestimmt, einen derartigen Erklärungsversuch zu wagen.

In der Form des Schnittes zunächst kann die Ursache jenes Erfolges der Skleralextraction vor der Cornealextraction nicht gesucht werden. Jacobson mit einem Lappenschnitt im Sklerallimbus, Graefe mit einem Linear- oder flachen Bogenschnitt im Skleralbord, haben in Bezug auf Cornealvereiterung dieselben günstigen Resultate erzielt. Man hat daher aus der anatomischen Verschiedenheit des Skleral- und Cornealgewebes den Erfolg der neuen Methode herleiten wollen, von einer geringern Tendenz der Sklera für Eiterbildung, von einer starken Vascularisation des Skleralfalzes gesprochen. Doch auch diese Gründe dürften sich bei genauerer Betrachtung als nicht stichhaltig erweisen. Der Stoffwechsel in der Cornea ist ein äusserst lebhafter und die Ernährungsverhältnisse derselben für die Heilung von Wunden sehr geeignet. Denn die Bedingungen, unter welchen Wunden wie Geschwüre der Cornea, heilen, sind bei einem äusseren Reizungen so sehr ausgesetzten Organe so ungünstig, dass a priori in vielen Fällen, die gut verlaufen, eine schlechte Prognose zu stellen wäre. Es soll dies sogleich näher erläutert werden.

Der grössere oder geringere Gefässreichthum einer Körperregion, die grössere oder geringere Entfernung vom Herzen, ist für den Process der Wundheilung gewiss ziemlich irrelevant. Wunden an den Fingern und Zehen, an der Nase, heilen im Allgemeinen, und namentlich bei sonst gesunden Organismen ebenso leicht, als Wunden der Brust oder der Schulter. Eine Wunde heilt um so eher per primam intentionem, je mehr solche Körper von ihren Flächen abgehalten werden können, die durch ihren Reiz Eiterung hervorrufen. Je mehr und je sicherer also die blosgelegten Wundflächen durch ihre natürliche Decke, die Haut, geschützt werden können, desto günstiger wird die Prognose. Deshalb heilen einfache Fleischwunden per primam durch die Naht, deshalb Operationswunden an Gelenken am sichersten, wenn sie subcutan angelegt sind.

Da nun die durch eine Staaroperation am Bulbus gesetzten Wunden penetrirende sind, müssen sie nach ähnlichen Principien beurtheilt werden, wie penetrirende Wunden anderer Theile, z. B. der Gelenke. Was für letztere die Haut ist, die von aussen mit der Luft oder auf anderen Wegen eindrängende Schädlichkeiten abhält, das ist für die Hohlräume des Bulbus und die sie begrenzenden Flächen die Conjunctiva.

Eine Wunde oder ein Geschwür der Cornea besitzt im Augenlide zwar eine schützende Decke gegen die in der Luft befindlichen fremden Bestandtheile, aber keine gegen den im Conjunctivalsacke abgesonderten Schleim und die Thränen. Dass namentlich letztere durch Verwundung blosgelegte Partien der Cornea durch ihre alkalische Beschaffenheit, wenn sie, wie nach Operationen, in reichlicherer Menge abgesondert werden, zur Eiterung reizen können, kann wohl nicht bezweifelt werden. Reizen sie doch die von ihrem Epithel geschützte Conjunctiva und selbst die normale äussere Hautoberfläche zur Entzündung. Die Heilungsbedingungen einer Cornealwunde sind demnach eigentlich so ungünstige, dass es billig zu verwundern ist, dass nicht nur oft die rissigsten Lappenwunden und Geschwüre gut heilen, sondern auch, dass die alte Methode von Daviel nicht noch viel schlechtere Resultate geliefert hat, als thatsächlich vorliegen, zumal da Augen, aus denen Katarakte entfernt werden, noch dazu kranke Augen sind.

Es würde also aus dem Vorhergehenden folgen, dass, wenn penetrirende Wunden, z. B. der Gelenke, am besten heilen, wenn sie subcutan sind, penetrirende Wunden am Bulbus am besten heilen, wenn sie subconjunctival sind. Nur scheinbar ist hiermit ein bereits alter Vorschlag wiederholt. Bekanntlich empfahl schon Desmarres die Bildung eines Conjunctivallappens. Es ist überflüssig, seine allgemein bekannte Operationsweise hier zu schildern; ein Blick auf dieselbe genügt, um einzusehen, dass Desmarres einen Corneallappen bildete, der an einem Theile, und zwar einem kleinen, der unteren resp. oberen Peripherie ein wenig skleral wird und an diesem Theile einen mehr weniger unregelmässigen Conjunctivallappen besitzt, der nur einen sehr kleinen Theil der Wunde bedecken kann.

Die von Jacobson, Graefe und dessen Nachfolgern angegebenen Schnitte sind alle subconjunctival, der lineare (tangentiale) oder flache Bogenschnitt im Skleralbord mehr als der Lappenschnitt im Limbus. Dieser hat den Nachtheil des weniger genauen Schlusses, der Gefahr der Klaffung; aber die gleichen Resultate beider Methoden lassen diesem Unterschiede keine cardinale Bedeutung, immer berücksichtigt, dass alles Vorgebrachte nur in Bezug auf Cornealvereiterung und consecutive Panophthalmitis gesagt ist.

Die Conjunctiva ist eine so feine elastische und zur Heilung per primam so tendirende Membran, dass die im Vorhergehenden entwickelte, nun. kurz zu resumirende Vorstellungsweise von der Heilung der durch eine nach einer Skleralextraction gesetzten Staaroperationswunde wohl gerechtfertigt erscheinen dürfte. Die Conjunctiva legt sich über die Wunde her und verheilt rasch per primam, oder durch eine intercalare Masse, wie sie nach Tenotomien oder Circumcisionen sich zwischen den klaffenden Partien zeigt; nunmehr ist eine schützende Decke für die tiefer liegenden Sklero-cornealschichten vorhanden, die Schleim- und Thränenflüssigkeit verhindert, dieselben zur Eiterproduction zu reizen, und so geht auch in der Tiefe die Vereinigung der getrennten Flächen ungestört vor sich.

Klinische Beobachtungen.

175. Acute Neuritis optici bei Gehirntumor. Section.

Die Krankengeschichte dieses Falles verdanken wir in ihrem nichtophthalmologischen Theil der Güte des Herrn Prof. Liebermeister.

Sam. Wirkler, 43 Jahr, Seidenfärber, wurde am 4. Januar 1869 in die medicinische Abtheilung des hiesigen Spitals aufgenommen. Wegen Unbesinnlichkeit und Gedächtnissschwäche des Patienten ist man in Beziehung auf die Anamnese auf die Aussagen seiner Frau angewiesen. Im August 1868 klagte der Kranke in der Nacht plötzlich über grosse Hitze im Kopf, war sehr unruhig und aufgeregt, nach Tags vorher stattgefundenem gemüthlichen Affect. Unmittelbar darauf folgten heftige epileptoide

Krämpfe mit Bewusstlosigkeit; 14 Tage nachher. konnte Pat. seiner Arbeit wieder nachgehen. Doch blieb er seither etwas vergesslich und klagte bisweilen über starke Kopfschmerzen. Vor 6 Wochen stellte sich wieder ein ähnlicher, aber schwächerer Krampfanfall ein; während der folgenden 14 Tage mehrere ähnliche Anfälle in unregelmässigen Intervallen, nach denen jedes Mal Mattigkeit und Schwäche in den Beinen zurückblieb. Unter auffallender gemüthlicher Verstimmung, die wohl auf den fortwährend auftretenden Kopfschmerzen basirte, wurde nun wieder 4 Wochen gearbeitet. Am Weihnachtsabend erfolgte ein neuer Anfall mit heftigem Brechen; die Schwäche der Beine nahm rasch zu; Pat. blieb immer im Bett, meistens schlafend; von Zeit zu Zeit zeigten sich stärkere krampfhafte Zuckungen. Während dieser Zeit war Pat. sehr apathisch, unbesinnlich und klagte viel über Stirnschmerzen. Schon seit einigen Jahren wird links schlecht gehört. Vor 4 Jahren wurde ihm bei einem Streite ein Krug gegen die eine Schläfengegend geschleudert, worauf er kurze Zeit bewusstlos war, aber allein nach Hause ging und nur einige Tage das Bett hütete.

Bei der Aufnahme war der gutgenährte Patient sehr apathisch, giebt erst auf wiederholte Fragen und nach längerem Besinnen richtige Antwort, kann sich nur mit Mühe allein aufrichten. Leichte Ptosis des linken Auges.

Am 17. Januar wurde Pat. zuerst ophthalmoskopisch untersucht und dabei starke Schwellung der Papillen mit Verwischung ihrer Grenzen nebst starker Füllung und Schlängelung der venösen Gefässe gefunden. $H = \frac{1}{30}$, $S = 1$. Am 18. erfolgte eine genauere ophthalmoskopische Untersuchung, die bei der hochgradigen Apathie des Kranken sehr mühsam war. Rechts, ungefähr in der Distanz eines Papillendiameters rings um die Papille und in derselben sieht man eine beträchtliche ödematöse Schwellung, so dass die Papillengrenzen undeutlich erscheinen, die venösen Gefässe sind sehr stark geschwellt, in der ganzen

Peripherie der veränderten Stelle kleine punktförmige Extravasate abwechselnd mit weiss-gelblichen verfetteten Partien. Nach unten und aussen ein grosses oberflächliches streifiges Extravasat. Links ist die Prominenz der Papille und ihrer näheren Umgebung noch exquisiter, während die Extravasate eher weniger entwickelt sind; die venösen Gefässo verschwinden theilweise fast gänzlich in der getrübten vorquellenden Papillen- und Netzhautsubstanz; auch hier einzelne Verfettungsheerde. Also beiderseits ganz exquisite, rapid entstandene Stauungspapille bei ganz gut erhaltenem Sehvermögen.

Von nun an wird der Kranke rasch schlechter, liegt meist ganz apathisch mit geschlossenen Augen da, lässt am 19. Januar schon unter sich gehen, kennt am 23. seine Verwandten nicht mehr. Vom 24. an steigt der Puls langsam von 80 bis auf 132. Am 28. wird nochmals eine ophthalmoskopische Untersuchung probirt, die aber wegen grosser Unruhe der Augen nur theilweise möglich ist und nur eine Zunahme der Extravasate constatiren lässt. Das Sensorium ist nun vollständig benommen, Pat. isst nichts mehr und stirbt Nachmittags, den 29., mit den Erscheinungen des Lungenödems und Collapses.

Das Sectionsprotocoll vom 30. Jan. von Prof. C. E. E. Hoffmann lautet folgendermaassen:

Sehr kräftige muskulöse Leiche. Vollständige Muskelstarre. Muskeln auffallend dunkel. Starkes Fettpolster.

Brusthöhle. Leichtes Emphysem, dunkel pigmentirte Lunge. Geringe Hypostase und geringes Oedem in den hinteren Abtheilungen. Herz gross und schlaff. Muskulatur mürbe, weich, grauroth. Klappen am Rande verdickt.

Bauchhöhle. Leber klein, schlaff. Oberfläche grauroth, Parenchym zähe, braunroth, Läppchen leicht verwischt, einzelne eingesprengte mehr gelbrothe Stellen. Gallenblase von mittlerer Grösse mit dünnflüssiger, braungrüner Galle. Im Magen geringe Mengen dünnflüssiger braun-grüner Flüssigkeit, die Schleimhaut stark injicirt, gegen den Fundus ecchymotisch. Milz klein, schlaff, anämisch, einzelne hämorrhagische Einsprengungen. Nieren von mittlerer Grösse, ziemlich blutreich. - Corticalis mässig getrübt.

Schädelhöhle. Schädeldach dick, leicht trennbar, von zahlreichen Pacchionischen Granulationen usurirt. Dura mater stark injicirt, in den Sinus frisch geronnenes Blut. Die rechte Grosshirnhälfte prall gespannt, Gyri breit und flach, die gesammte Oberfläche gelbroth, auffallend trocken. Die Falx etwas nach links verschoben. Die linke Grosshirnhemisphäre mässig feucht, blasser, Gyri schärfer. Der linke Seitenventrikel stark erweitert, mit ziemlich viel Flüssigkeit. Gehirnsubstanz der linken Seite ziemlich fest, feucht, sehr blutreich. Die Spitze des rechten Schläfenlappens fest an ihrer vorderen Abtheilung und nach innen zu adhärent, so dass sie nur mit Mühe losgetrennt werden kann, sie erscheint zugleich fest, in der Grösse eines Hühnereies äusserst derb, höckerig, blauroth.

Die innere Oberfläche des Schädels, namentlich in der rechten mittleren Schädelgrube, sehr rauh, mit einer Anzahl kleiner scharfer Hervorragungen versehen, in den übrigen Abtheilungen ist die Rauhigkeit zwar auch vorhanden, jedoch nicht so auffallend. Der rechte Seitenventrikel bedeutend enger als der linke. Das Corpus striatum und der Thalamus opticus über die Mittellinie hinaus nach links verschoben. Die Substanz der Centralganglien, des Stirn-, Scheitel- und Occipitallappens fest, wenig feucht, sehr blutreich, jedoch sonst intact. Dagegen ragt in den Schläfenlappen von der Spitze aus ein Tumor hinein, welcher in seiner vorderen Abtheilung mehr grauroth, fest ist; dann von grösseren intensiv gelben, festen, aber gelatinös aussehenden Partien durchsetzt, nach hinten hin wieder derber, röthlich grau, mit zahlreichen kleinen, dunkelrothen Stellen gesprenkelt ist und hinten fast nur aus solchen dunkelrothen Partien besteht. Diese Veränderung ragt durch den ganzen Schläfenlappen hindurch bis zur Grenze des Hinterhauptlappens.

Die anatomische Diagnose ist Tumor der Spitze des rechten Schläfenlappens mit theilweiser Erweichung und alten wie frischen capillären apoplektischen Heerden.

Die mikroskopische Untersuchung zeigt ein theilweise erweichtes Sarkom.

Die Augen werden in chromsaure Kalilösung gelegt, nachdem vorher noch die entsprechenden Durchmesser genommen werden.

Rechtes Auge: Sagittaler Durchmesser 25 Mm., querer Durchmesser 25 Mm.

Linkes Auge: Sagittaler Durchmesser 26 Mm., querer 25 Mm.

Am 5. Febr. wurden beide Augen geöffnet.

Linkes Auge: Schon makroskopisch erscheint die Papillargegend sehr bedeutend verändert: die Papille ist in ein stehendes Oval verwandelt, dessen grösster Durchmesser 4 Mm. beträgt, während der horizontale $2^1/_2$ Mm. erreicht. Dieses Oval ist von einer weisslichen, unregelmässig ausgebuchteten Linie eingerahmt, die offenbar den während des Lebens beobachteten Verfettungsheerden entspricht. Sowohl nach unten als nach oben finden sich einzelne Extravasate in und um diesen Gürtel; nach der Macula hin zieht sich eine schmale Netzhautfalte.

Die Gefässe sind nach der Peripherie hin zum Theil bedeutend dicker, als da, wo sie in die mittlere Papillargegend münden. Die gesammte Papillarsubstanz ist entschieden prominenter; auf ihr nirgends Gefässe wahrnehmbar, und es wird nach unten ein Hauptgefäss sogar von einer Art weisslicher Einscheidung begleitet. Nach unten findet sich auch in einer ziemlichen Entfernung von der Papille noch ein kleines peripherisches Extravasat.

Nachdem ein sagitteler Durchschnitt durch die Papille geführt worden, zeigt sich, dass die Erhebung der Papille von der Chorioidalgrenze an gerechnet bis auf $1^1/_2$ Millimeter steigt und sich ganz allmälig nach oben und unten abflacht. In der Höhe des Chorioidalloches erscheint der Opticus eingeschnürt.

Die Opticusfasern sind durch mächtige trübe Züge neugebildeten Bindegewebes auseinander geschoben. Gegen die Chorioidea nimmt dieses Bindegewebe eine grau-röthliche Färbung an, ausgetretenen Blutkörpern dies verdankend. Ausser denjenigen Stellen, wo Extravasate vorkommen, finden sich andere, wo bereits deutliche Verfettung Platz gegriffen hat; die Fettheerde liegen mehr gegen die Chorioidea hin. Das Hauptvolumen der sehr bedeutenden Verdickung ist durch neugebildetes Bindegewebe repräsentirt. Neugebildete Gefässe sind nicht vorhanden; dazu war auch die ganze Entwickelungszeit zu kurz. Dagegen tritt aber die massenhafte Neubildung von Bindegewebe sehr in den Vordergrund.

Rechtes Auge. Hier ist das Dickenwachsthum der Papille ebenfalls sehr ausgeprägt und erstreckt sich die Schwellung des Gewebes noch bedeutend über die gewöhnliche Papillengrenze hinaus. Peripherisch an der Schwellung sitzt eine ganz schmale Zone von kleinen Extravasaten; daneben auch kleine Verfettungsheerde und überhaupt eine Auseinanderdrängung des bindegewebigen Gerüstes, also hier mehr Oedem, als Bindegewebswucherung. Nach hinten, an der Uebergangsstelle von Papille in Netzhaut liegen Reste fettiger Gewebs-Zellen, die ohne Zweifel den inter vitam beobachteten weissen Stellen entsprechen. Die Netzhautgefässe zeigen peripherisch keine Veränderungen.

Unser Fall ist interessant sowohl wegen des etwas peripherischen Sitzes des Uebels, als wegen der raschen Ausbildung der Schwellung mit Extravasation und Verfettung bei intactem Sehvermögen. Es sind schon mehrere derartige Fälle bekannt, wo Neuritis höheren Grades bei ungestörtem Sehvermögen sich zeigte, und beweisen alle diese Fälle, dass während einer gewissen Zeit ein bedeutender Druck auf die Opticusfasern ungestraft ertragen wird. Ob das vorangegangene Trauma den ersten Anstoss zur Entwickelung des Tumors gegeben, lässt sich natürlich um so weniger entscheiden, als die Annahme nicht einmal ergiebt, ob dabei die linke oder die rechte Schläfengegend getroffen worden.

Basel.   Schiess-Gemuseus.

176. Ein Fall von Strabismus concomitans convergens intermittens.

Sara B., 6 Jahre alt, ein durchaus gesundes Kind, welches auch nach der Aussage des Hausarztes nur in frühester Jugend kurze Zeit hindurch an meningealen Reizzuständen gelitten haben soll, wurde im September vorigen Jahres zum ersten Male von mir untersucht.

Die Anamnese, in der Hauptsache sich stützend auf die Angaben des Hausarztes, ergab Folgendes: Vor etwa vier Monaten wurde zuerst ein Strabismus convergens des linken Auges bemerkt, der sich auf keine irgend wie zu ergründende Veranlassung hin eingestellt hatte. Diese Schielstellung des linken Auges habe zehn Tage hindurch angehalten, sei alsdann verschwunden, um sich nach mehreren Tagen wieder einzustellen. Im Verlauf der zwei ersten Monate soll dann etwa alle 4 bis 5 Tage der strabismus 24 Stunden hindurch beobachtet worden sein, aber in den beiden letzten Monaten wäre er in ganz regelmässig intermittirendem Typus, einen Tag um den anderen, aufgetreten. Chinin, Argentum nitricum, Zincum lacticum, Ferrum jodatum etc. haben durchaus keinen Einfluss auf den Verlauf der Krankheit ausgeübt.

Nach einer sechsmonatlichen Beobachtung des Kindes (bei eintretendem Strabismus des linken Auges wurden fortan die überaus quälenden Doppelbilder dadurch beseitigt, dass das rechte Auge vom gemeinschaftlichen Sehakt ausgeschlossen wurde), nach oftmals wiederholten Untersuchungen kam ich zu den folgenden Resultaten:

Von einem Abend zum anderen trat der Strabismus in

regelmässig intermittirendem Typus auf und zwar in der Art, dass sofort nach begonnener Nachtruhe der Wechsel sich einstellte. War z. B. das Kind am Abend eines strabismusfreien Tages eingeschlafen und erwachte es dann nach einiger Zeit, so schielte es. Je nachdem ich die kleine Kranke schielend oder nichtschielend antreffen wollte, sagte ich zu wiederholten Malen meinen Besuch auf eine Woche im Voraus an, und konnte fast ganz sicher sein, den erwarteten Zustand vorzufinden. Eine seltene Ausnahme von diesem so überaus regelmässigen Verlauf kam während eines halbjährigen Zeitraumes nur in so weit zur Beobachtung, als der Strabismus einige wenige Male zu zwei Tagen anhielt, um sich nach einer etwa 24stündigen Intermission wieder einzustellen.

Der Strabismus concomitans convergens des linken Auges betrug immer annähernd $3\frac{1}{2}'''$ und stets hatte das Schielen denselben Charakter. Fixirte das rechte Auge, so behielt das linke auch unter der deckenden Hand denselben Grad des Schielens bei; ganz ebenso verhielt es sich, sobald das linke Auge zur Fixation gebracht und das andere ausgeschlossen wurde.

Auch die Erscheinungen an den Tagen, an denen kein Strabismus zu beobachten war, blieben immer dieselben. Das Kind hatte scheinbar einen ganz normalen gemeinschaftlichen Sehakt. Auch die äussersten Einstellungen der Augen nach den verschiedenen Richtungen hin wurden anstandslos erreicht und beibehalten. Das Kind hatte hierbei niemals Doppelbilder, obgleich es gegen dieselben erfahrungsgemäss besonders empfindlich war. Auch wurde in der That bei einer solchen Gelegenheit niemals eine Schielstellung beobachtet.

Fixirte das rechte Auge bei ausgeschlossenem linken Auge und wurde dann plötzlich der gemeinschaftliche Sehakt in Anspruch genommen, so machte dieses regelmässig eine minimale Zuckung nach aussen; das Kind gab aber hierbei niemals Doppelbilder an.

Bei Einrichtung des linken Auges hingegen liess sich auf diese Weise keinerlei Abweichung des rechten Auges beobachten.

Accommodations- und Refractions - Anomalien waren nicht vorhanden, so weit in dieser Richtung ein Schluss zu ziehen war auf Grundlage der Aussagen eines sechsjährigen Kindes, welches in der Kunst des Sehens sehr mangelhaft bewandert war. Das Sehvermögen schien ebenfalls beiderseits annähernd normal zu sein.

Trotz der scheinbar ganz zwangslosen Einrichtung der beiden Augen auf jeden beliebigen Gegenstand bestand nun doch zwischen ihnen fort und fort nur functionelles, aber nicht musculäres Gleichgewicht. Wurde vor das eine Auge ein farbiges Glas, oder aber ein ab- resp. aufwärts brechendes Prisma gehalten, so traten, beim Fixiren eines Gegenstandes, welcher sich beispielsweise in 8 Fuss Entfernung und in gleicher Höhe mit den Augen befand, gleichnamige Doppelbilder auf, die stets eine Lateraldistanz von etwa 3″ hatten. Prisma 14 wurde noch durch jeden der beiden interni, Prisma 2 durch ihre Antagonisten überwunden. Prisma 3 wird weder durch den linken, noch durch den rechten externus überwunden.

Der so sehr regelmässig auftretende Typus im vorliegenden Fall veranlasste auch mich, die Zeit, welche ich auf eine längere genaue Beobachtung der kleinen Patientin verwenden wollte, auch insofern auszunutzen, als eine medicamentöse Behandlung eingeleitet wurde. Schliesslich kam ich aber zu der Ueberzeugung, dass Chinin, Ferrum jodatum, Arsenik Nichts leisten konnten, und erlaubte mir in Folge dessen den Schluss, dass unser überreicher Arzneischatz wohl auch im Allgemeinen in unserem Falle kaum mehr als Nichts leisten würde. — Auf den gütigst ertheilten Rath v. Graefe's hin machte ich schliesslich die Tenotomie des linken internus mit möglichst kleiner Conjunctivalwunde und möglichst schonender Ablösung der Sehne. Auf diesen Eingriff hin verschwanden auf einen Schlag

alle Symptome des früheren Augenleidens, auch nach einer
Reihe von Monaten haben sich die Augen des Kindes einer
vollkommen normalen Bewegungsfähigkeit nach allen Richtungen hin zu erfreuen.

Wenn wir nun zuerst ganz ausschliesslich die Erscheinungen an den strabismusfreien Tagen ins Auge fassen,
so lag es nahe, vor Allem die Frage aufzuwerfen, wodurch
nun das an und für sich bestehende Uebergewicht des linken internus bedingt würde. War es als ein actives oder
passives Uebergewicht zu betrachten? Trat der erhöhte
Spannungsgrad des internus als Ausdruck einer verminderten Leistungsfähigkeit seines Antagonisten in Erscheinung
(etwa in Folge einer beginnenden Paralyse, einer fettigen
Entartung desselben), oder aber war jener hervorgerufen
durch eine abnorm gesteigerte Energie des inneren Augen-
muskels, ihrerseits Folge einer substantiellen Veränderung
des Muskels, oder aber eines Spasmus desselben? Trotz der
besonderen Schwierigkeit der betreffenden Untersuchungen
in unserem Falle, leicht begreifliche Schwierigkeit, in Anbetracht der Unerfahrenheit unserer jugendlichen Patientin,
scheinen mir die oben angeführten Resultate der Untersuchung doch deutlich genug zu sprechen. Der Umstand,
dass die äussersten associirten Augenstellungen ohne die
geringste Störung erreicht und beibehalten werden konnten,
dass für beide Augen stets dasselbe abducirende Grenz-
prisma gefunden wurde, dieses Resultat einer oftmaligen
Untersuchung sprach wohl zunächst mit aller Bestimmtheit
gegen die Annahme, dass das dynamische Uebergewicht
des internus als Ausdruck der verminderten Energie seines
Antagonisten aufzufassen sei. Wenn wir nun ferner aus
naheliegenden Gründen, entsprechend denjenigen, die so
eben auch gegen die etwaige Annahme eines Leidens der
Substanz des externus angeführt wurden, uns dagegen
erklären müssten, dass das Uebergewicht des internus zu
begründen sei durch eine Verkürzung des Muskelbauches
(etwa in Folge einer fibrösen Entartung), so mussten wir

folgerichtig zu dem Schluss gelangen, dass das Uebergewicht des internus nur bedingt sein konnte durch ein
erhöhtes Quantum der Innervation, welches als Resultat
von Vorgängen, die allerdings einer befriedigenden Erklärung spotten, fort und fort auf diesen Muskel einwirkte.

Unter gewöhnlichen Umständen wurde dieses Uebergewicht des internus nun stets durch die Anstrengungen
überwunden, welche im Dienste des Einfachsehens gemacht
wurden.

Der manifeste Strabismus bethätigte nun seinerseits
ganz unumstösslich das active Uebergewicht des internus,
während er durch seinen streng concomitirenden Charakter
keinen Zweifel dagegen aufkommen liess, dass dieses Uebergewicht nur bedingt sein konnte durch einen vermehrten
Nerveneinfluss. — Hatten wir nun aber mit dieser Annahme
irgend etwas Positives gewonnen zur befriedigenden Erklärung der Erscheinung, dass durch das Einwirken eines
erhöhten Quantums der Innervation in so regelmässigen
Intervallen ein Strabismus und zwar ein Strabismus concomitans hervorgerufen wurde?!

Schliesslich würde es auch noch darauf ankommen,
darzuthun (wenn anders dieses nicht überflüssig erscheinen
sollte im Hinblick auf die Darlegung des Verlaufes der
Erkrankung), dass dieser Fall von periodischem Schielen
doch mit so bestimmten Eigenthümlichkeiten ausgestattet
dasteht, dass es wohl gerechtfertigt erscheinen möchte,
denselben einer besonderen, unter den allerdings schon so
zahlreichen Gruppen, welche die verschiedenen Formen des
Strabismus periodicus zusammenfassen, zuzuweisen.

Aus dem ganzen Verlaufe unseres Falles leite ich die
Berechtigung für mich ab, denselben als einen Fall von
Strabismus intermittens zu bezeichnen und ihn mithin als
eine vereinzelte Erscheinung in der Literatur (wenigstens
in soweit sie mir bekannt ist) hinzustellen. — In der That
waren nun auch die Intermissionen des manifesten Strabismus, die doch ohne allen Zweifel als solche bezeichnet

werden·könten, von einer ganz überraschenden Regelmässig-
keit. Was war nun aber die Ursache des intermittirenden
Charakters des Leidens? Jedenfalls konnten die bekannten Erklärungsweisen der Erscheinungen des Strabismus
periodicus als solche in unserem·Falle nicht herangezogen
werden. Von vornherein musste es klar sein, dass hier
ein ermüdetes Nervensystem, dass gewisse Erregungszu-
stände des Sehaktes durchaus nicht angerufen werden konnten zur Erklärung der eben näher geschilderten Erscheinungen. Eine solche Annahme müsste ja auch sofort als
eine vollkommen hinfällige erscheinen in Anbetracht der
Unmöglichkeit, dass die fort und fort regelmässig auftretende Wiederholung derselben Symptome immer wieder,
und zwar eine Reihe von Monaten hindurch, hätten bedingt
werden können, stets durch dieselben Momente, die ihrerseits etwa in der Lebensweise der Patientin ihre Erklärung
hätten finden können. In unserem Fall trat ja der Wechsel
der Erscheinungen, wie schon gesagt, ganz regelmässig
nach begonnener Nachtruhe ein, unmöglich konnten demn-
nach die Schädlichkeiten, welche das dynamische Schielen
manifest werden liessen, als, um mich so auszudrücken,
Resultate des Tagewerkes der Augen der kleinen Patientin
angesehen werden. Wir müssen uns dann nochmals die
Folgen der Tenotomie vergegenwärtigen, einer Schieloperation, die wohl nicht hinreichend war, um einen Strabismus concomitans von beiläufig $3^{1}/_{2}'''$ zu beseitigen, die aber
doch den Muskel in seiner Wirkungssphäre in so weit unter
andere Bedingungen versetzte, dass ein erhöhtes Quantum
der Innervation auf denselben nicht mehr einwirken konnte
— nach der Tenotomie war ein völliges Gleichgewicht der
accommodativen und associirten Augenbewegungen vorhanden.

Odessa, den 4./16. November 1869.

Dr. W. Wagner.

177. Ein Fall von einseitigem, in verticaler Richtung oscillirendem Nystagmus.

Wir haben bis jetzt noch nicht Gelegenheit gehabt, einen Fall von Nystagmus zu beobachten, bei welchem die oscillirenden Bewegungen in verticaler Ebene schwingen, und halten deshalb ein solches Vorkommniss für nicht ganz häufig.

Ohne behaupten zu dürfen, hierüber umfassende litterarische Nachforschungen angestellt zu haben, ist uns doch in den Hand- und Lehrbüchern, sowie auch in den bezüglichen Monographien und Journal-Artikeln, welche wir nachzuschlagen Gelegenheit hatten, nur ein einziger speciell hierher gehöriger Fall bekannt geworden. Derselbe findet sich kurz erwähnt in dem von Soelberg Wells ohnlängst herausgegebenen: Treatise of the diseases of the eye. pag. 569.

Es heisst daselbst, Verf. habe in einem Falle von convergirendem Schielen verticale Nystagmus-Oscillationen gesehen, welche ununterbrochen fortdauerten und durch die Tenotomie des Musc. rect. intern. weder beseitigt, noch auch nur verringert werden konnten. Verf. fügt noch hinzu, es sei dies übrigens der einzige derartige Fall, den er jemals zu beobachten Gelegenheit gehabt habe.

In der umfangreichen Monographie von Böhm [1]), welche den Nystagmus anscheinend mit erschöpfender Ausführlichkeit behandelt, ist von einem perpendiculär schwingenden Nystagmus gar nicht die Rede. Auch die späteren Arbeiten von Kugel [2]) und Nakonz [3]) geben nur spärliche oder gar keine Nachrichten über das Vorkommen der fraglichen Nystagmusform. Bei Ersterem ist von solchen Schwingungen ebenfalls nicht die Rede, Letzterer (l. c. p. 43) hat einmal die Oscillationen von oben-aussen nach unten-innen gehen sehen.

---

[1]) Ueber Nystagmus. Berlin 1857.
[2]) Vorläufige Notiz über Nystagmus. Archiv f. Ophthalm. Bd. XIII. 2, p. 413.
[3]) Ueber den Nystagmus. Archiv f. Ophthalm. Bd. V. 1, p. 37, und in dessen Dissertatio de nystagmo. Lipsiae 1858. p. 8.

Bei so spärlich vorhandenen litterarischen Notizen hielten wir die Mittheilung eines in unserer Klinik beobachteten Falles für nicht ganz überflüssig. Der Fall betraf ein 9jähr. blühend aussehendes Mädchen, welches jedoch seit frühester Kindheit an Contractur-Paralyse der unteren Extremitäten gelitten hatte. Das Kind schleppte sich nur mühsam auf Krücken vorwärts. Beide Unterschenkel waren im Kniegelenk mässig adducirt, konnten jedoch, durch Anwendung einer etwas gewaltsamen Streckung, passiv noch vollkommen gerade. gerichtet werden. Der Rest willkürlicher Bewegungsmöglichkeit im Hüftgelenk war ausserordentlich gering. Die Muskulatur beider Unterextremitäten war stark entwickelt. Die Hauttemperatur der Unterschenkel bis über das Knie hinauf war beständig kühl, zuweilen eiskalt, ohne dass das Kind sich jemals darüber beklagte. Die mässig angezogenen Strumpfbänder (deren Gebrauch späterhin untersagt wurde) bildeten stets eine tiefe, sehr langsam sich wieder ausgleichende Hautrinne.

Was den Zustand der Augen betrifft, so war den Eltern des Kindes die eigenthümlich pendelnde Bewegung des einen Auges schon seit längerer Zeit auffallend und besorgnisserregend gewesen. — Bei näherer Betrachtung ergab sich in der That, dass das linke Auge fast beständig in einer perpendiculär oscillirenden Bewegung war.

Wir bemühten uns, zunächst zu ermitteln, ob diese Oscillationen bei irgend einer Blickrichtung constante Differenzen zeigten; diese Bemühungen führten jedoch zu einem negativen Resultat. Bei allen Blickrichtungen erschienen die Oscillationen, sowohl der Schwingungsdauer wie auch der Grösse der Schwingungsexcursion nach, fast völlig übereinstimmend. — Im Allgemeinen waren die Schwingungsexcursionen beim Beginne der Fixation am grössten; hielt man dem Kinde einen zu fixirenden Gegenstand vor, dann fing das Auge gemeiniglich sogleich an zu pendeln. Die

Excursionen mochten in maximo kaum mehr als $^3/_4$ Linie betragen. Die Bewegungen erfolgten schnell, jedoch etwas unregelmässig, so dass eine genauere Zählung nicht gut möglich war. Nach wenigen Secunden hörten die Bewegungen gewöhnlich entweder plötzlich, oder mit stetiger Abnahme der Excursionsbreite und allmälig auf, um nach ganz kurzer Zeit ebenso wieder zu beginnen. Führte man das Fixationsobject nach rechts, nach links, nach oben oder nach unten, dann begann sofort wieder ein lebhafteres Spiel der Augenbewegung, so dass wir uns anfänglich täuschen liessen und eine Vermehrung der pathologischen Bewegung bald nach dieser, bald nach jener Richtung hin vermutheten, bis wir uns endlich davon überzeugten, dass nach j e d e r Richtung die Oscillationen anfänglich vermehrt und vergrössert waren und endlich in völligen Stillstand übergingen, um nach Verlauf einiger Zeit von Neuem zu beginnen. An den Augapfel-Bewegungen nehmen auch die Augenlider — besonders das obere — passiven Antheil. Wenn die Augapfelbewegungen im Erlöschen und kaum wahrnehmbar sind, dann lässt sich deren Fortdauer zuweilen an ganz minimen Mitbewegungen der Cilien noch deutlich erkennen.

Das Sehvermögen des linken Auges war fast vollständig erloschen; nur im peripherischen Gesichtsfelde, und beim Blick nach aussen, war ein schwacher Rest von Sehkraft übrig geblieben. Das Sehvermögen des rechten Auges — soweit es geprüft wurde — zeigte sich normal.

Die ophthalmoskopische Untersuchung liess im Inneren des Auges nichts Anomales erkennen; es sei denn, dass die Sehnervenpapille beider Augen eine etwas ungewöhnlich grünlich-weisse Färbung zeigte. Interessant war es noch, sich durch die Vergrösserung, welche die ophthalmoskopische Untersuchung im aufrechten Bilde gewährt, genauer von der Schwingungsrichtung der Augapfelbewegungen zu überzeugen. Wäre nämlich ein einzelner pathologisch afficirter Augenmuskel, also beispielsweise der M. rect.

superior oder inferior, Schuld an den abnormen Bewegungs-
erscheinungen, so müsste eine dem Listing'schen Gesetze zuwiderlaufende Drehung des Augapfels um die Gesichtslinie in die Erscheinung treten. Bei der äusserlichen
Betrachtung war von einer solchen Drehung Nichts wahrzunehmen, und unter ophthalmoskopischer Vergrösserung schienen bei der Blickrichtung nach aussen wie bei
der Blickrichtung nach innen die oscillirenden Bewegungen
— so weit dies durch blosse Schätzung zu bestimmen war —
stets genau in verticaler Richtung zu erfolgen. Wären bei
diesen Oscillationen nur die beiden, die Blickebene hebenden
und senkenden, geraden Augenmuskeln betheiligt gewesen,
dann hätten beim Blick nach innen die verticalen Schwingungen allmälig in eine rotirende Bewegung übergehen müssen,
was, wie gesagt, nicht der Fall war. — Wir schliessen hieraus, dass in dem uns vorliegenden Falle ein consecutives
und zugleich complicirtes einseitiges Augenmuskelleiden zum
Grunde lag; jedenfalls waren mehrere, und nicht etwa ein
einzelner Augenmuskel Schuld an den krankhaften Beweg-
lichkeits-Erscheinungen.

W. Zehender.

Referate aus der ophthalmologischen Litteratur.

Berthold, Dr. **Emil**. Ein Fall von Hämorrhagia
retinae als Vorbote einer tödtlich verlaufenen
Apoplexie.
    Berliner klin. Wochenschrift VI., Nr. 39, 27. Septem-
ber 1869.
    Am Mittwoch den 12. Mai v. J. erschien im Sprech-
zimmer des Verf's eine schwächliche, aber sonst gesund
aussehende Frau von mittlerer Körpergrösse, die sich etwa
in der Mitte der Dreissiger befinden mochte; sie klagte
über Sehstörungen, die seit einigen Tagen auf dem rechten

Auge eingetreten seien. — Da die äusserliche Untersuchung nichts Anomales erkennen liess, so wurde die Kranke ophthalmoskopirt. Verf. entdeckte in der Gegend der Macula lutea eine Hämorrhagie, welche im umgekehrten Bilde, bei Benutzung einer Convexlinse $+ 2^1/_2$ den Umfang eines Schrotkornes hatte. Verf. wollte nun, um den im Sprechzimmer anwesenden Medicinern den Fall besser demonstriren zu können, einen Tropfen Atropin in's Auge einträufeln, wurde aber daran verhindert durch eine abwehrende Bewegung der Pat., welche zugleich erklärte, dass ihr unwohl sei. Pat. wurde in ein anstossendes Zimmer geführt und Alles angewendet, was unter den vorliegenden Verhältnissen ärztlich anzuordnen möglich war. Trotz alledem und insbesondere trotz Anwendung eines galvanischen Stromes, dessen eine Elektrode unterhalb der Herzspitze, also in der Nähe des Zwerchfelles, die andere am äusseren Rande des M. sternocleidomastoideus angesetzt wurde, war Pat. nach Verlauf von etwa $^3/_4$ Stunden — eine Leiche.

Die Section konnte leider nicht gemacht werden, Verf. ist aber der Meinung, dass unter diesen Umständen der ophthalmoskopische Nachweis einer Blutung in die Netzhaut dasjenige Moment sei, welches die Diagnose einer Blutung in's Gehirn „absolut sicher" stellt; denn Niemand werde wohl die Annahme gerechtfertigt finden, dass die Netzhautblutung, welche dem tödtlichen Anfalle einige Tage vorausgegangen, nicht mit demselben in ursächlichem Zusammenhange stehe, und so verdanke man in diesem Falle die sichere Diagnose der Gehirnkrankheit einzig und allein dem Augenspiegel.

Auch Knapp erzählt gelegentlich (The med. Record Nr. 88) einen plötzlichen Todesfall, welcher sich im Jahre 1859 in seiner Klinik bei einer ca. 35j. Pat. in dem Moment ereignet hat, in welchem er im Begriff war, Zwecks einer Schieloperation, mit der Chloroformirung zu beginnen.

Schwalbe, G. Untersuchungen über die Lymphbahnen des Auges und ihre Begrenzungen. Mit Abbildungen.

Archiv f. mikroskop. Anatomie. Bd. VI, p. 1 bis 61.

Innerhalb des Auges haben wir bisher nur in der Retina, durch die Arbeiten von His, mit Sicherheit lymphatische Wege — die von ihm sogen. perivasculären Kanäle — kennen gelernt. Verf. hat sich die Aufgabe gestellt, die Beschaffenheit sämmtlicher Lymphräume genauer zu studiren; er unterscheidet nach der Lage im Auge und nach der Richtung der Abflusswege zwei Gruppen von Lymphbahnen, die vorderen und die hinteren. Zunächst will er sich nur mit den letzteren beschäftigen, die ersteren einer späteren Bearbeitung vorbehaltend.

Der Ciliarkörper bildet die Grenze zwischen dem vorderen und hinteren Stromgebiet. Zu letzterem gehört das Gebiet der perivasculären Räume der Retina, der Perichorioidalraum mit seinen Abflusswegen, und endlich ein zwischen innerer und äusserer Opticusscheide gelegener Lymphraum, der nicht mit den beiden anderen Systemen communicirt, sondern direct in den Arachnoidalraum des Gehirns einmündet.

Verf. bespricht nun zunächst das Gewebe der Membrana suprachorioidea, worunter jenes flockige und sehr pigmentreiche Gewebe zu verstehen ist, welches Sklera und Choroides mit einander verbindet. Der bei Trennung beider Membranen auf der Sklera zurückbleibende Theil der Suprachorioidea wird gewöhnlich Lamina fusca genannt. — Unter den älteren Anatomen hatte namentlich F. Arnold schon die Ansicht ausgesprochen, dass der zwischen Chorioidea und Sklera vorfindliche Raum wie ein seröser Sack zu betrachten sei. Mit Hülfe der neueren Untersuchungsmethoden ist es inzwischen gelungen, diese Ansicht zu begründen, und zwar dadurch, dass sich beiderseits, an der skleralen sowohl wie an der choroidealen Oberfläche, das Vorhandensein eines Endothel's mit Sicherheit nachweisen lässt. Durch Behandlung mit Müller'scher Flüssigkeit gelingt es nach des Verf.'s Versicherung sehr leicht, sich hier vom Vorhandensein einer Endothelmembran im menschlichen Auge zu überzeugen.

Die Membrana suprachorioidea — auf deren vortreffliche Beschreibung in Henle's Anatomie (pag. 615 bis 617) hingewiesen wird — besteht aus elastischen Fasern, abgeplatteten Pigmentzellen und freien Kernen. Eine stärkere Entwicklung derselben entsteht erst in späteren Jahren — wie Verf. vermuthet — unter dem Einfluss der Accommodationsthätigkeit. In den frühesten Entwickelungsstadien ist die Sklera kaum von der Chorioides zu trennen.

Nach einem anhangsweisen Excurs über die Silbermethode und ihrer Anwendung auf die Epithelien (pag. 20 bis 28) wendet sich Verf. zur Betrachtung des Zusammenhanges des perichorioidealen Raumes mit anderen Räumen, und constatirt zunächst, dass das Höhlensystem zwischen Sklera und Chorioides ein zusammenhängendes ist und dass es beim Menschen nach hinten bis in die Nähe des Opticus, nach vorne bis unter die eigentlichen Ciliarfortsätze reicht. In das gefässführende Stroma der Aderhaut dringt die Injectionsmasse nicht hinein; sie hält sich vielmehr stets zwischen dieser und der sogen. Lamina fusca. Eine Communication dieses Raumes mit der vorderen Augenkammer konnte Verf. ebensowenig nachweisen. Dagegen communicirt der genannte Raum mit der Oberfläche des Augapfels, resp. mit dem subtenonianischen Raum, und zwar an denselben 4 Stellen, an denen die Venae vorticosae aus dem Augapfel hervortreten. Der Abzugskanal des Perichorioidalraumes ist also ein perivasculärer Raum, wie es sich an gelungenen Injectionspräparaten leicht anschaulich machen lässt. Andere Abzugswege konnten nicht aufgefunden werden. Der Tenon'sche Raum ist also auch ein Lymphraum; die charakteristische endotheliale Auskleidung war nicht schwer zu entdecken. Nach Einwirkung von Müller'scher Flüssigkeit lässt sich ein mit elliptischen Kernen versehenes zartes

Häutchen von der Oberfläche der Sklera abheben, welches dem Endothelhäutchen des Perichorioidalraumes ganz ähnlich ist. Die Auskleidung der Tenon'schen Kapsel ist ein aus verschmolzenen Zellen zusammengesetztes Endothelhäutchen.

Die Versuche, Injectionsflüssigkeit durch den Tenonschen Raum hindurch noch weiter zu treiben, gelangen nicht. Verf. versuchte dagegen mit gutem Erfolg den umgekehrten Weg; es gelang ihm vom Arachnoidalraum aus nicht nur den Tenon'schen Raum, sondern auch Lymphgefässe und Lymphdrüsen des Halses zu injiciren, wodurch die Deutung des Perichorioidal- und des Tenonschen Raumes als Lymphräume vollkommen sicher gestellt ist. Durch den Tenon'schen Raum steht also der Perichorioidalraum mit dem Arachnoidalraum in Verbindung.

Der Sehnerv besitzt bekanntlich eine doppelte — eine äussere festere und eine innere lockere — Scheide, welche durch lockeres Bindegewebe verschiebbar mit einander zusammenhängen. Ueber das Verhalten dieser Scheiden in der Nähe der Eintrittsstelle des Sehnerven verweist Verf. auf die instructive Fig. 444 in Henle's Anatomie.

Weniger bekannt ist dagegen das Verhalten derselben im Canalis opticus. Hier ist die Verschiebbarkeit beider Scheiden gegen einander nur sehr gering, sodass der Nerv hier gleichsam fixirt ist und nicht weiter in die Schädelhöhle zurückweichen kann. — Dieser Zwischenscheidenraum lässt sich ebenfalls vom Cavum arachnoidale Cranii aus injiciren, ist somit gleichfalls ein Lymphraum und steht direct und durch Vermittlung des Cav. arach. Cranii mit den Lymphdrüsen des Halses in Verbindung. Ein unmittelbarer Zusammenhang zwischen dem Tenon'schen (supravaginalen) und dem Zwischenscheiden- (subvaginalen) Raum existirt nicht, und ebensowenig zwischen letzterem und dem Perichorioidalraum, obwohl die Injectionsmasse neben der Eintrittsstelle des Sehnerven sehr nahe an die Chorioidea herantritt. Der Nachweis eines zusammenhängenden Endothel's an der Innenfläche dieses Raumes ist nicht schwer.

Schwalbe, Gustavus. De canali Petiti et de zonula ciliari. Halis Saxonum, 1870.

Zur Erlangung der venia docendi schrieb Verf. eine lateinische Abhandlung, worin er die eigenen Forschungs-resultate über das anatomische Verhalten des Petit'schen Canals und der Zonula ciliaris mittheilt.

Ueber den Petit'schen Canal bemerkt Verf., dass man denselben von der vorderen Augenkammer leicht injiciren kann, dass dieses Experiment bei Schweinsaugen fast immer, etwas seltener bei Hunde- und Kaninchenaugen gelingt.

Verf. führt eine Canüle durch die Mitte der Hornhaut in die vordere Augenkammer, wobei ein Theil des Kammerwassers entweicht; er füllt hierauf den theilweise leer gewordenen Kammerraum unter einem Quecksilberdruck von 50 Millimeter mit einer blauen Flüssigkeit oder mit etwas carmingefärbtem Leim und legt dann das Auge 24 Stunden lang in gewöhnlichen Alkohol, damit der Glaskörper, die Linse und die Zonula vom Ciliarkörper leicht abgelöst werden können. Nach Eröffnung des Auges sieht man einen blauen Ring, welcher den Rand der Linse umgiebt und den Raum des Petit'schen Canals vollständig einnimmt. Die Injectionsmasse dringt bis in die Ora serrata, aber nicht darüber hinaus.

Am Rande der Linse ist die Füllung am dicksten und die Farbe am dunkelsten. Wird der Canal sehr reichlich gefüllt, so dringt die injicirte Masse zwischen der hinteren Wand der Linse und der tellerförmigen Grube weiter vor, so dass man nur noch am hinteren Pol der Linse eine ungefärbte Stelle sieht. Hängen beide Membranen fester zusammen, so drängt sich die hintere Wand des Petit'schen Canals sackförmig in den Glaskörperraum hinein. Wenn die Injection mit grosser Kraft, d. h. unter einem Quecksilberdruck von mehr als 212 Mm., in die vordere Kammer eingepresst wird, so zerreisst die Membran, oder es dringt auch die Injectionsmasse zwischen der Hyaloidea und der Retina, oder zwischen Retina und Choroidea bis an den Ursprung des Sehnerven vor. Wir erkennen aus diesem Verhalten nicht sowohl die Weite des Canals, als vielmehr seine Ausdehnungsfähigkeit. Um aber die natürlichen Grössen-Verhältnisse kennen zu lernen, hat Verf. eine Solution von salpetersaurem Silber injicirt und hat dann gefunden, dass beide Wandungen des Canals von der Ora serrata bis in die Mitte seiner ganzen Breite fast unmittelbar an einander liegen, oder nur eine schmale Spalte zwischen sich frei lassen. Von hieraus tritt die hintere Wand mehr und mehr gegen die hintere Linsenfläche zurück, wo sie sich eben so weit nach hinten ansetzt, wie die Fasern der vorderen Zonulafläche an die vordere Linsenfläche, so dass der Linsenrand in den Kanal hineinragt.

So leicht wie es ist, dies Experiment auszuführen, ebenso schwer ist es, die Frage zu beantworten, auf welchem Wege die Injectionsmasse in den Kanal hineingelangt. Die innige Berührung des Pupillarrandes mit der Linsenvorderfläche schien die Annahme unwahrscheinlich zu machen, dass die Injectionsmasse aus der hinteren Augenkammer in den Petit'schen Kanal eindringen könne. Danach gelang es dem Verf. nicht, aus der Peripherie der vorderen Augenkammer eine bis in den Petit'schen Kanal reichende Oeffnung zu entdecken; wohl konnte von hier aus der Schlemm'sche und der Fontana'sche Kanal und eine von hier in den Ciliarraum hineinragende Spalte injicirt werden; niemals aber liess sich von dieser Spalte aus ein Vordringen der Injectionsmasse bis in den Petit'schen Kanal nachweisen. Wenn nun von der Peripherie der vorderen Augenkammer kein Weg in den Petit'schen Kanal führt, so muss die Injectionsmasse nothwendig zunächst in den retroiridischen Raum und erst von hier aus in den Petit'schen Kanal eindringen.

- Verf. versichert, sich davon überzeugt zu haben, dass in nächster Nähe des Linsenrandes feine Spaltöffnungen existiren, welche eine Communication zwischen der hinteren Augenkammer und dem Petit'schen Kanal herstellen.

Um dies zu beweisen, machte Verf. einen Einstich in den Petit'schen Kanal und injicirte von hier aus eine flüssige Masse in denselben. Die Flüssigkeit entwich aus dem Kanal dicht am vorderen Linsenrande, an Stellen, welche jedenfalls nicht durch die Präparition zerrissen worden waren. Wenn älteren Autoren, namentlich H u e c k und B r ü c k e , dieser Versuch nicht schon gelungen ist, so lag es an den ungeeigneten Injectionsmassen, deren sie sich bedient haben. Dass der Kanal, wie man längst weiss, sich aufblasen lässt, beweist nichts gegen das Vorhandensein kleiner Oeffnungen am Linsenrande.

Helferich, Friedrich. U e b e r d i e N e r v e n d e r C o n j u n c - t i v a u n d S k l e r a. Mit 3 Tafeln. Würzburg 1870, p. p. 35.

Nach vorausgeschickten Bemerkungen über die bereits vorhandenen Vorarbeiten schildert Verf. zunächst die von ihm eingeschlagene Präparationsmethode, welche vorzugsweise in einer Behandlung der Untersuchungsobjecte mit 1 bis 1 $\frac{1}{2}$ procentiger Ueberosmiumsäurelösung besteht. Die Vergoldungsmethode erwies sich für die vorliegende Untersuchung als weit weniger zweckmässig.

Bei den der Untersuchung unterworfenen Thieren (vorzugsweise Frosch, Huhn, Taube, Ratte) ergab sich im Allgemeinen, dass die für die Conjunctiva bestimmten Nerven am inneren und äusseren Augenwinkel in die Bindehaut eintreten, von wo aus sie sich in bogenförmigem Verlauf in einzelne Aeste vom Hauptstamme abzweigen. Der an der inneren Commissur eintretende Stamm ist der mächtigere und zeichnet sich daher auch durch die weit grössere Zahl von Aestchen aus, in welche er sich verzweigt. Die Hauptmasse dieser, einen netzartigen Plexus oder ein „grobmaschiges Geflecht" bildenden, Aestchen geht an den Lid-Theil.

Zur Auffindung der Endigungen der Bindehautnerven verwendete Verf. ausschliesslich die Vergoldungsmethode, wobei die Präparate, etwas abweichend von dem C o h n -

heim'schen Verfahren, dem directen und kräftigsten Sonnenlichte exponirt wurden. — Die aus dem grobmaschigen Geflecht in den tieferen Schichten des conjunctivalen Gewebes hervorgehenden, durch fortgesetzte Theilung immer schwächer werdenden Nervenfaserzüge nähern sich mehr und mehr der Oberfläche, bis endlich die Stämmchen letzter Ordnung nur noch aus einem Complex von 2 oder höchstens 3 doppeltcontourirten Fasern bestehen. Diese verlieren ihre Markscheide erst an der nächsten Theilungsstelle, wo sich im Theilungswinkel gewöhnlich ein Kern angelagert findet. Die Verlaufsrichtung dieser blassen Fasern ist wesentlich geradlinig; die Zahl derselben wird in ihrem weiteren Verlauf durch das Capillarnetz ausserordentlich gross, so dass die Summe der unmittelbar unter dem Epithel liegenden Fasern jene der in den eintretenden Stämmen vorhandenen um ein Vielfaches übersteigt. Eine Verschmelzung der über einander wegziehenden Fasern ist nirgends nachweisbar. Die feinen, unmittelbar unter dem Epithel verlaufenden Fibrillen geben selbst wieder unendlich feine Aestchen ab und hören schliesslich dicht unter dem Niveau der untersten Epithelzellenlage, zuweilen mit einer leichten knopfförmigen Anschwellung auf. Die Endigungen liegen also nicht auf der freien Oberfläche des Epithels, wie bei der Hornhaut, noch auch zwischen den obersten Zellenlagen, sondern unmittelbar unter der tiefsten Zellenlage desselben; niemals gelang es, zwischen den Epithelzellen selbst ein Nervenende aufzufinden.

Auch über die Eigennerven der Sklera hat Verf., namentlich beim Frosch und beim Kaninchen, einige Beobachtungen angestellt, die ein den Conjunctivalnerven ziemlich analoges Verhalten erkennen liessen. Der eigentliche Ursprung derselben konnte nicht aufgefunden werden; doch wurde ermittelt, dass diese Nervenstämmchen ihren der Axe des Sehnerven parallelen Verlauf weit hinten beginnen und mithin in sehr geringer Entfernung von den Centraltheilen bereits selbstständig vorhanden sind.

124

Dogiel, Johann. Ueber den Musculus dilatator pupillae bei Säugethieren, Menschen und Vögeln. Mit einer Tafel.
    Archiv f. mikroskop. Anatomie. Bd. VI., Heft 1, pag.
89 bis 99.

Die Streitfrage über die Existenz oder Nichtexistenz
eines Musculus dilatator pupillae ist — wie bekannt —
bis heute noch nicht auf eine ganz befriedigende Weise
erledigt worden.

Während Grünhagen, Mayer, Baumgärtner,
Lister die Existenz dieses Muskels bestreiten, wird oder
wurde dieselbe von Brücke, Kölliker, Henle, Merkel, von Hüttenbrenner in Schutz genommen. Auch
Verf. — welcher übrigens noch ausführlichere Angaben
über diese Frage, sowie über die von ihm erhaltenen Resultate bezüglich der Nerven, welche in dem Pupillen-
erweiterer endigen, in Aussicht stellt — bekennt sich zu
dieser letzteren Ansicht. Seine bisherigen Resultate wurden
gewonnen durch eine besondere Präparationsmethode, welche,
besser als die bisherigen, zur Entscheidung der Frage geeignet zu sein scheint. Diese Präparationsmethode besteht
hauptsächlich in einer längeren Behandlung der Iris mit
verdünnter Essigsäure und nachträglicher Färbung derselben
mit einer angesäuerten Mischung von Carmin und Glycerin.
Dieses Verfahren soll vor den früheren — fast jeder Forscher
bediente sich zu seinen Untersuchungen eigener Präparationsmethoden oder eigener mikrochemischer Reagentien —
den Vorzug haben, dass die feinsten Verzweigungen der
Blutgefässe sichtbar bleiben, weshalb die letzteren von den
glatten Muskelfasern leicht unterschieden werden können.

An den in solcher Weise behandelten Präparaten
bemerkt man nun, „dass die Bündel der glatten Muskelfasern des Erweiterers der Pupille, welche in verschiedenen Höhen von den Bündeln des Verengerers der
Pupille abstammen, sich zwischen den Blutgefässen von
vorne nach hinten hinziehen. Die Bündel des Dila-

tator verzweigen sich dabei auf ihrer Bahn und die Verzweigungen verbinden sich an einigen Stellen mit anderen Muskelbündeln desselben Muskels und endigen am Ciliarringe. — Obwohl die hier beschriebenen Bündel des Musculus dilatator pupillae ihren Anfang auf der Vorderfläche der Iris haben, gehen sie doch alle an die Hinterfläche derselben über und liegen fast unmittelbar unter der Schicht, welche die hintere Fläche des Pigments bedeckt.

Stilling, J. Eine Studie über den Bau des Glaskörpers.

      Arch. f. Ophthalm. Bd. XV., Abth. 3, pag. 299 bis 319. 1869.

Ohne die feinere Untersuchung der histologischen Elemente des Glaskörpers zu unterschätzen, glaubt Verf., dass die Structur dieses Organs zunächst makroskopisch studirt werden muss.

Mit Hülfe eines eigenen, von ihm Guillotine-Messer genannten Instruments, fertigt Verf. Durchschnitte durch den frischen Glaskörper, auf welche er mittelst eines Pinsels einige Tropfen Carmin oder Berliner Blau fallen lässt; es füllt sich dadurch der vom Verf. schon früher beschriebene Centralkanal; ausser dem Centralkanal füllen sich aber noch eine Anzahl concentrisch gelagerter Furchen, die kreisförmig in geringen regelmässigen Abständen von einer oder mehreren Linien verlaufen. Diese Furchen dringen etwa 2 bis 3 Millimeter tief in das Organ ein, indem sie zugleich dünne Schichten durchsichtiger Glaskörpersubstanz zwischen sich frei lassen. Die Furchen zeigen sich erst in einer gewissen Entfernung vom Centralkanal; die Mitte der Durchschnittsfläche bleibt völlig frei und erscheint wie eine solide, gleichmässige Kernmasse, welche sich durch die erste Furche, die gewöhnlich auch zugleich die tiefste ist, von der Rindensubstanz abgrenzt. Die Kernsubstanz zeigt sich jedoch nicht vollständig homogen; man erkennt auf derselben eine vom Verf. sogenannte Dreihörnchen-Figur, welche eine gewisse Aehnlichkeit besitzt mit der bekannten dreischenklichen Figur in der Crystallinse.

Verf. hat auch Schnitte angefertigt, welche parallel zur Richtung des Centralkanals verlaufen, und hat durch Färbung solcher Schnitte erkannt, dass alle unmittelbar hinter der Linse liegende Glaskörpersubstanz aus der Kernsubstanz desselben bestehe. Eine Verbindung zwischen Zonula und Rinde des Glaskörpers existirt nur an der äusseren Grenzlinie der letzten, d. i. in der Gegend der Ora serrata.

Verf. verwahrt sich noch gegen den Einwand einer durch seine Präparationsmethode hervorgerufenen künstlichen Trennung zwischen Kern und Rinde, und bespricht zum Schluss die zwischen seinen und den älteren Untersuchungen von Hannover und Finkbeiner bestehenden Differenzen.

Offene Correspondenz.

Rostock. (Zur Abwehr gegen v. Hasner.)

Erst heute kam mir die Prager Viertelj.-Schrift, Bd. 105, in die Hände, worin ich in den Analekten p. 77 in einem Berichte des Herrn v. Hasner über Augenheilkunde folgenden auf mich bezüglichen Passus finde. v. Hasner schreibt daselbst: „Nachdem Graefe replicirt und ich in einem Briefe an Zehender, welchen derselbe jedoch nur lückenhaft und mit Censurstrichen versehen aufzunehmen beliebte, geantwortet hatte ... u. s. w."

Diejenigen, welche die Hasner-Graefe'sche Controverse von Anfang an verfolgt haben, werden sich über diesen Passus nicht wundern und werden wohl nicht übersehen, dass ich bei Mittheilung des Hasner'schen Briefes ausdrücklich angegeben, in den censirten und ausgelassenen Stellen sei absolut nichts zur Sache Gehöriges enthalten gewesen. Für diejenigen aber, welche hier vielleicht zum ersten Male von der Streitfrage Notiz nehmen und welche durch den citirten Passus auf die Vermuthung kommen müssen, ich habe wer weiss welche grossartige Verstümmelung eines Hasner'schen Manuscriptes vorgenommen, muss ich zunächst die Versicherung wiederholen, dass in den 4 oder 5 nicht mit abgedruckten Sätzen **absolut** nichts sachlich Wichtiges, sondern nur einige, vielleicht witzig sein sollende, im Grunde genommen aber ziemlich abgeschmackte Bemerkungen enthalten waren, durch deren Unterdrückung ich gewiss Niemandem einen grösseren Dienst erwiesen habe, als gerade dem Herrn Verf. selbst. Damit diese Bemerkungen der Welt aber doch nicht ganz verloren gehen, habe ich den Brief des Herrn v. Hasner noch immer sorgfältig aufbewahrt und werde, wenn Herr v. Hasner fortfährt, meine Gewissenhaftigkeit in Beziehung auf unveränderte Publication mir anvertrauter Manuscripte im Mindesten zu verdächtigen, die fehlenden Lücken nachträglich noch abdrucken lassen. — Wir wollen dann sehen, wie die gebildete Welt über diese geistreichen Scherze urtheilen wird!

Ich habe übrigens noch zu bemerken, dass jener Brief **ohne** Begleitschreiben und **ohne** den bestimmt ausgesprochenen Wunsch der Veröffentlichung an mich gelangt ist, und dass ich seiner Zeit dem Herrn Verf. darauf geantwortet habe, ich müsse annehmen, er wünsche nur den **Inhalt** seines Briefes publicirt zu sehen; denn „selbstverständlich sei der Ton, in welchem der Brief geschrieben, für die Monatsblätter nicht passend". Wenn ich nun den persönlich an mich gerichteten Brief, mit Auslassung einiger unpassender Stellen, dennoch publicirt habe, so geschah dies einfach deshalb, weil v. Hasner's Absicht, mich nachträglich beschuldigen zu können, ich habe zwei persönlich gegen ihn gerichtete Artikel v. Graefe's aufgenommen, habe mich aber geweigert, die v. Hasner'schen Widerlegungen und Gegenbemerkungen gleichfalls aufzunehmen, gar zu ungeschickt versteckt war, um nicht sogleich in die Augen zu fallen. Nun blieb ihm nur noch

128

die Beschuldigung der „Censurstriche" und der „lücken-
haften" Publication, worüber ich hiermit dankend quittire.
Hätte ich den Brief unverkürzt veröffentlicht, dann
würde v. Hasner vermuthlich mich der Indiscretion beschuldigt und gesagt haben, der Brief sei gar nicht für
die Oeffentlichkeit bestimmt gewesen.

W. Zehender.

Berichtigung.

In dem letzten Hefte des vorigjährigen Bandes unserer Monatsblätter ist auf pag. 411 in dem Vortrag IX des Herrn Woinow
über den Bau der Krystall-Linse, in dem letzten Satze: „— — Pol
der Linse nicht Schuld daran ist — —" das Wort „nicht" zu streichen. — In dem Vortrag XXII auf pag. 482 u. 483 sind — nach
Angabe des Herrn Woinow — gleichfalls Unrichtigkeiten enthalten, die wir jedoch der Redaction nicht zur Last legen zu wollen
bitten.

Klonische Krämpfe der Augenlider.
Neurotomie der Supraorbitalnerven*)

von

Dr. med. Jos. Talkow in Tiflis.

Joseph Woznikofsky, verabschiedeter Soldat, 62 Jahre alt, trat am 8. April 1868 in das Tifliser Kriegshospital mit der Bitte ein, ihm den äusseren Augenwinkel des linken Auges wegzuschneiden, weil die Augenlider das Auge drückten und am Sehen hinderten.

Der Kranke ist von gesundem Körperbau, rothwangig und für sein Alter ziemlich kräftig. Im Jahre 1842 wurde er durch eine Kugel am grossen Zehen des linken Fusses verwundet; die Wunde heilte erst, nachdem sich mehrere Knochensplitter ausgestossen hatten; gegenwärtig fühlt er daselbst von Zeit zu Zeit Schmerzen, namentlich bei schlechter Witterung. Doch mehr als dieses beunruhigt ihn ein krampfhaftes Schliessen der Augenlider beider Augen, deren Sehkraft übrigens bei geringer Presbyopie normal ist. Ausser jenen Krämpfen leidet Pat. zweimal in der Woche an heftigem Schwindel. — Das krampfhafte Zusammenziehen bemerkt man nur an den Musc. orbicularis palpebr., die Gesichtsmuskeln

---

*) Uebersetzung aus der Petersb. „Medizinski Wiestnik" Nr. 85 und 86 1869.
Monatsbl. f. Augenhlkde. 1870.

9

nehmen daran keinen Antheil. — Die Krämpfe haben einen klonischen Charakter. Der Kranke sieht Anfangs einige Secunden lang ruhig auf einen Gegenstand, darauf folgt eine ziemlich lang anhaltende krampfhafte Schliessung der Augenlider, die jedes Sehen unmöglich macht; für einen Augenblick öffnen sich dann wieder die Augenlider, um sich sofort auf's Neue zu schliessen. Wenn der Kranke die schnelle Folge der krampfhaften Contractionen der Augenlider gewaltsam verhindert und die Augen länger wie gewöhnlich geöffnet hält, so werden die Krämpfe stärker und schmerzhaft. Der Schmerz macht sich in der Schläfe fühlbar. In Folge dieser bereits seit sieben Jahren bestehenden Krämpfe der Augenlider haben sich rings um die Augen Falten und tiefe Rinnen in der Haut gebildet; namentlich in der Schläfengegend und über dem Nasenbein, wo während der Krämpfe sich eine Hautfalte bildet, zu der von den Augenbrauen her beiderseits tiefe Furchen hin verlaufen. Im Allgemeinen ist ersichtlich, dass sich bei den Krämpfen die Musc. orbicularis palpebr. in der Richtung zur Nasenwurzel hin, oder richtiger, zu ihren inneren Anheftungspunkten hin zusammenziehen, die Augenspalte verkürzt sich in diesem Zustande auf 8$'''$. — Die Krämpfe werden durch Wind und hellen Sonnenschein verstärkt, so dass der Kranke an windigen und hellen Tagen genöthigt ist, die Stube zu hüten. Erleichterung findet er dagegen in der Dunkelheit und bei starkem gleichzeitigen Druck auf die beiden Supraorbitalgegenden. — Dieses letzteren Erleichterungsmittels versichert er sich durch das Tragen eines sehr eng anschliessenden Kepis mit weit vorstehendem Schirm; denn dadurch erhält er den nöthigen Schatten und auch gleichzeitig den wohlthuenden Druck auf die Supraorbitalnerven. Ein Druck auf die Austrittsstelle des Nerv. facialis (foramen stylomastoideum) und ebenso ein Druck auf die Gegend hinter den Backenzähnen des Unterkiefers im Allgemeinen, auf die Rami dentales und auf die foramina canina bleibt dagegen ohne irgend einen Einfluss auf die Stärke und Dauer der Krämpfe. — Sichtlich geschwächt werden auch die Krämpfe, wenn man den äusseren Augenwinkel mit dem Finger nach der Schläfe hin verzieht, ein Mittel, welches der Kranke auch selbst häufig in Anwendung bringt.

Die Ursache zur Entstehung der Krämpfe im gegebenen Falle konnte nicht mit Bestimmtheit ermittelt werden. Cariöse Zähne waren nicht vorhanden *); traumatische Ursachen hatten nicht eingewirkt, und von entzündlicher Ursache konnte nicht die Rede sein, da die Augenhäute alle vollkommen normal beschaffen waren und die Sehnerven gehörig functionirten. Nach Angabe des Kranken will er einen Monat vor Beginn seines gegenwärtigen Leidens an nervösen Schmerzen in der Regio supraorbitalis gelitten haben; diese letzteren Schmerzen exacerbirten jeden anderen Tag und gingen dann in einen tonischen Krampf der Augenlider über; im Verlauf eines ganzen Jahres waren die Augen fortwährend geschlossen, und der Kranke war gezwungen, wollte er sehen, die Augenlider

----

*) In letzterer Zeit hat man vielfach angefangen, verdorbene Zähne als Urheber von nervösem Augenleiden anzusehen. Viele derartige Beobachtungen sind bereits bekannt gemacht worden, namentlich von Hutchinson, Wecker, Delgado etc., nach denen durch einfaches Entfernen eines cariösen Zahnes Blindheit gehoben wurde. Mechele sah einen Fall von tic convulsiv, der sich auf die Muskeln des Halses und der Schultern erstreckte und einfach durch Ausziehen mehrerer cariöser Zähne geheilt wurde. Albrecht (der Augenarzt, 1854, pag. 44) erzählt, bei Erörterung der Amaurose, von einem Falle, in dem eine Dame, die bereits seit einigen Jahren an völliger Blindheit litt, für einige Zeit das Augenlicht wieder erhielt, nachdem ihr ein Zahn gehoben war. Hays aus Philadelphia (Medical Gazette I. 28, pag. 617, London 1841) beschrieb einen Fall von Spasmas der Augenlider, der von Abscessen in der Gegend der Backenzähne und Caries der letzteren abhing; nach Entfernung der Zähne hörten die Krämpfe auf. Die Krämpfe sind in diesen Fällen als Reflexkrämpfe zu verstehen, die Reizung von Trigeminusästen überträgt sich auf Zweige des facialis. — Endlich veröffentlicht H. Schmidt im Archiv f. Ophthalm. Beobachtungen über Accommodationsschwächung in Folge von Zahnleiden die Vergrösserung des Intraoculardruckes (Reizung der rami dental. n. trigemini) und erklärt die Sache in Folge von reflectorischer Reizung der vasomotorischen Nerven des Auges.

entweder mit den Fingern zu öffnen, oder, wie er es vorzog, die oberen Augenlider mittelst Heftpflasterstreifen zur Stirne emporzuziehen. Es blieb noch übrig, einen Blepharospasmus idiopaticus abhängig von Erkrankung der or. palpetrales nerv. facial. anzunehmen. Die häufigste Ursache eines solchen Blepharospasmus idiopat. ist Erkältung (Romberg). Dann jedoch vereint er sich auch mit Rheumatismus anderer Theile (siehe unten über diese Ursache bei unserem Kranken). Eine centrale Ursache konnte kaum angenommen werden, erstens, weil, wie Romberg sagt, bisher noch nie Krämpfe im Bereich des Nerv. facialis in Folge eines Leidens seiner Wurzeln oder seines Durchtritttheils durch die Knochen beobachtet worden sind; zweitens aber, weil Blepharospasmus nie mit tic convulsiv complicirt auftritt. Nach Romberg's Meinung liegt in solchen Fällen häufig die Ursache der Krankheit in Reflexen, die von Aesten des Quintus auf Aeste des Facialis übertragen werden, und er empfiehlt deshalb, auch immer genau die Empfindlichkeit der Verbreitungsbezirke des Trigeminus zu untersuchen. Es sind Beispiele bekannt, dass in Folge von Druck, den einer der Zweige des Trigeminus in seinem Knochenkanal erfahren, sich reflectorisch Blepharospasmus einstellte. Bei unserem Kranken war eine solche Ursache nicht anzunehmen, weil die Empfindlichkeit überall gleich gefunden wurde: auf beiden Wangen fühlte er die beiden Zirkelspitzen in Entfernung von $3/4$ Ctm., in der Supraorbitalgegend in einer Entfernung von 12 Millim. — Endlich soll Blepharospasmus auch reflectorisch durch Wärmereiz hervorgerufen werden können; diese Ursache war in gegebenem Falle auch nicht vorhanden.

Der Kranke war einige Jahre zurück bei einem Dr. R. in Behandlung, der ihm aus unbekannter Indication eine Hautfalte in der Länge der oberen Augenlider ausschnitt und dadurch eine bedeutende Verkürzung derselben und ein Heruntertreten der Augenbrauen veranlasste, letztere liegen jetzt unterhalb des oberen Orbitalrandes; die Breite des oberen rechten Lides, vom Lidrand bis zu den Brauen gerechnet, beträgt, 4''', die Breite des linken nur 3'''. — Ausserdem versuchte Dr. M i n k e w i t z an dem Kranken die vielgerühmten subcutanen Injectionen von Morphium in die Schläfengegend und von Atropin in die Umgegend des Auges; doch blieb dieses Verfahren ohne Erfolg*), — die klonische Krampfform widersteht viel hartnäckiger der Behandlung, als die tonische.

Endlich wandte sich der Kranke am 2. August des Jahres 1866 an mich. Ich richtete meine Aufmerksamkeit namentlich auf das linke Auge, weil in den Lidern desselben die Krampfanfälle heftiger waren und die Lidspalte bis zu dem Grade verengten, dass der Augapfel fast vollständig verdeckt wurde und daher kleiner erschien. Ausgehend von dem Factum, dass sich beim Verziehen des äusseren Augenwinkels zur Schläfe hin die Krämpfe sichtlich verminderten, der Druck auf den Augapfel bedeutend abnahm, machte ich einen tiefen horizontalen, 1'' langen Einschnitt von dem Augenwinkel zur Schläfe hin; ausser der Haut wurden auch die Muskelbündel des Sphincter durchtrennt. Gleichzeitig wurde ein Blasenpflaster hinter das Ohr, entsprechend dem foramen stylomast. gesetzt, und dann die Wundfläche mit Belladonnasalbe verbunden. Bei dieser Behandlung schienen die Krämpfe ein wenig nachzulassen; als jedoch die Schläfenwunde verheilte, traten jene wieder auf, trotzdem dass durch die Narbe der äussere Augenwinkel leicht nach aussen gezogen wurde.

Da entschloss ich mich, es mit einer subcutanen Myotomie des Sphincter am unteren Augenlide zu versuchen. —

---

*) Wir wollen hier bemerken, dass M a c k e n z i e sogar bei inveterirten hartnäckigen Fällen einen andauernden Nutzen von jeden zweiten Tag und öfter wiederholten subcutanen Chloroform-Injectionen gesehen hat (s. Nachtrag zu seiner Ophthalmologie 1866); A r l t sah ein gleiches nach Auftragen einer Chlorzinkpasta auf die Jochbogengegend; R a i m b e r t nach Schnupfen von Morphium, was er auch gegen Lichtscheu empfiehlt. (Journal de Brux. August 1868.)

Zu dem Zweck machte ich zuerst mit einem lanzettförmigen Messer eine Oeffnung in der Haut der Jochbeingegend unterhalb des äusseren Augenwinkels, ging darauf durch jene Oeffnung mit einem Tenotom bis zur Mitte des Lidrandes, zog das Augenlid nach aussen und unten, um den Muskel auf den Knochen zu lagern, und durchschnitt dann auf demselben den Sphincter. Die Operation war ziemlich schmerzhaft; nach derselben bildete sich sofort ein Bluterguss in das untere Augenlid; aus der Hautwunde war dagegen die Blutung nur höchst gering. Verband und Kälte. Das ergossene Blut wurde allmälig resorbirt und die Krämpfe kehrten leider wieder. Den 9. September gab ich die Beobachtung des Kranken auf, da ich keinen Erfolg voraus sah.

Sah ich jedoch zufällig auf den Kranken, so kam mir mit jedem Mal mehr die Ueberzeugung, dass ein solches Leiden, so unwesentlich an sich, doch recht lästig und hartnäckig ist. Dass es hartnäckig ist, beweist zur Genüge die vergebliche Behandlung unseres Kranken, und mit Recht sagt D e m o u r s : „J'ai reconnu par l'extrême attention, que j'ai apportée à l'observation de ces mouvements convulsifs, que les remèdes n'ont aucune influence sur leur durée et leur intensité. Je me suis borné depuis à conseiller l'usage des lunettes vertes et beaucoup d'exercice." Um sich davon zu überzeugen, wie lästig ein solches Leiden ist, dazu ist nothwendig, dass man solche Kranke selbst sieht, sie haben oft ein vollkommen normales Auge und können doch nicht sehen, namentlich bei einer Beschäftigung, oder auf einem Spaziergang (bei Sonnenschein und Wind), oder bei einem nothwendigen Gespräch mit einem andern etc., wo dann diese Krampfanfälle häufiger noch als sonst auftreten. So, sagte mir ein Beamter, der an einem leichten Spasmus des linken unteren Augenlides leidet, dass es ihm höchst peinlich und unangenehm sei, wenn sich plötzlich während Berichterstattung bei dem Statthalter die Krämpfe in seinen linken Augenlidern einfinden und ihm das Auge fast völlig schliessen. Nun muss man noch annehmen, dass solche Kranke häufig auch moralisch leiden, wie z. B. mein Kranker, der mir mit Thränen in den Augen seine schreckliche Lage darstellte, seinen Ueberdruss am Leben, sein Unglück. Endlich kann ein langwährender und starker Krampf (natürlich in höherem Grade noch ein tonischer) nicht ganz ohne schädlichen Einfluss auf den Augapfel bleiben, namentlich wenn letzterer noch hervorgewölbt ist.

Graefe beschreibt sogar einen in Folge solcher Krämpfe entstandenen Fall von Amaurose. Alles das erwägend und die Nutzlosigkeit der früheren Behandlungsweisen sehend, entschloss ich mich zum letzten Mittel, zu einer supraorbitalen Neurotomie der sensiblen Zweige des Nerv. quintus, ein Mittel, das der hochgeschätzte Prof. Braun (siehe sein Handbuch der Augenkrankheiten, I. Ausgabe 1868, p. 31) als das einzige angiebt, das in solchen Fällen hilft.

Da es nicht ohne Interesse ist, so schicke ich einige Worte über diese Art der Behandlung voraus.

Es ist ein bekanntes, physiologisches Gesetz, dass zwischen motorischen und sensiblen Nerven ein Zusammenwirken stattfindet; belegende Beispiele dafür zu finden, ist leicht; ein Pferd, dem der obere Gaumen (eine höchst empfindliche Stelle) zusammengeschnürt wird, steht ruhig, auch bei der schwersten Operation; ebenso hört jede Reflexbewegung auf, sobald das Leitungsvermögen der sensiblen Nerven unterbrochen worden ist (Anästhesie). Bei einseitiger Anästhesie des Quintus z. B. rufen selbst Stiche kein Blinzeln hervor, trotzdem, dass der Kranke im Stande ist, willkürlich Bewegungen mit den Lidern auszuführen. — Von dieser physiologischen Thatsache ausgehend, schlägt Romberg vor, bei Blepharospasmus auf die sensible Sphäre zu wirken. Und, da häufig die Ursache der Krankheit in einer Reflexerregbarkeit der Nerven liegt, so ist es unbedingt nothwendig, den ganzen Bezirk des Trigeminus, namentlich die Rami dentales und auch den Darmkanal und die Gebärmutter genau zu untersuchen.

Bei ähnlichen reflectorischen Blepharospasmen räth Rom—

b e r g das Durchschneiden der einzelnen Zweige und Aestchen des Nerv. trigeminus.

Einen solchen Fall beschreibt er in seinem Handbuch
der Nervenkrankheiten, I. Theil, p. 21—25. Alle versuchten
Mittel blieben bei einem Fall von Blepharospasmus nach ein-
monatlicher Behandlung ohne allen Erfolg; der Blepharospasmus war entstanden durch eine Verletzung mittelst eines
geworfenen Apfels. Das Leiden verschlimmerte sich bis zu
dem Grade, dass bei einem Versuch, das linke Auge gewaltsam zu öffnen, sich Krämpfe des ganzen Gesichts und
der Extremitäten einstellten. — In der Chloroformnarkose
überzeugte man sich, dass das Auge selbst gesund war.
G r a e f e , der Anfangs eine Durchschneidung des Facialis-
astes, der zum Muskel geht, beabsichtigte, gab nach einer
Consultation mit R o m b e r g seine Absicht auf und machte
anstatt dessen eine subcutane Durchschneidung des Supraorbitalnerven gleich nach seinem Austritt aus dem Foramen
supraorbitale. — In Folge der Operation trat eine Anästhesie
des Augenlides und der Stirne auf, es stellten sich aber auch
gleichzeitig und für immer die Krämpfe in dem oberen Lide
und in den Muskeln der gegenüberliegenden Seite ein; die
Krämpfe im unteren Augenlide vergingen erst am achten
Tage.

Der Musc. frontalis konnte sich auf's Neue zusammenziehen. Der Kranke wurde vollkommen hergestellt. Diesen
Fall beschrieb auch G r a e f e in seinem Archiv. (II. Bd.,
1, pag. 440.)

Dass die Durchschneidung eines sensiblen Nerven die ver-
stärkte Thätigkeit der entsprechenden motorischen herabsetzt,
dieses Factum ist gegenwärtig bewiesen, doch bisher noch nicht
vollkommen erklärt worden. M a g e n d i e führt Fälle an, in
welchen gleich nach der Zerstörung oder Durchschneidung
des Quintus innerhalb der Schädelhöhle, gleichviel welcher
Seite, sich eine Paralyse der Augenlider auf der entsprechenden Seite einstellte.

v. G r a e f e erklärte das folgender Maassen: Durch die

Durchschneidung der sensiblen Nerven der Supraorbitalgegend wird die Empfindlichkeit der Muskelbündel, die durch die Anspannung derselben erhöht war (Hyperästhesia orbicularis), herabgesetzt und dadurch die reflectorischen Krämpfe gehoben. In Graefe's Fall war, ganz wie in meinem, weder Anästhesie noch Hyperästhesie der Haut vorhanden, dagegen beobachtete Bellinger einen Fall mit jener Complication. In jedem Falle, sagt Mackenzie, liefert die Heilung dieses entsetzlichen und hartnäckigen Krampfes der Augenlider durch einfaches Durchschneiden eines so dünnen Nervenfadens, wie der Nerv. supraorbital., ohne allen Zweifel ein wichtiges Factum für die Geschichte der Nervenkrankheiten.

In den letzten Jahren führt Graefe immer diese Neurotomie nach der von Romberg empfohlenen Methode aus.

Ich erlaube mir hier noch einen höchst interessanten Fall aus der Graefe'schen Klinik anzuführen, den Samelson beschreibt: Reminiscences of a four months stay with Prof. A. v. Graefe in Berlin 1866. -

Eine sehr zarte Dame litt an diesem hartnäckigen Leiden, und zwar an beiden Augen. Das rechte Auge plinkte fortwährend, und auch mit der grössten Gewalt war sie nicht im Stande, dasselbe für einige Minuten offen zu erhalten. Auf der linken Seite wurde drei Mal die Neurotomie gemacht und führte endlich zu dem gewünschten Resultate. Beim Fingerdruck auf die Supraorbitalgegend und gleichzeitig auch auf die rechte Schläfengegend (aber nur bei gleichzeitigem Druck auf diese beiden Gegenden) hörten die Krämpfe auf und öffnete sich das Auge.

Nachdem die Kranke chloroformirt worden war, machte Graefe eine neue Operation, er führte das Neurotom etwas über dem äusseren Winkel des rechten Auges ein und schob es unter den Hautdecken etwa 1 1/2'' bis zum Stirnbein vorwärts, d. h. bis zur Stelle, wo sich der Supraorbitalnerv findet, und durchschnitt darauf die unterliegenden Weichtheile; aller Wahrscheinlichkeit nach veranlasste die Operation eine arterielle Blutung, die jedoch bald durch einen Druckverband gestillt wurde. Die Folge dieser beiderseitigen Operation war eine vollständige Anästhesirung der Stirndecken.

Ein zweiter sehr interessanter von ihm gesehener Fall betraf einen 50jährigen Landmann, der an tonischen Krämpfen aller Augenlider litt.

Der untersuchende Druck auf beide Supraorbitalnerven, auf den Nerv. temporalis, infraorbitalis und subcutaneus malae blieb ohne Einfluss auf den Blepharospasmus. Als jedoch der Finger in den Mund geführt wurde und einen starken Druck auf den Nerv. maxill. inf. dextr. auszuüben begann, was übrigens sehr schmerzhaft war, so öffnete der Kranke plötzlich wie durch Zauber seine Augen und blickte wild auf seine Umgebung. Ein Druck auf den Nerv. maxill. inf. sin. hatte dagegen keinen Einfluss; die Empfindlichkeit des rechten Nerven war durch ein Knochenleiden bedingt, die Heilung des letzteren machte eine Neurotomie unnöthig, die an der genannten Stelle wegen Nähe der Arterie ziemlich gefährlich ist.

Samelson sagt zum Ende seiner Mittheilung, Graefe macht bereits seit längerer Zeit diese Neurotomien. In einer Ecke seines Annahmesaales steht eine kostbar gearbeitete Schatulle, gefüllt mit den feinsten Cigarren mit folgender Aufschrift: „Aeterna gratitudine subcutaneus malae“, ein Geschenk, das dem Professor von einem Italiener zugesandt wurde, dem er einen Blepharospasmus durch die Neurotomie geheilt hatte.

Ich weiss nicht, ob Graefe den zweiten von Samelson angeführten Fall in der Berliner medicinischen Gesellschaft mittheilte 1864, oder ob sich letztere Mittheilung auf einen anderen Fall bezieht. — Es war das ein Blepharospasmus, der sofort verging, sobald man mit dem Finger gleich unterhalb des letzten unteren Backenzahnes einen Druck ausübte; ein Schnitt hinter demselben bis auf den Knochen änderte nichts am Blepharospasmus. — Darauf bemerkt man, dass beim Druck auf den Nerv. infraorbital. und Nerv. subcutaneus malae der Krampf verging, nach der Durchschneidung dieser beiden Nerven liess der Blepharospasmus nach, kehrte jedoch nach 15 Tagen wieder; erst als man den Nerv. dentalis im Munde durchschnitten hatte, hörte er völlig auf und war nach einem ganzen Monat nicht wieder erschienen. (Wecker. Mal. des yeux. Tome I., pag. 679, Anm. 2.)

Wecker hat in letzterer Zeit diese „kleine Operation", wie er sie nennt, mehrere Male ausgeführt. Der unmittelbare Erfolg war sehr günstig, aber bei zwei Fällen kehrten die Krämpfe nach 2 Wochen wieder und vergingen erst nach Gebrauch eines starken Inductionsstromes, der bei geschlossener Kette durch die Augenlider geleitet wurde, es muss bemerkt werden, dass vor der Operation ein solcher Strom ohne Nutzen blieb.

Fano bemüht sich, das Prioritätsrecht Graefe's auf die Neurotomie zu schmälern, deren Bedeutung er ganz anders erklärt. — Er behauptet, dass Moreau der erste gewesen, der die Neurotomie mit Erfolg geübt habe (Guérin, Maladies des yeux, pag. 60); wegen eines Blepharospasmus wurde ein Schnitt von dem inneren zum äusseren Augenwinkel unterhalb der Augenbrauen gemacht: „Ohne Zweifel ist die Heilung Folge der Durchschneidung des Musc. orbicularis." — Darin besteht nach Fano's Meinung das Wesen der Graefeschen Neurotomie; so ist auch der Nutzen zu verstehen, den ein Druck auf den äusseren Augenwinkel bei derlei Kranken hervorruft. Er sah ein Frauenzimmer mit Blepharospasmus, die zur Verminderung der Krämpfe nur einen energischen Druck auf den äusseren Augenwinkel auszuüben brauchte. — Eine andere junge Dame, die an einem periodischen Blepharospasmus litt, unterdrückte denselben durch einen Druck in der Gegend von dem Ohr unterhalb der apophysis zygomatica, beim Aufheben des Druckes erschien der Blepharospasmus wieder. Es sind auch Fälle von Blepharospasmus dagewesen, sagt Fano, die bei einem Druck der Carotis auf die Wirbel, und, was wunderbar, bei einem Druck der Rippenknorpel auf die linke Seite des Epigastrium mit dem Zweck auf den Mageneingang zu drücken, nachgelassen haben. Nach Fano's Meinung haben Dieffenbach und Cunier in Fällen von Blepharospasmus von der Durchschneidung des Musc. orbicularis palp. grossen Nutzen gesehen. Bekannt ist der Fall von Blepharospasmus und tic convulsif, den der berühmte D i e f f e n b a c h durch Durchschneidung aller Gesichtsmuskeln heilte. Endlich beschreibt F a n o (siehe Maladies des yeux, Tome I, p. 478) einen Fall von rheumatisch-klonischem Blepharospasmus aller Augenlider bei einer 48jährigen Dame, den er 1863 durch eine subcutane Durchschneidung des Nerv. facialis und der entsprechenden Theile des M. orbicularis beseitigte. Die Krämpfe waren so stark, dass die Frau nicht im Stande war, auf der Strasse zu gehen, ohne andere zu stossen; die Augen konnten nur mit den Fingern geöffnet werden und die Frau musste alle Beschäftigung aufgeben. Da die Krämpfe auf der linken Seite stärker waren, so wurde auch auf dieser Seite die Operation gemacht: Die Haut wurde mittelst einer Lanzette unterhalb des äusseren Augenwinkels durchschnitten, durch die Oeffnung ein Tenotom flach von unten nach oben ungefähr 1 Centim. weit eingeführt, darauf die Schneide nach hinten gekehrt und ein tiefer Einschnitt gemacht. Unmittelbar nach der Operation hörten die Krämpfe auf beiden Seiten auf, kehrten nach 2 Tagen in leichter Weise wieder, um dann völlig zu verschwinden. In der dritten Woche konnte die Kranke bereits sogar zur Mittagszeit allein auf der Strasse gehen. Leichte Zuckungen kehrten zuweilen, namentlich bei windigem Wetter, wieder, Sonnenschein dagegen that nichts; in den Lidern blieb ein Gefühl von Schwere.

Man wird sich wohl kaum mit der Meinung F a n o's einverstanden erklären, dass der Nutzen des Schnittes, wie er es erklärt, in einer Myotomie bestehe. Dem W o z n i k o f s k y machte ich die Myotomie zwei Mal ohne allen Erfolg, und erst nach der Neurotomie verging der Blepharospasmus auf der operirten Seite.

Im Anschluss an die Frage über die Neurotomien will ich hier noch ein chirurgisches Curiosum erzählen. Bei einem 60jährigen Kranken wollte der tonische Blepharospasmus keiner Behandlung weichen, selbst nicht der Durchschneidung des Musc. orbicularis, deshalb wurde ihm eine Oeffnung (ein Fenster) in dem oberen Augenlide gegenüber der Pupille gemacht, und diese Oeffnung mit der Schleimhaut überkleidet. (Gerold Annal. d'ocul. Tome X, pag. 280.)

Kehren wir nun zu unserem Kranken zurück.

Den 16. April machte ich im Beisein mehrerer Collegen dem Woznikofsky, unter Anwendung localer Anäthesie, die Neurotomie der linken Supraorbitalgegend. Das Auge selbst wurde zum Schutz gegen die Aetherdämpfe gehörig verbunden, doch so, dass die Supraorbital- und Temporalgegend vom Verband frei blieben. Auf letztere liess man mittelst des Richardson'schen Apparats den Aetherstrom einwirken. Der Kranke klagte dabei über Brennen, Kälte und Kopfschmerz. — Als die Hautdecken zu erbleichen begannen, wurde etwas nach oben und aussen von dem äusseren Augenwinkel mit einem gebauchten Bistourie ein Stich durch die Haut gemacht, darauf die Hautdecken der linken Supraorbitalgegend nach oben und aussen gezogen, ein schwach gebauchtes, am Ende stumpfes Tenotom flach unter den Hautdecken bis zum inneren Drittel des Supraorbitalrandes hingeführt, dann die Schneide nach hinten gekehrt und mit einer langsamen, aber kräftigen Bewegung des Messers in der Richtung der Oeffnung hin alle unterliegenden Theile bis auf den Knochen durchschnitten. Dieses Manöver wurde noch zum 2. Mal wiederholt und einzelne der gegenwärtigen Collegen überzeugten sich davon, dass der Knochen gleich oberhalb des oberen Orbitalrandes in der ganzen Länge des Schnittes entblösst worden war. — Gleich nach der recht schmerzhaften Operation trat eine mässige, arterielle Blutung aus der Hautwunde ein, und es bildete sich durch inneren Bluterguss in der Supraorbitalgegend eine Geschwulst von der Grösse eines Taubeneies. Der Kranke öffnete das Auge und konnte uns deutlich sehen; doch dieser Versuch wurde nicht lange fortgesetzt, weil die Blutung aus der Wunde dringend einen Druckverband auf die Blutgeschwulst forderte.

— Die Empfindlichkeit der Haut, nach der Operation mit einer Nadel untersucht, war in dem ganzen Verbreitungsbezirk der Supraorbitalnerven erhalten — im linken oberen Lide in der linken Hälfte der Stirne und in den vorderen Theilen des Scheitels derselben Seite. Der Kranke fühlte die Berührung mit der Nadel und den Fingern, nur war diese Wahrnehmung bedeutend dumpfer, als auf der gegenüberliegenden Seite. Bemerkenswerth ist, dass der Kranke nach der Operation auch mit dem rechten Auge einige Minuten lang ohne alle Krampfanfälle sehen konnte. Der Kranke hatte Schüttelfrost und klagte über starkes Kältegefühl im ganzen Körper. — Ordin.: Ein Schnaps und gr. vj Pulv. Doweri.

Zur Zeit des Abendverbandes war die Geschwulst fast verschwunden, aus der Wunde quoll jedoch noch immer Blut. Das obere Augenlid war leicht geschwollen; im äusseren Abschnitt desselben, ebenso in der äusseren Augenbrauengegend und $1/_2''$ über den Augenbrauen fühlte der Kranke kaum die Nadelstiche. Krämpfe sind nicht vorhanden, ausser im linken oberen Lide.

17. April. Das obere Augenlid und der äussere Abschnitt der Supraorbitalgegend sind unempfindlich gegen Nadelstiche; im inneren Abschnitt der Supraorbitalgegend wird Schmerz bei der leichtesten Berührung empfunden. Leichte Geschwulst des oberen Lides, der innere Lidwinkel blutig infiltrirt, der äussere Lidwinkel drückt nicht mehr auf das Auge. — Des Abends erklärte der Kranke, dass sich seine linke Scheitelhälfte anfühle, als gehöre sie nicht zu ihm, und in der That nahm er auf der ganzen linken Scheitelhälfte kaum die Berührung mit den Fingern wahr, und fühlte daselbst in einem Umkreise von 1 bis $1^1/_2$ Quadratzollen selbst Nadelstiche nicht. Schnaps und Pulv. Doweri fortgesetzt.

18. April. Blutige Infiltration um beide Augenlider und auch unter der Bindehaut der äusseren Hälfte des Auges. In der Gegend des Durchschnittes leichte Schmerzen. Fieber nicht vorhanden.

19. April. Vollkommene Empfindungslosigkeit in der

äusseren Hälfte des oberen Augenlides und der Augenbrauengegend; bedeutend vermindertes Empfindungsvermögen in der
Stirn- und Schläfengegend. Leichte Zuckungen in allen Lidern noch vorhanden, dieselben verschwinden, sobald man
einen Druck auf die inneren Theile der Supraorbitalgegend
ausübt. Umschläge aus Jnf. Arnic. Belladonnae cum Aq. sa-
turnin.

Vom 25. April an begann der Kranke über Schmerz in
der linken Supraorbitalgegend zu klagen und über ein Gefühl, wie wenn ein Blutegel ihm in den hinteren Theilen der
entsprechenden Scheitelgegend herumkrieche. Das obere Lid
ist in seinem grössten Theile in die Höhe gehoben (das Auge
geöffnet) und nimmt am Blepharospasmus keinen Antheil. Es
wird eine Einreibung aus Chloroform, Ol. Hyoscyami und
Tinct. jodi in die Stirn und den Scheitel verordnet.

2. Mai. Der Kranke klagt immer noch über Schmerzen
in der Gegend vom Orbitalrand an bis zum Scheitel beim
Höcker hinauf, obgleich in dieser ganzen Ausdehnung mehr
oder weniger ausgesprochene Anästhesie vorhanden ist. In
Folge der Nichtbetheiligung des Augenlides an den Krämpfen
haben sich die Falten in der linken Augenbrauengegend vollständig ausgeglättet. — Blutige Infiltration ist noch am unteren Augenlide und im äusseren Augenwinkel bemerkbar.

Vom 9. Mai an klagt der Kranke über starke Schmerzen
in der linken Supraorbitalgegend, dem Scheitel (namentlich
an der Stelle der letzten Verästelung der Nerv. quintus, wo er
Gefühl von kriechenden Blutegeln empfindet) und auch in
der rechten Hälfte der Stirn, was mich veranlasste, ausser
den narkotischen Einreibungen täglich $2\frac{1}{2}$ gr. Morph. acet. zu
verordnen. Der Schmerz dauerte lange an, und wechselte
dazwischen mit einem Gefühl von Stechen oder Brennen ab.

14. Mai. Es wurde mit einem schwachen electrischen
Strom an den 5 Halswirbeln — an den Gesichtszweigen des
fünften Paares — versucht. Ich wollte nach dem Beispiel
Wecker's damit fortfahren, jedoch der Kranke wünschte

eine derartige Behandlungsweise nicht und liess sich aus dem Hospital ausschreiben.

Darauf traf ich den Kranken einige Mal auf der Strasse, er trug eine blaue Brille zum Schutz gegen Licht und Wind. Auf meine Frage, ob er immer noch am Blepharospasmus leide, antwortete er nur, dass er an heftigen Schmerzen in den Kopfdecken laborirte, und dass ihm die Haut auf der linken vorderen halben Kopfseite wie abgestorben sei und den Druck des Kepi nicht empfinde. — In der Kälte zucken die Lider häufig, doch zu Krämpfen komme es nicht. — Darauf sah ich den Kranken am 2. Januar 1869. Er klagte über Schmerzen an beiden Unterschenkeln und im rechten Knie, die Schmerzen haben einen rheumatischen Charakter. Ausserdem habe er ein unbehagliches Gefühl in den Nacken- muskeln, von ihm mit einem Knistern verglichen; auf dem rechten Unterschenkel eine Taubenei grosse Geschwulst, ein sogenanntes rheumatisches Hühnerauge. Alle diese Daten sprechen für einen rheumatischen Ursprung des Blepharospas- mus, was vor der Operation nicht deutlich ausgesprochen war. Ausserdem beunruhigen den Kranken subcutane Schmerzen nicht blos in dem Verästelungsbezirk der links- seitig supraorbital verlaufenden Nerven (der durchschnit- tenen), sondern auch der der rechten Seite; ihre Ursache ist ohne Zweifel entweder nervöser oder rheumatischer Natur. Die Empfindlichkeit dieser Partien, mittelst Zirkels untersucht, stellte sich folgendermaassen: Auf der rechten Hälfte der Stirne beginnt der Kranke die beiden Zirkelspitzen zu fühlen, wenn sie 13 Mm. von einander entfernt sind (vor der Operation 12 Mm.), auf der linken Stirnhälfte, dem obe- ren Lide, und der vorderen Hälfte des linken Scheitels ver- spürt er nur ein dumpfes Gefühl der Berührung und unter- scheidet die Zirkelspitzen selbst in ihrem grössten Abstand von einander nicht. — Es hatte also die Neurotomie eine fast vollständige Anästhesie in dem Verbreitungsbezirk der links supraorbital verlaufenden Nerven und eine unbedeutende Verminderung des Empfindungsvermögens in dem Bezirk der rechten bewirkt. Bei näherer Untersuchung des Kranken im Zimmer bemerkte ich, dass ein geringer Grad von Blepharospasmus nur noch auf dem rechten Auge existirt, dass der linke Sphincter an den spasmodischen Verkürzungen seines Partners keinen Antheil nimmt. In Folge von dem Verschwinden der Krämpfe in den linken Augenlidern haben sich die Hautfalten in der entsprechenden Supranasal-Gegend vollkommen ausgeglättet; während sich auf der rechten Supraorbital- und Nasalgegend bei jeder neuen spasmodischen Verkürzung der rechten Augenlider bedeutende Hautfalten bilden, bleibt die linke Supraorbitalgegend glatt. — Der Kranke selbst, der immer noch über sein endloses Leiden klagte, musste eingestehen, dass die Neurotomie ihm einen ungeheuren Nutzen gebracht hatte, und dass derselbe noch grösser gewesen wäre, wenn sie ihm nicht die Empfindungslosigkeit der Haut und die Schmerzen in der Stirn verursacht hätte. — Im März 1869 trat der Kranke abermals ins Hospital mit Muskel-Rheumatismus der unteren Extremitäten ein. Ausser den Muskelschmerzen empfindet er ein unangenehmes ziehendes Gefühl in den Extensoren, namentlich der Finger. Der Blepharospasmus ist verschwunden; nur der rechte Sphincter zieht sich zuweilen krampfhaft zusammen; die linke Supraorbitalgegend ist dagegen etwas empfindlicher geworden.

Referate aus der ophthalmologischen Litteratur.

Aus der polnischen Litteratur.

1. Szokalski, Victor, Prof. Phosphene besonderer Art. Mit beigefügter Figur. *)
„Wyklad przyrzgdu wzrokowego u cztowieka", Warschau 1869.

In der 7. Abtheilung seines bereits vollendeten, der polnischen medicinischen Litteratur der Jetztzeit zur Zierde dienenden Werkes beschreibt unser berühmter Ophthalmologe (pag. 157) ein Phosphen besonderer Art, an dem er leidet, und das die Form eines glänzenden Kranzes hat, theilweise ähnlich einem Nordlicht. Dieses Phosphen äussert sich plötzlich, einmal oder zweimal im Jahre, gewöhnlich im Frühjahr oder Herbst, und dauert jedesmal eine halbe Stunde und länger, ist begleitet von leichtem Schwindel und Schwerfälligkeit in einem Beine und einem Arm. — Der leuchtende Kranz ist gewöhnlich nicht vollständig, bildet nur einen Halbmond, ist zuweilen doppelt (bb, cc), umgiebt die Papille (d). Die Macula lutea (A) befindet sich zwischen jenem und der Papille des Nerv. opticus. Der Kranz flimmert und bewegt sich beständig, ist bei geschlossenen Augen und in der Dunkelheit glänzend, bei Licht oder beim Blick auf eine weisse Fläche dunkel; die peripherische Sehschärfe nimmt dabei ab, die centrale bleibt normal. Diese eigenthümliche Erscheinung ist stets beiderseitig und liegt symmetrisch in dem Sehfelde beider Augen. Bemerkenswerth ist jedoch, dass sie zuerst nur in einem Auge, und zwar dem rechten, auftritt und dann erst in dem anderen, und zwar schwächer, erscheint. —

---

*) Die hier beigefügte Figur findet sich, fast vollkommen übereinstimmend abgebildet, in Ruete's Lehrbuch der Augenhlkde. Bd. I, p. 160. 1853.

Nach einer halben Stunde erreicht sie ihr Maximum, um darauf allmälig zu schwinden. Prof. S z o k a l s k i erklärt dieses Phosphen durch eine schnell vorübergehende Reizung des Nerv. opticus hinter dem Chiasma.

Nach Z e h e n d e r ' s *) Angabe ist auch C z e r m a k und L i s t i n g, und wie es scheint, auch F a r a d a y (?) dieser Augenplage unterworfen; R u e t e und V a l e n t i n beschreiben in ihrer Physiologie ein Phosphen, das aber von dem hier besprochenen etwas abweicht.

Als mich bei meiner Anwesenheit in Warschau Prof. S z o k a l s k i aufsuchte, erzählte er mir von diesem eigenthümlichen Phosphen, dem seine Augen unterworfen sind. — Ich konnte es nicht anders deuten, als durch eine Hyperämie des Gehirns, namentlich da die Zeit seines Erscheinens mit der grossen Anstrengung zusammenfällt, welche ihm die Compilation seines ophthalmologischen Werkes verursachte, ein Werk, das als bestes Denkmal seiner wissenschaftlichen Thätigkeit der Zukunft verbleiben wird.

Uns wäre es jedoch sehr interessant, zu wissen, wie diejenigen Gelehrten dieses Phosphen erklären, deren Namen in der Physiologie und Optic bekannt sind.

2. **Dobrzycki, H.** T e l e a n g i e c t a s i e p a l p e b r a e i n f e r i o r i s. „Polnische Klinika" Nr. 25, 1869.

Der Autor beschreibt einen, seiner Meinung nach sehr seltenen Fall von Teleangiectasie bei einer bis dahin vollkommen gesunden 30jährigen Frau, in welchem sich die Geschwulst in Zeit von $2^1/_2$ Monaten bis zur Grösse einer Wallnuss entwickelte. Die Geschwulst wucherte aus der Gegend des unteren Thränenpunktes hervor und bedeckte dermaassen das linke Auge, dass dessen äusserer Winkel kaum noch sichtbar war. Die Farbe der Geschwulst war grau–röthlich, an den hervorragenden Theilen hellroth. Die Geschwulst verband sich mit dem Augenlide mittelst eines Stieles von der Dicke einer Feder und

---

*) Klin. Mon.-Bl. f. Augenheilkde. V. pag. 385. — Vergl. auch dieselbe Zeitschr. VII. pag. 422 u. f.

der Länge von $^i/_2$ Ctm. Der angelegte Finger empfand deutlich
rhytmische Pulsation. Die Geschwulst war schmerzlos, an der
Oberfläche mit Spalten bedeckt, was ihr das Ansehen einer
traubenförmigen Drüse gab. — Beim Abschneiden eines
Stückes der Geschwulst entstand eine so heftige arterielle
Blutung, dass das Glüheisen zur Stillung genommen werden
musste. Die Diagnose wurde auf arterielle Teleangiectasie
gestellt; Dr. D o b r z y c k i entschloss sich zur Abbindung
der Geschwulst, welche nach 5 Tagen abfiel; es zeigte sich
hierbei, dass sie genau in der Mitte der kleinen Wunde des unteren Thränenpunktes lag. — Beim Lesen dieses Falles, dem eine
erläuternde Zeichnung hinzugegeben ist, kommt einem unwillkürlich der Verdacht auf Fungus hämatodes, und dies um so mehr,
als die schnelle Entwickelung der Geschwulst nicht für Teleangiectasie spricht. Leider bringt die Abhandlung nur äusserst
wenig über das Resultat der mikroskopischen Untersuchung.

3. **Rydel, Lucian, Dr.** Beobachtungen und Bemerkungen über die Wirkung der Calabarbohne bei
   Augenkrankheiten, namentlich bei Anomalien
   der Accommodation. Meine Erfahrungen über
   die Bedeutung des Calabar in der Praxis.
   Krakauer Zeitung „Przeglgd Lekarski" Nr. 37, 1869.
   Dr. R y d e l, einer der Redacteure obengenannter Zeitung, hat die polnische medicinische Litteratur mit einigen
sehr tüchtigen Artikeln bereichert, wie z. B. über das Glaukom
und die Iridektomie, über die Behandlung der Netzhautablösung mittelst Punktion, über den Schichtstaar, was übrigens
alles der deutschen medicinischen Litteratur entnommen ist.
In der letzteren Zeit beschreibt er mit der ihm eigenthümlichen Lebhaftigkeit seine Beobachtungen über die Bedeutung
des Calabar in der Therapie der Augenkrankheiten, worauf
wir die Aufmerksamkeit der Leser der klinischen Monatsblätter zu lenken beabsichtigen. — Nachdem der Autor im
Allgemeinen über myotische Mittel und speciell über Calabar
gesprochen, bleibt er bei der doppelten Wirkung desselben:

„starke Verengerung der Pupille und Krampf des Ciliarmuskel", stehen. Wegen dieser Eigenschaften des Calabar hoffte man das Extract dieser Bohne mit Erfolg gegen folgende Zustände anwenden zu können: Hintere Synechien, Mydriasis und Paralyse der Accommodation. — Die Erfahrung bestätigte jedoch nicht die gehofften Erwartungen. — Was die Zerreissung der hinteren Synechien anlangt, so kann man bei abwechselnder Anwendung desselben mit Atropin höchstens dann auf einen Erfolg rechnen, sagt Rydel, wenn die Iris mit den peripherischen Theilen der Linsenkapsel verwachsen ist, was übrigens selten vorkommt.

Was mich (den Referenten) anlangt, so habe ich bei wiederholtem anhaltenden Gebrauch des Extr. Calabar und des Atropin nicht ein einziges Mal Zerreissung vorderer oder hinterer Synechien, selbst frischer, beobachten können. Dasselbe sagt Rydel, Schirmer u. A. Von Einigen sind dagegen, z. B. in den Berichten der Arlt'schen Klinik, Fälle von gelungenen Resultaten dieser Behandlungsweise beschrieben. — Sogar bei Mydriasis, sagt Rydel, sah ich nur eine kurz andauernde Wirkung von Calabar; eine vollständige Heilung gelang demselben nur nach 6 bis 10 Wochen, und dann auch nur bei gleichzeitigem Gebrauch anderer Mittel, so dass man in diesen Fällen dem Calabar kaum einen Nutzen zuschreiben kann.

Donders sagt in seinem klassischen Werke: „Die Anomalien der Refraction und Accommodation" (p. 524, siehe auch p. 504) folgendermaassen: „In wie weit es möglich wird, bei Accommodationsparalyse und Mydriasis vollständige Heilung oder doch andauernde Besserung durch die Anwendung des Calabar zu erzielen, wie es Robertson schon in Vorschlag gebracht hat, kann nur die Erfahrung lehren."

Was hat nun die bisherige Erfahrung gelehrt? Dreist kann man die Bemerkung des Uebersetzers jenes Werkes, Dr. Becker, wiederholen: „Die bisher angestellten Versuche haben fast überall ein negatives Resultat gegeben." Es wird nicht ohne Interesse sein, darüber hier in aller Kürze fol-

gende Beobachtung von Dr. Rydel zu hören. Bei einem
30jährigen Manne bildete sich 10 Tage nach einem Schwitz-
bade eine Accommodationsparese am linken Auge; der Kranke
las Nr. 20 Sn. auf Entfernung von 20' ($S = 1$). Näher
las er mit Mühe; Nr. 3 Jäger unterschied er Anfangs auf 9''
Entfernung, nach einer kleinen Weile aber nur noch auf 10''
bis 15''. Mit Hülfe von $+$ 10 war er im Stande, Nr. 1 Jäger
in einer Entfernung von 10'' gut zu lesen. Zehn Minuten
darauf, nach Anwendung von Calabar-Papier, konnte der
Kranke mit demselben, aber unbewaffneten Auge Nr. 1 auf
Entfernung von 10'' bis 12'' lesen. Rydel schreibt übrigens
die vollständige Heilung in dem gegebenen Falle nicht dem
täglichen Gebrauch des Calabar allein zu, da die Behandlung
erstens 7 Wochen dauerte und zweitens der Kranke gleichzeitig lauwarme, aromatische Umschläge auf das Auge machte,
Veratrinsalbe um dasselbe schmierte und 2 bis 3 Mal wöchent-
lich Dampfbäder gebrauchte, welche letztere ihm den grössten
Nutzen brachten. — Von dem geringen Erfolge des Calabar
in dem vorliegenden Falle ist Rydel um so mehr überzeugt,
als er auch in einem Falle von beiderseitiger Accommodationsparese nach Angina diphtheritica keinen Nutzen von
der Anwendung desselben sah. In dem nun folgenden Falle
von Parese der Accommodation hingegen war Rydel bei
dem Gebrauch von Calabar glücklicher, dem er dann auch
diesesmal die Heilung zuschreibt. — Ein fünfzehnjähriges
Mädchen, deren Sehvermögen vollständig normal gewesen,
fühlte seit 3 Wochen eine Verschlimmerung, sie begann
namentlich in der Nähe schlecht zu sehen und konnte höchstens 5 Minuten lesen, worauf sich das Auge trübte. Die
Pupille war normal, der Augenspiegel zeigte keine Veränderung; sie liest links Nr. 20 Sn. und Nr. 30 und einzelne
Buchstaben Nr. 20 auf Entfernung von 20'; mit Hülfe von
$+$ Nr. 24 liest die Kranke mit jedem Auge Nr. 20 auf
Entfernung von 20' ($H^1/_{24}$); in der Nähe sieht sie schlecht,
und nur auf 20'' einzeln; mit beiden Augen liest sie Nr. 5
Jäger und ermüdet schnell. Mit Hülfe von $+$ 10 liest sie

mit dem linken, und mit Hülfe von $+$ 8 mit dem rechten Auge deutlich Nr. 1 Jäger auf 11'' bis 13'' Entfernung. Daraus ist ersichtlich, dass die Accommodationsparese auf dem rechten Auge stärker war, als auf dem linken. Die Ursache der Krankheit ist unbekannt. 15 Minuten nach Anwendung zweier quadratischer Calabar-Papierstücke begann die Kranke in der Entfernung schlechter, in der Nähe besser zu sehen, konnte mit jedem Auge besonders und mit beiden zusammen Nr. 1 Jäger auf 10'' bis 5'' lesen, was 3 Stunden anhielt. Am dritten Tage, den 9. Juli, sah die Kranke jedoch noch schlechter als vor Beginn der Behandlung. Ohne Zweifel, sagt Rydel, hängt dies von der überaus grossen Reizung, resp. Krampf des paretischen Ciliarmuskels ab, was eine noch grössere Erschlaffung nach sich zog. Dies brachte ihn auf die Idee, das Calabar in viel schwächeren Dosen (1 □) anzuwenden, um in der Weise, wie in der Gymnastik, den Muskel nur leicht anzuregen, ohne ihn bis zur Ermüdung kommen zu lassen. Zehn Minuten nach Anwendung eines □ von Calabarpapier las die Kranke Nr. 1 Jäger nicht auf Entfernung von 5'', sondern 8''. Das Calabarpapier wurde 7 Mal angewandt, bei gleichzeitigem Gebrauch von folgenden Pulvern: Rp. Sulf. chin. 1½ gr., Ferr. carb. sacch. gr. 1 (zweimal täglich 1 Pulver). Den 30. Juli las Fräulein N. deutlich mit jedem Auge allein und mit beiden zusammen Nr. 1 Jäger auf Entfernung von 14'' bis 4½''. Arbeiten kann sie täglich 3 bis 4 Stunden, ohne zu ermüden. Diesen befriedigenden Zustand ihres Sehvermögens bemerkte die Kranke seit einer Woche; folglich trat die vollständige Heilung 16 Tage nach angefangener Behandlung ein.

Was mich (den Referenten) anbetrifft, so war auch ich nicht glücklich bei der Anwendung des Calabar. Obgleich ich in einem Falle von Parese des Nervus oculomotorius eine fast vollständige Heilung der Krankheit durch den Gebrauch von Calabartropfen erzielte, so kann man trotzdem dieser

Behandlung kaum die Heilung zuschreiben, da sie 2 Monate dauerte, und da gleichzeitig auch noch andere krankhafte Erscheinungen, wie Schwerhörigkeit und Schwäche in den Extremitäten, welche wahrscheinlich von ein und derselben Ursache herrührten, allmälig von selbst schwanden.

Am 5. November wendete sich der 38jährige Capitän S. mit der Mittheilung an mich, dass er bis zum 28. Sept. nur an Kurzsichtigkeit gelitten habe. An diesem Tage verletzte er sich bei einem Sturz vom Pferde die rechte Schläfengegend (eine rothe Narbe liegt über dem äusseren Augenbrauenwinkel) dermaassen, dass er sich fast 4 Tage lang in einem bewusstlosen Zustande befand; nachdem er zu sich gekommen war, litt er fast einen ganzen Monat hindurch an Kopfschmerzen und an Gedächtnissschwäche, und erst vor 10 Tagen machte er die Bemerkung, dass gleichzeitig mit einer Abschwächung der Beweglichkeit in den rechten Extremitäten und Schwerhörigkeit in dem rechten Ohr (das Picken z. B. einer Taschenuhr hörte er auf 1) das Sehvermögen auf dem rechten Auge bedeutend geschwächt war, was sich jedoch in der letzten Zeit auch wieder besserte. Bei der Untersuchung ergab sich Folgendes: Das Auge ist etwas hervorstehend (3'''), die Pupille ist deutlich erweitert (6 Mm.) und reagirt nur schwach; der Kranke unterscheidet undeutlich, nicht nur nahe, sondern auch ferne Gegenstände; wenn er in die Ferne sieht, so bemerkt er keine Verdoppelung, was aber beim Nahesehen und namentlich beim Sehen zur Seite stattfindet. Alles dies veranlasste den Kranken, sein rechtes Auge zu bedecken, um deutlicher sehen zu können. Sichelförmiges Staphyloma posticum in beiden Augen, ein wenig grösser im rechten, M. oc. sin. $= 1/14$, S. $= 1$, M. oc. dext. $= 1/10$. Mit dem rechten Auge und mit -10, liest er Nr. 3 Sn. auf 8'', weiter oder näher verschwimmen und verdoppeln sich die Gegenstände. Diese Schwäche des Sehvermögens erklärt sich durch einen paralytischen Zustand, Nerv. oculomot. dextr. (Mydriasis, Paresis accommod., Insufic. bei leichtem Exophthalmus). Dass der Kranke nicht im Stande war, weiter als auf 8″ zu lesen, hing wahrscheinlich von der Mydriasis ab, da, wie wir sehen werden, bei dem Gebrauch des Calabar der Fernpunkt sich bei gleichzeitiger Annäherung des Nahepunktes trennte. Es wurden sofort Calabartropfen ins Auge geträufelt (Extr. Calabar gr. 10, solv. in Glyc. ʒj.). Nach 40 Min. verengerte sich die Pupille auf 2¹/₂ Mm., schon nach 10 Min. begann der Kranke eine Besserung seines Sehvermögens zu bemerken, was er, ohne dazu aufgefordert zu werden, mittheilte. Nr. 3 Sn. konnte er mit beiden Augen und der Brille auf 17″ bis 7″ ohne Verdoppelung, aber nicht lange lesen, mit dem rechten allein Nr. 3 Sn. 11″ bis 7″, Nr. 1¹/₂ Sn. 9″ bis 5″. Bei der Wirkung des Calabar war, gleichzeitig mit der Verengerung der Pupille, ein Zurücktreten des Auges auf ¹/₂‴ zu bemerken. Ord.: täglich 1 bis 2 Mal einzuträufeln. Die häufig von mir untersuchte Sehweite verbesserte sich allmälig, aber doch zusehends, so dass ich am 7. Jan. 1870 constatiren konnte, die Kopfschmerzen seien vergangen, das Gehör normal, die rechte Pupille noch etwas grösser geworden als die linke (¹/₂ bis ³/₄ Mm.), das rechte Auge stehe nur noch wenig vor dem linken hervor (¹/₄‴). Pat. liest Nr. 3 Sn. auf 17″ bis 4″, mit dem rechten allein 12¹/₂″ bis 5″. Leichte Verdoppelung zeigt sich nur nach einer Stunde bei anhaltendem Lesen, namentlich bei grellem Sonnenlicht oder Abendbeleuchtung. Ausser dem Calabar wurden dem Pat. keine anderen Medicamente verordnet.

Die Bedeutung des Calabar kann bei Vorfällen der Iris an der Peripherie der Cornea, namentlich wenn sie frisch sind, nicht geläugnet werden. Wenn wir jedoch dieses Mittel bei bedeutenden Vorfällen, oder nicht gleich nach Vollendung des Vorfalles anwenden, so zeigt sich das Calabar wirkungslos. — Hierbei muss ich noch bemerken, dass das Calabar uns bisweilen bei einer Hornhautfistel von Nutzen sein kann. In einem Falle einer frischen Fistel der äusseren unteren Theile der Hornhaut, 2¹/₂ Mm. von ihrem Rande entfernt, ergoss sich täglich der ganze flüssige Inhalt des

Auges, sobald der leicht gelbliche, über die Oberfläche der
Haut hervorstehende Schorf aus dem perforirenden Hornhautgeschwür herausfiel; das Auge wurde sichtlich weicher,
Iridodonesis zeigte sich deutlich und es entwickelte sich Hy-
perämia bulbi ex vacuo. Da ich einen Vorfall und eine Verwachsung des Pupillarrandes der Iris mit den Rändern der
Fistel befürchtete, was die Deutlichkeit des Sehvermögens
allerdings sehr gestört hätte, entschloss ich mich zur Anwendung des Calabar, welches in einem Fall von Fistel durch
Prof. Zehender erprobt worden ist. Es wurde in der
folgenden Form angewandt: Rp. Extr. Calabar gr. X solv. in
Glyc. ʒij. und wurde täglich 4 bis 5 Mal ins Auge eingeträufelt, so dass dadurch eine immerwährende Myosis unterhalten wurde; gleichzeitig Druckverband. Diese Behandlung
wurde vom 23. Nov. bis zum 16. Dec. eingehalten. Die
Pupille befand sich im Zustand der Verengerung (im Querdurchmesser $1\frac{1}{2}$ Mm., im Verticaldurchmesser $2\frac{1}{2}$ Mm.), mit
dem scharfen Rande zu der, nach der Verklebung heilenden
Fistel gekehrt. Bei Einwirkung der Sonnenstrahlen verengerte sich die Pupille noch mehr (1 bis 2 Mm.). Bei derar-
tiger Behandlung ging die Heilung schnell vor sich, obgleich
sich noch einige Male eine freiwillige Entleerung der Kammer wiederholte, die Iridodonesis zeigte sich deutlich bei der
Myosis.

In diesem Falle sah ich eine Thatsache. Es ist bekannt,
dass nach einer Iritis sich häufig in der Gegend der Pupille
Pigment in Form von Pünktchen oder Fleckchen auf der
Kapsel ablagert, die das Sehvermögen sehr beeinträchtigen;
wir haben kein Mittel gegen dieselben, da Pigment nicht
aufgesogen wird. Calabar kann auch theilweise hier mit
Nutzen angewandt werden. Bei unserem Kranken befanden
sich in der Gegend der Pupille ähnliche Pigmentationen, noch
aus der Kindheit herrührend. Bei bedeutender Myosis gleitet
der Pupillarrand der Iris in centraler Richtung auf der Oberfläche der Kapsel nach vorn, wo er auch liegen bleibt, reisst
so zu sagen die von ihm getroffenen Pigmentstücke ab, oder,

wenn diese nicht fest angewachsen sind, fallen sie in die vordere Kammer. — Bei dem eben erwähnten Kranken und in einem anderen von mir beobachteten Falle von Iritis chron. sah ich während der Untersuchung bei der schiefen Beleuchtung die aus der Pupillargegend abgerissenen Pigmentstücke auf den Boden der vorderen Kammer fallen.' Bei einem Kranken ging ein bräunlicher feiner Faden von dem unteren Pupillarrande der Iris zu dem unteren Theile der vorderen Kammer; bei der Myose war deutlich zu sehen, dass dies eine lange abgerissene Synechia posterior filiformis war, deren unteres Ende vollkommen frei war.

Nach meiner (des Referenten) Beobachtung kann das Calabar auch noch bei anderen Augenkrankheiten nützlich sein; es verengert immer die erweiterte Pupille ad minimum bei einer Amaurosis ex atrophia papillae, wie alt auch die Krankheit sein möge; folglich ist zur Erklärung der Simulanten, die mydriatische Mittel gebraucht haben, ein noch besseres Mittel, als die genaueste Untersuchung derselben, sei es auch sogar unter den Nägeln. Sobald die Mydriasis von Atropin herrührt, das vor kurzem angewendet ist, so wird das Calabar, als schwächeres Mittel, die Pupille nicht verengern.

Wenn das Calabar bei Glaukom die Pupille nicht verengert, so wird in der Mehrzahl der Fälle die Iridektomie keinen Nutzen mehr bringen. — Das Calabar kann auch in solchen Fällen von Nutzen sein, wo stenopaeische Brillen angezeigt sind, — es verbessert das Sehvermögen bei Ektopia lentis, sobald der Aequatorialrand der Linse in der Pupille sichtbar wird. — Das Calabar verengert bei Coloboma iridis immer die centrale Pupille, und hierbei verengert sich auch gleichzeitig passiv die Breite des Coloboms, was ihm ein pilzförmiges oder stecknadelkopfähnliches Ansehen giebt. In einem Falle von Iridoplegie bei Atrophie der Chorioidea blieb das Calabar vollständig ohne Nutzen. In einem zweiten Fall von Ruptura chorioideae traumatica verengerte sich die stark erweiterte Pupille nur sehr wenig. In einem Falle von unvollständig entwickeltem Sphincter war in den unteren Theilen der sehr stark und nicht regelmässig gebildeten angeborenen centralen Pupille (Dyscoria) nur eine 7 bis $7^1/_2$ Mm. betragende geringe Verkleinerung des Diameters von Calabar bemerkbar.

Bei einem Kranken, der in einem Auge zwei Pupillen hatte, eine normale und eine zweite in der unteren Nasalgegend des Ciliarrandes, der Iris (Iridodiastasis congenita Ammoni), verengerte sich nach Gebrauch von Calabar die centrale Pupille gleichzeitig mit einer Erweiterung der peripherischen. — In „Klinika" ist von mir ein Fall von Mydriasis mit Cataracta congenita beschrieben worden, wo die Iris bei einer Pupille von $8^1/_2$ Mm. vollständig schwarz erschien und ein Ectropium uveae vortäuschte. Nach Gebrauch des Calabar bemerkte man, dass ein Theil der Iris, nachdem die Pupille sich auf $6^1/_2$ Mm. verengert, sich hellblau gefärbt hatte, mit deutlicher Streifung des Gewebes. So wurde bewiesen, dass die vorausgesetzte Atrophie der Iris nicht bestand.

Schliesslich ist Calabar in den Fällen anzuwenden, wenn man die in ihrem Umfang verkleinerte und in die vordere Kammer vorgefallene Linse hervorziehen muss, die verengerte Pupille verhindert das Zurücktreten der Linse in die hintere Kammer.

Tiflis, 9. März 1870.

Dr. med. Jos. Talko.

Pomier, Amédé. Relevé statistique des opérations pratiquées dans l'année 1869 à la clinique du docteur Wecker.

Diese kleine, vom Chef de clinique verfasste Uebersicht der in der Klinik des Herrn Dr. Wecker im Jahre 1869 ausgeführten Operationen enthält folgende numerische Angaben:

Staaroperationen:
nach v. Graefe 109
Discisionen 2

Iridectomien:

    zur Bildung einer künstlichen

        Pupille 13

    als antiphlogistische Operation 117

Strabismus-Operationen . . . 90

Punctionen bei Netzhautablösung 12

Enucleationen 5

Ausserdem noch 28 andere verschiedenartige Operationen.

Bei den 109 Staarextractionen war der Erfolg bezüglich der Sehschärfe:

$$S > {}^2/_3 \quad \ldots \ldots \quad 38$$
$$S < {}^2/_3 \text{ und} > {}^1/_{10} \quad 50$$
$$S \text{ unbestimmt} \quad \ldots \quad 16$$
$$\text{Panophthalmie} \quad \ldots \quad 5$$
$$\overline{\text{Summe } 109}$$

Unter den 16 Operirten, bei denen das Sehvermögen unbestimmt geblieben, sind einige, die das Lesen nicht gelernt haben, die aber Finger in 20 Fuss Entfernung mit Leichtigkeit zählen; bei anderen hatte die definitive Brillenwahl noch nicht stattgefunden. Unter diesen befinden sich ausserdem noch 3, welche wegen partieller Netzhautablösung nur unvollkommenes Sehvermögen wiedererlangt haben; in zweien dieser Fälle war die Netzhautablösung vorher diagnosticirt, in dem dritten war sie nur vermuthet worden.

Verf. ist der Ansicht, dass — wenn überhaupt noch ein Beweis der Ueberlegenheit der v. Graefe'schen über andere Methoden erforderlich wäre — die angeführte Statistik einen unbestreitbaren Werth beanspruchen darf.

Die Iridektomie wurde stets mit dem v. Graefe'schen Schmalmesser ausgeführt. Mit Ausnahme eines einzigen Falles (worüber der Bericht ausführlichere Angaben enthält) war der Verlauf stets ungefährlich.

Die Punction der abgelösten Netzhaut wurde an sechs Individuen 12 Mal ausgeführt; die Operation verlief stets ohne schlimme Folgen, aber nur in einem Falle zeigte sich reelle Besserung.

Eigenthümlich ist endlich die von W e c k e r in drei Fällen ausgeführte Tätowirung der Hornhaut bei Leukom. Um nämlich das widrige Aussehen eines weiss-glänzenden Leukoms zu verbessern, hat W e c k e r mit einer in chinesische Dinte getauchten Staarnadel, dicht nebeneinander, eine Menge kleiner Einstiche gemacht. Durch diese kleine Operation kann man dem Leukom eine gleichmässig dunkle, weniger auffällige Färbung geben.

Roth, M. Ein Fall von Retinitis leukaemica. Virchow's Archiv, Band 49, pag. 441 bis 446.

Verf. untersuchte die Augen eines an exquisiter Leukämie verstorbenen 55jährigen Mannes, welchen Prof. S c h i r m e r während des Lebens ophthalmoskopirt, und bei welchem dieser in beiden Augen eine deutlich ausgesprochene Retinitis mit graulichen Exsudationen und einigen geringen Apoplexien constatirt hatte. Sehstörungen waren zur Zeit der ophthalmoskopischen Untersuchung nicht vorhanden und sind auch später nicht bemerkt worden. Die Farbe des Augenhintergrundes, und besonders die Farbe der Retinal−Venen war von dem normalen Verhalten kaum verschieden.

Die theils frisch mit Jodserum, theils nach Erhärtung in Müller'scher Flüssigkeit untersuchten Augen zeigten enorme Füllung fast sämmtlicher Gefässe. In den peripherischen und zugleich in den äusseren Netzhautschichten fanden sich zahlreiche, höchstens stecknadelgrosse Blutextravasate. Die nächst der Ora serrata gelegenen Lacunen waren beträchtlich erweitert. Als Reste früherer Blutungen fanden sich unter der limitans interna, um die Papille, vereinzelte braune Pigmentpünktchen. In dem mittleren Augenabschnitte zeigten sich Blutextravasate nur spärlich; sie lagen hier grösstentheils in den äusseren Netzhautschichten. Die weissliche Trübung des Hintergrundes war nicht auf Oedem zu beziehen; sie erklärte sich vielmehr dadurch, dass die Müller'schen Fasern im

Bereiche der äusseren Faserschicht hypertrophisch und körnig
geworden waren. Dies war die einzige Veränderung, auf
welche man die diffuse Trübung beziehen konnte. An einzelnen Stellen waren mehrere kleine Heerde hypertro-
phischer Nervenfasern. Die Aderhaut war in bedeutendem
Grade hyperämisch; in den grösseren Gefässen fanden sich
oft grosse Ballen weisser Blutkörperchen, während in den
Capillargefässen die Zahl der rothen und der farblosen Blutkörperchen ungefähr gleich gross war. Im hinteren Abschnitte
der Aderhaut fanden sich vereinzelte, im vorderen sehr zahlreiche, der lamina elastica aufsitzende Gallertkörper. — Im
rechten Auge, dessen Stäbchen und Zapfen vortrefflich con-
servirt waren, zeigten sich im wesentlichen dieselben Veränderungen, wie im linken.

Unterscheidend von dem von Leber*) mitgetheilten
Falle ist, dass die Blutungen in den äusseren Lagen der
Retina ihren Sitz hatten; in dem von Leber mitgetheilten
Falle gehörten sie wesentlich den inneren Lagen an. In den
peripherischen Theilen der Retina war eine sehr ausgesprochene fettige Entartung der Blutgefässe vorhanden; in
dem Leber'schen Falle fehlte dieselbe. Uebereinstimmend
war dagegen in beiden Fällen die peripherische Lage der
Netzhauthämorrhagien. Die sklerosirten Nervenfasern (welche
in dem rechten Auge fehlten) kommen auch bei morbus
Brightii und anderen Affectionen der Retina vor, bei denen
die allgemeine sowohl wie ganz besonders die orbitale und
die intracranielle Circulation hochgradig gestört ist.

Verf. betont ganz besonders, dass die Blutungen diesmal nicht das öfter für Leukämie beschriebene mattrothe,
sondern ein intensiv rothes Aussehen besassen und mikro-
skopisch betrachtet, aus dicht zusammengesetzten rothen
Blutkörperchen bestanden.

• Die Zellen der lymphoiden Infiltration der Retina
und der Aderhaut gleichen vollkommen den farblosen Blut-

*) Klin. Mon.-Bl. f. Augenhlkde. VII. pag. 312.

körperchen; es ist daher nicht unmöglich, dass es sich hier um eine beschränkte Emigration farbloser Blutkörperchen handelt.

Schmidt, Herm. Die Behandlung der Conjuntival-Leiden mit Plumbum aceticum. Berlin. klin. Wochenschr. Nr. 2, 10. Jan. 1870.

Verf. vertheidigt das obsolet gewordene Plumb. acetic. besonders gegen den Vorwurf, dass es, vorsichtig angewendet, zu Bleiincrustationen — die übrigens leicht mit der Staarnadel zu entfernen seien — Veranlassung gebe, und behauptet, dass es, vorzüglich wegen der geringeren Schwierigkeit einer richtigen Dosirung im Vergleich mit Lapis infernalis, aber auch aus gewissen "anderen Gründen, diesem sonst so gerühmten Mittel überlegen sei. — Verf. empfiehlt das Blei ganz besonders bei Diphtheritis im Uebergange zu Blennorrhoe, um den Eintritt der letzteren zu beschleunigen; dann auch im Beginne einer acuten Blennorrhoe mit mässiger und mehr seröser Absonderung. Bei chronischer Blennorrhoe reicht das Blei gewöhnlich nicht mehr aus; es muss statt dessen zum Lapis gegriffen werden. Auch im ersten Stadium acuter Granulationen leistet das Blei noch gute Dienste und zeigt endlich, wie A. v. Graefe bemerkt hat, eine fast specifische Wirkung auf die nach längerem Atropingebrauch entstehende Conjunctival-Affection.

Albrecht von Graefe

ist am 20. Juli, Morgens 3 Uhr, im 42. Lebensjahre, seiner kaum 19jährigen ärztlichen und wissenschaftlichen Laufbahn durch den Tod entrissen worden.

Die Jünger der Wissenschaft aller civilisirten Nationen trauern mit uns um den zu früh Dahingeschiedenen, dessen hochhervorragende Stellung von keinem seiner Zeitgenossen erreicht worden ist.

Astigmatismus und Schädelbildung,

der société d'Anthropologie von Paris mitgetheilt in der
Sitzung vom 15. Juli 1869

von

L. Wecker.

Ich habe die Ehre, der Gesellschaft einige allgemeine
Bemerkungen über eine Frage mitzutheilen, welche nicht
ohne Interesse für die anthropologische Wissenschaft zu sein
scheint.

Diese Reflexionen, welche in mir mein Specialfach wach-
gerufen, haben übrigens keinen weiteren Anspruch, als gewisse Fragen anzuregen und Forscher, die sich in günstigen
Bedingungen zu deren Lösung befinden, zu derselben anzu-
spornen.

Wie schwach auch der Tribut sein mag, den ich als
Mitglied der Gesellschaft bringe, so wird er doch, wie ich
hoffe, genügen, Zeugniss abzulegen von dem lebhaften Interesse, das ich für die anthropologische Wissenschaft hege;
auch kann ich nicht unterlassen, hier gleichzeitig mein Be-
dauern auszudrücken, dass meine praktische Thätigkeit es
mir unmöglich macht, mich mehr an den Arbeiten der Gesellschaft zu betheiligen.

Es ist seit langer Zeit bekannt, dass zwischen Augen
und Bildung der Orbita und den Schädelknochen im Allgemeinen ziemlich enge Beziehungen bestehen. Diese Bezie-

hungen wurden von Donders noch kürzlich für den Astigmatismus von· Neuem hervorgehoben. Bei dieser Anomalie
bietet die Hornhaut einen mehr oder weniger bedeutenden
Unterschied in der Krümmung ihrer Meridiane, wobei der der
stärksten Krümmung senkrecht zu dem der schwächsten
Krümmung steht. Alle Augen weisen einen gewissen Grad
von Astigmatismus auf. Bei uns (in Frankreich, England,
Deutschland) ist gewöhnlich der verticale Meridian der stärkst
gekrümmte, weshalb man übereingekommen ist, diese Form
von Astigmatismus als der Regel entsprechend zu bezeichnen,
im Gegensatze zum Astigmatismus gegen die Regel, wenn
der horizontale Meridian als der stärkst brechende gefunden wird.

Gerade in den Fällen, wo der Astigmatismus sehr ausgesprochen und besonders in den Fällen, wo er nicht der
Regel entsprechend, wurde von Donders auf eine gleichzeitig bestehende Asymetrie der Schädelknochen aufmerksam
gemacht.

Mein Freund Dr. E. Javal hat seinerseits den Astigmatismus aus der gleichzeitig vorhandenen Deformation der
Schädelknochen diagnosticiren können. Ein Patient, berichtet
Javal, bot eine Verschiebung der Gesichtsknochen dar, wie
sie durch einen Druck entstehen würde, der auf biegsame
Knochen gleichzeitig von oben nach unten und aussen und
innen eingewirkt hätte. Der Augapfel bot seinerseits auch
eine entsprechende Abflachung, welche mich auf
einen vorhandenen Astigmatismus schliessen liess. Die opto-
metrische Prüfung bestätigt vollständig das Resultat der einfachen sorgfältigen Inspection.

Donders und Javal haben, wie man sieht, nachgewiesen, dass in sehr hohen Graden von Astigmatismus eine
genaue Relation zwischen Refractionsanomalie der Augen und
der Schädelknochen besteht. Ich meinerseits bin geneigt, zu
glauben, dass der Astigmatismus im Allgemeinen von der
Configuration der Schädelknochen abhängt und dass diese
Configuration zu der Gattung des Astigmatismus in nächster

Beziehung steht. Um allgemein zu sprechen, ich glaube, dass das Auge in derselben Richtung abgeplattet ist, wie der Schädel, mit anderen Worten, dass der Meridian der Hornhaut von kürzester Krümmung mit dem Diameter des Schädels zusammenfällt, welcher eine anomale Verkürzung aufweist.

Diese Thatsache würde nicht ein besonderes Interesse haben, wenn sich an sie nicht eine andere Frage knüpfte, die sich mit an die Beziehungen des Astigmatismus zur Schädelbildung anschliesst.

Es handelt sich hier von der mehr weniger grossen Leichtigkeit bei vorhandenem Astigmatismus, horizontale oder verticale Schriftzüge zu erkennen.

Offenbar wurden die Menschen, als sie anfingen, Schriftzüge zu machen und sie zu Inschriften zu vereinigen, von einer Idee geleitet, d. h. sie waren bemüht, diese Zeichen so zu machen, dass sie mit möglichst grosser Leichtigkeit und für die Inschriften auf möglichst grosse Entfernung wahrgenommen werden konnten. Der Zufall kam wohl sicherlich nicht hier mit ins Spiel, sondern instinktmässig hat man sich dem Zwange unterzogen, den Augen und Schädelbildung (nach unserer Ansicht) auferlegten.

Dr. Javal ist der erste, welcher auf die Möglichkeit aufmerksam gemacht hat, dass ein Zusammenhang zwischen der Art der Schriftzüge und der des Astigmatismus bestehen könne. „Es scheint mir, sagt er in seiner Abhandlung über Astigmatismus, als ob im Allgemeinen bei den Juden diese Anomalie nicht als der Regel entsprechend gefunden wurde. Sollten wohl aus diesem Grunde die Buchstaben des Hebräischen voll horizontale Züge aufweisen?"

Wir wollen uns nicht auf das unsichere Gebiet reiner Hypothesen wagen und begnügen uns aus diesem Grunde für den Augenblick, folgende Propositionen zu formuliren:

1. Die unter dem Namen Astigmatismus bekannte Refractions-Anomalie der Augen ist in einer genauen Beziehung zur Schädelbildung

11*

164

und das nicht nur in den Fällen, wo, wie Donders es angegeben, der Astigmatismus sehr ausgesprochen ist.

2. Die Bildung der Augen und indirect die Schädelbildung hat die Wahl der Schriftzüge geleitet.

Es gäbe ein höchst einfaches Mittel, den Werth dieser Propositionen zu bekräftigen oder zu entkräften. Dies bestände in Folgendem: Man nehme die Keilschrift, die Hieroglyphen, das Hebräische u. s. w. und untersuche, welcher Augenbildung, mit anderen Worten, welcher Art des Astigmatismus diese Schriftzüge entsprechen. Sobald diese festgestellt, braucht man nur zu untersuchen, ob die gefundene Varietät des Astigmatismus mit einer Verkürzung eines Schädeldiameters zusammenfalle. Wie wir angegeben haben, fiele der Meridian der Hornhaut von stärkster Krümmung mit dem Durchmesser des Schädels zusammen, der anomal verkürzt.

Auf diesem Wege würde man vielleicht eines Tages dazu gelangen, festzustellen, dass die Art und Weise, uns durch gewisse Schriftzeichen zu verständigen, eng an unsere Schädelbildung geknüpft ist. Dann würde auch erwiesen sein, dass in der Wahl derselben nichts der Willkür anheimfällt, sondern dass, wie Alles, auch dies genau bestimmten Gesetzen unterworfen ist.

Diese Studien würden es uns denn auch erlauben, aus der Art und Weise, wie die Inschriften aus den ältesten Zeiten ausgeführt, einen Schluss auf die Bildung der Augen und indirect der Schädel derer zu ziehen, die diese Inschriften eingegraben.

Ueber das angeborene nicht mit Iriscolobom complicirte Colobom der Chorioidea.

Von

Dr. med. J. Talko (Tiflis).

Auf Seite 278 des Archivs f. Ophthalmologie, Bd. XV., Th. III., sagt Sämisch bei der Beschreibung eines Coloboms der Chorioidea, wo ein Iriscolobom fehlt: „Es ist, soviel ich finde, die erste derartige Beobachtung, da in allen bekannten Fällen von Chorioidealcolobom gleichzeitig ein Spalt in der Iris nachgewiesen wurde."

In Nr. 4 der Berichtsammlung der Kaukasischen med. Gesellschaft 1867 beschrieb ich ein angeborenes Coloboma iridis et chorioideae mit Beifügung chromolithographischer Abbildungen und machte auf das birnförmige Aussehen und die gänzliche Abgegrenztheit desselben von dem Iriscolobom aufmerksam. Auf Seite 92 der citirten Abhandlung führte ich Folgendes an:

„Dieser Fall bot mir ein um so grösseres Interesse dar, als ich einige Monate vorher ein ganz gleiches ophthalmoskopisches Bild bei einem 37jährigen Patienten beobachtet hatte, dessen Iris vollkommen normal war. Anfänglich wusste ich nicht, worauf ich eine solche Abweichung vom normalen Aussehen beziehen sollte, ob auf ein Chorioidealcolobom, oder auf eine Sklerotico-Chorioiditis posterior, um so mehr, da man an eine circumscripte exsudative Chorioiditis, welche eine abgegrenzte Exsudatabsetzung hätte zuwege bringen können — gar nicht einmal denken konnte. Mir ist nicht bekannt, ob bisher irgend Jemand ein circumscriptes Chorioidealcolobom ohne gleichzeitige Spaltung der Iris beobachtet hat; Cornaz (cf. Des abnormités congénitales des yeux et leurs annexes. Lausanne 1845, p. 118) äussert sich darüber auf folgende Weise: „Arnold a observé des embryons de veaux qui offraient encore cette fissure chorioidale, tandis que l'iris était pourtant normal, mais il ne paraît pas que cet état ait jamais été observé lors de la naissance."

Gegenwärtig, wo ich ein ganz gleiches ophthalmoskopisches Bild vor Augen habe, nur mit dem Unterschiede, dass hier ein Spalt der Iris besteht und dort nicht, kann ich mit Bestimmtheit behaupten, dass ein abgegrenzter Defect der Aderhaut bestehen kann bei gleichzeitiger vollkommener Ausbildung der Iris und des Corpus ciliare. Ich muss jedoch noch hinzufügen, dass ich im letzteren Falle den weissen Fleck anfänglich aus dem Grunde für ein Staphyloma posticum hielt, weil ich zu derselben Zeit den Aufsatz Streatfield's gelesen hatte, der ein rundes, in seiner Umgebung stark pigmentirtes Staphylom an der Stelle des gelben Fleckes beschreibt; dieses Staphylom, welches der Verfasser „extraordinaire" nennt, hatte mit der Papille, welche von einem engen ringförmigen Staphylom umgeben war, gar keinen Zusammenhang. Im Hinblick auf die chromolithographische Abbildung, welche seiner im „The R. L. Ophthalm. Hosp. Rep." (Vol. V., Januar 1866, p. 88) abgedruckten Abhandlung beigefügt ist, kann man nicht umhin, einige Aehnlichkeit mit dem ophthalmoskopischen Bilde in unserem Falle zu finden. Im Streatfield'schen Falle war der Fleck 4 Mal grösser als der Sehnerveneintritt.

In meinen handschriftlichen, vor 3½ Jahren gemachten Notizen über diesen Fall finde ich noch Folgendes aufgezeichnet: Der 37jährige Patient von schwachem Körperbau litt von Geburt an an Schwäche des Sehvermögens am rechten Auge, an welchem bei äusserer Untersuchung keine Abnormität wahrgenommen wurde. Das Ergebniss der ophthalmoskopischen Untersuchung war folgendes: „Die Papilla nervi optici leicht queroval, an ihrem rechten Rande hat sich Pigment abgesetzt, wovon ein Fleckchen auf der Oberfläche der Papille selbst liegt. Etwa um ¼ des Durchmessers der Papille nach unten und etwas nach aussen befindet sich ein weisser, namentlich im Centrum, perlmutterglänzender Fleck von schief birnförmigem Aussehen, dessen Oberfläche um das Dreifache grösser als die der Papille ist. Seine Ränder waren scharf abgegrenzt, insbesondere der Ciliarrand, welcher stark pigmentirt war. Zwischen diesem Fleck und dem Sehnerveneintritt befanden sich kleine Pigmentablagerungen auf dem normalen Augenhintergrunde. Die Retinalgefässe verliefen nicht an der Oberfläche des Fleckes, sondern begrenzten nur seinen unteren Rand, von wo sie nur einen kurzen und dünnen arteriellen Ast auf die Oberfläche abgaben. Das Auge war stark myopisch, das Gesichtsfeld um die Hälfte concentrisch verengt und die Sehschärfe auf $1/6$ vermindert.

Im linken Auge fand sich ein sichelförmiges Staphyloma posticum und Myopie in geringem Grade.

Klinische Beobachtungen.

178. Ein Fall von Xanthelaema palpebrarum.

Vor Kurzem kam eine 32jährige Frau — nur als Begleiterin ihres an Keratitis leidenden Söhnchens — in meine Sprechstunde.

Dieselbe, im fünften Monat schwanger, ist seit $3/4$ Jahren stark gelbsüchtig. Lebervergrösserung ist nicht nachzuweisen, Percussion der Lebergegend sehr schmerzhaft; dabei Mattigkeit und mässige Abmagerung; ferner starkes Jucken der Haut. Von Seiten der Augen werden keine subjectiven Störungen geklagt, nur an den Lidern — seit $1/2$ Jahr — eine eigenthümliche Veränderung wahrgenommen.

Beiderseits zieht über das obere Lid eine fast citrongelbe und von der hierselbst nur schwach ikterischen Cutis deutlich sich abhebende, gleichzeitig leicht prominente Zone, welche fast $1/4$ der Lidbreite einnimmt, dem freien Rande näher gelegen, ohne ihn zu erreichen; welche dicht am lateralen Augenwinkel beginnt, medianwärts etwas breiter wird — bei ziemlich geradlinigen, links jedoch ein wenig wellenförmigen Rändern — und noch über den Canthus internus fortreichend mit spitzem Winkel endigt. Unterhalb des unteren Thränenpunktes befindet sich rechts noch ein erbsengrosser, unregelmässig viereckiger Fleck von analoger Beschaffenheit, links an symmetrischer Stelle ein etwas grösserer mit undeutlicheren Contouren.

Der Fall, dessen anatomisches Substrat vorläufig unaufgeklärt bleibt, schliesst sich eng an den von Dr. Geissler (diese Monatsbl. 1870, p. 64) mitgetheilten an, während die von Hutchinson (Ophth. Hosp. Rep. VI., 4, p. 265 fgd.) referirten offenbar zum Milium confluens gehören.

Diese letztere gar nicht so seltene Affection der Lider verdankt einer Hypertrophie der Talgdrüsen ihren Ursprung; sie bildet kleine weissgelbe, mehr rundliche, schwach prominente Flecke, die schon bei makroskopischer Betrachtung oder bei Loupenvergrösserung als vergrösserte und mit fettig-epithelialer Masse vollgestopfte Folliculi sebacei sich documentiren. Hiervon kann man sich auch mit dem Mikroskop überzeugen, wenn einmal ein solcher - an sich völlig symptomenloser Miniaturtumor den kosmetischen Rücksichten seiner weiblichen Trägerin oder der anatomischen Wissbegier des Arztes zum Opfer fällt.

Dr. J. Hirschberg in Berlin.

179. Ein Fall von acutem Bindehautödem.

Im April d. J. wurde eine 55jährige Reconvalescentin von der inneren Station des hiesigen Krankenhauses auf unsere Augenabtheilung transferirt wegen acut entstandener seröser Bindehautinfiltration beider Augen.

Pat. giebt an, am Mittwoch den 6. April, Abends, plötzlich, unter heftigem Niesen und Schnupfen an Kopfschmerz gelitten zu haben. Tags darauf wurde am Augapfel eine beträchtliche Chemosis bemerkt. Einige Tage zuvor war allerdings bereits eine geringe Injection der Augapfelbindehaut beachtet worden.

Die Kopfschmerzen verringerten sich im Verlauf der nächsten Woche allmälig; doch war nach fast 8 Tagen der Kopf noch immer eingenommen und heiss, so dass Pat. auf ihr eigenes Verlangen zeitweise kalte Compressen auf die Stirn erhielt.

Die Chemosis nahm in den nächstfolgenden Tagen, besonders linkerseits, noch merklich zu, so dass die Bindehaut des Augapfels zuletzt wie eine bohnengrosse wässrige Blase sich zwischen die Lidspalte einklemmte. Etwa am Sonntag (den 10. April) mochte das Uebel seinen Höhepunkt erreicht haben. Am Dinstag (d. 12. April) war linkerseits, am Donnerstag (d. 14. April) war auch rechterseits das subconjunctivale Oedem völlig verschwunden und nur noch eine stärkere Bindehaut-Injection am Augapfel sichtbar.

Sogleich beim Beginne des Uebels sind einige Tropfen Atropin eingeträufelt worden; im Uebrigen hat Pat., ihrem Allgemeinbefinden entsprechend, nur indifferente Mittel bekommen und dass Bett gehütet.

Wie hat man sich die Entstehung einer so acut auftretenden und ebenso acut wieder verschwindenden Chemosis zu denken?

Wir erinnerten uns bei dieser Gelegenheit sogleich an die Schilderung des Oedems der Bindehaut bei Pyämie von Lawson Tait*), welcher, auf Grund einiger Sectionsbefunde, dieses Oedem als ein sicheres Zeichen von Thrombose des Sinus cavernosus oder der Orbitalvenen betrachtet. Freilich war in unserem Falle von Pyämie nicht die Rede, und waren auch die übrigen Verhältnisse nicht von solcher Art, dass die Annahme eines thrombotischen Vorganges wahrscheinlich wurde. Inzwischen mag es doch erlaubt sein, in Ermangelung einer anderen und zuverlässigeren genetischen Erklärung an derartige Vorgänge zu denken.

Wir fügen noch hinzu, dass unsere Pat. 7 Wochen zuvor an einer linksseitigen Pneumonie erkrankt war, deren Lösung sich etwas protrahirt hatte. Fiebererscheinungen waren kaum noch vorhanden. Die Temperatur war nicht

---

*) Vergl. Monatsbl. f. Augenhlkde. VII., p. 222.

erhöht; wohl aber zeigte der Puls eine etwas ungewöhnliche Frequenz (ca. 100 in der Min.), ohne dass am Herzen ein Klappenfehler nachweisbar gewesen wäre. Pat. wurde etwa acht Tage nach dem Verschwinden des Oedems aus der Behandlung entlassen.

Nach Aussage der Pat. hat sie in früherer Zeit schon einmal, ohne anderweitige Erkrankung, mehrere Monate lang an einem ähnlichen einseitigen Uebel des rechten Auges gelitten.

W. Zehender.

180. Sectionsbefund eines Auges mit intraoculärem Cysticercus.

Friederike S., 38 Jahre alt, hatte im Frühjahr 1860 eine allmälige Abnahme des Sehvermögens ihres rechten Auges bemerkt, die sich, ohne von Reizerscheinungen begleitet zu sein, Anfangs 1861 bis zur völligen Erblindung gesteigert hatte. 1867 stellte sie sich zum ersten Male in der Augenklinik vor, und wurde damals constatirt: R. Cataracta reducta, Iridochorioiditis, keine Lichtempfindung, normale Spannung, keine Reizerscheinungen. L. Nichts Abnormes. Patientin wurde bedeutet, sich nur dann wieder vorzustellen, wenn sie entweder am rechten oder linken Auge etwas Besonderes bemerken sollte. Dies trat in diesem Frühjahre ein, indem Patientin von den heftigsten Schmerzen im rechten Auge befallen wurde, die sie mehrere Nächte nicht schlafen liessen. Man fand am rechten Auge leichtes Oedem des oberen Lides, Thränenträufeln, starke pericorneale Injection, Bluterguss in der vorderen Kammer, starke Verfärbung der Iris, deren Pupillarrand zum grösseren Theile mit der cataractösen Linse verwachsen war. Die Spannung des Bulbus war nicht merklich erhöht, allein die Berührung desselben sehr schmerzhaft. Während einer mehrtägigen Beobachtung traten in diesen Erscheinungen keine wesentlichen Veränderungen ein, nur wurde das linke Auge lichtscheu, so dass der Patientin der von ihr sofort acceptirte Vorschlag gemacht werden musste, das rechte Auge entfernen zu lassen.

Der Bulbus maass 22$\frac{1}{2}$ Mm. im Längs- und Querdurchmesser und wurde unmittelbar nach der Enacleation durch einen im horizontalen Meridian geführten Schnitt geöffnet. Hierbei stiess das Messer, welches in den hinteren Abschnitt eingesenkt wurde, sofort auf einen so kräftigen Widerstand, dass das Vorhandensein einer Knochenschale vermuthet werden musste. Diese Masse liess sich nur mit der Scheere durchtrennen, während der Rest des Schnittes wieder mit dem Rasirmesser ausgeführt werden konnte. Hierbei floss eine mässige Quantität einer klebrigen Flüssigkeit aus. Der Binnenraum des Bulbus erschien nun durch eine etwas nach vorn vom Aequator verlaufende, durchschnittlich 1 Mm. dicke weissliche Scheidewand in eine vordere und hintere Höhle getheilt, letztere wurde allseitig von der Fortsetzung dieser Scheidewand nach hinten hin begrenzt, und durch eine von der Eintrittsstelle des Sehnerven ausgehende und schräg nach vorn verlaufende Scheidewand in eine grössere äussere und eine kleinere nasenwärts gelegene Höhle getheilt. In der temporal gelegenen befand sich eine zusammengefaltete Membran, die sich als ein Cysticercus cellulosae erwies. Die 7 Mm. im Durchmesser betragende Blase des Thieres war beim Oeffnen des Bulbus angeschnitten worden, der Kopf und Halstheil des Thieres so eingezogen, dass diese Gebilde in das Innere der Blase als dicker weisser Knopf hervorsprangen, äusserlich aber nicht sichtbar waren. Nachdem diese Theile vorsichtig entwickelt worden waren, erkannte man an ihnen sehr deutlich den auf pigmentirten Ringen sitzenden Hakenkranz und die vier Saugnäpfe.

Die weitere Untersuchung des Auges verfolgte den Zweck, die Beschaffenheit der Wandungen dieser Höhle, ihr Verhältniss zur Chorioidea und Retina, sowie das Verhalten dieser Membranen selbst zu eruïren. — Die durchschnittlich 1 Mm. an einzelnen Stellen bis 2 Mm. dicke Wandung der Cyste hatte eine weissliche Farbe und bestand aus dicht verfilztem Bindegewebe, welches, soweit es die Höhlen nach hinten begrenzte, an der äusseren Seite mit der Chorioidea bis zum Aequator hin so fest verwachsen war, dass sich diese Membran nur in Fetzen abziehen liess. Am innigsten war die Verbindung im hinteren Abschnitte, wo in der That die beim Oeffnen des Bulbus vermuthete Knochenschale gefunden wurde. Sie hatte eine Länge von 10 Mm., eine Breite von 6 Mm. und lag in der äusseren Schicht der Cystenwand. Die Chorioidea war durchgehends atrophisch, die Pigmentirung derselben zwar noch ziemlich reichlich, allein die Gefässe waren ausserordentlich spärlich; von der Choriocapillaris, Glaslamelle und der Epithelschicht konnte nichts mehr nachgewiesen werden. — In noch viel stärkerem Grade war die Retina verändert; sie lief als ein dünner Strang, in welchem specifische Elemente nicht gefunden wurden, von der Eintrittsstelle schräg nach vorn, direct in die oben beschriebene Scheidewand übergehend, welche die hintere Hälfte des intrabulbären Raumes in eine grössere und kleinere Abtheilung schied. Mit dieser bindegewebigen Scheidewand verschmolz sie der Art, dass sie nicht weiter nach vorn verfolgt werden konnte. Der Cysticercus fand sich demnach hier in einer Höhle eingeschlossen, die subretinal lag, und deren Wandungen grösstentheils wohl von der Chorioidea geliefert worden waren.

Diese Beobachtung reiht sich den sechs bis dahin publicirten einschlägigen Fällen an*), jedoch dürften einige Eigenthümlichkeiten derselben hervorzuheben sein. Zunächst hat man allen Grund zu vermuthen, dass der Cysticercus bereits vor 10 Jahren in das betreffende Auge eingewandert ist, in diese Zeit fällt nämlich der Beginn der Sehstörung, und dass er bis zur Section gelebt habe. Ferner ist bemerkenswerth, dass ein Theil der Wandung der Höhle eine Verknöcherung zeigte, deren Zustandekommen mit der langen Dauer der Erkrankung im Einklange steht. Endlich muss es auffallen, dass diese so beträchtlichen intraoculären Veränderungen erst in der

---

*) Hirschberg, Virchow's Archiv, B. 45 p. 509.

letzten Zeit von Reizerscheinungen begleitet wurden, deren hoher Grad die Enucleation nothwendig machte.

Bonn, im Juni 1870. Prof. Saemisch.

181. Tumor im hinteren Orbitalabschnitt und in der Nasenhöhle.

J. Meuter, 42 Jahre alt, aus B., Böttcher, war bis vor zwei Jahren stets gesund. Damals wurde er darauf aufmerksam gemacht, dass das linke Auge kleiner als das rechte sei, das obere Lid wurde nicht normal gehoben. Patient achtete die Erscheinung wenig, bis nach einigen Monaten vollständige Ptosis sich entwickelt hatte. Jetzt consultirte er einen benachbarten Augenarzt, der das Sehvermögen völlig normal fand; ob damals schon anderweitige Lähmungen bestanden, vermag Patient nicht anzugeben. Eine Behandlung wurde nicht eingeleitet. Allmälig merkte nun der Kranke, dass das Auge mehr vortrat, „dicker", zugleich aber auch „steif" wurde; es konnte besonders nicht mehr nach Innen gewendet werden. Zugleich nahm das Gefühl im oberen Theile der linken Gesichtshälfte schnell ab und erlosch in wenigen Monaten ganz, auch glaubte der Kranke schon damals wahrgenommen zu haben, dass er durch das linke Nasenloch nicht gut athmen konnte. Das Sehvermögen soll noch vor einem Jahre ganz gut gewesen sein, natürlich wenn das obere Lid gehoben wurde.

Der gegenwärtige Zustand ist folgender: Das linke Auge bietet, wenn der Kranke in geringer Entfernung gesehen wurde, den Anblick eines ersten Stadium der Panophthalmitis: das obere Lid mässig geschwollen und geröthet, bedeckte den etwa 4 bis 5 Linien prominirenden Bulbus. Der obere Theil der linken Gesichtshälfte war auch geschwollen und von blass–bläulichem Ansehen. Wurde das obere Lid gehoben, so sah man den Bulbus leicht nach Aussen gerichtet. Die Conjunctiva war, angeblich seit drei Wochen etwa, geröthet und an der unteren Hälfte des Bulbus ziemlich stark ödematös aufgetrieben, so dass sie über den un-

teren Lidrand vorstand. Abnorme Secretion der Conjunctiva
war nicht vorhanden; besonders auffallend war der Mangel
an Thränen, wenn das Auge betastet wurde. Die Hornhaut
war ziemlich gleichmässig grau getrübt, zugleich aber bestand in der oberen Hälfte eine dichtere weisse Trübung in
Folge von Infiltration einer etwa 3 Linien langen und $1/_2$ Linien
breiten, bogenförmig verlaufenden Partie der tieferen Horn-
hautschichten und in der unteren Hälfte fand sich eine mehr
rundliche, erbsengrosse, gelbgraue Stelle, die allmälig in die
gleichmässiger getrübten Partien überging. Das Epitel schien
gelockert, aber nirgends abgestossen. Erstere Stelle promi-
nirte etwas über das Niveau der Hornhaut. Bei schiefer
Beleuchtung sah man die Pupille ziemlich erweitert (etwa
$2^{1}/_2$ Linien Durchmesser) und starr. Kammerwassertrübung
nicht sicher nachzuweisen. Augenspiegeluntersuchung schon
wegen der Hornhauttrübungen nicht möglich. Quantitative
Lichtempfindung noch vorhanden und zwar in allen Theilen
des Gesichtsfeldes.

Abnorme Spannung und Härte des Auges war nicht nachweisbar, active Bewegung desselben unmöglich, passive gelang nur in der Richtung nach Aussen in geringem Grade.
Druck gegen das Auge in der Richtung von vorne nach hinten
ist etwas schmerzhaft. An der Hornhaut, Bindehaut und an
der ganzen linken Gesichtshälfte ist keine Spur von Empfindung
nachzuweisen. Die zwischen Bulbus und innerer Orbitalwand
eingeführte Fingerspitze konnte undeutlich eine feste Geschwulst wahrnehmen, beim Versuche, weiter einzudringen,
entstand eine subconjunctivale Blutung. Beim Einblick in das
linke Nasenloch sah man eine grau-röthliche schwammige
Geschwulst schon tief herabsteigen, und will ein College, dem
ich den Fall zeigte, auch hinter dem weichen Gaumen die
Neubildung gefühlt haben, was mir jedoch nicht gelang.

Im Uebrigen ist Patient gesund, nur meint er, in der letzten Zeit auffallend schläfrig gewesen zu sein.

Nach diesem Befunde wurde die Diagnose auf einen
(wahrscheinlich malignen) Tumor gestellt, der von der Ge-

gend der Fissura orbitalis superior ausgehend in die Orbita und gegen die Fossa spheno-palatina, sowie von hier in die linke Nasenhöhle eindrang. In der letzten Zeit muss er gegen das Foramen ovale des Keilbeines hin sich fortentwickelt und somit zur Zerstörung des Ramus inframaxillanis des Quintus Veranlassung gegeben haben.

Bemerkenswerth schien mir die Hornhautaffection. Interne Entzündungen bedangen sie nicht, denn die Iris schien noch wenig verändert, und war das Kammerwasser entweder gar nicht, oder doch nur unbedeutend getrübt. Ich glaubte, das Hornhautleiden für neuroparalytischer Natur halten zu müssen. Auffallend dabei ist erstens das späte Auftreten desselben nach der Lähmung des Trigeminus (schon vor $1^{1}/_{2}$ Jahren soll die Hornhaut beim Betasten unempfindlich gewesen sein) und zweitens das Auftreten des Leidens überhaupt, wo das Auge doch durch die vollständige Ptosis gegen die Reize etwa einfliegender Körper geschützt war. Es scheint der Fall zu beweisen, dass, wenn auch vielleicht dieser mechanische Reiz oft als die Ursache der neuroparalytischen Hornhautentzündung anzusehen ist, besonders etwa dann, wenn diese bald nach der Paralyse auftritt, doch die Störung der Ernährung der Hornhaut bei völliger Vernichtung des Nerveneinflusses hinreicht, um schliesslich zur Vereiterung der Hornhaut zu führen.

Eine Behandlung wurde natürlich nicht eingeleitet.

Neuss.   Dr. J. Rheindorf.

Referate aus der ophthalmologischen Litteratur.

Schweigger-Seidel. Ueber die Grundsubstanz und die Zellen der Hornhaut des Auges. Der Königl. Sächs. Gesellschaft der Wissenschaften vorgelegt am 12. Dec. 1869 von Prof. C. Ludwig (mit zwei Tafeln).

Bericht der mathem.–phys. Classe der Königl. Sächs. Gesellsch. der Wissenschaften, 1869, p. 305 bis 359.

Wir sind in letzterer Zeit schon oft in der Lage gewesen, über neue Untersuchungen der Hornhautstructur referiren zu müssen, so dass wir aus diesem Grunde schon sehr gerne weniger wichtige Arbeiten mit Stillschweigen übergehen würden; es liegt uns aber heute eine Abhandlung vor, die sich mit der Hornhautstructur so eingehend beschäftigt und alle bisherigen Untersuchungen einer so strengen Kritik unterwirft, dass wir, wenn auch nur in flüchtigen Andeutungen, darüber zu berichten uns nicht versagen können.

Die Hornhaut besitzt, wie schon von früheren Beobachtern bemerkt wurde, einen fibrillären Bau. Die Fibrillen verlaufen parallel zur Oberfläche der Hornhaut und — in ein und derselben Schicht — auch unter sich parallel. Die Fibrillen der unmittelbar an einander grenzenden Schichten durchkreuzen sich dagegen fast rechtwinklig und verflechten sich zugleich theilweise. Dadurch entstehen Spaltöffnungen, an deren einer, der Descemet'schen Haut zugewendeten Seite, glatte glashelle, mit Kernen versehene Zellen liegen, und deren andere Fläche in der Spaltöffnung frei zu Tage liegt. Diese Spaltöffnungen — wie sich durch Injectionen nachweisen lässt — stehen unter sich und vielleicht auch mit dem Lymphsystem in Verbindung.

Das, was man bisher auf Grund gewisser Präparationsmethoden als Saftkanälchen und als Hornhautkörperchen beschrieben hat, ist aber von dem Schweigger–Seidel-schen Spaltsystem und seinen platten Zellen wesentlich verschieden, wenn auch eine gewisse Relation zwischen beiden besteht.

Zunächst hält es Verf. für wichtig, darauf hinzuweisen, dass alle Substanzen, welche gebraucht werden, um in der Hornhaut die sog. Saftkanälchen darzustellen, eine wichtige gemeinsame Eigenthümlichkeit haben; sie gehören sämmtlich unter diejenigen Stoffe, welche das Entstehen von Niederschlagsmembranen zur Folge haben und welche deshalb als

„Membranbildner" bezeichnet worden sind. Die Bedingungen
für das Entstehen von Niederschlagsmembranen (durch Silber
erzeugte Eiweisshäutchen) sind in der Hornhaut ganz besonders günstig. — Wie aber, fragt Verf. weiter, wenn es sich
in der Hornhaut, bei Behandlung mit Silber, nicht um Silber-
Albuminate, sondern — wie His annimmt — um Chlorsilber
handelt? Chlor und Silber geben zusammen keine Niederschlagsmembranen.

Aus dem Verhalten der Hornbautniederschläge gegen
unterschwefligsaures Natron, gegen chromsaure Salze und
besonders gegen Kochsalz ergiebt sich aber, dass diese Nie-
derschläge in der That Silberalbuminate sind.

Nun vergleicht Verf. die durch Silberinprägnation und
die durch Silberinjection entstandenen Bilder. Da beide sich
„nur auf das Gröblichste entsprechen", wovon die der
Abhandlung beigefügten Abbildungen Zeugniss ablegen, so
suchte man bisher die Unähnlichkeit durch die Annahme einer
sehr beträchtlichen Dilatirbarkeit der Saftkanäle zu erklären.
Die vom Verf. angeführten Gründe sprechen aber gegen die
Identität der Silberlücken und der injicirbaren Hornhautspal-
ten; ganz besonders spricht das durch Injection zweifellos
nachweisbare Abgeschlossensein der Nervenkanälchen, welche
doch an Silberbildern mit den Saftkanälchen deutlich zu
communiciren scheinen, gegen die Identität.

Verf. sucht fernerhin wahrscheinlich zu machen, dass die
Substanz der strahligen Hornhautkörperchen und die interfibrilläre Kittsubstanz gleichwerthig sind, und dass sie in
chemischer Beziehung sich dem Myosin völlig analog verhalten. — Es fragt sich, was berechtigt uns, die Substanz der strahligen Hornhautkörperchen Protoplasma zu
nennen? Eine den amöboiden Zellen ähnliche Bewegungsfähigkeit der Hornhautkörper will Verf. nicht zugeben.

Verf. wendet sich dann zur genaueren Betrachtung der
Einwirkung verschiedener Reagentien auf die Hornhautkörper
und theilt diese ganz allgemeinhin in zwei Gruppen, von denen

die eine eine Erhärtung, die andere eine Quellung der Hornhaut
zur Folge hat. Zur ersten Gruppe gehören Alkohol, Gerb-
säure, Chromsäure, Chlorplatin mit Chromsäure und endlich
Pikrinsäure. Die mit diesen Reagentien behandelten Präparate
lassen von eigentlich zelligen Elementen nichts erkennen;
man sieht auf Flächenschnitten die deutlich fibrilläre Structur,
mitunter auch wohl in einer Lücke derselben einen Kern, in
dessen Umgebung eine feinkörnige Masse regellos gelagert
ist. — Zu den Mitteln, welche eine Quellung bewirken, gehören ganz dünne Chromsäure-Lösungen und Lösungen von
doppelt chromsaurem Kali; ferner Holzessig, Essigsäure, Salz-
säure u. s. w. Bei allen diesen Präparationsmethoden werden
durch Quellung der fibrillären Grundsubstanz die interfibrillären
Spalträume zusammengepresst; hierbei muss die interfibrilläre
Eiweisssubstanz (Myosin) dahin entweichen, wohin ein Entweichen möglich ist; sie wird zunächst nach den Lymph-
spalten der Hornhaut gelangen, da, wo unter den Zellplatten
der Zusammenhang der Schichten lockerer ist, und wird von
hier aus in die geräumigeren interfibrillären Spalten vordringen, und hierdurch werden, wenn die Kittsubstanz hinreichend
verdichtet ist, die zellenähnlichen Bilder entstehen.

Aus diesen und ähnlichen Gründen, zu deren ausführlicher Mittheilung es uns leider an Raum fehlt, gelangt Verf.
am Schlusse seiner Arbeit zu folgenden zwei Schlusssätzen:

1. Die Methode der Versilberung verschafft uns keine
richtige Vorstellung von der Structur der Hornhaut. Sie ist
daher nur mit Vorsicht anzuwenden oder lieber ganz zu
verwerfen, weil sie neben der Unsicherheit der Resultate
entbehrlich ist.

2. Die sog. strahligen Körperchen der Hornhaut entsprechen nicht den eigentlich zelligen Elementen derselben.
Sie sind keine selbstständigen Gebilde. Ihre Substanz besitzt so
vielfache Uebereinstimmung mit der interfibrillären Kittmasse,
dass wir zum mindesten berechtigt sind, an ihrer Protoplasma-
natur so lange zu zweifeln, bis neue charakteristische Eigenschaften erkannt sein werden.

Adamiuk und Weinow. Zur Frage über die Accommodation der Presbyopen.
Arch. f. Ophthalm. XVI. 1, p. 144 bis 153.

Die Verff. haben, nach der von Rosow zuerst angewendeten Methode zur Messung der Veränderungen der
Linsenkrümmung, das directe Sonnenlicht benutzt; sie haben
aber die accommodativen Veränderungen der Linsenform
nur bei solchen Individuen gemessen, welche über 50
Jahre alt waren, während bis dahin (von Helmholtz
und Knapp) nur jüngere Personen (unter 30 Jahren)
untersucht worden waren. — Eine übersichtliche Tabelle
enthält die an 4 gemessenen Augen ermittelten Zahlenwerthe.
Aus dieser Tabelle ist ersichtlich, dass die vordere Augenkammer durchschnittlich etwas weniger tief (2,4 bis 3,9 Mm.)
gefunden wurde als sie bei jüngeren Individuen zu sein pflegt.
Die Krümmung der hinteren Linsenfläche fand sich verhältnissmässig schwach. Die Krümmung der vorderen Linsenfläche änderte sich bei der Accommodation weniger als bei
jüngeren Leuten, dagegen wölbte sich die hintere Linsenfläche mehr als gewöhnlich, in einigen Fällen sogar mehr als
die vordere. Bemerkenswerth sind noch die langsamen und
zuckenden Bewegungen, unter denen — nach Angabe der
Verff. — die Veränderung der Linsenform zu Stande kommt;
es dauerte zuweilen eine, zwei, ja sogar drei Minuten, bis
die Grösse der Reflexbilder eine constante und unveränderliche geworden war. Dasselbe wurde beobachtet, wenn das
längere Zeit für die Nähe accommodirte Auge presbyopischer
Individuen sich wieder für die Ferne einrichtete.

Adams, James. Ein Fall von Aneurysma im Sinus cavernosus, mit Lähmung des 3., 4., 5. u. 6. Ge-
hirnnerven. New-Orleans med. Journ. Vol. XXIII.
Nr. 2. April 1870, p. 381.

Ein 56jähr. Pat. kam im Februar 1869 in Behandlung wegen
eines völligen Verschlusses des rechten Auges, welcher, theils
von Paralyse des Levator, theils von Lidoedem mit oberfläch-

licher Exulceration abhängig war. Die Hornhaut war so trübe, dass man durch dieselbe die mässig erweiterte und völlig unbewegliche Pupille kaum noch erkennen konnte. In der Mitte der Hornhaut hatte sich ein Geschwür gebildet. Rechterseits war kaum noch qualitative Lichtempfindung vorhanden, links war das Sehvermögen = $^2/_3$. Der linke Augapfel völlig unbeweglich, die Augapfeloberfläche absolut unempfindlich, die Augapfelspannung = — 1. Auch die rechte Supraorbitalgegend, sowie die rechte Nasenseite und die rechtseitige Nasenschleimhaut waren völlig unempfindlich; partielle Anästhesie fand sich ausserdem noch in der rechten Submaxillargegend.

Sechs Wochen zuvor hatte Patient an Schwindel und Kopfschmerzen gelitten, welche auf eine halbthalergrosse Stelle der rechten Temporalregion beschränkt war. Nachdem diese Symptome einige Tage lang bestanden hatten, entwickelte sich rasch nach einander Ptosis des oberen Augenlides, Bewegungslosigkeit des Augapfels und Hornhautverschwärung. Pat. gab zu, in seiner Jugend an primärer Syphilis gelitten zu haben, nachweisliche Symptome von secundärer oder tertiärer Affection waren nicht aufzufinden.

Pat. wurde ohne Erfolg mit Jodkali behandelt; nach einigen Wochen bildete sich ein Orbitalabscess, welcher eröffnet werden musste und aus dem sich ein gesunder Eiter entleerte. Nach der Heilung trat jedoch eine Besserung der Symptome nicht ein, Pat. starb vielmehr etwa 4 Wochen später unter den Erscheinungen von Anasarka, Bronchitis und hochgradiger Albuminurie. Bei der Section fand sich im rechten Sinus cavernosus eine weiche, etwa wallnussgrosse Geschwulst, welche bei genauerer Untersuchung sich als ein mit fibrinösem Gerinsel ausgefüllter aneurysmatischer Sack zeigte. An der Basilararterie fanden sich mehrere kleine fleckig degenerirte Stellen.

Liebreich, R. Atlas der Ophthalmoskopie. 2. Aufl. Berlin und Paris 1870.

Von Liebreich's trefflichem Atlas der Ophthalmoskopie ist vor Kurzem die zweite Auflage erschienen. Zweck mässiger Weise ist diesmal der deutsche und französische Text nicht nebeneinander gedruckt; das Werk ist vielmehr in zwei gesonderten Ausgaben, einer mit deutschem und einer anderen mit französischem Texte, erschienen.

Wir haben über die erste Auflage in den Klin. Monatsblättern I. p. 268 bis 274 und 301 bis 306 ausführlich berichtet, und können uns auf den Inhalt jenes Berichtes, mit Bezug auf die neue Auflage, auch heute noch berufen; es bleibt nur übrig, über die neu hinzugekommenen und über die weggefallenen Abbildungen Einiges hinzuzufügen.

Die ersten 5 Tafeln sind ohne wesentliche Veränderung wieder abgedruckt worden.

Die Figg. 2 und 3 der Taf. VI. erster Auflage, die wir in unserem Berichte als weniger glücklich ausgewählte bezeichnet hatten, sind weggefallen, und sind durch eine sehr gelungene Darstellung von Choroiditis disseminata, wovon die erste Aufl. kein recht charakteristisches Bild enthielt, ersetzt worden.

Taf. IX., Fig. 3, welche eine nicht grade sehr instructive Rarität zur Anschauung brachte, stellt jetzt eine zu den nachbarlichen Bildern von Bright'scher Retinitis (Fig. 1 und 2) sehr gut passende Retinitis apoplectica dar.

Taf. XI. endlich, welche eine Uebersicht der wichtigsten Erkrankungen der Papille giebt, hat einen Zuwachs von 3 neuen Figuren erhalten, unter denen eine Neuritis optica besonders hervorgehoben zu werden verdient.

Das Format des neuen Atlas ist durch stärkere Beschneidung des weissen Randes etwas kleiner geworden, und, irren wir nicht, so ist auch der Preis gegen früher noch etwas herabgesetzt.

Sämisch, Th. Ueber Conjunctivitis granulosa. Correspondenzbl. d. ärztl. Vereine d. Rheinprovinz u. Nassau's. Nr. 7, p. 32.

In der am 7. Oct. 1869 abgehaltenen Generalversammlung der Aerzte des Regierungsbezirks Aachen sprach Prof.

Saemisch über die Resultate seiner anatomischen Untersuchungen, die er bezüglich der Conjunctivitis granulosa angestellt hat. Dieselben haben ihn zu der Ueberzeugung gebracht, dass es sich bei der Conjunctivitis granulosa — einer
Schleimhautentzündung, die noch vielfach mit anderen Formen der Conjunctivitis, z. B. Bläschencatarrh, Atropincatarrh
u. s. w., zusammengeworfen wird — um eine Conjunctivitis
handelt, die dadurch characterisirt ist, dass es bei ihr zur
Entwickelung eigenthümlicher halbkugelförmiger sulziger Gebilde kommt, welche als Neubildungen anzusehen sind. Dieselben gehen vom Bindegewebssubstratum der Conjunctiva aus,
bestehen in ihrer ersten Entwickelung im Wesentlichen aus
dicht aneinander gedrängten Kernen, die ein oder mehrere
Kernkörperchen haben und von einer dünnen Protoplasma-
schicht umgeben sind. Zwischen ihnen findet sich ein nur
sehr sparsames, jedoch schon Anfangs Gefässe tragendes In-
tercellulargewebe vor. Umgeben, das heisst nach Aussen
hin begrenzt, wird diese Masse von Kernen von der Fortsetzung des Conjunctivalepithels. Das Ganze hat Anfangs
viel Aehnlichkeit mit einem kleinzelligen Sarcom. Dieses
Gebilde macht nun in allen Fällen von Conjunctivitis granulosa einen bestimmten Gang von Veränderungen durch, als
deren Endresultat sich ein Narbengewebe ergiebt. Die Kerne
werden, wie zahlreiche, von Zeit zu Zeit in einzelnen Fällen
ausgeführte Untersuchungen dem Vortragenden zeigten, spar-
samer, das Zwischengewebe reichlicher durch Umwandlung
der Kerne in Bindegewebszellen, bis endlich nach längerer
Zeit die Umwandlung in Narbengewebe vollzogen ist. Um-
änderungen, wie man sie im Centrum des Tuberkels trifft,
und wie sie neuerdings als in Granulationen verkommend
von anderen beschrieben werden, konnte der Vortragende
nie finden.

Klinisch ist eine acute und chronische Form zu trennen,
während die letztere sich wieder von selbst in 3 Formen
spaltet, in die Conjunctivitis granulosa simplex, die mixta und
das Nisbentrachom; das Endstadium aller Formen. Diese

Differenzirung bedingt der variirende Grad der die Neubildungen begleitenden Conjunctivitis.

Die spontan eintretende Umwandlung jeder Granulationen
in Narbengewebe lässt die früher ausgeführten Zerstörungen
oder Entfernungen derselben als durchaus unerlaubt erscheinen.
Eine Therapie verlangen nur die Conjunctivitis an sich und
sodann die Folgezustände der Erkrankung. Bei der acuten
Form sind Topica schädlich, bei der simplex ist Cuprum sul-
furicum zweckmässig, um die Conjunctivitis soweit zu steigern,
dass dadurch die Umwandlung der Granulationen beschleunigt
wird. Die mixta verlangt Adstringentien, zweckmässig ist hier
Plumbum aceticum; bei dem Narbentrachom endlich handelt es
sich um Beseitigung von Entropium, Trichiasis, Distichiasis,
vermehrtem Druck der verkrümmten Lider auf den Balbus.
Hier erwies sich das Operationsverfahren, welches Pagenstecher zuerst anwendete, als das zweckmässigste: Erweiterung der Lidspalte in Verbindung mit der Operation von
Gaillard.

Offene Correspondenz.

Paris. Eine neue Irispincette von Liebreich. Unter allen Augenoperationen ist wohl die Iridektomie
diejenige, welche die grösste Mannigfaltigkeit darbietet, so-
wohl in Beziehung auf Zweck und Form der Operation, als
auch namentlich in Beziehung auf die in einzelnen Fällen zu
überwindenden Schwierigkeiten. Bald soll zu einem therapeutischen Zweck ein grosses Stück aus der ganzen Breite
der Iris herausgeschnitten werden, bald soll ein rein optischer
Effect durch eine möglichst enge künstliche Pupille erzeugt
werden, bald erfordert die gleichzeitige Erreichung eines
therapeutischen und optischen Zweckes die Excision eines
Irisstückes von ganz bestimmter Form, welches, wie dies
z. B. bei Leucoma adhaerens erforderlich sein kann, mit
breiter Basis am Pupillarrande beginnen, nach der Peripherie

spitz zulaufen soll. Ist es schon unter gewöhnlichen Verhältnissen nicht immer leicht, der künstlichen Pupille genau die gewünschte Form zu geben, so wird dies bei den Schwierigkeiten, wie sie in zahlreichen Fällen, z. B. durch enge vordere Kammer, ausgedehnte und feste Adhaerenzen, degenerirtes Irisgewebe etc. bedingt sind, vollends unmöglich.

Der erste Theil der Operation, der Einschnitt in die Hornhaut, ist schon anderweitig in Betracht gezogen worden und hat man successive das Staarmesser, das Froebelius'sche und das Graefe'sche Messer empfohlen, um den Schwierigkeiten auszuweichen, die sich der Schnittführung mit dem Lanzenmesser bisweilen entgegenstellen.

Dagegen schien mir der folgende Theil, das Erfassen der Iris nämlich, noch eines eingehenden Studiums zu bedürfen, und hierdurch wurde ich schon früher (siehe Heidelberger Versammlung 1869) darauf geführt, für die Fälle, in denen die Schwierigkeit, die Iris zu erfassen, darauf beruht, dass die straff ausgespannte Iris, wegen der ausgedehnten Adhaerenzen ihres Randes oder ihrer Fläche, jene Faltenbildung verhindert, deren die gewöhnliche Pincette zum Fassen bedarf, eine Veränderung an den Haken vorzuschlagen. „Dieselben müssen sich nämlich nicht wie an der gewöhnlichen Pincette in einer auf der Längsaxe senkrecht stehenden Ebene befinden, sondern sich in dem convexen Rande der Branchen an dem vorderen Ende so verbergen, dass sie beim parallelen Aufliegen der Branchen auf der Iris dieselbe Stellung haben wie die Zähne einer Fixationspincette bei der senkrechten Stellung derselben. Die Zähne kommen auf diese Weise nicht erst beim Schluss, sondern sofort beim Auflegen der geöffneten Pincette zur Thätigkeit und führen daher, je nachdem man das Instrument mehr oder weniger weit geöffnet, zwei mehr oder weniger entfernte Punkte der Iris aneinander.“

Diese kleine Veränderung in der Stellung der Haken war leicht an der gewöhnlichen Irispincette anzubringen; dagegen ist es bedeutend schwieriger, andere Uebelstände zu beseitigen, die sich für eine grosse Zahl von Iridektomien geltend machen und darauf beruhen: 1) dass die Branchen der Pincette sich nur so weit öffnen können, als die Breite der Wunde es erlaubt, 2) dass die Pincette immer in radiärer Richtung eingeführt werden muss und 3) dass daher eine Wiederholung der Einführung, als für die unbeschützte Linsenkapsel gefährlich, vermieden werden muss.

Um diese Nachtheile zu vermeiden, um die Form der Pupille unabhängig zu machen von der Breite der Wunde, die man nicht immer wirklich genau so formen kann, wie man möchte, musste die Pincette durch ein anderes Instrument ersetzt werden, welches sich durch eine schmale Oeffnung einführen lässt und sich danach in der vordern Kammer weit öffnet. Es soll dies Instrument ausserdem in einer beliebigen, nicht nur in der radiären Richtung eingeführt werden können.

Für ein Instrument, welches alle diese Bedingungen erfüllt, habe ich ein mechanisches Princip gefunden, das bisher noch nicht in der Chirurgie verwerthet worden ist, und danach der Pincette folgende Form gegeben:

Die beiden Branchen einer Pincette von der Form, wie sie Fig. 1 von der Seite gesehen darstellt *), öffnen und schliessen sich nicht wie bei den gewöhnlichen Pincetten, sondern drehen sich nur ohne sich von einander zu entfernen um eine Längsaxe. Als solche dient ein senkrechter Draht, den man in der Mitte von Fig. 2 seiner ganzen Länge nach übersieht. In dieser Figur ist die Pincette von vorne gesehen und geöffnet dargestellt, und man ersieht daher aus derselben, in welcher Weise sich durch die Drehung der Branchen die Spitzen des gekrümmten Endes von einander entfernen, während die graden Theile des Instrumentes aneinander bleiben. Das Instrument wird wie eine Schreibfeder zwischen den drei ersten Fingern der Hand gehalten, die vollkommen gestreckt sein sollen. Ein Druck des Zeigefingers bringt

---

*) Die Figuren sind uns leider trotz wiederholter Anfragen bis jetzt noch nicht zugegangen; wir hoffen sie in einem späteren Hefte nachliefern zu können.   Z.

eine Drehung hervor, bei der die v o r d e r e n' Ränder der bei-
den Branchen sich zu einander drehen, das untere gekrümmte
Ende dadurch geschlossen wird wie in Fig. 3, dagegen öffnet
sich das untere gekrümmte Ende, so bald der Druck des
Zeigefingers nachlässt, das Instrument zwischen Daumen und
Mittelfinger ruht und dadurch die um die Längsaxe gedrehten
Branchen ihre h i n t e r e n Ränder aneinander gelegt haben
wie in Fig. 2.

Weder die Handhabung noch die Fabrikation des höchst
einfachen Instrumentes bietet die geringste Schwierigkeit dar.
Die Vorzüge desselben vor der gewöhnlichen Pincette sind
folgende:

1) Die Oeffnung der Pincette ist nicht abhängig von
der Breite der Wunde, da der in der Wunde befindliche
Theil des Instrumentes während der Oeffnung desselben vollkommen oder fast vollkommen geschlossen bleibt. Dieser
Umstand ist ein sehr günstiger für die Fälle, in denen man
eine, vom Pupillarrande nach der Peripherie sich verjüngende
künstliche Pupille, d. h. einen breiten Ausschnitt des Sphincters
und nur einen schmalen der Peripherie erzielen will, und wo
man absichtlich die Hornhautwunde klein angelegt. Ferner in
allen denjenigen Fällen, in denen die anatomischen Verhältnisse enge vordere Kammer, vordere Synechien etc. oder
irgend welche ungünstige Zufälle während der Operation, das
Anlegen einer hinreichend breiten Hornhautwunde verhinderten.

2) Da der in der Wunde liegende Theil dieser Pincette
sich nur wenig oder gar nicht öffnet, so ist man bei der
Einführung des Instruments nicht wie bei der gewöhnlichen
Pincette an die radiäre Richtung gebunden; man kann vielmehr in jeder beliebigen Richtung in die vordere Kammer
dringen und also z. B. indem man das Instrument in einen
Winkel der Hornhautwunde statt in die Mitte derselben einführt, ganz seitwärts nach der Peripherie der Iris statt nach
dem Pupillarrande zu, vordringen. Dies ist von sehr grossem
Werth in allen Fällen, in denen man nach Ausschneidung der
Iris erkennt, dass die Excision zu schmal ausgefallen oder

gar der Sphincter stehn geblieben ist. In diesen Fällen ist es mit der gewöhnlichen Pincette nicht gestattet von neuem einzugehen, da die Gefahr zu gross ist, mit der in radiärer Richtung vordringenden Spitze des Instrumentes die nicht mehr durch die Iris geschützte Linsenkapsel zu verletzen. Mit unserem Instrumente dagegen ist es ohne jede Gefahr möglich, vor der stehen gebliebenen Iris entlang seitlich bis in die Nähe des Sphincter vorzurücken, einen Theil zu ergreifen dicht neben demjenigen, der schon bei der ersten Excision hätte mit ausgeschnitten werden sollen, und diesen unter Umständen sehr bedenklichen Fehler dadurch zu corrigiren, dass man den stehen gebliebenen Theil des Sphincter nun nachträglich mit herauszieht und abschneidet.

Während unser Instrument unter den eben angeführten Umständen vor der gewöhnlichen Pincette wesentliche Vorzüge bietet, kann es auch für alle anderen Fälle von Iridektomien gebraucht werden und ausserdem noch einige andere Instrumente ersetzen. So ist es für die Extraction von Kapselstaaren unendlich viel bequemer anzuwenden und seiner Einfachheit wegen der so leicht derangirten Serre tèle (Pince capsulaire) vorzuziehn, auch für Corelysis und Iridesis wird es die hiezu speciell für das Fassen der Iris angegebenen Instrumente vortheilhaft ersetzen können.

Man kann diese Pincette entweder mit gewöhnlichen oder mit abwärts gewendeten Haken erhalten und thut wohl, wenn man dieselbe bei Charrière (Robert et Collin. Paris) bestellt, das besonders zu bemerken.

Paris. Dr. R. Liebreich.

Tiflis. Ueber Xanthelasma palpebrarum.

In dem Februar-März-Heft von Zehender's Monatsblättern sind 3 von Hutchinson beobachtete Fälle von Xanthelasma palpebrarum mitgetheilt. Diese Krankheit ist, wie Geissler sagt, bisher nur von Bärensprung 1855 beschrieben worden. Soviel mir bekannt, war indessen dieser Fehler der Augenlider von Ammon bereits seit lange bekannt.

In seinen klinischen Darstellungen der angeborenen Krankheiten des Auges und der Augenlider, Tab. VI., Fig. I.,
giebt er eine Abbildung, die sich ohne Zweifel auf einen
solchen Fall bezieht. von Ammon nennt diese congenitale
und oberflächliche Verfärbung der Augenlidhaut Blepharo-
dyschroea s. dyschroea palpebrarum. Sie war safrangelb,
länglich, viereckig und fand sich ganz symmetrisch auf beiden oberen Augenlidern ein wenig höher als die Thränen-
punkte.

Diese Flecke waren etwas erhaben über die Hautoberfläche, und waren bald heller, bald dunkler gefärbt.
von Ammon sah solche Flecke auch acquirirt auftreten.

Tiflis, 23. April 1870.

Dr. Jos. Talko.

Berichtigung.

Wir werden gebeten, folgende Unrichtigkeiten auf p. 96 un-
serer diesjährigen Monatsblätter nachträglich zu berichtigen: Anstatt
Demarres soll Sichel père und anstatt Labomirsky soll
Lubomirsky gelesen werden.

Der 3. September.

Heute ist der Jahrestag, an welchem die Ophthalmologen des In- und Auslandes sich in Heidelberg zu versammeln pflegen, um ihre Erlebnisse und Erfahrungen auf dem speciellen Gebiete der Augenheilkunde sich mitzutheilen, und um sich gegenseitig anzuregen und zu fördern in dem Streben nach tieferer wissenschaftlicher Erkenntniss.

Heute giebt es unter den Ophthalmologen Europa's gewiss Keinen, der nicht mit Wehmuth und Trauer zurückdenkt an den theuren Entschlafenen, der, so lange er lebte, die Seele dieser Zusammenkünfte war.

Von Ihm ist der Gedanke alljährlicher Versammlung am 3. Sept. in Heidelberg ausgegangen. Durch Ihn, durch Seine unendlich liebenswürdige, anregende und unwiderstehlich anziehende Persönlichkeit erhielten die Versammlungen jenen zauberischen Reiz eines freundschaftlichen Wiedersehens in der schönen Musenstadt, worauf sich jeder, der um diese Zeit sich frei machen konnte, das ganze Jahr hindurch freute. Durch Ihn empfingen jene Zusammenkünfte die höhere Weihe der Wissenschaft, und durch Ihn wurden die bedeutendsten Fachgenossen fremder Nationen dorthin gezogen.

Die Heidelberger Versammlung wurde im wahrsten und schönsten Wortsinne eine internationale Zusammenkunft.

Zum letzten Male ist A. von Graefe i. J. 1868 bei diesen Versammlungen anwesend gewesen. Damals, wie schon so oft zuvor, war Ihm vom permanenten Ausschuss der Gesellschaft der Auftrag geworden, die Anwesenden mit kurzen Worten zu begrüssen und die Sitzungen zu eröffnen. Er entledigte sich dieses Auftrages mit einem Hinblick auf die beiden voraufgegangenen Jahre, in denen die Gesellschaft ihre Sitzungen auszusetzen genöthigt war. „Das eine Mal" — so sprach er — „waren es die Wirren des Krieges, welche uns abhielten; düstere Zeiten, welche die Herzen der Deutschen mit tiefer Wehmuth erfüllten und in uns allen das trübe Bewusstsein wach riefen, wie sehr wir Menschen des 19. Jahrhunderts hinter den echten Zielpunkten kulturgeschichtlicher Entwicklung zurückstehen. Das zweite Mal war es ein Ereigniss freudiger Art." — es war die Pariser Weltausstellung, welche v. Graefe „eine herrliche Blüthe des Friedens" nannte.

Nun sind es wiederum die Wirren des Krieges, die unser Zusammensein verhindern, die uns verhindern, an jener Stelle, welche dem Gründer der Gesellschaft so besonders lieb geworden war, Sein Andenken zu feiern, und in Gemeinschaft mit den Vertretern aller Nationen, denen die Wissenschaft kein leerer und unbekannter Schall ist, Seinen allzufrühen Tod zu beklagen. Denn Alle — das wissen wir gewiss — betrachteten Ihn, wie wir, als ihren Lehrer und Meister, als ihr Vorbild und Muster in dem Streben nach Wahrheit, in der Kultur des Wissens, in der Liebe zu unserem Fach, in welchem wir Alle Eins sind; wie gross auch im Uebrigen die Verschiedenheiten sein mögen!

Wenn wir heute noch nicht im Stande sind, ein Erinnerungswort niederzuschreiben, an jenen Mann, der fast allein die Fundamente der neueren Augenheilkunde gelegt hat, so mögen die Wirren des Krieges diesmal auch uns zur Entschuldigung dienen!

Rostock, den 3. September 1870.

Onkologische Beobachtungen.

Von Dr. J. Hirschberg, Privatdocent in Berlin.

(Fortsetzung von VI. p. 153 bis 178 und VII. p. 65 bis 90.)

I. Krebs der Lidbindehaut.

Am 6. Mai d. J. wurde ein 62jähriger ziemlich kräftiger und wohlgebauter Mann in meine Klinik aufgenommen wegen einer Neubildung am oberen Lid des linken Auges. Derselbe war im Jahre 1866 wegen Glaucom beiderseits iridektomirt worden: das rechte Auge ist amaurotisch, die brechenden Medien nicht mehr hinlänglich klar; das linke zählt Finger auf 8 Fuss, zeigt Gesichtsfeldbeschränkung, besonders nach innen, und ausgeprägte Druckexcavation. Seit einem Jahre ist Vergrösserung des oberen Lides bemerkt worden. (In dem vorliegenden Fall steht die glaukomatöse Affection nicht in ursächlichem Zusammenhang mit der neoplastischen; fraglich ist, ob ein solcher präsumirt werden kann in dem Fall von Vernon, Ophth. Hosp. Rep. VI, 4, 295.)

Das obere Lid hängt herab und in seinem medialen Drittheil sogar noch über den oberen Rand des unteren. Es enthält hier eine rundliche glatte Auftreibung vom Umfange einer Lambertsnuss; die Cutis ist von kolossal erweiterten Venen durchzogen, jedoch nur gegen den freien Lidrand zu mit ihrer Unterlage fest verwachsen. Bei umgedrehtem Oberlide präsentirt sich die Neubildung als eine halbwallnussgrosse Hervorragung von kugeliger, jedoch vielfach mit kleineren Vorsprüngen besetzter, fast

13*

blumenkohlartiger, dabei aber glatter und glänzender Oberfläche, die eine gelbrothe Farbe und knorpelige Resistenz besitzt, nirgends Geschwürsbildung erkennen lässt. Ihr oberer Rand ist vom Fornix des Conjunctivalsacks noch um mehrere Linien entfernt, daher eine radicale Entfernung der Neoplasie ohne Gefährdung des Bulbus ausführbar.

Die Operation führte ich in der Weise aus, dass nach Exstirpation der grösseren medialen Hälfte des betroffenen Oberlides der entstandene bedeutende Defect sofort durch Einpflanzung eines viereckigen Stirnlappens und Herbeiziehung der Conjunctiva bulbi gedeckt wurde. (Diese bekanntlich von Dieffenbach herrührende Methode hatte neuerdings Prof. Knapp auf einen dem unsrigen analogen Fall mit Erfolg angewendet; s. dessen Arch. f. Augen- u. Ohrenheilk. I. 1. p. 1 bis 6, Fig. 1 u. 2, a. 1869.)

Zuerst wurde die stumpfe Branche einer starken geraden Scheere in der Richtung a b unter das Lid geführt und das letztere bis zum Orbitalrand hin durchtrennt, sodann (nach Spaltung der inneren Lidkommissur) in der Richtung c d, schliesslich in der von d b: wodurch das Stück a b d c in der gesammten Liddicke entfernt war und damit der Tumor T, von dessen Grenzen die Schnittflächen allenthalben (d. h. nach oben, nach innen, nach aussen) um ca. 3‴ entfernt blieben und in völlig gesundes Gewebe fielen. Danach wurde die untere mediale Ecke

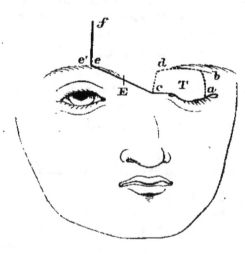

Fig. 1.

des Defectes (c) mit der Mitte der rechtseitigen Augen-
braue (e) durch einen Hautschnitt (von $1^{1}/_{2}$" Länge)
verbunden und dieser von seinem Endpunkt aus in der
Richtung nach oben (um $1^{1}/_{4}$") verlängert, bis nach f'. Der
viereckige Lappen d c e f mit der breiten Basis d f konnte
nun bequem abpräparirt und (nach Stillung der nicht ganz
unbedeutenden Blutung) nach links verschoben werden:
wobei zunächst c mit a und d mit b vereinigt wurde,
d. h. die linke (laterale) Seite des Lappens mit der vertikalen Schnittfläche des Lides; dann die untere Ecke der
rechten Seite des Lappens (e) mit E und schliesslich die
untere Seite des Lappens bis zum inneren Winkel des
neugebildeten Lides hin durch Nähte mit dem gegenüberliegenden geheftet wurde; und auf der Stirn ein dreieckiger
Hautdefect von der Grösse f e' E übrig blieb. Es dräng-
ten sich indess am inneren Augenwinkel mehrere Läppchen
des orbitalen Fettzellgewebes hervor. Diese abzuschneiden
schien nicht räthlich wegen der möglicherweise dadurch
entstehenden Retraction des Bulbus; sie unbedeckt zu lassen war unmöglich wegen der Gefahr der Eiterinfiltration
dieses lockeren Gewebes und einer retrobulbären Phleg-
mone: es wurde desshalb mit der Schielscheere die Conjunctiva bulbi, die im inneren oberen Quadranten ja nur
bis zur Umschlagsfalte ging, von hier längs der ganzen
Innenseite der Hornhaut ausgiebig gelockert und von der
Bulbusoberfläche abgetrennt, wodurch es ermöglicht ward,
ohne erhebliche Spannung die vorgefallenen Fettläppchen
zu bedecken und den Conjunctivalrand einerseits mit dem
neugebildeten Theil des Oberlides andrerseits mit der inneren Lidcommissur zu heften. Danach war die Beweglichkeit des Augapfels ziemlich unbehindert, abgesehen von
einer geringen Einschränkung der extremen Abduction,
wodurch überdies in dem vorliegenden Falle kein Schaden
erwachsen konnte, da das andere Auge amaurotisch. und
somit Doppelsehen beim Blick nach links hinüber nicht
zu befürchten war.

Die Heilung erfolgte ohne erhebliche Reaktion und zwar in der horizontalen Partie der Wundränder per primam, in der vertikalen per secundam, während hierselbst die Coaptation der Wundränder durch wiederholte Epidermoïdalnähe und Heftpflasterstreifen, die Flächenverlöthung des Lappens durch Monoculusverband gefördert wurde. Nach 10 Tagen konnte der Patient entlassen werden, und bald bot das neugebildete Lid einen befriedigenden Anblick.

Die anatomische Untersuchung des Präparates, dessen conjunctivale Ansicht auf Fig. 2, dessen vertikaler Medianschnitt auf Fig. 3 dargestellt ist, zeigt unzweideutig,

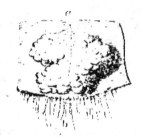

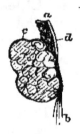

Fig. 2.   Fig. 3.

dass in dem vorliegenden Falle die krebsige Neubildung von der Bindehaut ausgeht, während in der Regel doch die Cutis die Keimstätte carcinöser Neoplasien an den Lidern abzugeben pflegt. (Vgl. L. Wecker, Etudes ophthalmologiques, I, 195, II. Edit.: „Le cancer débute plus rarement encore que l'épithélioma sur la conjonctive.")

Während die Cutis allenthalben über den Tumor fortzieht und nur gegen den freien Lidrand zu sich verdünnt, ist die Schleimhaut im grösseren Theil seines Bereiches makroskopisch gar nicht nachweisbar und tritt erst gegen den oberen Rand der Neubildung hin als gesonderte Schicht hervor. Die Schnittfläche der Geschwulst ist lobulär, indem kleine weisse Läppchen in graulicher Grundsubstanz

195

eingelagert sind und enthält nur 2 halberbsengrosse rothe
Stellen reicherer·Vaskularisation.

Das Mikroskop zeigt eine exquisit drüsenähnliche
Carcinomstructur. Dicht unter der freien Conjunctivalfläche
beginnen grosse cylindrische, hie und da mit Ausbuchun-
gen, namentlich endständigen, versehene und auch zum
Theil verästelte Schläuche, die ganz und gar aus dicht-
gedrängten, scharf contourirten, mässig grossen, kernhaltigen,
feinkörnigen Zellen bestehen, und welche durch breitere
oder schmälere Septa vom Bindegewebe mit zahlreichen
stäbchenförmigen Kernen getrennt·werden. Die breiteren
Septa werden noch von ganz schmalen (gefässähnlichen)
Zügen epithelialer Zellen durchzogen. An vielen Stellen
stehen die Schläuche so dicht an einander und dabei
senkrecht gegen die freie Conjunctivalfläche, wie etwa
die Labdrüsen in der Magenschleimhaut. Auf anderen
Schnitten oder auch nur an umschriebenen Stellen mancher
Präparate sind die Schläuche quer getroffen und stellen
Alveolen dar, deren Gerüst, durch Auspinselung klar gelegt, dem einer indurirten Lunge ziemlich ähnlich sieht.
Durch Zusatz verdünnter Natronlauge wird das in 8- bis
12facher Schicht liegende Epithel der Conjunctivalfläche
deutlich, hebt sich ausserordentlich scharf von
den neugebildeten Zellenconglomeraten ab;
meist ist noch zwischen Epithel und den Kuppen der
Schläuche eine dünne Bindegewebslage, jedenfalls aber
eine scharfe Grenzlinie nachweisbar. Ein Hervorgehen
der Krebszellenschläuche aus dem Epithel der freien Oberfläche konnte nirgends nachgewiesen werden.

Erklärung der Figuren 1 bis 3.

Fig. 1: (s oben) stellt schematisch die Schnittrichtungen dar.
Fig. 2: Conjunctivale Fläche des Tumor, der in der Richtung
ab der Dicke nach durchschnitten wurde; bei b die Cilien.
Fig. 3: Ansicht dieser Schnittfläche.
d = Derma, die Lidhaut.
c = Conjunctiva, nur hinten (oben) als gesonderte Membran
auf der Oberfläche der Neubildung sichtbar.

II. Gliosarcoma retinae.

Das folgende Präparat verdanke ich der Güte meines Freundes Dr. Katz in Essen, welcher den Fall beobachtete, operirte und sofort nach der Enucleation mir den Bulbus zusendete mit dieser Krankengeschichte:

„Die 3jährige Anna S. aus L. wird am $^{30}/_3$ 1870 zum ersten Male vorgestellt.. Seit 14 Tagen klagte das Mädchen über Schmerzen im rechten Auge, namentlich des Nachts, die verbunden mit der Vergrösserung der Pupille und dem „unheimlichen Blick" die Eltern sofort veranlassten, ärztliche Hilfe in Anspruch zu nehmen.

Das Kind ist kräftig und wohlgenährt, das rechte Auge zeigt geringe Protrusion, Vermehrung der Spannung (T + 2), Abflachung der vorderen Kammer und Trübung ihres Wassers, eine starre verwaschene Pupille mit weisslich grauem Reflex aus der Tiefe; und, während die ophthalmoskopische Untersuchung in Stich lässt, erkennt man bei fokaler Beleuchtung ziemlich prominente, stark lichtreflectirende Buckel im Glaskörperraum: so das namentlich im Hinblick auf das zarte Alter der Patientin die Diagnose Glioma retinae ausser allem Zweifel zu stehen schien.

Die sofort proponirte Enucleation stiess auf Widerstand von Seiten der Eltern; aber bereits am $^{21}/_5$ brachten sie zu diesem Behuf das Kind zurück, dessen Zustand sich in den 7 Wochen in einer erschreckenden Weise verschlimmert hatte: Auffällige Abmagerung, äusserste Blässe des Gesichtes, vollständige Anorexie, perpetuirliches Klagen und Jammern, Pulsbeschleunigung (130) und Fieberbewegungen.

Dabei sind die Augenlider geschwollen, prall gespannt und heiss, das obere hängt — fast wie bei Diphtheritis conjunctivae — über das untere herab; die Lidbindehaut ist ödematös und drängt sich als rother Wulst aus der Lidspalte hervor; das Auge prominent, sehr hart, die vordere Kammer aufgehoben. Gewiss erscheint der Fall wegen seines rapiden Verlaufes bemerkenswerth. — Nach Spaltung der äusseren Lidcommissur wird die Enucleation des Augapfels mit Resection des Sehnerven in der gewöhnlichen Weise vollführt. Die Orbita zeigt nirgends eine verdächtige Infiltration. Reaction nach dem Eingriff gering; vielmehr kommt es rasch zu einer erfreulichen Remission der acuten Symptome mit Wiederkehr der Ruhe und des Appetites."

Der Bulbus ist nur mässig vergrössert, in seiner Form und seinem äusseren Ansehen nicht wesentlich verändert. Sehnerv normal, ebenso — auf dem vertikalen Durchschnitt s. Fig. 4, — Cornea Iris, Ciliarkörper und Linse. Der

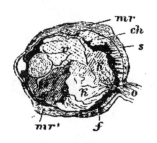

Fig. 4.

reducirte Glaskörper (v), in eine grünlich-gelbliche, hyaline, zähe Substanz verwandelt, occupirt hinter der Linse einen unregelmässig kegelförmigen Raum von nur 10 mm. Höhe und 12—15 mm. Basis und wird umgeben von der trichterförmig abgelösten Netzhaut, welche in ihrer hinteren Hälfte eine ca. 8 mm. dicke grauröthliche markige weiche, an der freien Aussenfläche höckrige Geschwulstmasse (K) bildet, in ihrer vorderen Hälfte als eine dünnere noch membranartige Lage den Glaskörper einschliesst und untrennbar mit demselben verwachsen ist. Der subretinale Raum (f) ist nur von geringer Kapacität, von weisslich flockiger Flüssigkeit erfüllt und von Pigmentepithel, dessen grössere Masse allerdings auf der Aussenfläche des Netzhauttumors sitzen geblieben. Die Aderhaut ist in toto, jedoch nicht hochgradig verdickt, stellt eine grauweisse derbe Membran dar, die namentlich in der oberen Hälfte des Präparates zu einem 2 mm starken weissen, mit der Sclera verwachsenen, an der freien Innenfläche fetzigen Geschwulstmasse anschwillt.

Das Mikroskop zeigt das gewöhnliche Bild des Netzhaut-markschwammes: dichtgedrängte kleine Rundzellen, verhält-nissmässig reiches Fibrillennetz (das Präparat ist in Alkohol gehärtet), hämatogene Pigmentkörnchen; nur sind Spindel-zellen von ziemlicher Grösse und an einzelnen Stellen des Präparates, besonders hinten, reichlicher als gewöhnlich anzutreffen. Die choroidale Neubildung ist im Wesent-lichen von klein- und rundzelliger Structur.

Erklärung der Eig. 4:

K = Tumor retinae.
Ch = Tumor choroïdis
f = subretinaler Raum.
s = sclera.
mr und mr' = musculi recti.

Ueber die Bedentung der Kataplasmen in der Behandlung der acuten Iritis.

Von

Schiess - Gemuseus.

Soviel mir bekannt, gebührt Mooren das Verdienst (ophthalmiatrische Beobachtungen pag. 134) auf den wohl-thätigen Einfluss der Applikation von warmen Breiumschlä-gen bei Iritis aufmerksam gemacht zu haben. Seit jener Zeit habe ich die wohlthätige Wirkung sowohl in Fällen der Spital- als Privatpraxis so vielfach erproben können, dass ich auch meinerseits dieses Mittel auf's Wärmste em-pfehlen kann. Ich hatte Anfangs beabsichtigt, eine Anzahl Krankengeschichten beizufügen, in denen dies ad oculos demonstrirt würde, bin aber wieder von dem Gedanken abgestanden, hauptsächlich aus dem Grunde, weil die Iritis acuta, und von dieser spreche ich zunächst, eine so häufig vorkommende Krankheit ist, dass ein jeder beschäftigte Arzt selbst im Falle ist, die entsprechenden Erfahrungen zu sammeln. Im Allgemeinen sind es gerade die acutesten Fälle, diejenigen, welche mit sehr starker Injection und ausgiebiger Adhäsionsbildung auftreten, bei denen die Wirkung der Kataplasmen am raschesten sich geltend macht. Die Injection geht nach und nach zurück; die Adhäsionen lösen sich, die von nächtlichen Schmerzen gequälten Kranken fangen wieder an zu schlafen und die Trübung des Humor aqueus und Glaskörpers geht zurück; das Sehvermögen hebt sich. Selbstverständlich wird dabei die Anwendung des Atropins nicht vernachlässigt. Während aber früher die Injection oft trotz wiederholter Blutentziehung nicht zurückgehen wollte, das Atropin nicht zur Resorption gelangte, sehe ich unter der Kataplasmenapplication das Mydriaticum viel rascher seine Wirkung entfalten. Mercurialien und Blutentziehungen sind dabei, wenn für die ersten nicht specifische Gründe sprechen, ziemlich aus meiner Rüstkammer geschwunden, und bin ich häufig im Falle, Patienten, die schon auswärts den ganzen Apparat der antiphlogistischen Methode umsonst erschöpft, einer raschen Besserung unter Kataplasmen zuschreiten zu sehen. Wenn Mercurialien nöthig sind, so lasse ich entweder nach der englischen Methode kleine Calomeldosen mit Opium nehmen oder ich applicire die graue Salbe. Während ich mich aber aus frühen Zeiten mehrerer Fälle erinnere, wo eine entschiedene Lösung der entzündlichen Erscheinungen erst beim Beginn der Salivation erreicht wurde, bin ich seit der Anwendung der Kataplasmen nie mehr genöthigt gewesen, so weit zu gehen.

Ein grosser Vortheil der Kataplasmen ist auch die Einfachheit der Anwendungsweise, die ihre allseitigste Einführung ermöglicht. Ich erinnere mich eines Patienten, der nach Iritis specifica kleine Recidiven, an eine zurückgebliebene Adhäsion anknüpfend, zu wiederholten Malen gehabt und dem ich desshalb eine Iridektomie vorgeschlagen; er konnte sich dazu nicht entschliessen, und führte seine Kataplasmenbehandlung auf eigene Faust in der Weise fort, dass er des Tags auf dem Bureau arbeitete und Abends kataplasmirte, und zu meinem Erstaunen konnte ich einige Monate später konstatiren, dass jede Spur von Reizung geschwunden, nachdem ich früher dem Patienten erklärt: entweder Operation oder das Auge wird nicht besser. Die Adhäsion natürlich war geblieben. Eine Theorie der Kataplasmenwirkung beabsichtige ich nicht zu geben. Mooren sagt darüber loc. cit.: „sie wirken gewissermaassen entspannend auf das die gefüllten Blutgefässe einschnürende Faserwerk der Iris. Dadurch wird die Circulation freier, ihr folgt eine Abnahme der neuralgischen Beschwerden." Dass durch Application feuchter Wärme, sei es des warmen Bades oder der Breiumschläge, auch an anderen Körpertheilen circulatorische Störungen ausgeglichen, Geschwulst vertheilt wird, weiss Jedermann.

Noch ein Wort über die Art der Application. Wir nehmen gewöhnlich die Farin. semin. lini, die mit Wasser über einer Spiritusflamme zu einem schleimigen Brei verrührt wird. Dieser Brei wird in kleine, der Grösse des Auges entsprechende Leinwand-Läppchen eingehüllt und auf's Auge gebunden; der Kranke muss dabei immer liegen; alle Viertelstunden wird das Kataplasma gewechselt; sind die Leute einigermaassen intelligent, so können sie dies nach einiger Anleitung selbst besorgen, und es muss nur dafür gesorgt werden, dass der Brei nicht zu sehr eintrockne. Am bequemsten geht die Sache mit einer zinnernen Wärmflasche, auf die das eine Kataplasma aufgelegt wird, während man das andere auf's Auge bindet, so ist der Wechsel rasch besorgt; das Auge bleibt beständig unter den Kataplasmen. Wird die Wärmflasche mit kochendem Wasser gefüllt und unter einem wollenen Tuche gehalten, so kann sie 6 bis 8 Stunden dienen. Anfangs lassen wir die Kataplasmen den ganzen Tag fortsetzen, bei heftigen Fällen auch die ganze Nacht hindurch; später lässt man freie Intervalle eintreten je nach Bedürfniss, und wird es nicht nöthig sein, hierüber bestimmte Regeln zu ertheilen. Gänzlich ausgesetzt werden die Kataplasmen erst dann, wenn auch des Morgens keine vermehrte pericorneale Injection mehr vorhanden ist. Da wir bei unserem beschränkten Platze immer genöthigt sind, die Kranken früh zu entlassen, so lassen wir häufig nach gelösten Adhäsionen die Kranken austreten und diese noch mit den Kataplasmen fortfahren. Wer weiss, wie heruntergekommen früher die Iritiker nach ihrer „Genesung" waren, wird wenigstens wohl zu einem Versuch mit der Kataplasmenbehandlung, die weder für den Arzt noch für den Kranken mit Inconvenienzen verbunden ist, sich bewogen fühlen und auch bald lernen, dem einzelnen Falle die Behandlung anzupassen. Auch bei secundären iritischen Processen und Verletzungen oder Staaroperationen leisten die Kataplasmen sehr gute Dienste.

Zur Therapie des ulcus corneae serpens (Saemisch)

von

Dr. Hermann Pagenstecher.

Die jüngst von Saemisch *) erschienene Broschüre über das ulcus corneae serpens und seine Therapie gab die Veranlassung, die darin empfohlene Behandlungsweise an den in der Augenheilanstalt zu Wiesbaden vorkommenden Fällen zu prüfen. Obgleich mit der hier seit vielen Jahren gegen diese Erkrankungsform angewandten Therapie, die im Allgemeinen in der Application von Atropin, war-

---

*) Das ulcus corneae serpens und seine Therapie. Eine klinische Studie von Dr. Th. Saemisch, Bonn, Max Cohen & Sohn 1870.

men Aufschlägen, Druckverband bestand, in sehr vielen Fällen sehr gute Resultate erzielt wurden, so war doch der Procentsatz von denjenigen Fällen, die mit völligem oder doch fast völligem Verlust des Sehvermögens endeten, nicht gering genug, um nicht eine neue von einem so bewährten Fachmanne empfohlene Behandlungsweise zu prüfen, resp. zu adoptiren. Bis jetzt wurde die Operation im Ganzen 12mal von Hofrath Dr. Pagenstecher ausgeführt. Wenn auch diese Zahl der Beobachtungen viel zu gering erscheinen mag, um über das Verfahren ein endgültiges Urtheil zu fällen, so rechtfertigt doch die überraschende Schnelligkeit und Sicherheit, mit welcher in fast allen Fällen der Process zum Abschluss gebracht wurde, diese Behandlungsweise angelegentlichst allen Fachgenossen zu dem Zwecke zu empfehlen, dieselbe einer weiteren Prüfung zu unterziehen.

Die Beobachtungen, die wir bei Anwendung dieser Therapie zu machen Gelegenheit hatten, lassen sich der Hauptsache nach unter folgende Gesichtspunkte bringen.

1) Der Ulcerationsprocess auf der Hornhaut wird in seinen bestehenden Grenzen zürückgehalten und dadurch die für das Sehvermögen so störenden Hornhauttrübungen auf das möglichste Minimum reducirt.

2) Der Geschwürsgrund reinigt sich, wird transparenter und die nur nach einer Seite hin bestehende Infiltration verschwindet nach einigen Tagen gänzlich. In zwei Fällen konnten wir dieses einmal nach 24, das andere Mal nach 36 Stunden beobachten.

3) Bestehendes Hypopyon oder die das Kammerwasser trübenden Elemente werden zum grössten Theile entleert und die Resorption der zurückbleibenden Partie sehr befördert. Schon hierdurch wird die Gefahr, die bei allen übrigen Behandlungsweisen oft nicht zu vermeiden ist, die Organisation dieser Elemente und der oft dadurch bedingte Pupillarverschluss oder Auflagerung auf die vorderere Kapsel sehr vermindert.

4) Die iritische Reizung nimmt rasch ab, wenigstens sieht man — und scheint dies vorzugsweise bei frischen Fällen vorzukommen — sehr bald eine gute Mydriasis eintreten.

5) Bestehende Ciliarneuralgie wird, wenn nicht sofort, so doch gewöhnlich nach einigen Stunden zum völligen Sistiren gebracht.

In Betreff der Ausführung der Operation wurden strenge die Vorschriften von Sämisch befolgt. In keinem einzigen aller behandelten Fälle trat während der Operation ein übler Zufall ein, obwohl sich zweimal das Kammerwasser sehr plötzlich gleichsam in einem Strahle entleerte. Zweimal sahen wir eine kleine Blutung in die vordere Kammer erfolgen; ob dieselbe dem Platzen eines Iris-Gefässes bei plötzlicher Druckänderung oder neugebildeten Cornealgefässen zuzuschreiben war, liess sich nicht sicher nachweisen.

Das austretende Kammerwasser hat stets ein mehr oder weniger trübes Aussehen und wird mit demselben bei bestehendem Hypopyon gewöhnlich ein Theil des letzteren zugleich mit faserstoffigen Massen entleert. Sollte sich direct nach der Operation die Iris etwas in die Wunde einklemmen, so lässt sich dieselbe gewöhnlich schon nach einigen Minuten durch leichtes Streichen vermittelst des oberen oder unteren Lides längst der Cornea wieder zurückbringen.

Die nächste Wirkung der Operation äussert sich in manchen Fällen in einem oft unmittelbaren Nachlasse der heftigsten Ciliarneuralgie, in anderen schien dieselbe für die erste $1/4$ oder $1/2$ Stunde verstärkt, um dann einem wohlthuenden Gefühle Platz zu machen; nur selten dauert dieselbe länger und weicht erst einer wiederholten Entleerung des Kammerwassers.

Die Nachbehandlung, in der wir nur in sehr geringen Punkten von den Vorschriften Sämisch's abgewichen sind, bestand im Auflegen einer feuchten Compresse, dem

Einträufeln von Atropin, je nachdem stündlich oder zweistündlich, der Application eines Druckverbandes während
der Nacht und, worin der Schwerpunkt des ganzen Verfahrens liegt, dem Offenhalten oder vielmehr häufigen Eröffnen der Corneal-Wunde während der nächsten Tage.
Der Druckverband wurde in allen Fällen gut vertragen,
und glauben wir, abgesehen davon, dass erfahrungsgemäss
die Heilung der geschwürigen Hornhautprocesse unter einer
solchen Immobilisation besser von Statten geht, dessen Anlegung noch dadurch rechtfertigen zu können, dass der
Patient an einem unwillkührlichen Reiben der Augen während des Schlafes verhindert wird. Es scheint uns dieser
Umstand besonders wichtig, da nach dem Abfliessen des
Humor aqueus hierdurch sehr leicht Einklemmung
der Iris, Verletzung der Zonula Zinnii oder Hyaloidea
eintreten kann. Ein jeder, der bei Kataraktoperationen
in dieser Beziehung schon traurige Erfahrungen gemacht
hat, wird diese Vorsichtsmassregel für das meist schmerz-
liche Auge nicht für übertrieben halten.

Sehr häufig haben wir schon am Abende des Opera-
tionstages direct vor der Anlegung des Druckverbandes
das Kammerwasser wiederum entleert. Es gelingt dies
gewöhnlich durch einen leichten Druck mit dem oberen
oder unteren Lide auf einen der Wundränder; kommt
man damit nicht zum Ziele, so bedient man sich dazu
einer Sonde oder eines Daviel'schen Löffels; nur in selteneren Fällen, wenn die Verklebung schon eine sehr feste
geworden ist, bedarf es der gewaltsamen Aufreissung vermittelst eines silbernen Häkchens oder eines couteau
mousse.

In keinem einzigen aller beobachteten Fälle konnte am
folgenden Tage eine Zunahme der Geschwürsfläche bemerkt werden; dagegen zeigte dieselbe fast immer ein
reineres Aussehen, die infiltrirte Randpartie war zuweilen
schon dünner geworden, ja in zwei Fällen nach Verlauf
von 24 resp. 36 Stunden völlig verschwunden. Bestande-

nes Hypopyon war meist nicht mehr nachweisbar, und zugleich zeigte sich eine bessere Mydriasis.

Für die nachfolgenden Tage haben wir dieselbe Behandlungsweise beibehalten und täglich 2 bis 3mal, je nach Umständen, das Kammerwasser entleert, Atropin gewöhnlich zweistündlich applicirt und Nachts den Druckverband angelegt.

Es erhebt sich hier die Frage, wie lange soll man dieses Verfahren fortsetzen, und welche Anhaltspunkte haben wir zur Bestimmung des Zeitpunktes, die Cornealwunde zum völligen Verschluss zu bringen. Sämisch giebt hierüber an „bis die Reparation des Geschwürs begonnen hat, d. h. bis nur noch Spuren von Randtrübung vorhanden und von einer intensiveren Trübung in der geschwürigen Partie weiter nichts mehr als die Region des Schnittes wahrzunehmen ist"; er sagt, dass dies durchschnittlich in der 3ten Woche der Behandlung der Fall ist.

Wir haben im Allgemeinen die Eröffnung der vorderen Kammer nicht so lange fortgesetzt, einestheils weil wir dachten, dass dadurch der Process in die Länge gezogen werden konnte, anderntheils — und dies war in fast allen Fällen der leitende Grundsatz — weil uns die Reparation des ulcus in einer früheren Periode eingetreten erschien. So kam es, dass wir in einigen Fällen nur 4, in anderen 6 und 7 und nur in einem einzigen Falle 8 Tage lang die Cornealwunde offen hielten. Allerdings kann ich nicht unterlassen zu erwähnen, dass häufig an einem Tage 2 bis 3mal die Entleerung des Kammerwassers vorgenommen wurde, und dass ferner in einem Falle, in dem nach 4 Tagen die Schliessung der Wunde von Statten ging, wegen Recidivirung des Processes nach 8 Tagen abermals eine Cornealdurchschneidung und zwar in einer zur vorigen senkrechten Richtung vorgenommen werden musste, mit welcher denn schliesslich nach einer 6wöchentlichen Behandlung (vom Datum der ersten Operation an gerechnet) ein sehr gutes Resultat erzielt wurde.

Einige Zeit nach der Schliessung der Wunde und Abnahme der Reizerscheinungen wurde mit Vortheil das Ung. rubr. angewandt; da dasselbe nicht unwesentlich zur Aufhellung der ergriffenen Cornealpartie beiträgt.

Das Resultat der Behandlungsweise gestaltete sich also summa summarum derart, dass in allen Fällen die Patienten mit einer mehr oder weniger grossen und dichten Hornhauttrübung (gewöhnlich der Grösse des Geschwürs entsprechend), in der sich die Schnittrichtung durch eine intensivere Trübung markirte, entlassen werden konnten. Letztere kann unmöglich als sehr nachtheilig für das Sehvermögen betrachtet werden, da sie zum weitausgrössten Theile in einer diffusen Cornealtrübung liegt, die an und für sich sehr geeignet ist, das Licht zu zerstreuen.

Genauere Angaben über die Dauer der Behandlung in der Anstalt würden sehr verschiedene Zahlen aufweisen; natürlich hängt dieses von der Natur des Processes, der Individualität des Kranken und auch von dessen Geduld ab; aus diesem Grunde haben auch Durchschnittszahlen wenig Werth; nur so viel lässt sich im Allgemeinen mit Sicherheit angeben, dass man mit diesem Verfahren in ganz entschieden kürzerer Zeit zum Ziele kommt, als mit allen früher angewandten.

Solche Erfolge sind ermuthigend genug, diese Therapie bei allen vorkommenden Fällen so bald als möglich anzuwenden, und wenn wir — was mehr als wahrscheinlich — in Zukunft durch weitere Erfahrungen in Betreff der Sicherheit derselben bestärkt werden sollten, so können wir dieselbe als eine bedeutende Errungenschaft bezeichnen, die sicherlich die Zahl der totalen Leucome um einen grossen Procentsatz verringern wird.

Klinische Beobachtungen.

182. Atrophia nervi optici nach Erysipelas faciei.

In der letzten Zeit hatte ich Gelegenheit in der Augen-heilanstalt zu Wiesbaden zwei Fälle zu beobachten, die sowohl wegen der Seltenheit ihres Vorkommens, als auch wegen ihres schnellen und dabei unglücklichen Verlaufes einiges Interesse in Anspruch nehmen dürften. Es han-delte sich nämlich in beiden um ein ausgesprochenes Ge-sichts- und Kopf-Erysipel, das im einen Falle in Folge einer Verletzung, im anderen spontan entstanden war, und welches das einemal in einem Zeitraum von 14 Tagen zur völligen Atrophia nervi optici führte; das andere mal nach 3 Wochen eine partielle Atrophie mit hochgradiger Herabsetzung der Sehschärfe verursachte.

Die Litteratur enthält, soviel mir wenigstens darüber bekannt, nur wenige analoge Angaben. In dem ophthal-moskopischen Hand-Atlas von Eduard von Jäger finden sich in zwei Krankengeschichten, die zur Erläuterung des ophthlmoskopischen Befundes auf Taf. X. Fig. 51 und Taf. XVI. Fig. 75 dienen, hierauf bezügliche Mittheilungen. Die daselbst gegebene Beschreibung des ersterwähnten Falles lässt wohl keinen Zweifel darüber, dass es sich um ein Erysipel handelte und auch die für den anderen Fall angeführten Erscheinungen lassen sich kaum in anderer Weise deuten. In beiden erwähnten Fällen zeigten die nach unten zu verlaufenden Gefässe eine beträchtliche Volumsabnahme und zwar ganz dasselbe Verhalten — vielleicht nur ein Spiel des Zufalls — in einem unsrer Fälle ausgeprägt.

Was als eigentliche Ursache dieses atrophischen Pro-cesses anzusehen ist, darüber weitläufige Betrachtungen anzustellen will ich unterlassen. Die Annahme, dass sich der erysipelatöse Process auf das retrobulbäre Gewebe fortgesetzt, liegt sehr nahe; ob derselbe hier einfach durch Druck oder wie jüngst Busch*) für besondere Geschwulst-

14*

arten hervorgehoben *), durch Resorption wirke, wage ich nicht zu entscheiden.

Fall 1. Johann F., 63 Jahre alt, Bauer, erlitt Anfangs April dieses Jahres beim Arbeiten im Weinberge eine leichte Verletzung am inneren Winkel des linken Auges durch den Schlag einer Rebe. Nach derselben konnte Patient noch vollkommen gut mit demselben Auge sehen; er erwähnt ausdrücklich noch, dass er das rechte Auge geschlossen und keine Abnahme der Sehkraft des linken Auges habe bemerken können und dass er ferner in gewohnter Weise bis zum Abende des folgenden Tages weiter gearbeitet habe. Dann trat plötzlich unter Fiebererscheinungen eine von der kleinen Wundstelle ausgehende Schwellung, Röthe und Schmerzhaftigkeit der Augenlider ein. Dieselbe verbreitete sich bald über die linke Gesichtshälfte, einen Theil des behaarten Kopfes und entzog am nächsten Tage das Auge dem Blicke vollständig. Dabei soll wie Patient angiebt eine geringe Schwerbeweglichkeit und leichte Schmerzhaftigkeit des Bulbus bestanden haben. Nachdem nach Ablauf von circa 14 Tagen die Schwellung der Augenlider vorüber, bemerkte Patient den völligen Verlust des Sehvermögens.

Als sich derselbe am 24. Mai 70 zum erstenmale vorstellte, liess sich links am inneren Augenwinkel eine nach dem oberen Lide hin sich erstreckende kleine Narbe erkennen; zugleich bestand Parese des Levator palpebr. super.

Der Bulbus selbst lag nur ein weniges tiefer in der Orbita als rechts; Grösse und Consistenz desselben normal. Es bestand mässige Mydriasis und Amaurosis absoluta. — Die ophthalmoskopische Untersuchung ergab klare brechende Medien. Die Papille weiss, scharf begrenzt; Retinalgefässe in sehr hohem Grade atrophisch; nach unten verlaufen zwei fadenförmig sich in einiger Entfernung von der Papille verlierende, nach oben drei stärkere (Arterie und

---

*) Siehe Billroth und Pitha, Chirurgie Bd. I Abtheil. pag. 174 und Medicin. Centralzeitung 1868 Nr. 33.

2 Venen), die etwas weiter in die Peripherie der Retina sich verfolgen lassen. Erscheinungen, die auf einen früher vorhandenen entzündlichen Vorgang hindeuteten, sind nicht vorhanden.

An der Macula lutea und in den peripherischen Theilen des Augenhintergrundes sind ausser der schon angeführten Gefässarmuth der Retina keine nachweisbaren Veränderungen vorhanden. Das rechte Auge hatte emmetropischen Bau $S = {}^{15}/_{15}$.

Fall II. Carl D., 49 Jahre alt, Bierbrauer, war angeblich früher ganz gesund und hat immer gut in die Nähe und Ferne gesehen. In der letzten Zeit bediente er sich zum Lesen in der Nähe einer Lesebrille deren Stärke er nicht angeben konnte.

Etwas vor Ostern d. J. erkrankte Derselbe während der Nacht unter Fiebererscheinungen, verbunden mit heftigem Kopfschmerz.

Folgenden Tages begann das Gesicht zu schwellen, roth und schmerzhaft zu werden. Die Augen waren, wie er sich ausdrückt, gänzlich zugeschwollen, dabei nicht vorgetrieben und nicht schmerzhaft; nur zeitweise will er ein Gefühl von Jucken in denselben verspürt haben. Diese Schwellung erstreckte sich bald über den ganzen behaarten Kopf. Die Krankheit, während deren Beginn er heftig delirirte, soll circa 3 Wochen gedauert haben und von dem behandelnden Arzte als Gesichts- und Kopfrose bezeichnet worden sein. Als Patient nach Ablauf dieser Zeit zum ersten Male wieder das Bett verliess, bemerkte er, dass seine Sehkraft in hohem Grade abgenommen habe. Dieser Zustand blieb stationär bis zum heutigen Tage, wenigstens soll keine bemerkbare Verschlechterung des Sehvermögens von da ab mehr eingetreten sein. Die am 28. Mai 70 vorgenommene Untersuchung der Augen ergab beiderseits $Hm = {}^{1}/_{30}$ $S = {}^{15}/_{100}$; mit $+ {}^{1}/_{26}$ werden Worte von Jäg. Nr. 12 und mit $+ {}^{1}/_{10}$ Worte von Jäg. Nr. 7 mit Mühe gelesen. Die brechenden Medien waren völlig klar. Die

Papillen beiderseits von weissröthlicher Farbe und scharf begrenzt; Lamina cribrosa deutlich durchscheinend. Blutzufuhr zur Retina vermindert; die Venen, ganz besonders aber die Arterien zeigen ein geringeres Caliber als in der Norm. An der Macula lutea und in den peripherischen Theilen der Netzhaut keine nachweisbaren Veränderungen. Eine peripherische Gesichtsfeldbeschränkung war nicht vorhanden, dagegen liess sich ein ziemlich scharf begrenztes Trübesehen um den Fixirpunkt an beiden Augen mit Sicherheit constatiren. Dr. Hermann Pagenstecher.

183. Subretinales Extravasat in der Gegend der Macula lutea.

(Hierzu die Tafel in Farbendruck.)

Ich gebe nachfolgend einen kurzen Bericht über einen Fall von Netzhauthämorrhagie, welcher vom 26. Jan. bis 23. Febr. 1870 in der Basler Augenheilanstalt beobachtet wurde, hauptsächlich deshalb, weil das ophthalmoskopische Bild desselben wesentlich von dem gewöhnlichen differirt.

Frau Fleury, 42 Jahre alt, Arbeiterin in einer Seidenbandweberei in Basel, bis dahin noch nie krank, bemerkte am 14. Jan. Abends keim Nachhausegehen einen Nebel vor dem linken Auge. Am folgenden Morgen war das Sehvermögen desselben stark herabgesetzt und war bis zum 26. Jan., als sie in die Anstalt eintrat, gleich geblieben.

Status praesens beim Eintritt rechts S = 1, links S = $^8/_{200}$, keine Gesichtsfeldbeschränkung, links kreisförmiges centrales Skotom, welches bei 12 Fuss Entfernung durch Handbewegung bestimmt 30 Zoll im Durchmesser hält. Das Skotom erscheint nicht röthlich, sondern graulich. Die Papillen stellen beiderseits ein stehendes Oval mit allseitig scharfer Begrenzung dar, die Gefässe sind beiderseits eher dünn. Die Färbung der Papillen ist durchsichtig blassroth; Andeutung von physiologischer Excavation. Nach innen oben von der Papille (die Bezeichnungen der Localität nach dem umgekehrten Bilde gegeben) eine über papillengrosse, halbmondförmige Convexität nach oben, dunkelrothe Stelle, zu welcher ein venöses Gefäss verläuft, welches im Bereich der angegebenen Stelle unsichtbar wird. An diese dunkelrothe Stelle schliesst sich nach unten eine mehr rothbraune Partie an, welche, kreisförmig begrenzt, sich so weit abwärts erstreckt, dass ihr unterer Rand in gleicher Höhe mit der Papillenmitte steht. Ihr äusserer unterer Rand berührt nach innen oben fast die Papille. Im unteren Rande ist eine feine weisse Strichelung bemerkbar. An das dunkelrothe Extravasat schliesst sich nach oben eine helle rothe Zone an, welche von innen nach aussen breiter werdend, allmälich eine dunklere Färbung annimmt und nach unten in die oben erwähnte braunrothe Partie übergeht. Dieses erste Bild habe ich leider nicht gemalt, ich kann nur eine schematische Zeichnung beifügen. (Fig. a.)

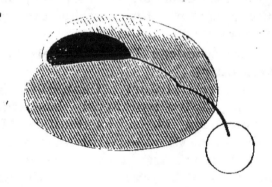

Behandlung: ruhiger Aufenthalt im verdunkelten Zimmer, Ung. jodat. als Stirnsalbe. Elixir. acid. Haller.

31. Jan. $S = {}^{18}/_{100}$.

1. Febr. $S = {}^{1}/_{10}$ bei etwas excentrischer Fixation.

3. Febr. $S = {}^{1}/_{5}$. 5. Febr. $S = {}^{2}/_{7}$. Opth. ziemlich stat. id.

9. Febr. $S = {}^{2}/_{5}$. In der rostbraunen Partie unterhalb des Extravasates zeigen sich weisse Herde, welche dann rasch zunehmen, und am 11. Febr. ist das ophthalmoskopische Verhalten so, wie es Fig. 1 angiebt. Die Grenzen der rothbraunen Partie sind allseitig enger geworden.

Das Extravasat ist etwas kleiner, die hellrothe Zone über demselben noch leicht angedeutet.

13. Febr. Fig. 2. $S = {}^2/_5$.

23. Febr. Fig. 3. $S = {}^2/_5$. Extravasat viel kleiner und blasser. Austritt aus der Anstalt.

30. März. S fast $= {}^1/_2$. Fig. 4.

10. Juni. $S = {}^2/_3$ schwach. Kein Skotom. Ganz normaler Hintergrund, nur an der Stelle, an welcher in Fig. 4 der weisse Herd besteht, ist eine schwach grauliche Verfärbung vorhanden.

Das Eigenthümliche dieses Falles liegt jedenfalls in der fettigen Umwandelung des ergossenen Blutes, denn als solches fasse ich die weisse Verfärbung in Fig. 1 bis 3 auf.

Für die Annahme eines subretinalen Blutergusses spricht die rasche Zunahme des Sehvermögens trotz der bestehenden hochgradigen Veränderung im Anfange, und die so zu sagen vollständige, sowohl functionelle als ophthalmoskopische Wiederherstellung.   B e t k e.

184. Rasch entstandene Totalamaurosis links; vollständige Wiederherstellung.

Katharine Erzer, früher Landarbeiterin, seit 3 Wochen in einer Floretspinnerei beschäftigt, zu der sie bei jeder Witterung einen ${}^5/_4$stündigen Weg zu Fuss machen muss; die eine Woche wird des Tags, die andere des Nachts gearbeitet; ist völlig gesund. Am 19. April 1869 spürte sie Schmerzen in der Superciliargegend links und zugleich Nebel vor dem linken Auge, der sich so steigerte, dass sie am 25. links völlig blind in unsere Anstalt trat. Das Auge war äusserlich völlig normal; die Papille etwas geröthet, leicht prominent; in der Umgebung etwas grauliche Verfärbung der Retina. Sonst war weder central noch peripherisch irgend welche Abnormität aufzufinden. Verordnung: Aufenthalt im dunkeln Zimmer, Unguentum jodat. Heurteloup'sche Blutentziehung. 27. Noch ganz blind links; die Retinalarterien eher dünn; Venen leicht verdickt; es wird ein Setaceum ad nucham applicirt. 30. Deutliche quantitative Lichtempfindung.

1. Mai. Die Projection fängt an, nach aussen sich zu reguliren, ist nach innen und oben noch mangelhaft. 3. Wieder Heurteloup. 5. $S = \frac{1}{200}$, gute Projection. Nun hebt sich das Sehvermögen rasch von Tag zu Tage, ist am 7. $= \frac{1}{40}$, am 8. $= \frac{1}{30}$; bis jetzt bleibt sich der ophthalmoskopische Befund gleich; am 10. ist S noch $= \frac{1}{30}$, nochmals eine Heurteloup'sche Blutentziehung; am 12. ist der Augenhintergrund normalisirt und $S = \frac{2}{7}$; am 14. $S = 1$; am 15. wird die Patientin entlassen; am 21. Juni stellt sie sich gesund vor und ist seither gesund geblieben. Woher nun die totale Amaurose? Es kann sich nur um einen entzündlichen Prozess im Bindegewebe des Opticus gehandelt haben, ob derselbe ein primärer oder ein fortgeleiteter gewesen, darüber wage ich nicht endgültig zu entscheiden.

185. Intraoouläres Gliom.

Jakob Vogt, $2\frac{1}{2}$ Jahre alt, sehr blühendes, wohlgenährtes Kind, wird am 21. Juli 1869 zu uns gebracht. Erst seit 14 Tagen bemerkte man rechts im „Stern" einen weissen Fleck. Der gewöhnliche, gelbweisse Reflex vom Augenhintergrund; die Geschwulst bis dicht hinter die Linse gerückt; man sieht sehr deutlich die rothen Netzhautgefässe in den noch halbtransparenten röthlichen Theilen der Geschwulst, die den noch weniger veränderten Netzhautpartien entsprechen. Linkes Auge normal; rechte Pupille erweitert sich auf Atropin nur unvollständig, Tension vermehrt.

Am 22. Juli wird das Auge enucleirt. — Der Glaskörper ist durch die weissliche, beim Oeffnen des Auges vorquellende Geschwulstmasse fast ganz verdrängt; Geschwulst auf die Netzhaut beschränkt, von der gewöhnlichen histologischen Beschaffenheit; an einzelnen Stellen schon fettige Metamorphose. Der behandelnde Arzt schreibt mir im März 1870, dass der Kleine sich durchaus wohl befinde; er werde mir die geringste Veränderung anzeigen; da ich bis heute, Ende August, keinen Bericht erhalten, kann ich mit Sicherheit annehmen, dass der nur eine Stunde entfernte Kleine bis heute, also über ein Jahr nach der Enucleation, kein Recitiv zeigt.

186. Iridocyklitis mit grossen Schwankungen im Sehvermögen.

Veronika Drho, 22 Jahre alt, Magd, sehr blasses, anämisches Individuum, regelmässig menstruirt, wird am 16. August 1869 aufgenommen, hatte rechterseits schon 3mal Schmerzen im Auge gehabt ohne merkliche Entzündung, im Juli, November und Dezember 1868. Seit dem letzten Schmerzanfall soll ein „Nebel" zurückgeblieben sein. Seit zwei Monaten sei das Gesicht Morgens immer schlechter als Abends. Seit 16 Tagen nehme das Gesicht auffallend ab, doch hat sie bisher ihren Dienst noch versehen. Auf Sinapismen und Aderlass sei das Gesicht für kurze Zeit besser geworden. Ich finde Morgens 11 Uhr rechts S. $= 2/_{200}$, links S $= 2/_7$, H. $= 1/_{30}$, Abends 5 Uhr ist das Sehvermögen rechts auf $1/_{200}$, links auf $4/_{200}$ herabgesunken. Es war beiderseits exquisite Iridocyklitis diagnosticirt worden; die Iris hatte sich links vom Morgen auf den Abend ganz bedeutend vorgewölbt; während am Morgen noch eine vordere Kammer existirt hatte; keine merkliche Injection der Conjunctiva. Am folgenden Tage stellte sich etwas Stechen ein und Thränen der Augen mit etwas pericornealer Injection; links blieb das Sehvermögen gleich, rechts ist es nur noch quantitativ; die Tension dabei rechts etwas vermehrt. Am 18. geht die Injection etwas zurück; das Sehvermögen hebt sich links wieder auf $6/_{200}$, rechts auf $2/_{1000}$; dabei ist eine leichte Beschränkung nach innen und oben rechts zu constatiren. Am 19. wird beiderseits eine breite Iridektomie gemacht; starker Bluterguss in die vordere Kammer; in den folgenden Tagen beiderseits etwas Conjunctivalödem. Am 25. links nur noch kleines Blutniveau; rechts die Kammer noch fast gefüllt. Am 28. in der Nacht rechts wieder neuer Bluterguss, nun aber sehr rasche Resorption, so dass am 1. Sept. die Kammer beinahe blutfrei war und eine ziemlich grosse Iridodialyse constatirt werden kann. Am 4. Sept. ist S links wieder == $^1/_5$, rechts == $^1/_{1000}$. Am 22. Sept. links S == $^2/_5$, rechts == $^1/_{1000}$; rechts hat sich die Pupille durch neue Schwarten fast ganz wieder geschlossen.

Die bedeutenden Schwankungen des Sehvermögens Anfangs lassen sich wohl nur durch rasch wechselnde sekretorische Vorgänge erklären, wie sie, grössere Zeiträume beanspruchend, häufig beobachtet werden; so bedeutende Schwankungen an einem Tage, wie sie hier am Tage der Aufnahme beobachtet worden, dürften selten sein.

187. Eintritt der ganzen Linsen in die vordere Kammer nach Discision, spontane Resorption ohne Dehiscenz.

Carl Böringer, 9 Jahre alt, bemerkt seit einem Jahre Abnahme des Gesichts, R. S. == $^6/_{1000}$, L. == $^4/_{100}$, beiderseits Linsenstaar. Am 30. November 1869 wird rechts eine vorsichtige Discision gemacht; nur ein Theil des Kammerwassers fliesst ab; dann drängt sich aus dem spontan weiter reissenden Kapselschnitt die ganze Linse in die vordere Kammer; nur peripherisch ist noch ein schmaler Irissaum sichtbar. Am 1. Dec. hatte sich die Linse mehr in den unteren Scleralfalz gesenkt, so dass oben ein schmales, freies Pupillarsegment sichtbar wird; nur äusserst geringe Injection; es war inzwischen fleissig Atropin eingeträufelt worden. Am 13. Dec. wird auch links nur die Spitze der Discisionsnadel in die Kapsel senkrecht eingesenkt und sogleich in gleicher Richtung zurückgezogen. Trotzdem ganz gleicher Vorgang, wie rechts; der obere Linsenrand tritt zuerst vor die Iris, dann auch der untere; auch hier wenig Reizung, doch bleibt die Pupille trotz wiederholter Atropinisirung bis am 14. Dec. Mittags eng. Die hinteren convexeren Linsenflächen zeigten nach und nach radiär verlaufende Spalten, die aber nicht die ganze Linse durchsetzten. Es blieb vielmehr beiderseits die Linse als ein scharf begrenzter Körper bestehen, der von allen Seiten, besonders von unten her, einschmolz. Am 1. Jan. 1870 wird der Kleine mit S == $^1/_{10}$ beiderseits entlassen; die rechte

Linse hat noch die Höhe von schwach 7, die linke von schwach 8 Millimetern; Pat. wird angewiesen, zu Hause Atropin weiter zu gebrauchen.

Am 25. März kommt der Knabe, dessen Atropininstillation zu Hause nur mangelhaft fortgesetzt worden, mit gut beweglicher, normalweiter Pupille. Rechts mag noch $1/_3$ der Linse vorhanden sein; nach unten und hinten liegt sie mit breiter Basis gegen den unteren Pupillarrand; nach oben und vorn gegen die Hornhaut; links besteht noch ein grösserer, mehr dreieckiger Linsenrest. Die Membrana Descemeti ist beiderseits an den Stellen, wo sie von den Linsenstücken berührt wird, leicht angehaucht, nicht punktirt. T etwas vermehrt. Nach regulärer Atropinisirung löst sich rechts die Linse vom Pupillarrand und stürzt Basis nach oben, in den untersten Kammerabschnitt; auch links senkt sich die Linse. Durch Reiben des Bulbus mit den Lidern wird zweimal täglich der Linsenkörper verschoben. Bis zum 17. April wird der Kleine hier behalten; die trüben Stellen der Hornhaut haben sich verkleinert; die Linsenreste sind noch mehr eingeschmolzen; die Papillen sind normal, T ebenfalls; das Atropin soll noch fortgesetzt werden.

Am 10. Juni kommt Patient wieder; die Staarreste seien in der letzten Zeit sehr rasch eingeschmolzen; gestern seien ohne besondere Ursache die Augen trüber und die Pupillen enger geworden. Nur noch minime Reste des Linsensystems beiderseits; T entschieden vermehrt; leichte allgemeine Hornhauttrübung. Ich mache mit einer gewöhnlichen Paracentesennadel beiderseits eine Punction, wobei sich die kleinen übriggebliebenen Linsenflocken spontan mit dem Kammerwasser entleeren. Am 24. Juni kommt Patient wieder mit normaler Tension, klarer Hornhaut und R S $= {}^2/_7$, L $= {}^1/_{10}$; normale Pupillen und Papillen.

Wir haben also hier ein Beispiel spontaner Aufsaugung des Gesammtlinsensystems ohne Spaltung desselben. Wäre auch zu Hause die Application des Mydriaticums gehörig

gemacht worden, so bin ich überzeugt, dass die geringe
secretorische Reizung, die das erste Mal zur wiederholten
klinischen Aufnahme, das zweite Mal zur Paracentese veranlasste, ausgeblieben wäre. Eigenthümlich ist ausser der beträchtlichen Spannung des Linsensystems in der Kapsel,
die schon bei leichter Einritzung der letzten einen vollständigen, unmittelbaren Austritt der Linse veranlasste, die
Art der Resorption, bei der die Linse ohne Dehiscenz im
Kammerwasser einschmolz, wie ein Stück Eis im Wasser.
Diese Einschmelzung hatte rechts 192, links 179 Tage
beansprucht.

**188. Katarakt mit Glaskörperverflüssigung. Versuch
der Extraction, nachherige Discision.**

Emilie Hunziker, 18 Jahre alt, wird am 7. April 1869
wegen Staar nach der v. Graefe'schen Modification rechts
operirt. Es war Kapsellinsenstaar diagnosticirt worden;
Patientin hatte vor 4 Jahren einen Holzsplitter gegen das
Auge bekommen, seither allmäliche Abnahme des Gesichts
gespürt. Noch ehe der mittlere Conjunctivaltheil ganz
durchschnitten, sinkt der Bulbus unter Ausfliessen eines
vollständig verflüssigten Glaskörpers sehr zusammen; das
Auge wird geschlossen. Im Verlauf der nächsten Tage
drängt sich die Iris etwas in die Skleralwunde; am 16.
April wird dieser von der Conjunctiva überzogene Irispro-
lapsus mit dem Keratotom gespalten und die Zipfel abge-
tragen, wobei der Bulbus auf's Neue bedeutend einsinkt.
Der Bulbus füllt sich bis zum anderen Tage; die Wunde
bleibt etwas gereizt für einige Tage; die Linse scheint
sich etwas abzuflachen; das Sehvermögen hat sich bis zum
3. Mai von $^1/_{1000}$ auf $^3/_{1000}$ gehoben. Die allmälige Abflachung des Linsensystems, die nur in einer peripherisch
mangelhaften Zonulabekleidung ihre Erklärung finden kann,
schritt fort, so dass S am 7. Juni auf $^{1^1/_2}/_{200}$ gestiegen.
Behufs einer Discision wird die Kranke am 5. Juli wieder
aufgenommen; keine Reizung nach der Operation; die Resorption ist eine äusserst langsame; am 30. Juli S $=$ $^6/_{200}$;

am 15. October S = ¹/₁₀. Das Resultat war ohne Zweifel
ein viel besseres, als wenn eine Vollendung der Anfangs
versuchten Extraction forcirt worden wäre.

**189. Traumatische, absolute Amaurose, vollständige
Paralyse sämmtlicher Augenmuskeln mit Ausnahme des
trochlearis, Parese desselben.**

Joseph Henggi, 19 Jahre alt, war am 4. Febr. 1870
mit einer grossen, spitzen Scheere, wie sie zum Schafscheeren
gebräuchlich, zuerst auf die linke Scheitelbeingegend geschlagen, dann nach innen und unten vom linken Auge
gestossen worden. Beide Wunden hatten stark geblutet;
das linke Auge sei nachher etwas geschwollen. Erst im
Bette, in das er sich gleich verfügt, bemerkte Pat., dass das
rechte Auge geschlossen und dass er auf dieser Seite Nichts
sehe. Er ist nie bewusstlos gewesen, hatte nur etwas Kopf-
weh, keinen Schwindel. Bis zum 6. Februar habe der
„Stern" seine jetzige Grösse erreicht; seit dem 7. kann er
das obere Augenlid wieder etwas heben.

Am 9. Februar wird er aufgenommen; am linken, unteren Augenlid, von unten aussen nach innen oben anstei-
gend, den unteren canaliculus in sich fassend, eine mit
einer Kruste bedeckte, gewulstete, vernarbende Hornhautwunde; ferner über der äussersten Augenbrauengegend eine
circumscripte Schwellung mit angeschürfter Haut, da, wo
die Scheerenspitze zuerst getroffen; ferner in der Gegend
des linken Tuber parietale eine 5 cm. lange, vernarbende
Hautwunde; die rechte Lidspalte wird mit Mühe auf 5 mm.
geöffnet. Rechts kein Sehvermögen. L. S. = 1. — Das rechte
Auge steht mit kreisrunder, maximal weiter Pupille etwas
nach aussen von der Mittellinie; nur beim Versuch, nach
unten und aussen zu sehen, zuckende, rotatorische Bewegungen, sonst absolut unbeweglich. Die Bewegungen des
M. obliquus superior, des levator palpebrae und des rectus
superior stellten sich im Verlauf einiger Wochen wieder her. Der
Anfangs ganz normale Augenhintergrund veränderte sich
im Verlauf einiger Wochen in der Art, dass die Opticus-

scheibe zuerst in ihrer äusseren und dann auch der inneren
Hälfte abblasste und zwar o h n e e i n e S p u r vorausgehen-
der entzündlicher Erscheinungen. Die Gefässe und die
Maculagegend blieben dabei vollständig unverändert. Es
kann sich bei dem völligen Mangel irgend einer Störung
der Netzhautcirculation nur um eine t o t a l e D u r c h-
r e i s s u n g d e s o p t i c u s in der Gegend des Sinus cavernosus handeln, und zwar muss dieselbe durch eine Fractur
oder Infraction des Processus clinoideus anterior entstanden
sein, wobei dann eine Zerrung des abducens und oculomotorius, vielleicht ebenfalls mit Zerreissung, und eine Quet-
schung des Trochlearis mit unterlief, mit Reizung der Sym-
pathicusfasern des Ganglion ciliare. Die Anfangs maximal
erweiterte Pupille hatte nach und nach diejenige Grösse
gewonnen, die sie bei Oculomotoriusparalyse zu haben
pflegt; sie ist starr und contrahirt sich weder auf Lichteinfall, noch sympathisch mit dem linken Auge.

Ob die angenommene Infraction oder Fractur durch
Contrecoup oder wie in unserer medicinischen Gesellschaft,
der ich den Kranken vorstellte, von einer Seite vermuthet
wurde, durch ein directes Eindringen der spitzen Scheere
in den Grund der linken Orbita hervorgerufen, vermag ich
nicht endgültig zu entscheiden. Gegen letztere Annahme
spricht der Umstand, dass links die Conjunctiva ganz intakt,
auch alle Reizerscheinungen, Schwellungserscheinungen, die
einer so grossen direkten Verletzung entsprächen, fehlten.

**190. Eitrige Periostitis ohne Exophthalmus, später
Keratitis parenchymatosa.**

Barbara Lais, 17 Jahre alt, kommt mit fluctuirender
Geschwulst in der rechten oberen Orbitalrandgegend. Der
Einstich entleert Eiter; die Sonde findet eine ziemliche
Partie des oberen äusseren Orbitaldachs rauh. Die Pa-
tientin wird am 18. Juli 1869 aufgenommen, am 18. August
entlassen, mit noch leicht secernirender, etwas eingezogener
Fistelöffnung und ziemlich bedecktem Knochen. Am 8. No-
vember stellte sie sich mit tief eingezogener, dem Knochen

adhärenter Hautnarbe wieder vor. Am 27. December wird sie wegen exquisiter parenchymatösen Keratitis wieder aufgenommen.

191. Sklerosirende Keratitis, Iritis, Episkleritis.

Magdalena Wanzenrietter, 26 Jahre alt, Fabrikarbeiterin. Sie hat als Kind an den Augen gelitten, was einige alte Hornhauttrübungen links bestätigen, ist sehr unregelmässig menstruirt; seit Januar sieht sie beiderseits schlecht, wird am 9. Mai bei uns aufgenommen.

Blasses, gedunsenes Individuum; $S.R. = {}^{20}/_{200}$. $L. = {}^{5}/_{200}$. $M. = {}^{1}/_{7}$ beiderseits.

Palpepralconjunctiva normal. Links nach aussen von der Cornea eine rosige, episklerale Röthung, leichte Vascularisation der sehr getrübten Hornhaut. Rechts an homologer Stelle episklerale Röthung; Cornea nach aussen und oben vascularisirt. Verordnung: Umschläge, Eisen mit Wein, hie und da rothe Salbe; es traten zuweilen kleine Bläschen auf der Conjunctiva Sklerae auf. Entlassung am 5. Juni; das Sehvermögen hat sich links auf $^{1}/_{5}$, rechts auf $^{2}/_{7}$ gehoben. — Die Patientin stellt sich am 9. Juli wieder vor mit stärkerer episkleraler Injection; rechts iritische Adhäsionen. Am 20. Juli wird sie wieder aufgenommen, hatte in den letzten Tagen wieder heftige Schmerzen gehabt; beiderseits starke sklerale und episklerale Injection; Hornhäute wieder trüber.

Die episkleralen Partien, zwischen Cornea und Karunkel, sind etwas erhaben, auf Druck empfindlich; links mehr als rechts. Ausserdem auf beiden Augen subconjunctivale, zerstreute, hirsekorngrosse, grauröthliche Knötchen. $R. S = {}^{1}/_{5} S. S = {}^{1}/_{10}$. Verordnung: Atropin, Setaceum. Da noch immer Schmerzen angegeben werden, Cataplasmen. Am 1. August sind beide Pupillen frei. 12. August. Abwechselnd Cataplasmen-Umschläge; schubweise treten immer wieder neue episklerale Knötchen auf; die Pupillen trotz Atropin Morgens beständig eng, rechts wieder frische, kleine Adhäsionen; $S = {}^{1}/_{10}$ beiderseits. Gegen die hartnäckige

Stuhlverstopfung wird Bitterwasser gereicht. 15. August. Täglich $^1/_{10}$ gr. Sublimat; Jod-Anstrich in der Supraciliargegend.

5. September. Immer der gleiche Zustand; die Pupillen können nur durch täglich wiederholte Atropininstillationen weit erhalten werden. Sublimat wird ausgesetzt; 2 mal täglich 1 Skrupel graue Salbe eingerieben; fliegende Vesicantien an Schläfe und Stirn. In den ersten Tagen scheint die Reizung abzunehmen, um am 11. Sept. wieder zu steigen; auch links bilden sich mehrfache Adhäsionen. Am 15. wird rechts ein Heurteloupe gesetzt. 20. Sept. Die Injection hat wieder abgenommen $S = {}^{10}/_{200}$, beiderseits $M = {}^1/_9$; beide Hornhäute oberflächlich ganz getrübt; ausgesprochene pericorneale Injection; die Trübungen am Rande der Hornhaut haben eine gelbweissliche Färbung und nehmen die ganze Dicke der Cornea ein. 21. September. Beiderseits Heurteloup. Am 22. tritt unter heftiger Reizung wieder eine ganze Reihe episkleraler Knötchen auf. Wegen Störung des Allgemeinbefindens wird am 29. die Schmiercur ausgesetzt. Vom 1. bis 11. Oktober geht unter der Anwendung von warmen Kräutersäcken die Injection sammt den episkleralen Knötchen entschieden zurück, was wir übrigens mehr der vorangegangenen Schmiercur als den Kräuterkissen zuschreiben. — Wegen der rechts immer noch fortdauernden iritischen Reizung wird am 20. Oktober unter ziemlich starker Blutung des gelockerten Skleral-Gewebes eine Iridektomie gemacht. Nach der Operation geht die Injection eher zurück; doch scheint die Umgebung des ausgeschnittenen Irisstückes theilweise mit dem getrübten Hornhautgewebe verwachsen zu sein; deutlicher Einblick bei der bedeutenden Trübung nicht möglich. 7. November. $M = {}^1/_7$. R. $S = {}^7/_{200}$ L. $S = {}^{18}/_{200}$; immer treten noch leichtere Schübe von episkleralen Knötchen auf. Vom 8. bis 21. November werden wieder Kräuterkissen applicirt; am 9. wird die Schmiercur wieder aufgenommen und innerlich Eisen verabreicht. Die Patientin ist gewöhnlich ausser Bett, nur

bei frischen Nachschüben hütet sie das Bett im verdunkelten Zimmer.

Am 23. Nov. wird die Schmiercur ausgesetzt; die rechte Pupille ist nach und nach enger geworden; Iris-Gewebe verwischt, nach oben und aussen vordere Synechie. Am 3. Dec. wird rechterseits das Colobom durch eine zweite Iridektomie nach aussen erweitert; dasselbe fällt ganz in das Bereich dichter Hornhauttrübungen.

9. Dec. Die Hornhauttrübungen haben nach der zweiten Iridektomie noch zugenommen, rechts $S = {}^2/_{200}$, L. $S = {}^1/_{10}$, nochmals zehntägige Schmiercur.

28. Dec. R. $S = {}^{1^1/_2}/_{200}$, L. M $^1/_3$, $S = {}^1/_5$. Atropin wird links weggelassen.

1. Febr. 1870. Die Sklera hat sich nach und nach normalisirt; nur noch wenig erhabene weissliche, kaum mehr injicirte Knötchen, sehr zerstreut unter der Conjunctiva bulbi; die Hornhaut hat sich rechts in den unteren und inneren Partien etwas gelichtet, so dass man den inneren Rand des Coloboms sieht. Die Patientin wird am 4. Febr. mit $S = {}^1/_8$ L. und $S = {}^5/_{200}$ R. entlassen.

Die Patientin stellt sich am 6. Juli wieder vor; rechts noch eine Anzahl das Colobom zum Theil verdeckende Hornhauttrübungen; innere Hälfte der Hornhaut durchsichtig; Kammer gut gefüllt; Sklera in der Umgebung der Hornhaut noch leicht injicirt; Irisgewebe normal; Tension normal. Links sind über die ganze Hornhaut noch einzelne wolkige Trübungen verbreitet. Links M $= {}^1/_4$, $S = {}^1/_{10}$ R. $S = {}^5/_{200}$.

Offenbar hat der operative Eingriff in diesem Fall nur ungünstig gewirkt. Bei operativen Eingriffen wird bei solchen sklerosirenden Hornhauttrübungen das Zustandekommen von vorderen Synechien sehr begünstigt. Die einzige sichere Heilwirkung konnte nur auf die Schmierkur bezogen werden. Eigenthümlich ist auch die chronologische Reihenfolge: Sklerosirende Hornhauttrübung, Iritis und schliesslich äusserst hartnäckige Episkleritis.

Uebrigens sind bei diesen episkleritischen

Processen iritische Complicationen sehr häufig, wofür ich aus meiner Erfahrung eine Reihe von Belegen beibringen könnte. Auch parenchymatöse Trübungen der Hornhaut habe ich, bei Kindern, vorzüglich als Vorläufer von äussert hartnäckiger Iritis auftreten sehen; Fälle, in denen mit der Iridektomie auch sehr sorgfältig verfahren werden muss. Völlig neu war mir der auffallende Wechsel im Refractionszustand, resp. die bedeutende Steigerung der Myopie in unserem Falle.

192. Parenchymatöse Keratitis, später Iritis mit sklerosirenden Hornhauttrübungen.

Anna Py, 11 J., schmächtiges, blasses Mädchen, leidet seit 10 Wochen an den Augen, nachdem sie kaum von einer Caries des Knies und Unterschenkels, an der sie $2^{1}/_{2}$ Jahr gelitten, genesen war. Sie ist sehr lichtscheu und klagt über Schmerzen, besonders links. Sie hat jüngere, gesunde Geschwister; Zähne etwas mangelhaft entwickelt Links die ganze Hornhaut grauweiss getrübt; besonders central; die Pupille schimmert noch durch. Auf der Descemeti eine Anzahl kleiner, punktförmiger Trübungen, einzelne kleine Gefässe laufen auf die Hornhaut herüber; rechts ähnliche Trübungen; auch hier punktförmige, weisse Auflagerungen der Descemeti, die central zu einer unregelmässigen Figur zusammengeordnet, peripherisch zerstreut sind. Die Pupillen frei, erweitern sich auf Atropin. S. R. $= {}^{3}/_{200}$ L. S $= {}^{1}/_{1000}$. Warme Kamillenumschläge, Eisen, Kemptnersulzbrunn werden verordnet. Die am 30. April 1869 eingetretene Patientin tritt am 17. Mai mit bedeutender Aufhellung der Hornhäute aus; auch die Auflagerungen auf die Descemeti sind spärlicher geworden. R. S $= {}^{5}/_{200}$, L $= {}^{3}/_{200}$.

Die Kleine wird am 2. Juli wieder aufgenommen; die Besserung hatte Anfangs zu Hause Fortschritte gemacht; seit 14 Tagen wieder neue Schmerzen und Lichtscheu. S $= {}^{1 1/2}/_{200}$ beiderseits; mässige pericorneale Injection; Horn-

15*

hauttrübungen und Auflagerungen der Descemeti wieder stärker; beiderseits iritische Adhäsionen, die sich auf Atropin nicht mehr lösen. Die gleiche Behandlung wie früher wurde wieder eingeleitet in Verbindung mit Atropin und Jodanstrich in die Umgebung des Auges. Bei der allmäligen Aufhellung der Hornhaut, wobei S. am 3. August L. auf $^5/_{200}$ R. auf $^3/_{200}$ sich gehoben hatte, sieht man nun deutlich die breiten, ziemlich pigmentreichen Adhäsionen. Am 16. August wird links eine Iridektomie nach oben ausgeführt; noch am 19. existirt central eine zipfelförmige, vordere Synechie und peripherisch ebenfalls leichte Verwachsung zwischen Iris und Corneo-Skleralgrenze; es wird daher links am 28. eine zweite Iridektomie, an die erste nach aussen anschliessend, und rechts eine breite Iridektomie nach oben gemacht. Am 30. hat sich die Auflagerung der Descemeti als ziemlich voluminöser Körper von der hinteren Hornhautfläche abgelöst und ragt, nach hinten an die vordere Iriswand stossend, in die vordere Kammer hinein. 4. Sept. Die Auflagerung löst sich immer vollständiger ab; links ist die Kammer frei; S links und rechts = $^8/_{200}$. Abends wird $1^1/_3$ Gramm graue Salbe eingerieben und damit täglich bis zum 30. Sept. fortgefahren: die Hornhauttrübungen nehmen ab, ein dünner Strang, der von der Hornhauttrübung rechts zur vorderen Kapsel sich hinüber spannt, markirt noch die oben erwähnte Auflagerung. S beiderseits = $^1/_{10}$. Am 3. October wird die Kleine nach Hause entlassen. Am 9. Nov. finde ich S R = $^1/_5$, L = $^1/_{10}$; die peripheren Hornhautpartien haben sich fast ganz aufgehellt; die centralen bestehen in geringerem Grade noch durch die ganze Hornhautdicke. Die Adhäsionen der nicht ausgeschnittenen Pupillentheile sind noch sichtbar, sowie leichte Kapselauflagerungen in der Umgebung; absolute Reizlosigkeit; rechts noch ein dünner Strang zwischen Kapsel und Cornea; die Kleine ist sonst gesund und besucht die Schule. Am 3. Juni 1870 stellt sie sich, bedeutend gewachsen, mit gleichem Sehvermögen wieder vor. Es liegt hier eine eigenthümliche Mischform von Keratitis parenchymatosa und Iritis serosa vor, wahrscheinlich auf syphilitischem Boden gewachsen, obwohl aus der Mutter Nichts herauszubringen; auffällig war mir die grosse Tendenz zu Verlöthung zwischen Iris und Hornhautfläche nach der Iridektomie, ähnlich, wie im Falle Wantzenrietter.

193. Sklerose der Hornhaut, rechts partiell, links total; Iritis chronica, Episkleritis.

Josepha Feierabend, 40 J., tritt am 20. Oktober 1869 ein, hatte links vor 9 Jahren eine langwierige Entzündung, die auf Salzbäder und Schröpfköpfe wich, ohne bedeutende Spuren zu hinterlassen. Im Mai 1867 wurden beide Augen schmerzhaft und roth, was sich seither öfters wiederholte. Seit 1 Jahre sei von innen her ein „Flecken" über das linke Auge gewachsen; auch das rechte Auge sei seither trüber geworden. Es sind schon die verschiedensten Kurversuche gemacht worden und die nervöse, blasse Kranke kommt ziemlich deprimirt zu uns. L. S $= \frac{3}{1000}$ R$= \frac{1}{2}/200$. Die linke Cornea ist vollständig grauweiss getrübt, schwach vascularisirt; leichte Injection der tieferen, episkleralen Gefässe; man kann noch das Bestehen einer vorderen Kammer bei ganz schiefer Beleuchtung erkennen; die Sklera ist in der Umgebung der Cornea leicht bläulich gefärbt. Rechts ist die Hornhaut durchgängig parenchymatös getrübt; nach oben noch eine etwas durchsichtige Stelle; ausserdem an verschiedenen Orten grauweissliche, circumscripte Trübungen, die ebenfalls die gesammte Hornhautdicke einnehmen und etwas stärker vasculaisirt sind; nur dürftig lassen sich die Umrisse einer engen Pupille unterscheiden; T beiderseits gut, ebenso Se. — Ordination: Jodanstrich ums Auge, 2 mal Atropin täglich und heisse Kamillenumschläge. Die auswärtige Patientin ist deprimirt, leidet an Heimweh. Die Pupille rechts dehnt sich auf Atropin theilweise aus, mehrere Adhäsionen sind sichtbar. Am 25. October S auf $\frac{4}{200}$

gestiegen; hie und da klagt Patientin wieder über Schmerz und ist dann immer etwas vermehrte episkleritische Injection vorhanden. Das Allgemeinbefinden lässt immer viel zu wünschen übrig; die menses sind schon lange unregelmässig. Puls oft unregelmässig; öfters Herzklopfen. Am 3. Dec. waren die grauweissen, einzelnen Hornhauttrübungen wieder stärker geworden, hatten eine mehr kreideweisse Färbung angenommen. Ich versuchte links eine Iridektomie, konnte aber die wohl auch hier adhaerente Iris nicht zum Prolabiren bringen, musste sie mit der Pincette hervorholen. Am 9. S links noch quantitativ; rechts treten kleine, frische, weissliche punktförmige Trübungen an der Hornhautoberfläche auf. Ich liess nun täglich 2 Skrupel graue Salbe einreiben, muss aber wegen Klage der Patientin über Schmerz im Kiefer wieder aussetzen; es wird nun der längere Zeit ausgesetzte Jodanstrich wieder aufgenommen. 21. Aus mehreren kleinen Infiltraten bildet sich rechts ein kleines Geschwürchen; S sinkt wieder auf $^2/_{200}$.

28. Geschwürchen heilt, S $^3/_{200}$; hie und da wieder, bei der enger werdenden Pupille, Atropin, das aber schlecht vertragen wird; am 1. Dec. wieder Schmierkur begonnen, muss am 5. wegen beginnender Stomatitis ausgesetzt werden; die Hornhaut hellt sich wieder etwas auf und die Pupille wird wieder weiter. Am 15. Dec. reist Patientin in ihre Heimath mit S $^5/_{200}$ R. In grösseren Jntervallen macht sie zu Hause noch 2 kleinere Schmierkuren durch; trinkt viel Milch und applicirt hie und da etwas Atropin. Im Mai 1870 stellt sie sich wieder vor mit ausserordentlicher Besserung: die episklerale Injection ist ganz verschwunden; eine grosse Partie der Hornhaut rechts ist ganz klar; nur einzelne grauliche, mit gutem Epithel bedeckte durchgehende Trübungen bestehen noch; Patientin liest jetzt grössere Schrift; auch links sind peripherische Theile der Hornhaut wieder klar geworden.

Dieser Fall mit Fall Py und Wantzenrietter zusammengehalten, weist eine innige Verwandtschaft zwischen den Processen der Episkleritis und unreiner parenchymatöser Keratitis, wie Hornhautsklerose nach. In allen 3 Fällen besteht schleichende Iritis, zum Theil erst viel später als der Hornhautprocess auftretend. Meiner Meinung nach ist in solchen Fällen doch der Uvealtractus der ursprüngliche Heerd der Erkrankung. Es bilden diese Fälle in Verbindung mit jenen anderen tiefen Hornhautprocessen, wo vom Ligamentum pectinatum her langsam breite Trübungen hereinwachsen, eine natürliche Krankheitsfamilie. Die Schmierkur hat mir, wenn auch das Individuum wenig dazu einlud, hier noch die besten Resultate gegeben: operative Eingriffe können nicht vorsichtig genug gemacht werden.

Basel.   Schiess-Gemuseus.

Referate aus der ophthalmologischen Litteratur.

Schwalbe, G.   Untersuchungen über die Lymphbahnen des Auges und ihre Begrenzungen.
Arch. f. mikroskop. Anatom. B. VI. p. 261 bis 362.

Wir haben in unseren Monatsblättern VIII. p. 117, über den ersten Theil der obigen Abhandlung, welcher von den hinteren Lymphbahnen des Auges handelt, bereits referirt. In dem uns heute vorliegenden zweiten Theile werden, dem früheren Versprechen gemäss, die vorderen Lymphbahnen einer genaueren Untersuchung unterworfen. Diese Untersuchungen beziehen sich auf die vordere Augenkammer und ihre Abflusswege und zweitens auf den Canalis Petiti und seine Begrenzung.

1. Um die Gefässbahnen zu ermitteln, in welche sich, bei Steigerung des Druckes in der vorderen Augenkammer, die Flüssigkeit derselben entleert, hat Verf. besonders an frischen Schweinsaugen, dann aber auch an den Augen des

Menschen, des Hundes, des Kaninchens und des Pferdes zahlreiche Injectionen in die vordere Augenkammer mit einem Quecksilberdruck von mindestens 25 bis zu höchstens 236 Mm., gewöhnlich unter einem Quecksilberdruck von 30 bis 50 Mm., ausgeführt. Nimmt man für diese Einstichsinjectionen Berliner Blau, so erscheint nach einiger Zeit in der Nähe des Cornealrandes und auf der Oberfläche der Sklera ein blauer Ring, von welchem aus sowohl in der Richtung nach der Cornea wie auch in entgegengesetzter Richtung sich vielfach anastomosirende Gefässe auf der Oberfläche der Sklera füllen. Die sorgfältige und genaue Untersuchung erwies, dass die injicirten Gefässe nicht Lymphgefässe, sondern Blutgefässe seien. Da nun die Capillaren des Cornealrandes einiger Thiere von Lymphscheiden umgeben sein sollen (Lightbody), so suchte Verf. zunächst durch vielfach modificirte Injectionen sich davon zu überzeugen, ob die aus der vorderen Augenkammer hervordringende Injectionsflüssigkeit vielleicht nur in die Lymphscheiden der Gefässe gelange. Nach vielfachen vergeblichen Versuchen die Existenz privasculärer Gefässe nachzuweisen, kam Verf. jedoch zu der Ueberzeugung, dass die fraglichen Gefässe Venen seien, und dass mithin diese Venen in offener Communication mit der vorderen Augenkammer stehen müssen.

2. Der Fontana'sche Raum, das Ligamentum pectinatum und der Schlemm'sche Kanal. — Nachdem Verf. den offenen Zusammenhang der vorderen Ciliarvenen mit der vorderen Augenkammer nachgewiesen, sucht er die Art dieses Zusammenhanges, den Weg, welchen die in die vordere Augenkammer injicirte Flüssigkeit einschlägt um in die Venen zu gelangen, genauer festzustellen, und beginnt diese Untersuchung mit der Prüfung der in der äussersten Peripherie des Kammerraumes befindlichen Gebilde.

Verf. unterscheidet hier die Irisfortsätze oder das Ligm. pectinatum (Hueck) von dem weiter peripherisch liegenden Balkengewebe oder Balkennetze des Fontana'schen Raumes,

welches bisher gewöhnlich als ein integrirender Theil des
Ligm. pectinatum betrachtet wurde, und unterscheidet ferner,
im Gegensatze zu Pelechin, den Fontana'schen Raum
und den Schlemm'schen Canal.

Die Fortsätze der Iris, welche bis an den Rand der
Descemet'schen Membran gehen, sind von Iwanoff
und Rollet so gut geschildert worden *), dass Verf.
nichts hinzuzufügen weiss. In dem menschlichen Auge
gleichen diese Iriszipfel (das eigentliche Ligamentum pectinatum) den weiter peripherisch gelegenen Balken des
Fontana'schen Raumes übrigens so vollständig, dass
eine scharfe Sonderung beider — nach Verf.'s Ansicht —
gar nicht durchzuführen ist. An der Verbindungsstelle der
von der Iris ausgehenden Fortsätze mit der Descemet-
schen Membran findet sich an dieser ein aus glänzenden,
festverbundenen, circularverlaufenden Fasern gebildeter Ge-
websstreifen, welchen Verf. mit dem Namen Grenzring der
Descemet'schen Membran bezeichnet, ein freier scharfer
Rand dieser letzteren Membran existirt aber nicht. Die
Angabe von Flemming **), dass bei Haussäugethieren
eine innere Lamelle der Descemet'schen Membran un-
durchbrochen zur äusseren Kante als vordere Irisfläche hin-
überzieht und so die vordere Augenkammer von dem da-
hinter liegenden Gewebe völlig abschliesst, will Verf. nicht
als richtig gelten lassen.

Verf. geht nun über zur Untersuchung des Endothels
der vorderen Irisfläche und des Endothels der Descemet'schen Membran, und untersucht das Verhalten in dem
zwischen beiden liegenden Uebergangstheil, in dem Balkennetze des Fontana'schen Raumes. Das Endothelhäutchen,
welches an dem Grenzringe der Descemet'schen Membran sehr viel dünner wird und deren kreisrunde Kerne

---

*) Vergl. das Referat darüber in den Klin. Monatsbl. f. Augen-
heilkd. VII. p 236.

**) Ueber den Ciliarmuskel der Haussäugethiere. Arch. f. mikroskop.
Anat. B. IV. pag. 361. 1868.

hier eine elliptische Gestalt annebmen, lässt sich leicht bis
an die Ansatzstellen der Irisfortsätze verfolgen; es setzt
sich von hier aus nach hinten fort und sendet anderen
Theils Endothelscheiden über die Balken der Irisfortsätze
weg, die sich bis zur Iris fortsetzen. In den Zwi-
schenräumen zwischen den Balken haf Verf. an gut gehär-
teten Präparaten keine Zellen gesehen. Das Vorhandensein
dieser Endothelscheiden soll sich beim menschlichen Auge
ganz besonders leicht und überzeugend nachweisen lassen.

Der Schlemm'sche Canal und seine Wandun-
gen. — Zieht man den Ciliarkörper durch einen vorsichtigen Zug von hinten nach vorne, so findet man an der
Innenfläche der Sklera nach Entfernung des zurückbleibenden kleinmaschigen Netzes, welches noch dem Fontana-
schen Raume angehört, dieht hinter dem Cornealrande eine
rinnenförmige Vertiefung, die vorher durch das genannte
Gewebe ausgefüllt wurde. Verf. nennt diese Rinne die
Skleralrinne. Untersucht man das aus der Skleralrinne
hervorgezogene Gewebe, so erkennt man, dass dasselbe
aus zahlreichen elastischen Fasern und Bindegewebsfibrillen
besteht, welche sämmtlich in circulärer Richtung und nahezu parallel unter einander verlaufen.

Die innere Wand des Schlemm'schen Canals des
Menschen ist die directe Fortsetzung der Descemet'schen
Membran, die nach Bildung ihres Grenzringes aufhört
glasartig durchsichtig zu sein und nun in eine Menge vielfach durchbrochener elastischer Platten zerfällt. Von der
Innenwand dieser eigenthümlich gefensterten Membran entspringen die netzförmig sich verbindenden Balken des
Fontana'schen Raumes. Die Löcher in diesen elastischen Platten sind mit ihrem Längsdurchmesser äquato-
rial gestellt und dem entsprechend die Faserung innerhalb
der Platten eine circuläre. In der hinteren Hälfte geht
das elastische Plattenwerk in einen derb faserigen Ring
über (hinterer Grenzring), aus welchem der grösste Theil
der meridionalen Fasern des Ciliarmuskels seinen Ursprung

nimmt. Die früher erwähnte Skleralrinne bildet die Aussenseite des Schlemm'schen Canals, während die Innenwand von den obenerwähnten, die Rinne überbrückenden Theilen gebildet wird.

Was den Canal selbst betrifft, so leugnete Leber die Existenz eines solchen und wollte hier nur das Vorkommen eines Ciliarplexus zugeben, wogegen Iwanoff und Rollet unzweifelhaft das von Leber bestrittene Lumen des Schlemm'schen Canals nachgewiesen haben. Leber*) hält diesen Angaben gegenüber seine frühere Ansicht in etwas modificirter Weise aufrecht. Nach des Verf's. Untersuchungen, welche sich den Beobachtungen von Iwanoff und Rollet eng anschliessen, hat der Schlemm'sche Canal auf dem Querschnitte gewöhnlich keine runde oder ovale, sondern meistens eine nach vorne spitzig ausgezogene, nach hinten dagegen abgerundete Gestalt. In anderen Fällen ist das Lumen schmal und spaltförmig und kommen auch mannigfache andere Formen vor. Nach des Verf's. Ansicht sind der Schlemm'sche Canal und der Lebersche Ciliarplexus zwei ganz verschiedene Dinge. Der Ciliarplexus liegt nach aussen von der Skleralrinne im compacten Gewebe der Sklera. An meridionalen Durchschnitten findet man hier stets einige querdurchschnittene Venen. Der Schlemm'sche Canal selbst ist nur eine mehr oder weniger weit klaffende Lücke in dem die Rinne ausfüllenden Gewebe. Die Innenwand des Schlemm'schen Canals ist lediglich eine Fortsetzung der Descemet'schen Haut; die Aussenwand dagegen wird von dem das Cornealgewebe fortsetzenden festen Skleralgewebe gebildet, jedoch so, dass eine innerste Lamelle der Hornhaut sich zu einer die Skleralrinne auskleidenden Platte umformt. Der Schlemm'sche Canal besitzt eine eigene endotheliale Auskleidung von eigenthümlicher Beschaffenheit. Er zeigt ein eigenthümliches reticulirtes Aussehen. Bei stärkerer

---

*) Medicin. Centralblatt, 1869, p. 278. Anmerk.

Vergrösserung erkennt ·man, dass es sich hier um eine sehr zarte, mit elliptischen Kernen und netzförmigen Verdickungen versehene, dünne Membran (um ein netzförmig verdicktes Endothel) handelt.

3. Ueber die Art des Zusammenhanges der vorderen Augenkammer mit den Ciliarvenen. — Nach den vorausgehenden Bemerkungen ist es leicht ersichtlich, wie sich durch Injectionen in die vordere Augenkammer die Lücken des Fontana'schen Raumes füllen können. Eben so füllt sich auch der Schlemm'sche Canal, indem die Masse durch das in äquatorialer Richtung gitterförmig durchbrochene Plattenwerk, welches wir als eine Fortsetzung der Descemet'schen Membran kennen gelernt haben, vordringt. Es unterliegt keinem Zweifel, dass durch diese Lücken und Spalten zwischen den einzelnen Platten eine Verbindung zwischen dem Schlemm'schen Canal und der vorderen Augenkammer hergestellt ist. Die vom Schlemm'schen Canal direct abtretenden Gefässe, welche sich gleichfalls injicirt, verlaufen in der Regel nach aussen und hinten. Es fragt sich nun noch, ob diese Verbindungsäste als Lymphbahnen oder als Blutbahnen zu betrachten sind. Injectionen in die Arterien ergaben eine Gefässfüllung, welche der durch Injection in die vordere Augenkammer erzielten Gefässfüllung im Wesentlichen glich, woraus sich schliessen lässt, dass alle injicirten Gefässe, möge man von den arteriellen Gefässen oder von der vorderen Augenkammer aus injiciren, Blutgefässe, und zwar vorzugsweise venöse Blutgefässe sind.

Ob der Schlemm'sche Canal zum Lymphgefässsystem gehöre, oder unter normalen Strömungsverhältnissen im Auge mit Blut gefüllt sei, ist zur Zeit noch streitig. Verf. hielt sich zu der Behauptung, dass der Schlemm'sche Canal kein Blut- sondern ein Lymphbehälter ist, berechtigt, der jedoch mit den aus dem Ciliarplexus hervorgehenden Venen in offener Communication steht und zwar so, dass bei Druckerhöhung im Gebiet der Venen leicht ein Blutübertritt in den Canal stattfindet. Unter normalen Druckverhältnissen enthält der S c h l e m m'sche Canal nur Lymphe.

Der S c h l e m m'sche Canal verbindet sich nicht mit dem Ciliarplexus, sondern mit den nicht sehr zahlreich von diesem abgehenden Venen. Diese Verbindungsäste können entweder als Lymph- oder als Blutbahnen, oder endlich gewissermaassen als indifferente Gefässbahnen angesehen werden, je nachdem das Ueberwiegen des Druckes in den Venen oder in der vorderen Augenkammer ihre Füllung mit Blut oder mit Lymphe zur Folge hat. Der Nachweis einer Klappenvorrichtung ist auf dem Wege histologischer Forschung nicht festzustellen. Verf. hält es jedoch für unwahrscheinlich, dass eine Klappenvorrichtung hier zugegen sei, weil eine mässige Erhöhung des Blutdruckes genügt, um den Canal mit Blut zu füllen, die präsumptive Klappenvorrichtung mithin auch einen mässigen und leicht zu überwindenden Widerstand leisten und daher ziemlich zwecklos sein würde.

Wenn man bei herabgesetztem Druck in der vorderen Augenkammer durch Entleerung der Kammerwasserflüssigkeit eine Injection durch die arteriellen Gefässe macht, so dringt die Injectionsmasse sehr leicht in die vordere Augenkammer ein. Verf. nimmt daher eine offene klappenfreie Communication an, und erklärt sich das erschwerte Eindringen von Blut in den S c h l e m m'schen Canal unter normalen Druckverhältnissen dadurch, dass der Druck in der vorderen Augenkammer grösser ist als der Druck in den vorderen Ciliarvenen. Bei normalen Circulations- und Druckverhältnissen wird also das Blut von den Arterien in den Ciliarplexus und von diesem in die vorderen Ciliarvenen gelangen, ohne durch die Verbindungsäste in den S c h l e m m'schen Canal überzutreten; wird aber der Druck in den Ciliarvenen erhöht, so wird ein Uebertreten des Blutes durch die Verbindungsäste in den S c h l e m m'schen Canal sehr leicht erklärlich.

Die Beobachtungen, welche unter der Ueberschrift: „Der Canalis Petiti und seine Begrenzungen" die zweite Hälfte dieser Abhandlung bilden, hat Verf. in seiner lateinischen Habilitationsschrift mitgetheilt. Ein Referat über diese Schrift ist aber in unseren Monatsblättern pag. 120. bereits gegeben worden.

Graefe, Alfred. Klinische Mittheilungen über Blepharospasmos.
Arch. f. Ophthalm. B. XVI. Abth. 1. pag. 91 bis 103.

Verf. theilt einen Fall von Blepharospasmos mit, welcher in mehrfacher Beziehung interessant ist. Die 18jährige Patientin war vor einem halben Jahr an trachomatöser Conjunctivitis vom Verf. behandelt worden und so vollständig geheilt, dass zur Zeit ihrer zweiten Vorstellung keine Spur des voraufgegangenen Leidens sichtbar war. Inzwischen war, ohne nachweisbare Ursache, ein krampfhafter Lidverschluss des linken Auges entstanden, der sich im Laufe der letzten Monate allmälich herangebildet hatte und durch verschiedene innere und äussere Mittel vergeblich bekämpft worden war.

Da es sich bei genauerer Untersuchung zeigte, dass ein fester Druck auf die Austrittstelle des Nervus supraorbitalis den krampfhaften Lidverschluss sofort aufhob, so entschloss sich Verf., die subcutane Durchschneidung jenes Nerven vorzunehmen. Der anfängliche Erfolg der Operation war vollkommen befriedigend. Nach Verlauf von ungefähr 6 Monaten hatte sich jedoch das alte Krampfleiden, ohne nachweisbares Causalmoment, von nenem entwickelt und hatte im Laufe eines einzigen Tages die frühere Höhe wieder erreicht. Nunmehr fanden sich zwei Druckpunkte, der eine am Foramen supraorbitale, der andere am Foramen infraorbitale. Die Compression eines jeden dieser beiden Druckpunkte bewirkte Nachlass der Krampferscheinungen. Zu gleicher Zeit zeigte sich eine, von heftigem Thränen und irradiirender Ciliarneurose begleitete, tiefe Ciliarinjection. Nach fruchtloser Behandlung des Lidkrampfes und der muthmasslich aus gleicher Ursache entstandenen Ophthalmie entschloss sich Verf. zur Dissection des Nervus infraorbitalis. Der Erfolg dieser Operation war eclatant, sowohl bezüglich zum Lidkrampf wie auch bezüglich zur Ophthalmie; schon am folgenden Tage trat Nachlass der krankhaften Erscheinungen ein. — Nach wenigen Monaten erfolgte indessen ein ebenso plötzliches drittes Recidiv. Auch diesmal bewährte sich der Druck auf die Austrittsstellen des Supra- und Infraorbitalnerven; zu gleicher Zeit aber machte Verf. eine schwer verständliche Beobachtung, die er selbst auf psychische Beeinflussung zu beziehen sich geneigt fühlte: nicht nur Druck auf die beiden genannten Druckstellen, sondern auch Druck auf ganz beliebige Punkte des Orbicularis, der Augensichtsfläche, ja auf einige Theile des Kopfes, des Halses und der Schulter ermöglichte die mühelose Eröffnung des geschlossenen Auges, während alle aufgebotene Willensenergie die Lidränder kaum um eine Linie von einander zu entfernen vermochte. Zugleich war diesmal das leidende Auge etwa um 4 Linien nach innen abgewendet, wobei jedoch mit Sicherheit ermittelt werden konnte, dass diese Ablenkung von einer Abducens-Lähmung nicht abhängig sei. Verf. machte nun mit gleich günstigem Erfolge wie früher die Neurotomie beider Orbitalnerven; da aber der Augenmuskelspasmus in Begleitung einer sehr lästigen Diplopie fortbestand, so machte er nach vierzehntägigem Abwarten die Tenotomie des spastisch contrahirten Muskels. Diese, in gewöhnlicher Weise verrichtete Operation hatte den auffallenden Erfolg, dass die frühere, etwa 4 Linien betragende convergente Ablenkung nunmehr in eine etwa 2 Linien breite Divergenzstellung umschlug, so dass Verf. sich genöthigt sah, den eingetretenen übermässigen Effect durch zwei ergiebig wirkende Suturen zu reduciren.

Endlich bemerkte Verf. noch an der früher emmetropischen Kranken eine, während der letzteren Erkrankungsperiode beiderseits scheinbar acquirirte Myopie. Der Grad derselben schwankte zwischen $1/_{30}$ und $1/_{20}$. Obwohl bei energischer Atropinwirkung noch immer ein geringer Grad (etwa $1/_{80}$) von Myopie nachweisbar blieb, so konnte Verf. sich unter den vorliegenden Umständen diese Anomalie nur als Accomodationsspasmus erklären.

Während der inzwischen verflossenen 8 Monate ist ein Recidiv nicht wiedereingetreten.

Wells, Soellberg. Melanosarkom des Ciliarkörpers, in die vordere Augenkammer vordringend.
Lancet, Januar 20. 1870. (New Orleans med. Journ. Vol. XXIII. Nr. 2. p. 373.)

Die 39jährig. Pat. war bis zum Jahr 1865 gesund gewesen, erkrankte alsdann aber am Nervenfieber. Etwa 12 Monate später bemerkte sie an ihrem rechten Auge einen etwa stecknadelkopfgrossen dunklen Fleck, der inneren Seite der Iris entsprechend. Das bis dahin vortreffliche Sehvermögen hatte bereits etwas abgenommen.

Zwei oder drei Tage vor ihrer Aufnahme hatte Pat. an heftigen Kopfschmerzen und ähnlichen Schmerzempfindungen im Auge gelitten. Zur Zeit ihrer Aufnahme war die Augapfelspannung etwas erhöht, das Gesichtsfeld vollständig; es konnten aber nur noch Buchstaben von Jäger Schr. XVIII erkannt werden. In der Aequatorialgegend des Augapfels sah man einige stark angefüllte Venen; die Hornhaut war durchsichtig; an ihrem inneren Drittel lag ein dunkelbrauner Tumor; welcher die Innenfläche der Hornhaut berührte. Die Farbe der Iris war dunkler als auf dem anderen Auge und an der Aussenseite mit dunkelbraunen Flecken besetzt; ihr inneres Drittel war vorgetrieben und, mit Ausnahme des Pupillarrandes, von einer dunkelbraunen rundlichen Geschwulst eingenommen, deren grösserer Theil hinter der Iris lag und bis in die Mitte der Pupille vorragte. Der nach vorne hervorgetriebene Theil der etwa erbsengrossen Geschwulst hatte die Structur der

Iris theilweise zerstört; die Linse war etwas zurückge-
drängt und getrübt, der Augenhintergrund konnte nicht
mehr deutlich gesehen werden.

Das exstirpirte Auge wurde von Bowater Vernon
untersucht; derselbe fand, dass die Geschwulst ausschliesslich vom Ciliarkörper ausging. Die Farbe der Iris war
verloren gegangen, ihr Gewebe durch das Wachsen der
Geschwulst gedehnt und atrophisch. Die Choroidea dagegen war völlig intact geblieben.

Verf. fügt hinzu, dass solche melanotische Sarkome des
Augapfels sehr leicht Metastasen auf Leber, Lungen, Nerven, Gehirn machen, dass die Geschwulst zuweilen die
Hornhaut oder die Sklera durchbricht und in die Orbita vordringt, oder dass sie in den Sehnerven und von
hier aus in das Gehirn weitergeht.

Knapp. Melanotisches Sarkom des Ciliarkörpers
und der angrenzenden Choroidea.
Arch. f. Augen- u. Ohrenheilk. Bd. I. Abth. 2. p. 208 bis 214.

Eine 73jährg. Pat. hatte seit 6 Wochen etwas Schmerz
in ihrem rechten Auge und eine beträchtliche Abnahme
der Sehschärfe verspürt. Verf., welcher damals noch in
Heidelberg thätig war, fand das Auge schmerzhaft gegen
Berührung und lichtscheu, die Iris missfarbig und in hohem Grade gefässreich, durch eine Menge von Synechien
mit der vorderen Kapsel verlöthet, das Pupillargebiet
durch iritische Exsudation völlig opak. Atropin bewirkte
keine Pupillenerweiterung. Nachdem Pat. 2 Tage lang
in Behandlung gewesen, und ihr Zustand sich anscheinend
etwas gebessert hatte, bemerkte man am äusseren Ciliar-
rande eine 4 Mm. lange und nahezu 2 Mm. breite Ablösung der Iris vom Ciliarligament; Tags zuvor war dieselbe
nicht vorhanden gewesen, sie musste also über Nacht entstanden sein. Bei Linsenbeleuchtung sah man nun in der
Ciliargegend nach aussen und hinter der durchsichtig gebliebenen Linse eine dunkle gelbliche Geschwulst. Die

Diagnose wurde auf ein melanotisches Sarkom des Ciliarkörpers und der benachbarten Choroidea gestellt; darauf
wurde der Bulbus exstirpirt, in Müller'sche Lösung gelegt und 4 Monate später genau untersucht. Bei dieser
Untersuchung fand man die Netzhaut normal (nicht abgelöst) und mehr als die hintere Hälfte der Geschwulst be-
deckend, eine Thatsache, welche mit der gewöhnlichen
Annahme, dass Loslösung der Netzhaut eine der frühsten
Folgeerscheinung intraoculärer Geschwulst ist, im Widerspruche steht. Der runde und völlig umschriebene Tumor,
welcher mit der Sklera in enger Verbindung stand, zeigte
alle Eigenschaften eines Melanosarkom's; derselbe war von
der übrigens völlig normalen Choroidea ausgegangen, und
zwar anscheinend von ihrer äusseren Schicht, weil die
inneren Schichten erhalten waren und die Geschwulst in
grosser Ausdehnung bedeckten.

Endlich ist noch erwähnenswerth das Vorhandensein
einer grossen transparenten Membran, welche sich parallel
zur Aequatorialebne des Auges durch den ganzen Glaskörperraum hindurchzog. Sie war mit der Netzhaut fest
verwachsen und lag über sie etwa 3 Mm. hinter der Ora
serrata. Die histologischen Elemente derselben waren den
Elementen des embryonalen Glaskörpers (dem Schleim-
gewebe Virchow's) vollkommen analog.

Pope, B. A. (New-Orleans). Die Anwendung der
   Essigsäure bei Erkrankungen der Con-
   junctiva und Cornea.
Arch. f. Augen- u. Ohrenheilk. Bd. I. Abth. 2. p. 191 bis 196.

Verf. hat bei verschiedenen Erkrankungen der Bindehaut und Hornhaut Essigsäure von 1,041 specifischem Gewicht angewendet. Er applicirt dieselbe mit einem feinsten Kameelharpinsel auf die kranke Stelle. Der hierdurch
hervorgerufene Schmerz und die Reizung soll im Vergleich
mit starken Lösungen von Höllenstein oder von Kupfer-
vitriol sehr gering sein. In folgenden Fällen bewährte

sich ihm die Essigsäure als ein sehr schätzbares Mittel:

1) In einem Falle von warziger Entartung der Lidbindehaut. Die Tarsalconjunctiva eines 12jähr. Knaben, welcher bereits 2 Jahre lang anderweitig behandelt worden war, war dicht mit kleinen Geschwülsten besetzt, deren grösste etwa $^1/_6$ Zoll lang war. Diese Geschwülste wurden unmittelbar an ihrer Ursprungstelle excidirt und mit Höllenstein, resp. mit schwefelsaurem Kupfer erfolgreich behandelt. Als jedoch nach 3 Monaten das Uebel sich wieder erneuert hatte, entschloss sich Verf. zur Anwendung der Essigsäure ohne vorherige Excision der kleinen Geschwülste. Nach etwa 6wöchentlicher Behandlung waren beide Augenlider gesund, und sind es während der seither verflossenen 5 Monate stets geblieben.

2) In Fällen von bedeutender Erschlaffung der Conjunctiva mit Hypertrophie der Epithelialschichte, wie solche bei chronisch - katarrhalischen Affectionen zuweilen vorkommt.

3) In einigen Fällen von Trachom im Entwicklungsstadium, wo die Neubildungen sehr oberflächlich lagen und wo die gewöhnliche Behandlung den Fortschritt der Erkrankung zu begünstigen schien.

4) In einem Falle von entzündeter Pinguecula.

5) Bei Hypertrophie der Thränenkarunkel und der halbmondförmigen Falte in Fällen von Pterygium.

6) In zwei Fällen von kalkiger Entartung des Epithels der Hornhaut, bei denen das Resultat in dem einen Falle ausgezeichnet, in dem anderen Falle sehr wenig befriedigend war.

7) In einem Falle von dichter Trübung der Hornhaut, nach einer mit Ophthalmia neonatorum complicirten hochgradigen Diphtheritis der Conjunctiva. Die Essigsäure wurde erst angewendet, nachdem zuvor die gebräuchlichen Behandlungsweisen mit unbefriedigendem Erfolge eingeleitet worden waren. Als Pat. aus der Behandlung

16*

entlassen wurde, bestand die Trübung zwar noch, doch hatte sich die Dichtigkeit und zum Theil auch die Ausbreitung derselben entschieden vermindert.

Pagenstecher, Hermann. Wiesbaden. Zur Pathologie des Glaskörpers.

Arch. f. Ohren- und Augenheilk. Bd. I. Abth. 2. p. 1 bis 38.

Verf. hat über die Glaskörperentzündung neue Studien und Experimente gemacht.

Was zunächst die zelligen Elemente und den Bau des Glaskörpers betrifft, so stimmt Verf. im Wesentlichen mit den Untersuchungen von Iwanoff überein, nur weicht er darin ab, dass er die verschiedenen Zellenformen, welche Iwanoff beschrieben hat, sämmtlich aus den runden und contractilen ausläuferlosen Zellen entstehen lässt. Durch directe Beobachtung an den Augen ganz junger Kaninchen ist es ihm gelungen, die verschiedenen Zellenformen aus den runden Zellen sich allmälich hervorbilden zu sehen.

Die 32 ausführlich mitgetheilten, sämmtlich an Kaninchen angestellten Experimente wurden in folgender Weise ausgeführt: Eine äusserst feine, scharfe Canüle einer Pravaz'schen Spritze wurde mit einem Fremdkörper (Drahtstück, Glassplitter) von durchschnittlich 5 bis 7 Mm. Länge von vorn geladen, alsdann bis in die Mitte des Glaskörpers eingestochen und ihr Inhalt durch einen feinen Draht ausgestossen. In einigen Fällen wurde auch mit Höllensteinlösung oder mit Crotonöl gefülltes kleines Lymphröhrchen auf die eben beschriebene Weise in den Glaskörper gebracht. Durch die ophthalmoskopische Untersuchung liess sich in allen Fällen eine Verbindung der scheinbar isolirtesten Trübung mit der Verletzungstelle nachweisen; ein allmäliges Fortschreiten der Trübung von der Stichwunde in den Umhüllungsmembranen gegen das Centrum des Glaskörpers war stets nachweisbar. Die Trübung um den Fremdkörper herum war manchmal eine etwas dichtere.

Die nachträglich vorgenommene histologische Unter-

suchung zeigte, dass es sich in der weitaus grössten
Zahl der Fälle um Entzündungsvorgänge handle. Die
weissgelblichen Massen, welche zuweilen einen grossen
Theil des Glaskörpers ausfüllten, erwiesen sich stets als
reine Eiteransammlungen. Hatte die Trübung schon längere Zeit bestanden, so waren die lymphoiden Elemente
nur sparsam vertreten. Es fand sich ein dichtes, feinstrei-
figes, welliges Gewebe, welches ohne Zweifel aus den contractilen Elementen hervorgegangen war und die binde-
gewebige Narbenbildung im Glaskörper hervorgerufen hatte.
Der Umstand, dass der Zusammenhang der centralen Trübung mit der Verletzungsstelle in den umhüllenden Membranen sich stets deutlich nachweisen liess, führte zu der Ueberzeugung, dass die in dem Glaskörper abgesetzten Producte
von den umliegenden Organen abstammen, und erregten zugleich entschiedenen Zweifel an der Entzündungsfähigkeit
des Glaskörpers. Soviel scheint wenigstens durch diese
Versuche erwiesen, dass an der Stelle des stärksten Reizes nicht immer die grösste Ansammlung lymphoider Körperchen stattfindet. Bei den Versuchen mit Crotonöl fand
sich an der Berührungsstelle zwischen diesem und der
Glaskörperflüssigkeit kein Auftreten lymphoider Elemente, woraus geschlossen werden darf, dass die Form-
elemente des Glaskörpers nach Einwirkung starker Reize
sich nicht in Eiterkörperchen umbilden. Aehnliche mit
Argentum nitricum angestellte Versuche führten im Allgemeinen zu demselben Resultate. Die stärksten und die
schwächsten Reizmittel wirkten auf die Substanz des Glaskörpers kaum merklich verschieden. Ein in den Glaskörper
eingeführtes Drahtstückchen blieb 58 Tage lang in demselben, ohne entzündliche Erscheinungen hervorzurufen.

Verf. unterscheidet drei verschiedene Arten von Glaskörpertrübungen: 1) solche, die als Product irgend eines
entzündlichen Vorganges in den Umhüllungsmembranen angesehen werden müssen; 2) solche, die aus einer intraoculären Blutung entstanden, und 3) solche, die durch den

Einfluss der Luft oder einer chemischen Einwirkung hervorgebracht worden sind.

Der Resorptionsvorgang von Blutextravasaten im Glaskörper kommt nach des Verf's. Ansicht dadurch zu Stande, dass die rothen Blutkörperchen nach und nach von den contractilen Elementen, welche die umliegenden gefässhaltigen Membranen liefern, aufgenommen werden. Letztere bilden den Farbstoff derselben zu Pigment um und können sich durch weitere Metamorphose in Bindegewebskörper umwandeln.

· Wenn es sich bei klinischen Beobachtungen zuweilen um Glaskörpertrübungen ohne jeglichen Zusammenhang mit den inneren Membranen gehandelt hat, so glaubt Verf., dass diese niemals aus Entzündungsproducten, sondern immer aus Gerinnungen entstehen.

Starcke. U e b e r E r w e i t e r u n g d e s T h r ä n e n - N a s e n - c a n a l s b e i L u n g e n k r a n k e n.
Deutsch. Arch. f. Klin. Med. VII. 2. p. 212 bis 217.

Verf. ist der Ansicht, dass eine leichtere Durchgängigkeit der Thränen-Nasenwege durch Hindernisse in der Respiration entstehen könne.

Anknüpfend an zwei Krankheitsfälle, welche im Jahre 1855 von **Rau** unter der Benennung Insufficienz der Thränenklappe mitgetheilt worden sind, berichtet Verf. über einige von ihm selbst beobachtete analoge Krankheitsfälle. Bei einem 46jähr. Pat. bemerkte man am inneren Augenwinkel des linken Auges eine fast halbkuglige Geschwulst, welche sich während der Exspiration stärker wölbte und während der Inspiration zusammensank. Bei forcirter Exspiration und gleichzeitigem Verschluss des Mundes und der Nase zeigte sich eine kleinere, übrigens aber ganz ähnliche Geschwulst, auch an dem rechten Auge, bei ganz normalem Verhalten war nichts Abnormes an demselben zu bemerken. Pat. litt an einer chronisch-pneumonischen Erkrankung des linken unteren Lungen-

Lappens, an ausgebreitetem Katarrh und hochgradiger Dyspnöe. Die Brustbeschwerden bestanden seit 3 Jahren, und ungefähr ebenso lange will Pat. die kleine Geschwulst am linksseitigen inneren Augenwinkel bemerkt haben.

Bei einigen anderen Patienten entleerte sich bei starkem Pressen und geschlossener Nase Luft aus den Thränenpuncten.

Verf. schliesst hieraus, dass unter normalen Verhältnissen nicht nur an der Nasenöffnung des Thränencanals, sondern auch an der Einmündungsstelle der Thränenröhrchen in den Thränensack klappenartige Vorrichtungen vorhanden sein müssten, welche für gewöhnlich den Durchtritt der Luft verhindern, welche jedoch unter krankhaften Verhältnissen auch insufficient werden können.

Um zu ermitteln, in welchem numerischen Verhältnisse eine solche Insufficienz der Thränenklappe oder Durchgängigkeit der Thränenwege zu Erkrankungen der Respirationsorgane stehe, untersuchte Verf. eine Reihe von Individuen und fand, dass von 92 Untersuchten nur 3 jene Abnormität bemerken liessen, während etwa die Hälfte derjenigen, welche an Respirationshindernissen erkrankt waren, eine leichtere Durchgängigkeit der Thränenableitungswege zeigten. Verf. glaubt hieraus schliessen zu dürfen, dass in der That ein sehr direkter Zusammenhang zwischen Lungenerkrankung und zwischen insufficientem Verschlusse der Thränenwege anzunehmen sei. Verf. hält diese Beobachtung jedenfalls einer genaueren Prüfung werth und glaubt, dass sich etwas Analoges auch bei Musikern finden wird, welche Blaseinstrumente spielen.

Kersch, Morbus Brightii chronicus, complicirt mit Retinitis.
Memorabilien, Jahrg. XV. Liefr. 4, Mai 20, 1870.

Verf. theilt die Krankengeschichte eines 27jähr. Schriftgiessers mit, welcher seit einigen Wochen an Schmerzen in der rechten Kopfhälfte gelitten hatte. Ueber ander-

weitige Symptome klagte derselbe nicht, doch hatte
vor Jahresfrist ein intermittirendes Fieber mit Indigesti
beschwerden überstanden. ... Anstatt der dreimal täg
angewendeten ⅓gränigen Chinindosen verordnete
an 3 auf einander folgenden Tagen eine einmalige 10
nige und an den 6 nachfolgenden eine einmalige 5grä
Dosis dieses Mittels. Hierauf wurden, da die Kopfschm
zen des Pat. sich zwar vermindert, aber nicht völlig
loren hatten, an weiteren 3 Tagen nochmalige 10grän
Dosen genommen, und endlich als nach einiger Zeit
rechtseitige Kopfschmerz verschwunden, statt dessen
ein nicht minder heftiger Schmerz an denselben Ste
der linken Seite aufgetreten war, wurden sogar tägli
15gränige Chinindosen verordnet.

Nunmehr traten von Seiten des Gesichtssinnes n
krankhafte Erscheinungen auf; nach Verschliessung
rechten Auges sah Pat. mit dem linken, dessen Pup
sich etwas weniger erweiterte, alles dunkler, kleiner,
beklagte sich überdies noch über Funkensehen und ä
liche subjective Gesichtserscheinungen. Bei der opht
moskopischen Untersuchung fand sich das rechte Auge n
im Geringsten afficirt, die Pupille des linken war dage
verwachsen und zeigte in ihrer Umgebung dendritis
Gefässinjection und Exsudat - plaques. Bei Untersuch
des Harnes, welche hierauf angestellt wurde, fand
eine colossale Menge Eiweiss, welche jedoch nach 14t
ger Behandlung bis auf Spuren zum Verschwinden gebra
wurde.

Verf. schliesst aus diesem Krankheitsbilde, dass sow
die Retinitis wie die Albuminurie mit höchst geringfügig
Symptomen auftreten und verlaufen könne; er empfie
aus diesem Grunde, alle im Bereiche der Möglichkeit
genden Untersuchungen selbst dann vorzunehmen, we
die zur Zeit sich präsentirenden krankhaften Sympto
nicht im Mindesten darauf hinweisen.

Ueber Calabarwirkung bei diphtheritischen Accommodations-Lähmungen.

Von

Prof. W. Manz in Freiburg i. B.

Das grosse Interesse, welches die Bekanntwerdung der physiologischen Eigenschaften der Calabarbohne erregt hatte, konnte nicht verfehlen, nicht geringere Erwartungen von deren therapeutischer Wirksamkeit wachzurufen. Im Allgemeinen scheinen dieselben aber nicht erfüllt worden zu sein, insbesondere nicht, soweit sie sich auf Accommodationsstörungen bezogen. O. Becker*) hat schon in der ·Uebersetzung des Donders'schen Buches erklärt, dass die darüber angestellten Versuche fast überall ein negatives Resultat ergeben hätten. Was die Heilung der Mydriasis durch das genannte Mittel betrifft, so werden die gemachten Erfahrungen schon um dessentwillen verschieden ausfallen müssen, weil es dabei doch vor Allem auf die entferntere Ursache der Irislähmung, wenn eine solche zu Grunde liegt, ankommt; übrigens scheint mir die schon von v. Graefe bekanntgemachte Thatsache, dass selbst die Iridoplegie eines glaukomatösen Auges durch Calabar noch überwunden werden kann, sowie Manches, was ich selbst in dieser Beziehung gesehen habe, jedenfalls zu weiteren derartigen Versuchen aufzufordern. Fälle, welche zur Heilung Monate

---

*) Donders, die Anomalien der Refraction und Accommodation des Auges. S. 524. Anmerk.

brauchen, und bei welchen allenfalls auch noch andere Mittel in Anwendung gebracht worden sind, dürfen allerdings nicht als Belege für Calabarwirkung aufgeführt werden; aber auch in Bezug auf dessen Erfolge bei Accommodationslähmnungen sind bis jetzt wenig aufmunternde Daten publicirt worden, und erst neulich haben diese Blätter *) ein Referat über eine Arbeit von Rydel, verfasst von Talko, gebracht, in welchem beide fast nur negative Erfahrungen gemacht zu haben versichern, denn die Heilung eines Falles von Oculomotoriuslähmung, den der Referent anführt, ist, wie er selbst zugiebt, schwerlich dem Calabar zuzuschreiben. Diese Angaben veranlassen mich, gerade jetzt über eigene Resultate kurz zu berichten, welche mir dessen Anwendung in Fällen von Accommodationsparesen in den letzten Jahren gebracht hat. Eine Anzahl derselben hat Dr. Schweitzer zusammengestellt, und in seiner demnächst erscheinenden Dissertation beschrieben; ich beschränke mich hier auf einige Bemerkungen, die speciell jenes therapeutische Mittel betreffen.

Die in den letzten Jahren auch in unseren Gegenden theils sporadisch, theils als kleinere oder grössere Epidemien vorkommende Diphtheritis faucium hat denn auch bei manchen daran Erkrankten, Gesichtsstörungen im Gefolge gehabt, die da und dort von den Aerzten für Amblyopie aus „Schwäche" angesehen und demgemäss behandelt wurden. Da bei Einigen die „Sehschwäche" sehr hochgradig war und sich zu einer Zeit entwickelte, wo alle übrigen Krankheitserscheinungen schon ganz oder grösstentheils verschwunden waren, so suchten die Patienten oder deren Angehörige in der Augenklinik weiteren Rath; zwei derselben, und zwar die ersten, die ich mit Calabar behandelte, lagen auf der hiesigen medizinischen Klinik; nur auf solche Kranke, bei welchen die Accommodationslähmung als Folge einer diphtheritischen Halskrankheit

---

*) Jahrg. VIII, p. 148.

— nur für 2 Fälle ist der diphtheritische Charakter zweifelhaft geblieben — auftrat, beziehen sich die nachfolgenden Mittheilungen. Jene beiden ersten Fälle, in denen ich Calabar anwandte, waren gerade schwere Diphtheritiserkrankungen gewesen, bei welchen auch die Gaumenlähmung sehr stark hervortrat und sich sehr hartnäckig zeigte. Die Calabarwirkung blieb auch hier nicht aus, aber schon des anderen Tages war die Lähmung wieder so ziemlich auf dem früheren Stand, und im Verlaufe von 2 Wochen war eine verhältnissmässig geringe bleibende Besserung bemerkbar, so dass die eine Patientin, welche zu Anfang des therapeutischen Versuchs Jäg. Nr. XX. auf 14" etwas mühsam erkannt hatte, am Ende jener Zeit Jäg. Nr. XII auf 8 bis 10 Zoll las; die Gaumenlähmung hatte sich unterdessen kaum gebessert. In diesen Fällen war übrigens auch während der Acme der Calabarwirkung die Annäherung des Nahepunktes eine nicht bedeutende gegenüber der Mehrzahl der übrigen, wo denn auch das Endresultat, völlige Heilung der Accommodationslähmung, viel entschiedener und rascher erreicht wurde. Ich gebe als Beispiel folgenden Fall:

E. R. von Gütenbach, 10 Jahre alt, hatte vor 5 Wochen eine diphtheritische Angina, an welcher in ihrer Heimath viele Personen, unter anderen auch zwei ihrer Schwestern, gestorben waren, durchgemacht. Die Sehstörung bestand seit etwa 14 Tagen; Schling- und Sprachstörungen waren am Tage der Aufnahme, 2. October 1868, sehr bedeutend. Sehprüfung ergab: Sn. XX auf 20', mit schwachen positiven Gläsern etwas schärfer. Dieselbe Schrift wird diesseits 4' nicht, eine kleinere als Sn. XIV in keiner Distanz deutlich gesehen. Nach einmaliger Calabaranwendung: Sn. IV auf 1', mit +⁓ 30 Sn. III auf 5"; nach der 3. Application Sn. I$^{1}/_{2}$ ohne Glas bis auf 5"; nach der 4. kam der Nahepunkt auf 3" und blieb daselbst. Die Dauer der Heilung betrug 7 Tage. Da nun in mehreren anderen Fällen dieselbe unter Einfluss des Calabar eine ebenso prompte

war, so mögen schon diese Erfahrungen für dessen therapeutische Wirksamkeit bei Accommodationslähmungen ein
gewisses Vertrauen erwecken; wir haben dasselbe aber
noch durch folgende Umstände zu sichern gesucht.

Da man, ausgehend von der bekannten Erfahrung, dass
solche Lähmungen sehr oft von selbst, ohne äusseres Zuthun heilen, daran denken konnte, dass gerade die so rasch
geheilten Fälle etwa schon in Rückgang gewesen wären,
so haben wir mehrere Patienten zuerst noch einige Tage
beobachtet, bevor wir jene Therapie einschlugen, und uns
von dem Steigen oder wenigstens Stehenbleiben der Lähmung überzeugt. Von besonderer Wichtigkeit sind aber
diejenigen Versuche, bei welchen wir einige Zeit hindurch
oder sogar bis zur völligen Heilung nur in ein und dasselbe Auge Calabar eingelegt haben. Es sei mir erlaubt,
zwei solche Fälle kurz zu skizziren.

Karoline S. von Buggingen, 19 J. alt, in die Klinik
eingetr. am 17. December 1869. Vor 4 Wochen diphtheritische Angina, Sehstörung seit 14 Tagen, bis heute zunehmend, ebenso Behinderung im Sprechen und Schlingen;
zeitweise ziehende Schmerzen in den Augen. Geringe
Drüsenanschwellungen am Halse, Zäpfchen gerade, schlaff
herabhängend, linker Gaumenbogen verstrichen.

Sehkraft soll früher ganz gut gewesen sein, S. ist auch
jetzt = 1; geringe Hyperaemie der Conjunctiva palp.
Pupillen von gleicher, mittlerer Weite, reflectorisch und
consensuell prompt reagirend.

Pat. vermag keine kleinere Schrift als Sn. VIII ordent-
lich zu lesen, von VI$^{1}/_{2}$ nur mühsam einige Worte.

18. Dec. L. Calabar, während der Acme der Wirkung wird Sn. IV auf 13″ gelesen. R. wurde keine Aen-
derung bemerkt.

19. Dec. L. Sn. IV auf 12″. R. VI$^{1}/_{2}$ auf 14″; Calab. L.

21. Dec. R. p = 14″ L. = 8″.

Von jetzt an wurde beiderseits Calabarin eingelegt,

was aber nur wenig Wirkung zeigte und darum am 23. mit Calabarpapier vertauscht wurde.

8. Januar wurde mit jenem Auge Sn. I^1/$_2$ auf 6″ ohne Anstrengung gelesen.

Es war also in diesem Falle die Lähmung auf dem R. A. mehrere Tage noch gleich geblieben, vielleicht sogar etwas gestiegen, während sie L. unter dem Einfluss von Calabar stetig abnahm.

Etwas anders war der Verlauf in folgendem Falle:

Anna K. von Opfingen, 10 J. alt, wurde mir von ihren Eltern am 20. August d. J. gebracht, mit der Angabe, dass das Kind, dessen Sehkraft sonst immer eine ganz gute gewesen, seit etwa 14 Tagen nicht mehr lesen könne. Auf Befragen wurde alsbald mitgetheilt, dass dasselbe um jene Zeit an einer Halsentzündung gelitten habe, bei welcher Fieber, starke Anschwellung der Drüsen am Halse, dagegen nur wenig Schlingbeschwerden vorhanden gewesen seien. Das sei aber jetzt alles vorüber und das Kind völlig gesund. Dem entsprach auch das Aussehen; am Kieferwinkel fanden sich noch einige hypertrophische Lymphdrüsen; Schlucken und Sprechen verriethen keine Störung, ein wenig Näseln gehört zum Dialekt seiner Heimath. Die Untersuchung des Rachens ergab eine leichte Verziehung des Zäpfchens nach links und am vorderen Gaumenbogen über den Mandeln beiderseits eine rothbraune, schwachvertiefte Stelle mit scharfer Grenze: offenbar in Heilung begriffene Ulcerationen.

Was die Augen betrifft, so war deren Stellung und Beweglichkeit normal, die Iris hellgrau, die Pupillen von normaler und gleicher Weite, reflectorisch und consensuell prompt reagirend, Accommodations-Bewegung zweifelhaft, jedenfalls sehr gering. Die Sehproben erwiesen zunächst eine leichte Hypermetropie. Pat. bedurfte, um Sn. XX. auf 20′ zu sehen des Glases + 48; das Sehen in die Nähe beschränkte sich auf Jäg. Nr. 15, welche auf ohngefähr

$1^1/_2$ am besten erkannt werden; mit $+$ 7 wurde Jäg. Nr. 1 auf 14 bis 8" erkannt, jedoch nur vorübergehend.

Da die Eltern das Kind wieder nach Hause zu nehmen wünschten, so wurde etwas Chinin verordnet, und dieselben angewiesen, in 8 Tagen wiederzukommen. Dies geschah, und die Angabe der Pat. sowohl, als die sofort vorgenommene Untersuchung ergaben den früheren Stand des Uebels unverändert. Die Pat. wurde nun in der Anstalt behalten und derselben jeden Tag 1mal ein Quadrat Calabarpapier in das r e c h t e A u g e eingelegt. Die Myose war gleich nach der ersten Application eine ziemlich starke. Dieselbe brachte den Nahepunkt für das R. Auge auf 4"; 2 Stunden später nur unter Beihilfe von $+$ 20. Nach 24 Stunden ergab eine Prüfung mit dem Stäbchenoptometer für das R. A.'p $=$ 8", für das L. p $=$ 14". Zwei Stunden nach der 2. Application war die Myose nur mässig: R. p $=$ 12; L. p $=$ 20.

29. Aug. R. p $=$ $5^1/_2$" L. p $=$ 17" Calabar R.; eine halbe Stunde nachher starke Myose; R. p $=$ $1^3/_4$; L. p $=$ 15"; 5 Stunden später R. p $=$ $1^3/_4$ L. p $=$ 5".

30. Aug. R. p $=$ 3" L. p $=$ 4". r beiderseits $=$ ∞ an diesem Tage 4. und letzte Calabarapplication.

31. Aug. beiderseits p $=$ 3" r $=$ ∞ Sn. $1^1/_2$ von 15 bis 3" erkannt; mittlere Druckschrift wird über $^1/_2$ Stunde ohne Beschwerde gelesen.

Am 3. Sept., dem Tage der Entlassung, war p beiderseits $1^3/_4$" r $=$ ∞. Sehen in die Ferne wurde durch die schwächsten Convexgläser nicht verbessert, durch $+$ 48 sogar etwas verschlechtert.

Aus dieser Krankengeschichte habe ich 2 Punkte hervorzuheben, zunächst den Einfluss des Calabar auf das zweite, damit nicht direct behandelte Auge. Wir wissen schon lange vom Atropin, dass die einseitige örtliche Application desselben, wenn sie nicht eine zu schwache ist, auch auf das andere Auge und zwar sowohl gegenüber der Pupillenweite als der Accommodation sich geltend macht. Genauere Bestimmungen darüber sind meines Wissens nicht vorhanden; nach dem, was ich gelegentlich beobachtet habe, scheint der Grad dieses consensuellen Einflusses sehr bedeutenden individuellen Schwankungen zu unterliegen. Der Intensität der consensuellen Calabarwirkung unter physiologischen Verhältnissen habe ich selbst noch keine besondere Aufmerksamkeit geschenkt. Der Verlauf in beiden erzählten Fällen scheint ein wesentlich verschiedener zu sein: in dem ersten ist die Wirkung des Calabar auf das zweite Auge 3 Tage hindurch ganz ausgeblieben, in letzterem Falle zeigte sie sich ganz deutlich schon nach 24 Stunden; doch verrieth sie auch hier eine gewisse Selbständigkeit, wodurch gerade die mehr indirecte Heilwirkung sich kennzeichnete: während im Verlauf des 2. Tags der Nahepunkt auf dem rechten Auge sich fortwährend näherte (von der Acme der Calabarwirkung abgesehen), so schob sich derselbe auf dem linken, nicht calabarisirten Auge wieder um etwas zurück. Uebrigens scheint auch die Acme der Primärwirkung der Zeit nach nicht mit der auf dem 2. Auge zusammenzufallen, sondern die Veränderung auf diesem eine mehr allmälig fortschreitende zu sein; so fand ich wenigstens in gleichem Falle $1/_2$ Stunde nach der 3. Calabarapplication R. p $= 1^1/_4$ L. p $= 15''$; einige Stunden später R. p schon wieder etwas weiter entfernt, L dagegen mächtig genähert und diese Annäherung dauerte bis zur völligen Gleichlage des Nahepunktes auf beiden Augen, 24 Stunden nach der 4. Calabarapplication, fort.

Wenn bei der Karoline S. 3 Tage lang sich eine Calabarwirkung auf dem 2. Auge nicht zeigte, so ist nicht ein völliges Ausbleiben derselben, sondern nur ein verzögerter Eintritt anzunehmen. Ob solche Zeitdifferenzen auch hauptsächlich durch individuelle Verhältnisse oder in der Erkrankung selbst begründet sind, vermag ich nicht zu sagen, da mir, wie gesagt, Beobachtungen unter normalen Verhältnissen nicht zu Gebote stehen. Der zuletzt

beschriebene Fall der Anna K. enthält ausserdem ein Beispiel einer bei Accommodationsparesen vorkommenden tran-
sitorischen Hypermetropie, auf welche Jacobson*) zuerst aufmerksam gemacht hat; nach Heilung der Lähmung
war der Fernpunkt wieder in ∞, somit Emmetropie, wie
wohl vom Eintritt der Krankheit, vorhanden; der Grad
dieser vorübergehenden H war allerdings nur ein geringer.

Bei der Ermittlung des Nahepunktes mittelst des Stäb-
chenoptometers stellte sich bei derselben Kranken noch
eine weitere Anomalie heraus, die ich nicht unerwähnt
lassen möchte. Die Lage jenes Punktes war nämlich eine
verschiedene, je nach der Stellung, welche dem Stäbchen
gegeben wurde. Wenn auch die Angaben des Kindes darüber keinen Zweifel liessen, so schien mir dasselbe doch
nicht das geeignete Individuum, um darauf genauere Untersuchungen zu bauen. Eine Erklärung für diese Erscheinung, welche nach Beseitigung der Accommodationsparese
nicht mehr nachzuweisen war, läge in den, auch von Woinow**) bestätigten Beobachtungen von Dobrowolsky***)
über den Einfluss der Accommodation auf den Astigmatismus, insbesondere über die Möglichkeit, einen solchen durch
gewisse ungleichmässige Contractionen des Accommodations-
muskels zu verdecken. Eine unter diesem Einfluss latente
Asymmetrie der Linse müsste natürlich bei Accommodationsparesen entweder selbst wenigstens theilweise zu Tage treten, oder das compensirende Verhältniss zwischen jener
und dem Astigmatismus der Hornhaut gestört werden.

Die Mehrzahl der uns zugekommenen Fälle von diph-
theritischer Accommodationslähmung waren Paresen, so

---

*) Klinische Mittheilungen. Arch. f. Ophthalm. Bd. X. Abth. 2,
p. 47.

**) Zur Frage über die Accommodation. Arch. f. Ophthalm.
Bd. XV. Abth. 2.

***) Ueber verschiedene Veränderungen des Astigmatismus unter
dem Einfluss der Accommodation. Dass. Arch. Bd. XIV. Abth. 3.

dass bei einem mehr oder weniger starken Abrücken des Nahepunktes doch noch einige Accommodationsbreite erhalten blieb. Aber auch diese zeigte sich nicht als eine constante, selbst für kurze Zeiträume, indem ein grösserer oder kleinerer Bruchtheil davon zuweilen rasch verloren ging, wenn Accommodation für grössere Nähe gefordert wurde, und durch Ruhe wieder gewonnen wurde. Dieser veränderliche Bruchtheil war manchmal ein ziemlich bedeutender, so dass der Patient momentan einige Worte oder Zeilen einer viel kleineren Schrift zu erkennen vermochte, als gleich nachher. Es trat bei einigen Kranken diese Art von Asthenopie so sehr hervor, dass man an eine gewöhnliche, auf Hypermetropie beruhende hätte denken müssen, wenn nicht die rasche Entstehung des Uebels und die Coexistenz einer Gaumenlähmung, dessen causalen Zusammenhang und wahre Natur verrathen hätte. In einigen Fällen wurde die Accommodation in kürzeren Zeitabschnitten nach Application von Calabar untersucht, und es stellte sich dabei heraus, dass nach 8 bis 12 Stunden noch Calabarwirkung vorhanden, nach 24 Stunden aber nicht mehr nachzuweisen war; dagegen ergab sich um diese Zeit eine bleibende geringere oder grössere Erweiterung der Accommodationsbreite. Es scheint mir nun, dass, im Falle das Leiden bei Einleitung der Behandlung überhaupt noch im Fortschreiten gewesen war, auch dieser Gewinn wieder verloren ging, wenn erst nach zu langer Pause die Calabarapplication erneuert wurde; so blieb bei einer Patientin Franziska Sch. von Weinheim, bei welcher jene Medication nur alle 2 bis 3 Tage wiederholt wurde, die Accommodation, die sich nach den ersten Eingriffen schon etwas erholt hatte, längere Zeit hindurch auf der gleichen Stufe stehen. Genügende Erfahrung aber habe ich über diesen Punkt nicht, und will um so weniger darüber entscheiden, da ich in anderen Fällen — vielleicht hängt dies von der Intensität der vorausgegangenen Krankheit ab, oder auch von der Dauer des Bestehens der Lähmung — schon nach

einer einmaligen Calabarapplication die Besserung einen
solchen Anlauf nehmen sah, dass die volle Heilung ohne
weiteres Zuthun erwartet werden konnte. Bei den statio-
nären Patienten der Klinik habe ich in der Regel einmal
täglich Calabar angewendet. Von dessen Präparaten
haben wir mehrere versucht, Lösungen von Calabarextract
in Weingeist und Glycerin, die Alkaloide: Calabarin, Phy-
stigmïn, auch Eserin von L u c i u s und M e r k bezogen, sind
aber dann zu einem in der hiesigen K e l l e r'schen Apotheke
bereiteten Calabarpapier zurückgekehrt, das auf 10 Theile
Alkohol 1 Th. Extract enthält, und das uns am besten
diente. Von diesem Papier wurde jeweil nur ein Quadrat eingelegt. Die folgende Pupillenverengerung war
meistens nur eine mässige, d. h. geringer als sie durch dasselbe Präparat in gesunden Augen hervorgebracht zu werden pflegt, und geringer, als stärkere Dosen des Extracts
— für die relative Wirksamkeit der Alkaloide fehlen bis
jetzt noch genauere Beobachtungen — auch bei unseren
Kranken sie erzielten. Der durch solche stärkere Gaben
erzeugte Accommodationskrampf war zwar ein heftiger,
aber die nach dessen Ablauf gewonnene Besserung der
Accommodation meistens eine nur geringe, ja blieb manchmal ganz aus, was wir anfangs auf die Präparate schoben.
Wiederholte solche stärkere Applicationen brachten doch
auch bald einen unangenehmen Reizungszustand. Aus diesen Erfahrungen geht, wie mir scheint, hervor, dass zu
starke spastische Zustände des Accommodationsapparats
von einer bedeutenden Erschlaffung gefolgt sind, die eine
bleibende Besserung der Accommodation nicht aufkommen
lässt; auch andere Beobachter scheinen zu einem ähnlichen
Resultat gekommen zu sein, so wurde auch R y d e l auf die
Idee gebracht: „das Calabar in viel schwächerer Dosis
anzuwenden, um in der Weise wie in der Gymnastik den
Muskel nur leicht anzuregen, ohne ihn bis zur Ermüdung
kommen zu lassen" *). An solche Erfahrungen schliessen

*) l. c p. 151.

sich andere an, welche man in der Electrotherapie von Muskellähmungen vielfach gemacht hat; so hat B e n e d i c t gerade bei der galvanischen Behandlung der Augen- muskelparesen hervorgehoben, dass man sich hier mit schwachen Strömen begnügen müsse, da jede zu starke Wirkung die Sache eher verschlimmere, als bessere. Auf Grund der von demselben Autor bei Mydriasis erhaltenen Resultate hat in oben citirter Anmerkung B e c k e r ein ähn- liches Verfahren zum Versuch bei Accommodationslähmung angerathen. Die therapeutische Wirksamkeit der schwä- cheren Calabardosen setzt, wie wir uns überzeugt haben, durchaus nicht einen hohen Grad von Myosis voraus, und es ist dieses Verhalten wohl verständlich, wenn man die Un- abhängigkeit in Betracht zieht, welche zwischen der Pu- pillenbewegung und der Accommodationsaction besteht, wie sich dieselbe gerade bei der diphtheritischen Lähmung kundgiebt. Uebereinstimmend mit anderen Beobachtern konnte ich in keinem Falle eine als abnorm anzusehende Weite der Pupillen constatiren, auch waren immer die reflectorischen und consensuellen, ja öfters auch die Accom- modationsbewegungen vorhanden. Letztere zeigte sich aller- dings meistens sehr wenig ausgiebig; so bestätigen auch meine Beobachtungen, dass die diphtheritische Parese sich in der Regel auf den Ciliarmuskel beschränkt, die Iris da- gegen unbehelligt lässt.

Ueber den immer noch unaufgeklärten Zusammenhang der Accommodationslähmung und Gaumenlähmung, sowie über deren Verhältniss zur Grundkrankheit haben mir meine Erfahrungen keinerlei Aufschluss gegeben, bemerken will ich nur, dass in allen der mir bekannt gewordenen Fälle eine Angina die Augenkrankheit begleitete, oder derselben vorausging, die aber nicht immer als eine diphtheritische nachzuweisen war. Bei mehreren Kranken war die Hals- affection jedenfals von geringer Intensität.

Diese und noch verschiedene andere Fragen, welche sich an die interessante Affection knüpfen, sollen in diesen

Zeilen nicht weiter besprochen werden, welche nur den
Zweck haben, die Herren Collegen zu weiteren therapeutischen Versuchen mit Calabar speciell bei diphtheritischen
Accommodationslähmungen aufzumuntern. Wenn auch die
spontane Heilung derselben so ziemlich überall zu erwarten
ist, so geben doch alle früheren Beobachter zu, dass dieselbe selbst unter Beobachtung einer roborirenden Diät
mit Eisen und China, oder, nach Jacobson, unter dem
Einfluss geeigneter Convex - Brillen, gewöhnlich mehrere
Wochen und Monate in Anspruch nimmt, und einer so
langen Heilungsdauer gegenüber erscheint die jedenfalls in
vielen Fällen viel rascher zum Ziele führende, wenn metho-
disch angewandte Localtherapie durch Calabar gewiss
empfehlenswerth.

Klinische Beobachtungen.

194. Ein Fall von acuter Kataraktbildung.

Heinrich Schöning, 19 Jahr, Ziegelarbeiter aus Lütte
bei Lemgo, hatte früher niemals an den Augen gelitten und
nach seiner Aussage ein sehr gutes Sehvermögen gehabt.
Seit dem 1. August d. J. bemerkte er auf beiden Augen
eine zunehmende Verschlechterung des Sehvermögens, ohne
dass er eine bestimmte Schädlichkeit als Grund anklagen
konnte. Schmerzen im Auge hatte er nicht gehabt, eine
Röthung oder sonst eine Veränderung derselben nicht bemerkt. Als er sich am 7. August bei mir vorstellte, konnte
er sich im Hause kaum führen. Die S. war so bedeutend
gesunken, dass er rechts Finger nur in 4', links nur in 1'
Entfernung zählen konnte. Conjunctiva und Cornea beider
Augen waren völlig normal, vorderes Kammerwasser nicht
getrübt. Die Iris leicht beweglich, vielleicht etwas nach
vorn gedrängt Die Linsen beider Augen zeigten sich so
getrübt, dass eine Beleuchtung des Augenhintergrundes
völlig unmöglich war. Obgleich kleine Verschiedenheiten
in dem Aussehen beider Linsen nicht zu verkennen waren,

so stimmten sie doch in dem Typus der Trübung ganz überein. Die Sternfiguren beider Vorderhälften klafften weit von einander. Die drei Schenkel stiessen aber nicht im Winkel von 120° aufeinander, sondern der obere Sector beider Linsen war etwas kleiner, als die beiden anderen. Ebenso waren die Ränder der Sternfiguren nicht gradlinig, sondern durch Unregelmässigkeiten der Sectorenränder an mehreren Stellen concav gebogen. Die Flüssigkeit innerhalb der Sternfigur war durchsichtig, die Substanz der Linsensectoren dagegen so gleichmässig getrübt, dass sich nur in der rechten Linse noch einzelne hellere Streifen erkennen liessen. Bei seitlicher Beleuchtung erwiesen sich die vorderen Linsenhälften weit weniger getrübt, als die hinteren. Künstliche Erweiterung der Pupille liess in der Peripherie der Linsen einige klaffende Spalten erkennen, deren breitere Basis nach der Peripherie, die Spitzen nach dem Centrum der Linse gerichtet waren. Auch sie enthielten durchsichtige Flüssigkeit. Die vorderen Kapseln waren überall unverletzt.

Das Gesichtsfeld war normal. Die Sehstörung entsprach völlig der Linsentrübung, und so musste die Annahme tieferer Störungen im Augenhintergrunde ausgeschlossen werden, zumal da jedes frühere Symptom derselben fehlte.

In der Beobachtung der folgenden vier Tage wurde die Trübung der Linsensubstanz noch bedeutend intensiver, die Spalten des Sterns verbreiterten sich, ebenso die regellosen Spalten in der Peripherie. Der Kranke klagte über zeitweilige leichte Schmerzen in den Augen und eine geringe Vortreibung der Iris war nicht zu verkennen. Da der Kranke sich weit von seiner Familie unter den ärmlichen Verhältnissen einer Zieglercompagnie befand, konnte ich an die Extraction der Katarakt nicht denken, sondern schickte ihn in seine Heimath mit der Weisung, nach etwa 4 Wochen die Operation von einem Augenarzte ausführen zu lassen.

Die ganze Erscheinungsform der Katarakt, die so
überaus rasche Entstehung und Reifung derselben, mussten
schon von selbst die Annahme einer inneren Ursache aus-
schliessen und die Frage nach einer Schädlichkeit, welche
beide Augen gleichmässig betroffen habe, veranlassen. Der
Kranke war Heizer in der Ziegelfabrik, auf welcher vor
2 Jahren ein neuer Ofen nach dem System von Bührer
und Hamel angelegt war. Die Heizung dieser Oefen geschieht durch schmale, gerade nach oben gerichtete Röhren,
welche mit eisernen Deckeln verschlossen sind. Bei dem
Oeffnen derselben schlägt die Flamme öfters aus ihnen in
die Höhe und versengt dem Heizer, welcher auch das
Feuer besichtigen soll, das Gesicht. Die Augenbrauen fehlen den Heizern desshalb meist. Für mich steht es fest,
dass die Katarakt dieses Kranken in der Einwirkung dieser intensiven Hitze und dieses Feuers ihre Ursache haben.
Die Gründe, welche gegen eine solche Annahme sprechen,
sind: 1) dass andere Fälle von Staarbildung aus dieser
Ursache noch nicht bekannt sind, 2) dass der Kranke
schon über ein Jahr lang geheizt hatte, ehe die Katarakt
entstanden, 3) dass keine anderen Zeichen an den Augen
zu bemerken waren, welche auf Rechnung der Hitze zu
setzen gewesen wären und als Vermittler der Staarbildung
angesehen werden konnten. — Der erste Grund hält nicht
Stich, weil die Oefen dieser Art erst seit wenigen Jahren
eingeführt sind, und es sich erst herausstellen muss, ob
nicht besondere Hülfsmomente zu dieser Einwirkung des
Feuers hinzukommen müssen, um Katarakt zu erzeugen;
ich meine z. B. die Jugend des Kranken, grosse Unvorsichtigkeit. Die letztere wäre in dem vorliegenden Falle
auszuschliessen, weil Schöning als sehr besonnen gerühmt
wird. Der zweite Grund widerlegt die Annahme ebenfalls
nicht, weil vielleicht gerade die längere Einwirkung der
Hitze zur Erzeugung der Katarakt nöthig ist. Was endlich den dritten Gegengrund betrifft, so muss es Aufgabe
weiterer Forschungen sein, ob grosse Hitze gerade im Auge

solche materielle Veränderungen erzeugen, welche Katarakt hervorbringen, aber der ärztlichen Untersuchung vorläufig verborgen bleiben.

Falls diese Beobachtung durch andere ähnliche bestätigt wird und sich die Ziegelöfen dieser Construction als schädlich für die Augen der Heizer herausstellen, so werden sie der sanitätspolizeilichen Aufsicht bedürfen. Für mich hat dieser Fall hingereicht, alle Fabrikbesitzer darauf aufmerksam zu machen, dass die Heizer von Oefen dieser Construction sich durch Glimmerbrillen gegen den Einfluss der Flammen schützen müssen.

Oberndorf a. d. Oste.   C. Ritter.

195. Gummöse Geschwulst unter der Conjunctiva Bulbi.

So allgemein diese syphilitischen Neubildungen in anderen Körpertheilen sind, so selten kommen sie im Auge vor, obgleich die nothwendigen Bedingungen ihres Entstehens auch hier vorhanden zu schein scheinen. Die Anzahl der in der Litteratur aufgezeichneten Fälle dieser Art ist sehr gering, weswegen folgende Krankheitsgeschichte nicht ohne Interesse sein dürfte.

Hilma Lagerblom, 19 Jahre alt, Dienstmädchen aus Tavastehus, wurde am 5. Juli 1870 in meiner Klinik aufgenommen.

Die Patientin erzählt, dass, als sie 10 Jahre alt war, sämmtliche Personen in dem Hause, das sie bewohnte, von Syphilis ergriffen waren, darunter auch ihre Eltern. Sie selber war zu dieser Zeit im Halse und im Munde krank gewesen. Vor ungefähr zwei Jahren öffnete sich auf der Vorderseite des rechten Beines unter dem Knie ein Geschwür, das mit Hülfe eines äusserlichen Mittels heilte. Später entstanden nach und nach in derselben Gegend mehrere Geschwüre. Etwa am 1. Mai d. J. bildete sich ebenfalls auf dem linken Arm unter dem Olecranon ein Geschwür, darauf dicht oberhalb des condylus internus humeri ein zweites und schliesslich noch ein drittes neben dem ersten. Diese Geschwüre, verbunden mit starken Schmerzen im ganzen Arm, veranlassten die Patientin, die Aufnahme in der Klinik nachzusuchen.

Bei der Aufnahme ergab sich Folgendes: Die Patientin von bleichem und anämischem Aussehen, aber wohl genährt: in den inneren Organen des Körpers nichts Abnormes; um das linke Ellenbogengelenk ein Geschwür, welches durch seine unregelmässige Form und dem ganzen Aussehen nach leicht erkennen lässt, dass es aus ulcerirenden syphilitischen Hauttuberkeln erstanden ist; unter dem rechten Kniegelenk ein in der Heilung begriffenes Geschwür derselben Art, und mehrere tiefe Narben nach ähnlichen Ulcerationen. In den Augen nichts Krankhaftes wahrzunehmen. Während der Behandlung mit Jodkalium innerlich, zuerst 5, später 10 Gran. p. d. 3 Mal täglich, fingen diese Geschwüre an allmälich zu heilen.

Am 12. August zog das linke Auge dadurch die Aufmerksamkeit auf sich, dass die Patientin über starken Schmerz in demselben klagte. Es wurde, am äussern Rande der Cornea, vor der Sehne des Musc. rectus externus, im Zellengewebe unter der Conjunctiva eine ebene und platte Geschwulst bemerkt, dessen Grösse in horizontaler Richtung beinahe 5, in verticaler 3 mm. ausmachte, und diese Membran etwa 2 mm. hoch aufhob. In der Mitte der Geschwulst war die Conjunctiva grauweiss, gleichsam wie in beginnender Ulceration begriffen, an den Rändern dagegen war das Epithel noch vorhanden und die Geschwulst war hier durchscheinend. Die nächst umgebende Conjunctiva war roth injicirt und von der Uebergangsfalte streckten sich hierher ein paar stark gefüllte subconjunctivale Blutgefässe. Der angrenzende Theil der Cornea war graulich und undurchscheinend. Als die Geschwulst mit dem Staarmesser getheilt wurde, quoll aus derselben eine geringe Quantität eiterähnlicher Flüssigkeit und im Schnitte zeigte sich ein gelbliches Gewebe, das sich bis zur Sklera erstreckte. Um diese Geschwulst ferner zu beobachten, wurde das Auge expectativ behandelt, während mit dem Jodkalium innerlich fortgefahren wurde. Während der folgenden 5 Tage nahmen die inflammatorischen Symptome jedoch zu, besonders in der Cornea, so dass eine Einreibungskur angewandt werden musste. Bis zum 3. September wurde täglich eine halbe Drachme Ung. Hydrargyri eingerieben, dann aber musste hiermit aufgehört werden, weil der Mund afficirt wurde. Vom ersten Tage dieser Kur an verminderten sich zunächst die inflammatorischen Symptome und dann die Geschwulst selbst, und eine Woche nach dem Ende der Kur blieb nur eine tiefe grauliche Narbe, etwas kleiner als die Geschwulst selbst, übrig. Von der Verdunkelung in der Cornea liess sich nur ein kleiner feiner Streifen am äusseren Rande erkennen.

Während der Einreibungskur war die Heilung der obengenannten Geschwüre rasch vorwärts geschritten, und als die Patientin darnach den Gebrauch des Jodkalium wieder aufnahm, heilte auch das Geschwür am Arm, während das am Bein hartnäckig blieb und sich ungeachtet dieses Mittels nicht zu bessern schien. Am 7. October ging ich deswegen zur Anwendung des Zittmann'schen Decoctes über, allein schon am 11. zeigte die Patientin die ersten Symptome von Iritis am rechten Auge, und als diese trotz des Decoctes an Heftigkeit zunahmen, war ich gezwungen, wiederum zur Einreibungskur zu greifen. Nachdem dieser Inflammationsprocess, bei welchem keine circumscripte Vegetationen oder Condylome in der Iris bemerkt werden konnten, durch die letztgenannte Kur gehoben und das Geschwür am Beine ebenfalls geheilt war, wurde die Patientin am 25. Nov. entlassen.

Alfr. Graefe und Colberg haben im Archiv f. Ophth. (Bd. VIII. Abth. I.) einen Knoten beschrieben, welcher bei einer syphilitischen Inflammation der Iris durch Operation aus dieser Membran entfernt wurde und sich bei mikroskopischer Untersuchung als gummöse Neubildung erwies; eben daselbst

(Bd. XIII. Abth. I.) hat auch v. Hippel einen Fall von gummöser Neubildung in sämmtlichen Häuten des Auges mitgetheilt. Da in diesen beiden Fällen die inneren Theile des Auges ergriffen waren, kann selbstverständlich in klinischer Beziehung von einem Vergleich mit dem Obenangeführten nicht wohl die Rede sein; doch verdient angemerkt zu werden, dass bei dem von v. Hippel beschriebenen Kranken das zweite Auge ebenfalls von Iritis ergriffen war, und dass die Stelle, wo die pathologischen Veränderungen am weitesten fortgeschritten waren und wo sich mithin der erste Anfang der gummösen Neubildung annehmen lässt, an dem vorderen inneren Theile der Sklera lag. Hierdurch stellt sich, wenn man so will, zwischen diesem und meinem Falle eine gewisse Aehnlichkeit heraus.

Den dritten Fall dieser Art, welchen ich in der mir zugänglichen Litteratur finden konnte, erwähnt Wecker in seine Traité des maladies des yeux, unter der Rubrik lésions syphilitiques de la conjonctive, und dieser stimmt mit dem Meinigen fast in allen Beziehungen überein. Der Platz, die Grösse, das Aussehen der Geschwulst, sowie auch die übrigen klinischen Symptome waren dieselben; nur die zurückbleibende Narbe war verschieden. Möglicherweise veränderte sich doch die pterygiumähnliche Verdichtung der Bindehaut, welche Wecker sah, später allmälich in eine grauliche und tiefe Narbe, wie diese in der Haut gewöhnlich vorkommen, und welche ich daher als die normale betrachten möchte.

Die entzündete gummöse Geschwulst an der äusseren Seite der Sklera zeigt zwar eine gewisse groteske Aehnlichkeit mit einer enormen Pustel, aber dennoch sind diese beiden Krankheiten nicht wohl mit einander zu verwechseln; leichter ist eine Verwechselung mit den malignen Geschwülsten möglich. Wecker erzählt, dass Sichel, dem er seine Kranke vorstellte, niemals eine Geschwulst dieser Art gesehen hatte, wesshalb er auch im ersten Augenblicke die Krankheit als ein Epithelioma ansah. In der

That erinnert schon die Stelle dieser Neubildung an die malignen Tumoren, welche hier ihren Lieblingssitz haben. Auch die Grösse derselben ist ungefähr gleich; indessen bietet das äussere Aussehen doch ziemlich zuverlässige Unterscheidungsmerkmale. Die von der Bindehaut überzogenen gummösen Geschwülste haben eine ebene, glatte Oberfläche, sind weniger wohl begrenzt und zeigen sich noch, wenn sie zu ulceriren anfangen, an den Rändern durchscheinend; wogegen die malignen sich gewöhnlich durch schärfere Grenze und höckeriges, zuweilen lappiges Aussehen auszeichnen. Jedenfalls wird die Diagnose durch das gleichzeitige Vorkommen anderer syphilitischer Symptome gesichert, und diese dürften sich, wenn das Auge ein Mal ergriffen ist, auch in anderen Körpertheilen stets vorfinden.

In Bezug auf die Behandlung will ich nur noch hinzusetzen, dass Jodkalium ohne Wirkung zu bleiben scheint; im Gegentheil entstand in dem obenangeführten Falle die Geschwulst zu einer Zeit, in welcher die Kranke dies Mittel in ziemlich hohen Dosen nahm. Wie bei syphilitischer Iritis, so scheint auch hier eine Einreibungs- oder eine andere energische Quecksilber-Behandlung vorzugsweise am Platze zu sein.

Helsingfors, den 26. November 1870.

J. A. Estlander.

Referate aus der ophthalmologischen Litteratur.

Hirschberg. Ein Fall von transitorischer Erblindung bei einem Erwachsenen.

Medicinisch-chirurgische Rundschau Mai 1870.

Zu den bereits bekannt gewordenen Fällen von transitorischer Erblindung fügt Verf. noch einen neuen hinzu. Der 18jähr. Pat., welcher, abgesehen von einer 3 Monate zuvor acquirirten Gonorrhöe und einer vor 4 Wochen überstandenen Angina, vollkommen gesund war, und dessen Sehvermögen namentlich bis dahin noch nie gelitten hatte, wurde, vollkommen erblindet, dem Verf. zugeführt. Pat. hatte seit 2 Tagen über Kopfschmerzen geklagt, die ihn in der Nacht um 1 Uhr zum Aufstehen nöthigten. Als nun Licht angezündet wurde, bemerkte er, dass seine Sehkraft völlig erloschen war.

Vom Verf. näher untersucht, fand sich das Sensorium völlig frei; doch bemerkte man eine gewisse Langsamkeit im Denken, welche einigermaassen an den nach epileptischen Anfällen folgenden Zustand erinnerten. Die Pupillen waren unter mittelweit und reagirten auf Einfall des Tages- oder des concentrirten Lampenlichtes sehr deutlich. Die Sehkraft war bis auf einen ganz schwachen Rest quantitativer Lichtempfindung beiderseits ·völlig aufgehoben. Die Augenspiegel - Untersuchung ergab einen vollständig normalen Augenhintergrund; insbesondere war nicht die geringste pathologische Veränderung in dem Caliber und in der Füllung der Centralgefässe nachweisbar. Bei Untersuchung der übrigen Organe fand sich, als wesentlichste Erkrankung, ein ausserordentlich reicher Eiweissgehalt des sparsamen, röthlichen Urins.

Nachdem Verf. Blutentziehung durch den künstlichen Blutegel, nebst innerlicher Verabreichung von Quecksilberpräparaten mit Energie angewendet, konnte er am Nachmittage des nächst folgenden Tages bei genauer Prüfung, die Wiederherstellung einer vollkommen normalen Sehschärfe nachweisen; doch lässt es Verf. vollkommen dahingestellt, ob und in wie weit die in Anwendung gezogene energische Therapie zu diesem erfreulichen Resultate beigetragen habe.

Wir haben bei einer früheren Gelegenheit*) über einige von Geheimrath E b e r t mitgetheilte ähnliche Fälle referirt;

---

*) Klin. Monatsbl. f. Augenheilk. VI. p. 91.

Verf. führt noch einen ferneren Fall von B. Martin*) an und versichert, dass auch Henoch und Ehrenhaus analoge Fälle mitgetheilt haben. In dem von Martin beobachteten Falle war die plötzliche und vorübergehende Erblindung nach Nephritis scarlatinosa mit Hydrops aufgetreten.

Agnew, C. R. Praktische Bemerkungen über Behandlung der Krankheiten des Thränenableitungs-Apparates.

The medical Record Vol. V. Nr. 112. Oct. 15. 1870.

Am 15. Sept. 1870 hat Verf. seine praktischen Bemerkungen über Behandlung der Krankheiten der Thränenableitungswege, der Academie der Medicin von New-York vorgetragen.

Dieser Vortrag enthält aphoristische, zumeist auf eigene Beobachtung gegründete Bemerkungen, und nicht etwa eine systematisch-erschöpfende Abhandlung über den in Rede stehenden Gegenstand.

Zunächst bemerkt Verf., dass Thränenträufeln entstehen kann, durch Verschluss oder durch Einwärts- oder Auswärtskehrung der Lider. Bei völligem Fehlen des unteren Thränenpunktes empfiehlt Verf., quer durch die bekannte Lage des Thränenröhrchens und senkrecht zum Augenlidrand einen etwa $1^1/_2$ Lin. langen Scheerenschnitt durch die ganze Liddicke zu führen. Ist hierdurch das Röhrchen geöffnet, so muss dasselbe der ganzen Länge nach gespalten, und weiterhin die Schnittwunde so behandelt werden, dass eine Wiederverwachsung nicht stattfinden kann. — Nach Aufschlitzung der Thränenröhrchen, zum Zweck nachträglicher Einführung einer Bowman'schen Sonde, wartet Verf. zuweilen noch 8 bis 10 Tage, solange nämlich, bis die Wundränder verheilt und weniger schmerzhaft geworden sind, bevor er die Sonde einführt. Eine gewöhnliche Stricturstelle ist der Uebergang des unteren Thränenröhrchen in den Thränensack; man muss, um

---

*) St. Barthol. Hosp. Rep. I. p. 246. 1867.

sie zu passiren, das Augenlid etwas anspannen und die
Spitze der Sonde etwas aufwärts führen. Die obstinatesten
Stricturen liegen einen halben Zoll tiefer am Uebergang
des Thränensackes in den Thränennasengang. Manche
incurable Fälle sind durch Vernachlässigung entstanden;
es ist daher oft sehr zum Nachtheil der Patienten, wenn
ihnen gerathen wird, gegen Thränenträufeln Nichts zu gebrauchen. Durch vorsichtige Anwendung der Bowman-
schen Sonden kann dem Pat. kein Schaden zugefügt
werden.

Nachdem Verf. durch eine Laminariasonden den Sitz der
Strictur genau ermittelt hat, durchschneidet er diese mit
einem eigenen, an gewisser Stelle biegsamen Messer.
Stilling's Messer, und alle seine Modificationen verwirft
Verf., weil sie mehr durchschneiden als sie durchschneiden
sollen.

Bei Entzündung des Thränensackes empfiehlt Agnew,
wenn sich der nahe bevorstehende und unvermeidliche
Eiterdurchbruch nach aussen nicht schon durch unzweifel-
hafte Zeichen ankündigt, zwei verschiedene Wege der
Eiterentleerung. Man soll entweder das untere Thränenröhrchen spalten bis in den Thränensack, oder man soll
diesen von dem Bindehautsacke aus eröffnen, indem man
mit einem schmalen Messer in den Raum zwischen der
Lidcomissur und der Thränenkarunkel eindringt. Dieser
Punkt ist um so leichter zu erreichen, als der mit Eiter
überfüllte Thränensack sich hier besonders vordrängt.
Durch diese Operation wird die äussere Wunde und folglich auch die Möglichkeit der Entstehung einer Fistel vermieden.

Zum Schluss fügt Verf. noch einige Bemerkungen über
Obliteration der Thränenwege hinzu, denen wir hier nicht
weiter nachgehen wollen.

Ellinger, Leop. (Stuttgart.) Ueber den Zusammenhang der Augenmuskelthätigkeit mit Skoliose.
Wien. med. Wochenschrift Nr. 33. Juni 25. 1870.

Die vielen Arbeiten über die Unzweckmässigkeit der
Proportionen der Schultische und Schulbänke als Ursachen
von Kurzsichtigkeit und von Skoliose sind den Lesern der
Monatsbl. f. Augenheilkunde hinreichend bekannt. Verf.
macht nun auf einen bisher noch wenig beachteten Umstand aufmerksam, welchen er für besonders wichtig hält,
überlässt es aber Anderen, die von ihm ausgesprochenen
Ansichten zu prüfen und zu corrigiren.

Bekanntlich wird, nach einem von Ruete und Donders aufgefundenen Gesetz, der verticale Meridian des Auges bei schräg nach oben oder unten gerichtetem Blick
etwas geneigt. Wenn nun beim Schreiben das Papier
parallel zur Richtung des Vorderarms der schreibenden
Hand liegt, so muss bei gerader Kopfhaltung die Blickrichtung schräg auf die Papierfläche treffen, und zwar so,
dass diese Schrägrichtung optische Unbequemlichkeiten
verursacht, welche von jenem Gesetze abhängig sind.
„Der aufrechtstehende Buchstabe, die excentrisch percipirte
Objectshöhe einer- und die Linien- und Papierbreite andererseits verlieren ihren Parallelismus mit verticalem und
horizontalem Meridian." — Um dieser Unbequemlichkeit
auszuweichen, dreht das schreibende Kind die Anlitzfläche
nach rechts und neigt den Kopf nach vorne. Dadurch
wird den die Augen nach rechts und nach abwärts wen-
denden Muskeln die Arbeit erleichtert, unter welcher sie
im anderen Falle bald ermüden müssten. Unter Umständen kann nun die schiefe Kopfhaltung in excessivem
Maasse, auch eine schiefe Körperhaltung zur Folge haben.

Zur Vermeidung dieser Uebelstände giebt Verf. schliesslich den gewiss sehr beherzigenswerthen Rath, man möge
die Kinder abwechselnd bald mit der rechten, bald mit der
linken Hand schreiben lassen, wodurch alle aus Einseitig-
keit hervorgehenden Uebelstände compensirt werden.

268

Myops. Miseries of myops.
Med. Times and Gaz. Sept. 3. 1870.

Nachdem wir durch die Untersuchungen von Donders über das Wesen und über die Entstehung der Myopie ganz veränderte Anschauungen gewonnen haben, und namentlich zu der Ueberzeugung gekommen sind, dass der übermässige Gebrauch der Augen während der Schulzeit ganz besonders dazu beitrage, die Kurzsichtigkeit zu verschlimmern, und nachdem wir, durch Hülfe der Ophthalmoskopie, die schlimmen und gefahrvollen Ausgänge der Myopie näher kennen gelernt haben, mag es wohl sein, dass die Schlussfolgerungen, zu welchen wir gelangt waren, von manchen Seiten zu stark und zu einseitig in den Vordergrund gestellt worden sind. — Die Gefahren des Schulunterrichtes und der unzweckmässigen Proportionen der Schultische und Schulbänke mögen oft etwas übertrieben, und ebenso mögen auch die gefährlichen Folgezustände, welche zuweilen aus hochgradigster Myopie hervorgehen, zu oft und zu ängstlich gefürchtet worden sein.

Verf., ein pseudonymer Myope, fühlt sich veranlasst, gegen einige dieser modernen Irrthümer aus eigener Erfahrung zu protestiren. Er behauptet zunächst, dass er selbst hochgradig kurzsichtig gewesen sei, so weit wie er zurückdenken könne, und lange bevor er habe lesen und schreiben können. Eine seiner frühesten Erinnerungen sei die, dass er Schläge bekommen, weil er beim Lesenlernen die Nase zu dicht in's Buch gesteckt habe. Verf. fragt nun, ob es wirklich eine vollkommen festgestellte Thatsache sei, dass Kurzsichtigkeit gewöhnlich durch Beschäftigung mit kleinen Gegenständen, insbesondere durch vieles Lesen entstehe? — Ferner berichtet Verf., dass zwei von seinen 8 Kindern ausgezeichnet kurzsichtig sind, während die übrigen sehr gut in die Ferne sehen, und doch sind Alle, bezüglich zum Sehen, in vollkommen gleicher Weise erzogen worden; es sei daher ganz evident, dass durch Erziehung die Kurzsichtigkeit nicht hervorgerufen werde, wenn nicht die Prä-

disposition dazu vorhanden ist. Die Prädisposition sei aber
nur ein anderes Wort für die Thatsache, dass manche
Kinder kurzsichtig geboren werden. Wenn es Thatsache ist,
dass Stadtkinder häufiger an Kurzsichtigkeit leiden als
Landkinder, so liege dies nicht an der Verschiedenheit der
Beschäftigungsweise in den Schulen, sondern darin, dass
Myopie eine congenitale Affection ist, welche sich mit gewissen Eigenthümlichkeiten in der Entwicklung des Nervensystems verbindet, und diese letztere sei vorzugsweise
in den Städten und in den gebildeteren Ständen heimisch,
in denen die Entwickelung des Gehirns nicht selten der
Knochen- und Muskelentwickelung voraneilt. Kurzsichtigkeit ist — nach Ansicht des Verf's. — eine Mitgift von
Kritikern, Künstlern, Poeten und anderen hochentwickelten
Naturen; sie ist angeboren und nicht die Folge einer Erkrankung. — Verf. versichert, dass er, selbst bei sehr
schwacher Beleuchtung, sich mit Lesen des feinsten
Druckes lange und angestrengt beschäftigen könne, und
giebt zu, dass kranke Augen zugleich kurzsichtig sein
können, bestreitet aber, dass kurzsichtige Augen, der Regel
nach, krank seien.

Wenn nun Verf. nicht zugeben kann, dass kurzsichtige Augen so schlecht sind, als man glauben möchte, so
will er doch damit nicht zugleich die lebenslängliche, durch
Brillen nur etwas gemilderte Misere der Kurzsichtigen in
Abrede stellen, in Folge deren sie ihre besten Freunde zuweilen vor den Kopf stossen, Fremde für Bekannte halten,
Gesichtszüge, Kunstgegenstände und landschaftliche Schön-
heiten nur unvollkommen und mit verwaschenen Umrissen
wahrnehmen.

Köstl und **Niemetschek.** Der Centralvenenpuls der
Netzhaut bei Epilepsie und verwandten Zu-
ständen. (Forts. u. Schluss v. Bd. 106.)
Prager Viertelj.-Schr. Bd. 108. pg. 1 bis 50.
Die Verff., welche eine sehr grosse Zahl von Augen

ophthalmoskopisch untersucht haben, theilen 36 bezügliche Beobachtungen ausführlich mit. Dieselben betreffen 3 verschiedene Kategorien von Patienten, nämlich solche, welche an Epilepsie leiden (12 Fälle), solche, bei denen der Zustand annähernd derselbe ist (17 Fälle) und solche, welche vielleicht früher an Epilepsie gelitten haben und sich z. Z. in einem unheilbaren Zustand mangelnder Selbstwahrnehmung befinden (7 Fälle).

Die Untersuchung ergab die Erscheinungen des Venenpulses an 66 Augen bei 36 Kranken. Bezüglich der Epilepsie ergab die Untersuchung bei sämmtlichen davon Betroffenen ohne Ausnahme dieses Pulsphänomen.

Auf Grund ihrer Beobachtungen kommen die Verff. zu dem Schlusse, „dass Epilepsie durch Hirnanämie bedingt ist, sei nun die Anämie eine Folge der allgemeinen Blutleere, einer Erweiterung der Art. thyreoidea sup. einer Verengerung der Carotis, einer Stenose der Aorta oder einer Verminderung der Contractilität des Herzfleisches". — Im Auge manifestirt sich die Anämie durch Erblassen der Papille. Wie aber dem anämischen Zustande ein Zustand erhöhter motorischer Thätigkeit und psychischer Exaltation nachfolgt, der nur durch vermehrten Blutzufluss zum Gehirn erklärt werden kann, so sieht man in der Periode der Reaction auch eine zunehmende Röthung der Papille. Ektasie der Centralvenen, stärkere Füllung der Opticuscapillaren und Turgor des Netzhautgewebes charakterisiren — nach Angabe der Verff. — diesen Zustand der reactiven Hyperämie.

In einem während der epileptischen Convulsionen untersuchten Falle fanden sich die Arterien leicht erweitert, die Venen sehr enge, der Venenpuls und die Netzhautreflexe waren verschwunden. Hiernach glauben die Verff. annehmen zu können, dass, bei häufig sich wiederholenden Anfällen, Erweiterung der Arterien, Verengerung der Venen und Collapsus der Netzhaut stationair wird. Die Arterien wurden in der That in sämmtlichen Fällen von ausgesprochener Epilepsie weit gefunden. Nur in einem Falle beobachtete man bei exquisiten epileptischen Anfällen enge Arterien, gleichzeitig aber auch eine Brightsche Degeneration, die vielleicht die Enge der Arterien bedingt hatte. Weite Venen finden sich häufig im Stadium reactiver Hyperämie und sind deswegen von günstiger prognostischer Bedeutung.

In Bezug auf den Venenpuls bemerken die Verff., dass derselbe vorzugsweise im linken Auge vorkomme. In 20 untersuchten Fällen fand sich der Venenpuls entweder nur im linken Auge oder doch stärker in diesem als im rechten. Jn 3 Fällen, wo der Venenpuls nur im rechten Auge beobachtet wurde, bestand angeborener oder erworbener Blödsinn.

Reuss, A. Ueber einige neuere Augenoperationen.

Wiener medicin. Presse Nr. 47.

In dem Verein der Wiener Aerzte berichtete Verf. am 16. November 1870 über die Operation der Corelyse und über die Tätowirung der Hornhaut, nach fremden und eigenen Erfahrungen.

Ueber die erstere dieser beiden Operationen, insbesondere über die Methode von Streatfeild und Weber, bemerkt Verf., dass diese sich an der Wiener Schule nicht eingebürgert habe, weil man befürchte, die Kapsel zu verletzen und eine traumatische Katarakt zu erzeugen. Am meisten Vertrauen scheint Verf. dem von Passavant*) vorgeschlagenen Verfahren zu schenken.

Verf. erwähnt ferner, dass Mauthner**) im Jan. d. J. über die von ihm erzielten günstigen Erfolge Mittheilung gemacht, dass Jeffries***) in Boston die Operation

---

*) Arch. f. Ophthalm. Bd. XV. Abtheil. 1.
**) Wien. med. Wochenschr. Nr. 3. 1870.
***) Boston med. and surg. Journ. Sept. 1870.

13mal mit gutem Erfolge ausgeführt, und dass, nach mündlicher Versicherung, auch Dr. Schnabel einen günstigen Erfolg erzielt habe. Diese Resultate veranlassten den Verf., die Passavant'sche Operation in einem geeignetem Falle selbst einmal auszuführen, worüber er ausführliche Mittheilung macht. Endlich vindicirt Verf. Herrn Prof. Arlt die Ehre der ersten Erfindung einer Operation, welche dem Streatfeild'schen Verfahren wenigstens sehr nahe steht.

Was unsere eigenen Erfahrungen und Ansichten über das Verfahren von Streatfeild und Weber betrifft, so können wir der Ansicht Weber's nur beipflichten, wonach die vordere Linsenkapsel eine hinreichend feste Membran ist, um den vorsichtigen Angriffen stumpfer Instrumente widerstehen zu können. Wir haben bei dieser Operation niemals das Unglück gehabt, die Linsenkapsel zu verletzen und eine traumatische Katarakt zu erzeugen, wir glauben sogar, mit Hinblick auf die zuweilen durchaus nicht ganz leichte, beabsichtigte Kapselzerreissung bei Kataraktextraction, zu dem Schlusse berechtigt zu sein, dass eine Kapselverletzung bei Corelyse gewiss nur ein ganz ausnahmsweise unglücklicher Zufall ist. — Gegen die Corelyse, möge man sie ausführen nach welcher Methode man wolle, haben wir indessen das, gleichfalls bereits von Weber hervorgehobene, vom Verf. aber ganz mit Stillschweigen übergangene, Bedenken hevorzuheben, dass die getrennte Synechie stets wieder verwächst, dass also die Operation, wenn man sich nicht mit dem primären und unmittelbaren Erfolg begnügt, stets, wenn auch zuweilen erst nach Monaten, sich als völlig nutzlos erweist.

Die zweite Augenoperation, über welche Verf. berichtet, ist die von Wecker*) zuerst ausgeführte Tätowirung der Hornhaut, welche Verf. mit gutem kosmetischen Erfolge 4mal selbst ausgeübt hat.

---

*) Vergl. Monatsbl. f. Augenheilk. VIII. p. 158.

Offene Correspondenz.

Berlin. (v. Graefe's Bibliothek.) Die Bibliothek des verstorbenen Geh. Raths Professor A. v. Graefe ist in Besitz der Hirschwald'schen Buchhandlung in Berlin gekommen, welche nächstens einen Katalog darüber veröffentlichen wird.

Berichtigung.

Im diesjährigen Maihefte pag. 129 ist der Name des Verf.'s des ersten Artikels versehentlich Talkow anstatt **Talko** gedruckt worden.

Pag. 201, Zl. 15 von oben muss statt: „iritischen Processen und" gelesen werden: „iritischen Processen **nach**".

Die Blinden
in den Grossherzogthümern Mecklenburg.

I.

Die Ergebnisse der Blinden-Zählung in Mecklenburg nach den officiellen Listen vom 3. Dec. 1867.

Durch die Vermittelung des statistischen Bureau's in Schwerin, sowie durch die bereitwillige Unterstützung der Hohen Landes-Regierung von Mecklenburg-Strelitz sind wir im Anfange des Sommers 1869 in den Besitz aller Notizen gekommen, welche bei der Volkszählung vom 3. Dec. 1867 bezüglich der Blinden amtlich ermittelt worden sind.

Bei dieser, im ganzen Bereiche des norddeutschen Bundes, und also auch in den beiden Grossherzogthümern Mecklenburg vorgenommenen Volkszählung wurde zum ersten Mal den Blinden eine besondere Aufmerksamkeit gewidmet. Es wurden, genauer als bisher, die Namen, das Geburtsjahr, die religiöse Confession, der Beruf der Angehörigen und endlich noch einige weitere, besonders auf die Verheirathung bezügliche Thatsachen ermittelt.

Das summarische Ergebniss dieser Zählungen ist aus nachfolgender Uebersicht zu entnehmen:

Mecklenburg-Schwerin.

	Einwohner.	Blinde.	Verhältniss der Blinden zur ganzen Bevölkerung.
Städte	207,211	193	1 : 1073
Domanium und Klostergüter	214,004	195	1 : 1097
Rittergüter	139,517	92	1 : 1516
zusammen	560,732	480	1 : 1168

Mecklenburg-Strelitz.

	Einwohner.	Blinde.	Verhältniss der Blinden zur ganzen Bevölkerung.
Städte		39	
Domanial-Aemter	82,160	19 } 66	1 : 1245
Ritterschaft		8	
Ratzeburg	17,273	7	1 : 2468
zusammen	99,433	73	1 : 1362
Gesammtsumme	660,165	553	1 : 1193

Aus den officiellen Zählungslisten ergiebt sich ferner, folgende übersichtliche Tabelle über die Verheirathung oder Nichtverheirathung der Blinden.

Mecklenburg-Schwerin.

	verheirathet.		unverheirathet.		Summe
	männlich.	weiblich.	männlich.	weiblich.	
Städte	53	51	31	58	
Domanium und Klostergüter	37	43	53	62	
Rittergüter	18 .	18	33	23	
	108	112	117	143	
	220		260		480

Mecklenburg-Strelitz.

	ohne Angabe.	verheirathet.		unverheirathet.		Summe
		männl.	weibl.	männl.	weibl.	
Städte	4	8	12	11	4 ·	
Domanium		4	4	5	6	
Rittergüter		2	3	1	2	
Fürstenth. Ratzeburg	1	1	2	1	2	
		15	21	18	14	
	5	36		32		73

Gesammtsumme | 553

Nehmen wir an, dass Verheirathungen vor zurückgelegtem 20. Lebensjahre selten vorkommen, und ziehen wir von den Unverehelichten noch diejenigen ab, welche seit dem J. 1847 (incl.) geboren sind, welche mithin, zur Zeit der Zählung, 20 Jahre alt oder jünger gewesen, nämlich:

in Mecklenburg-Schwerin 60
in Mecklenburg-Strelitz 4
zusammen 64

19*

so bleiben

in Mecklenburg-Schwerin 200
in Mecklenburg-Strelitz 28
zusammen 228

Blinde, die das Alter von 20 Jahren bereits zurückgelegt haben und unverheirathet geblieben sind.

Bemerkenswerth ist, dass im Schwerin'schen die Zahl der unverheiratheten Blinden im Domanium und auf den Rittergütern auffallend grösser ist als die der verheiratheten, während in den Städten das umgekehrte Verhältniss statt findet.

Für Strelitz sind die Zahlen zu klein, um Beachtung zu verdienen; lässt man aber diese kleinen Zahlen dennoch gelten, dann zeigt sich für die Rittergüter dort gerade das umgekehrte Verhältniss wie in Mecklenburg-Schwerin. Die verheiratheten Blinden auf den Rittergütern verhalten sich nämlich zu den unverheiratheten

in Mecklenburg-Strelitz wie 5 : 3,
in Mecklenburg-Schwerin ungefähr wie 2 : 3.

Während das Verhältniss in den Schwerin'schen Domanial-Aemtern (1 : 1,44) und in der Ritterschaft (1 : 1,49) nicht auffallend verschieden ist, so tritt dagegen die relativ grosse Zahl der Verehelichten oder der verehelicht gewesenen Blinden in den Städten (1 : 0,86) höchst auffallend hervor. — Die verehelichten Blinden in den Städten überwiegen über die unverehelichten um 15, während — bei fast gleich grosser Blindenzahl — die Zahl der Unverehelichten in den Domanial-Aemtern um 35 grösser ist.

Zieht man die unter-20jährigen Blinden ab, dann tritt das Verhältniss noch schroffer und deutlicher hervor, nämlich:

in den Domanial-Aemtern
(36 ab) 80 : 79

in den Städten
(16 ab) 104 : 73

Mit Ausnahme einiger Israeliten, welche sich in den kleineren Städten Mecklenburg's aufhalten, bekennen sich die in den Listen angeführten Blinden sämmtlich zur lutherischen Kirche.

Unter den 480 Blinden in Mecklenburg-Schwerin sind 8 Blinde — 4 männliche und 4 weibliche — welche dem jüdischen Glauben angehören. Demnach ist von je 60 Blinden durchschnittlich e i n e r Jude. Da aber in Mecklenburg-Schwerin, nach Ausweis der Zählung von 1867, nur 3064 Juden leben, so ergiebt dies die unverhältnissmässig hohe Proportion von

$$1 : 383$$

für die Blinden des israelitischen Glaubensbekenntnisses; mit anderen Worten: von 383 Juden ist E i n e r blind. Wir wollen zwar zugeben, dass kleine Zahlen wenig beweisen, können aber doch nicht umhin, auf Grund anderweitiger Beobachtungen darauf hinzuweisen, dass die Juden allgemeinhin ausserordentlich häufig an Augenkrankheiten leiden und dass daher unter ihnen nicht unwahrscheinlicher Weise auch Erblindungen häufiger vorkommen mögen als unter Christen.

Die Altersverhältnisse der Blinden werden wir an einer späteren Stelle ausführlich berücksichtigen.

Die Berufsarten, denen sich die Blinden vor ihrer Erblindung gewidmet hatten, oder die Berufsarten, welche die Eltern oder Angehörigen der Blinden gewählt haben, bietet nichts, was für uns von Interesse wäre.

II.

Vergleichung der Ergebnisse der Blindenzählung in Mecklenburg mit den Ergebnissen in einigen anderen Ländern.

Um nun zu ermitteln, ob Mecklenburg in Bezug auf seine Blindenzahl unter die begünstigten oder unter die weniger begünstigten Länder gehöre, suchten wir zunächst nach bezüglichen Notizen in der uns zugänglichen Litteratur, fanden aber bald, dass die meisten Blindenzählungen recht unsicher und recht wenig Vertrauen erweckend sind; es sind zum grossen Theil eher Schätzungen, als eigentliche Zählungen. Wir verzichteten hiernach — was wir anfänglich beabsichtigt hatten — auf eine Zusammenstellung der Blindenzahl aller Länder, weil eine solche doch nur zu einer s c h e i n b a r e n Vollständigkeit führen konnte. Dagegen schien es zweckmässig, die Resultate der Blindenzählung in Preussen, welche zu gleicher Zeit und nach denselben Principien wie die Zählung in Mecklenburg vorgenommen wurde, nach den Mittheilungen des statistischen Bureau's in Berlin zur Vergleichung heranzuziehen. Auf unsere bezügliche Bitte erhielten wir von dem statistischen Bureau in Berlin die nachfolgenden Notizen, welche späterhin in der Zeitschrift desselben veröffentlicht worden sind.

Aus den zu Rathe gezogenen anderweitigen Hülfsquellen ersahen wir, dass namentlich Norwegen und Finnland eine ganz unverhältnissmässig grosse Blindenzahl aufzuweisen hat. Dies veranlasste uns, auch nach anderen Seiten hin specielle Anfragen ergehen zu lassen, um über die wahre Sachlage möglichst sichere Auskunft zu erhalten. Besonders mittheilenswerthe Nachrichten erhielten wir aus Norwegen, aus Finnland und aus dem Kaukasus. Die Hauptresultate dieser Mittheilungen wollen wir auszugsweise hier nachfolgen lassen.

I. Wir beginnen mit einer Uebersicht der Resultate der Blindenzählung in den verschiedenen Provinzen Preussen's, verglichen mit der gesammten Einwohnerzahl dieser Provinzen, welche wir in nachfolgender tabellarischer Form zusammengestellt haben.

Königreich Preussen.
Nach der Zählung vom 3. Decbr. 1867*).

	Blinde.			Einwohnerzahl.	Verhältniss.
	männl.	weibl.	Summe.		
Preussen	856	934	1790	3,090,960	1 : 1726
Posen	476	572	1048	1,537,338	1 : 1467
Brandenburg	626	621	1247	2,716,022	1 : 2178
Pommern	441	416	857	1,445,635	1 : 1686
Schlesien	1125	1174	2299	3,585,752	1 : 1560
Sachsen	609	594	1203	2,067,066	1 : 1718
Westfalen	566	475	1041	1,707,726	1 : 1640
Rheinland	1082	989	2071	3,455,358	1 : 1668
Jahdegebiet	—	—	—	1,748	—
Sigmaringen	22	26	48	64,632	1 : 1346
Schlesw.-Holstein	303	230	533	981,718	1 : 1851
Hannover	550	482	1032	1,937,637	1 : 1877
Hessen-Nassau.	492	420	912	1,379,745	1 : 1513
	7148	6933	14081	23,971,337	1 : 1702

Aus obiger Uebersicht ergiebt sich, dass die Blindenzahl, im Vergleiche zur ganzen übrigen Bevölkerung, in allen Preussischen Provinzen viel kleiner ist als in Mecklenburg.

II. Nach einer brieflichen Mittheilung vom 12. April 1869 von Hjalmar Heiberg in Christiania ist in den Skandinavischen Ländern das Verhältniss der Blinden zu den Sehenden nach den neuesten Zählungen folgendes:

Finnland . . . 1 : 391

Norwegen . . 1 : 733

Schweden . . . 1 : 1419

Dänemark . . 1 : 1908

Norwegen hat, bei einer Bevölkerung von 1,701,756 Einwohnern,

---

*) Zeitschr. des königl. preuss. statist. Büreau. Jahrg. IX. p. 31. und p. 332.

1) nach einer von Pfarrern und Schullehrern

2) nach einer von Aerzten privatim

vorgenommenen Zählung

2320

1124

Blinde.

Die Zählung, welche von den Aerzten (1862) unternommen wurde, ist unvollständig geblieben; doch erklärten viele Aerzte, dass in der officiellen von Pfarrern und Schullehrern ausgeführten Volkszählung viele „Halbblinde" mit aufgenommen worden.

III. Nach einer brieflichen Mittheilung vom 9. Mai 1869 von F. J. von Becker in Helsingfors bestand die gesammte Einwohnerzahl Finnland's zu Ende des Jahres 1865 aus 1,802,248 Protestanten und etwa 40,000 griechischen Katholiken.

Die Zahl der völlig Blinden beträgt aber 5187; die Zahl der Halbblinden, oder derjenigen, die ohne ganz blind zu sein, grobe Druckschrift nicht mehr lesen können: 7616. Hiernach berechnet sich das Verhältniss der völlig Blinden zu der ganzen Bevölkerung

in Finnland wie 1 : 348.

Rechnet man die Halbblinden hinzu, so ergiebt sich, dass von je 140 Personen eine so schlecht sieht, dass sie grobe Druckschrift nicht mehr erkennen kann.

Ausführlichere Mittheilungen, welche sich besonders auf die Ursachen dieser zahlreichen Erblindungen erstrecken, lassen wir anhangsweise nachfolgen.

IV. Einer brieflichen Mittheilung aus dem Kaukasus entnehmen wir, dass dort, bei einer Einwohnerzahl von 4,506,531 Seelen, etwa 5000 Erblindete sein müssen. Dies ergiebt ein Verhältniss von 1 : ca. 900. Die meisten Erblindungen seien bedingt durch Hornhauttrübungen, und diese letzteren wiederum seien meistentheils Folge der Pockenkrankheit, welche in dortiger Gegend, wo noch sehr selten geimpft wird, möglicherweise gefährlicher auftritt als anderswo. Uebrigens sei es auffallend, wie Wenige von den vielen Augenkranken die Hülfe eines Arztes in Anspruch nehmen. Als Beispiel hiervon kann die Notiz dienen, dass in der Stadt Tiflis, von je 150 Todesfällen kaum 10 zur ärztlichen Cognition kommen. Wie mag es — fügt unser Gewährsmann hinzu — nun gar in der Provinz aussehen! — Staaroperationen, welche in den meisten grösseren Städten Deutschland's zu Hunderten gemacht werden, kommen in Tiflis — einer Stadt von etwa 60 bis 70,000 Einwohnern — etwa 5 bis 6 mal jährlich vor.

III.

Zur Correction des Hauptresultates der Blindenzählung.

Nachdem wir das Gesammtresultat der im December 1867 vorgenommenen Blindenzählung mit allen Details in Händen hatten, erschien es uns wünschenswerth:

1) die Richtigkeit der gesammelten Resultate einer nochmaligen Prüfung zu unterziehen und

2) einige weitergehende Nachrichten über die Blinden unserer Grossherzogthümer einzuholen.

Um diesen doppelten Zweck zu erreichen, wendeten wir uns an die geistlichen Herren des Landes.

480 Frageblättchen wurden im Mai 1869, mit der Bitte um Beantwortung an die Prediger in Mecklenburg-Schwerin, und 73 an die Prediger in Mecklenburg-Strelitz, mit derselben Bitte, verschickt.

Jedes dieser Frageblättchen enthielt auf der Titelseite den Namen, den Wohnort und das Geburtsjahr je eines Blinden, nach den Angaben der officiellen Zählungslisten, und auf der anderen Seite eine Reihe von Fragen nebst hinreichendem Raum zu deren Beantwortung.

Die meisten Blättchen sind im Laufe der nächsten 3 Monate zurückgelangt, einige trafen viel später ein, und 6 sind gar nicht wieder zum Vorschein gekommen.

Von den in Mecklenburg-Schwerin verschickten Frageblättchen sind also 474 zurückgekehrt. Hiervon sind jedoch in Abzug zu bringen diejenigen, welche die Angabe enthielten, die qu. Blinden seien nicht aufzufinden, oder sie seien nicht in Mecklenburg ansässig, sondern am Tage der Zählung nur zufällig hier anwesend gewesen, oder die angeblichen Blinden seien gar nicht blind. Endlich ist eine gewisse Anzahl Blinder inzwischen verstorben.

Nun enthielten unsere Frageblättchen aber auch noch die weitere Bitte um Angabe etwaiger, in den verschiedenen Parochieen sonst noch vorhandener, nicht-registrirter Blinden. Diese Bitte führte zu dem etwas überraschenden Resultate einer Vermehrung unseres Blindenregisters um 60 Nummern, welche in den Volkszählungslisten nicht enthalten waren.

Die nach Mecklenburg-Strelitz versendeten 73 Frageblättchen kamen, pünktlich nach 8 Wochen, sämmtlich wieder in unsere Hände zurück. Einige dieser Blättchen blieben ebenfalls unbeantwortet, weil die qu. Blinden trotz aller Bemühung nicht aufzufinden oder weil sie anderswo wohnhaft waren, andere kamen mit der Antwort wieder, die angeblichen Blinden seien gar nicht blind. Endlich brachte die zurückgekehrte Sendung einen Zuwachs von 18 Blinden, welche, entweder im Laufe der letzten $1^1/_2$ Jahre erst erblindet, oder bei der officiellen Zählung versehentlich nicht mitgerechnet worden waren. Auch in Mecklenburg-Strelitz ist im Verlaufe von anderthalb Jahren eine Anzahl Blinder verstorben.

Numerisch genauer angegeben und übersichtlich zusammengestellt, erhalten wir nachfolgende Resultate:

In Mecklenburg-Schwerin
enthielten die officiellen Zählungslisten vom 3. Dec. 1867

männliche) Blinde 225
weibliche) 255
zusammen 480.

Hiervon müssen abgezogen werden die Nichtblinden,

welche in den officiellen Blindenlisten versehentlich als blind angeführt worden sind:

männliche ⎰
weibliche ⎱ Nichtblinde   7
                       9

zusammen 16.

Ferner ist abzuziehen die Summe der von den Pastoren nicht ermittelten, mithin vielleicht gleichfalls versehentlich in die Listen eingetragenen, und die Summe der anderswo wohnhaften Blinden

männliche ⎰ nicht auffindliche   11
weibliche ⎱   Blinde   13

zusammen 24.

Endlich ist in Abrechnung zu bringen die Summe der seit dem 3. Dec. 1857 bis Mitte des Jahres 1869 Gestorbenen.

Männliche ⎰ verstorbene   26
Weibliche ⎱   Blinde   28

zusammen 54.

Dem übrigbleibenden Rest:

männliche ⎰ Blinde   181
weibliche ⎱   205

zusammen 386

muss noch hinzugefügt werden die Summe der ca. 12 seither Erblindeten, sowie die Summe derer, welche versehentlich in die Hausstandslisten nicht eingetragen worden sind.

Männliche ⎰ Blinde   23
Weibliche ⎱   27

zusammen 60.

Es ergiebt sich hieraus für Mecklenburg-Schwerin i. J. 1869 ein Blindenbestand von

männlichen ⎰ Blinden   214
weiblichen ⎱   232

zusammen 446.

Wie bereits angegeben wurde, sind 6 unserer Frageblättchen nicht wieder in unsere Hände zurückgelangt. Die Zahl der beantworteten Blätter beträgt demnach 440.

Uebersichtliche Recapitulation.
Mecklenburg-Schwerin.

Summe der Blinden nach den officiellen
Volkszählungslisten 480

Davon sind in Abrechnung zu bringen:
1) Die Nichtblinden 16
2) Die Nichtauffindlichen 24   94
3) Die seither Gestorbenen 54

bleibt 386.

Dazu zu rechnen sind:
Die nachträglich ermittelten Blinden 60

Zusammen 446.

Nicht retournirte Frageblätter 6
Summe der beantworteten Frageblätter 440.

An diese summarische Uebersicht haben wir noch folgende Bemerkungen anzuknüpfen:

Die in Mecklenburg-Schwerin nicht auffindlichen Blinden bilden in der That ein ganz erstaunlich starkes Contingent. Wie war es nur möglich — so fragt man sich unwillkürlich — dass 24 in den officiellen Zählungslisten namentlich aufgeführte Blinde nach 1½ Jahren in denjenigen Ortschaften, in denen sie namhaft gemacht sind, von den ortsangehörigen Pastoren gar nicht mehr aufgefunden werden konnten?

Es hält schwer sich diese Frage befriedigend zu beantworten; denn abgesehen von ganz zweck- und sinnlosen Fälschungen, die wohl kaum vorgekommen sein mögen, und abgesehen von Abschreibefehlern und Irrthümern anderer Art, wollen wir hier noch besonders hervorheben, dass es, mit wenigen Ausnahmen, nicht an dem Eifer und der Bemühung derjenigen gelegen haben kann, welche wir um nähere Nachforschung gebeten haben. Im Gegentheil, aus der Ausführlichkeit und Genauigkeit mancher Beantwortungen möchten wir entnehmen, dass die Herren Pastoren, an die wir uns gewendet, sich alle Mühe gegeben haben, die

Blinden, welche nach Angabe der Zählungslisten in ihren Parochieen vorhanden sein sollten, aufzufinden.

Ein Erklärungsgrund der Nichtauffindlichkeit lässt sich indessen doch angeben.

Die Zählung vom 3. Dec. 1867 wurde bekanntlich in der Weise vorgenommen, dass jeder an demjenigen Orte, an welchem er am Zählungstage sich befand, mitgezählt wurde; so kam es also, dass alle d u r c h r e i s e n d e n Blinden in das Verzeichniss der Mecklenburgischen Blinden hineingeriethen. Ohne Zweifel sind unter den Nichtauffindlichen einige, die nur als Passanten sich am Zählungsorte aufhielten und daher nachträglich nicht wieder aufgefunden werden konnten. Von dreien, die wir gleichfalls hierher gerechnet, wird ausdrücklich angegeben, dass sie ausserhalb Mecklenburg ihren dauernden Wohnsitz haben, und dass deshalb nichts Näheres über sie angegeben werden kann. Schwerlich darf man aber annehmen, dass alle übrigen nur auf der Durchreise anwesend gewesen. Blinde Leute begeben sich nicht so leicht auf Reisen, besonders zur Winterszeit. Es ist kaum anzunehmen, dass von je 100 Blinden durchschnittlich etwa 3 oder 4 sich Anfangs December auf Reisen befinden sollten. Und doch bleibt kaum eine andere Erklärung für das Entstehen eines solchen Versehens übrig.

Die N i c h t b l i n d e n. — Unter den in den officiellen Zählungslisten für Mecklenburg-Schwerin namentlich angeführten 480 Blinden sind 16 zu streichen, weil sich bei genauerer Nachforschung ergeben hat, dass sie sehend oder doch nur einseitig blind waren; $3^{1}/_{3}$ % der angeblich Blinden sind also nicht blind.

Die Entstehung dieser Irrthümer lässt sich auf mehrfache, etwas leichter erklärliche Gründe zurückführen.

Zunächst sind zwei dieser Nichtblinden in Mecklenburg-Schwerin, zur Zeit der Zählung wirklich auf beiden Augen staarblind gewesen und sind seither mit Erfolg operirt, mithin wieder sehend geworden. Der eine derselben, welcher bereits seit 13 Jahren blind war, wäre vielleicht zeit seines Lebens blind geblieben, wenn nicht durch unsere Nachforschung die Heilbarkeit seines Uebels ans Tageslicht gekommen wäre. Der Andere war seit 2 Jahren auf beiden Augen vollständig staarblind, und hatte bis dahin wenigstens auch noch keine Kenntniss davon, dass der graue Staar heilbar sei.

Zwei andere angeblich blinde Personen haben zur Zeit der Zählung unzweifelhaft an heftigen Augenentzündungen gelitten und sind späterhin wieder genesen; sie mögen deshalb wohl als blind aufgeführt worden sein.

In derselben oder doch in ähnlicher Lage waren aber auch noch einige Andere, von denen angegeben wird, dass sie früher an Augenübeln gelitten, gegenwärtig aber nur kurzsichtig oder schwachsichtig seien.

Dann finden sich unter unseren Nichtblinden noch zwei, von denen der eine seit frühester Kindheit, der andere seit unbestimmter Zeit, auf dem e i n e n Auge vollständig erblindet, auf dem anderen aber noch ganz gut sehend ist. Ein dritter scheint an Ptosis, eine vierte nur an Thränenträufeln und etwas Schwachsichtigkeit zu leiden.

Endlich bleiben noch 3 angeblich Blinde übrig, die vollkommen gut sehen, die also völlig irrthümlicher Weise in die Blindenregister hineingerathen sind, bei denen wenigstens gar kein ersichtlicher Grund vorliegt, der zu diesem Versehen Veranlassung gegeben haben konnte.

In Mecklenburg-Strelitz
enthielten die officiellen Zählungslisten vom 3. Dec. 1867

männliche	Blinde	37
weibliche		36
	zusammen	73

Von diesen 73 angeblich Blinden sind aber 5 nicht blind, und versehentlich in das Blindenregister hineingerathen.

In einem dieser 5 Fälle erklärt sich das Versehen dadurch, dass, statt des Bruders, die um 3 Jahre ältere

Schwester in die Listen eingetragen worden; in einem anderen Falle ist der gut sehende Sohn statt seiner inzwischen in hohem Alter verstorbenen, „ziemlich erblindeten Mutter" genannt; in einem dritten Falle ist Taubheit versehentlich mit Blindheit verwechselt; ein vierter Fall ist seither erfolgreich operirt worden, kann jetzt mit Hülfe einer geeigneten Brille wieder lesen und schreiben, ist also nicht mehr blind. Die fünfte und letzte Nummer bezeichnet endlich als blind eine 73jährige Frau, welche nach Aussage der Pastoren, trotz ihres vorgerückten Alters, die „volle Sehkraft ihrer Augen" noch besitzt.

Zwei andere, angeblich blinde Personen konnten trotz aller Bemühung nicht aufgefunden werden und ein 20jähriges Mädchen hat Mecklenburg inzwischen verlassen, so dass nähere Erkundigungen über den Stand ihrer Erblindung nicht eingezogen werden konnten.

Endlich sind von den angeführten Blinden bereits 10 verstorben, wovon jedoch eine alte Frau nicht in Rechnung gebracht werden darf, weil sie nicht blind, sondern taub war. Dagegen kommt eine andere nicht namhaft gemachte „ziemlich Erblindete" hinzu. Diese beiden compensiren sich und es bleibt also bei der Gesammtsumme von 10 Verstorbenen.

In Summa sind hiernach 16 Individuen von der Blindenliste abzusetzen.

Dagegen kommen, in Folge der sorgsamen Nachforschungen unserer Pastoren, 18 neue Blinde hinzu, von denen etwa 12 bei den Zählungen übersehen und nicht mitgerechnet worden sind. Die 6 Uebrigen sind seither im Verlauf der letzten ca. 1½ Jahre erblindet.

Um die Mitte des Jahres 1869 würden also in Mecklenburg-Strelitz

männliche	Blinde	38
weibliche		37
	zusammen	75 Blinde

gelebt haben, welche Zahl, von der ursprünglichen Zählung kaum differirt.

Uebersichtliche Recapitulation.
Mecklenburg-Strelitz.

Summe der Blinden nach den officiellen Volkszählungslisten ... 73

Davon sind in Abrechnung zu bringen:

1) Die Nichtblinden	5	
2) Die Nichtauffindlichen	1	16
3) Die seither Gestorbenen	10	

bleibt 57

Dazu zu rechnen sind:

Die nachträglich ermittelten Blinden ... 18

Zusammen 76.

Wollten wir endlich noch fünf neue Fälle (3 männliche, 2 weibliche; 3 Kinder, 2 alte Leute), von welchen uns aber nur die Namen und das Alter bekannt geworden, hier mit in Anrechnung bringen, dann würde das Verhältniss sein:

In Mecklenburg-Strelitz	männliche	Blinde	41
	weibliche		39

zusammen 80.

In Mecklenburg-Schwerin	männliche	Blinde	214
	weibliche		232

zusammen 446.

Demnach beziffert sich der in beiden Grossherzogthümern im Sommer 1869 vorhanden gewesene Blindenbestand auf

männliche	Blinde	255
weibliche		271

zusammen 526.

Wenn nun auch die numerischen Hauptresultate, welche durch unsere Nachforschungen gewonnen wurden, nicht sehr beträchtlich abweichen von den durch die officielle Zählung ermittelten und oben angegebenen Zahlen, so dienten diese doch dazu, eine nicht unbeträchtliche Menge von mehr oder weniger erheblichen Irrungen aufzudecken, und zu zeigen, wie wenig zuverlässig auch diese neuesten, nach den besten Zählungsmethoden vorgenommenen, statistischen Blindenzählungen im Einzelnen noch geblieben sind.

Zur besseren Stütze dieser Behauptung mögen, nächst den bereits mitgetheilten, auch noch die nachfolgenden Bemerkungen dienen.

Die Möglichkeit, dass bei der stattgehabten Zählung ein Name unleserlich, und von den Abschreibern unrichtig, geschrieben worden, liegt allerdings sehr nahe. In der That sind aber solche Irrthümer öfter vorgekommen als man glauben sollte.

Wenn wir von geringeren Unrichtigkeiten abstrahiren, so bleibt doch eine ganze Anzahl Namen übrig, die so verkehrt geschrieben sind, dass man an der Identität derselben zweifeln kann. So findet sich in den officiellen Blindenlisten z. B. der Name Flemming statt Thuningk, Kasel statt Kusel, Seemann statt Soomann, Zamba statt Zander, Axel statt Apsel, Sonnfeldt statt Sondfeldt, Lippert statt Lipphardt u. s. w. — Alles in Allem finden sich 19 mehr oder weniger falsch geschriebene Familiennamen.

Zuweilen sind auch die Vornamen unrichtig, oder doch anders geschrieben worden, als sie, nach Angabe der Pastoren, im Kirchenbuche stehen. Dies wäre — soweit unsere Zwecke dabei im Spiele sind — ziemlich gleichgültig. Weniger gleichgültig ist es dagegen, wenn die Unrichtigkeit des Vornamens eine Verwechselung des Geschlechts zur Folge hat, wenn, anstatt eines männlichen Vornamens ein weiblicher angeführt wird, und umgekehrt. Auch hiervon finden sich in den uns vorliegenden Listen mehrere Beispiele. Diese Irrung ist nämlich vorgekommen, dreimal in Mecklenburg-Schwerin und zweimal in Mecklenburg-Strelitz. — In einem Falle war eine nicht auffindliche Luise Rosenberg höchst wahrscheinlich verwechselt worden mit einem seit Jahren erblindeten Maurergesellen desselben Familiennamens. In einem anderen Falle ist ein gesunder und sehkräftiger A s m u s W a r n c k e verwechselt worden mit einer blinden Bauern - Wittwe S o p h i e K ä h l e r , geb. W a r n c k e. In einem dritten Falle steht in dem officiellen Register: C h r i s t i n e anstatt C h r i s t i a n. — In Mecklenburg-Strelitz wurde die um 3 Jahre ältere Schwester W i l h e l m i n e anstatt ihres Bruders H e r m a n n, versehentlich als blind angeführt; ebenso ist vermuthlich auch ein 37jähr. Mann mit seiner in hohem Alter im Jahre 1868 verstorbenen Mutter verwechselt worden.

Die Angabe des Geburtsjahres ist ebensowenig sicher. Da wo von Seiten der Pastoren das Geburtsjahr berichtigt und wo vielleicht auf Grund der Kirchenbücher sogar der Geburtstag hinzugefügt worden, sind wir ohne Bedenken der letzteren Angabe gefolgt. Wenn aber durch ein hinzugefügtes Fragezeichen nebst Angabe einer anderen Jahreszahl nur Zweifel rege gemacht wurden, dann haben wir die ursprüngliche Angabe beibehalten, obwohl wir übrigens oft geneigt gewesen wären, der späteren Veränderung mehr Glauben zu schenken.

Das Geburtsjahr fand sich, nach Vergleich mit den Antworten der Herren Pastoren in Mecklenburg-Schwerin, 24 mal unrichtig angegeben. Die Differenz betrug 6 mal freilich nur 1 Jahr, und 5 mal nur 2 Jahre, Differenzen, die für unsere Zwecke nicht ins Gewicht fallen; dagegen fanden sich dreimal Differenzen von 10, zweimal Differenzen von 30, und einmal sogar eine Differenz von 36 Jahren.

In den Mecklenburg - Strelitz'schen Listen finden wir zweimal ein, um resp. 6 und 7 Jahre, unrichtig angegebenes Geburtsjahr.

Der Nachweis so zahlreicher und zum Theil so grober Irrungen ist einigermaassen geeignet zur vorsichtigen Prüfung aufzufordern, wenn es sich darum handelt gewisse Resultate der Statistik, deren Beweis mit anscheinend unwiderleglicher numerischer Exactheit geführt wird, dogmatisch anzuerkennen.

Nun haben wir schliesslich in Bezug auf unsere eigenen Correctionen noch ein Bedenken hervorzuheben.

Die Verhältnisse, unter denen Erblindung eintritt, werden in Mecklenburg wohl ziemlich gleichbleibend sein. Wir dürfen annehmen, dass die Zahl der Blinden sich so zu sagen im Beharrungszustande befindet, d. h. dass bei etwaigen zukünftigen Zählungen — wenigstens in nächster Zukunft — diese Zahl nicht sehr verschieden gefunden werden wird von derjenigen, welche für das Jahr 1869 ermittelt worden, und ebenso, dass die Zahl der Blinden, in jüngster Vergangenheit ungefähr eben so gross gewesen sein mag wie sie jetzt ist. — Wenigstens ist ein Grund, warum es anders sein sollte, nicht auffindlich.

Vorausgesetzt nun, dass die Zahl der Blinden für die Zeit, in der wir leben, eine nahezu unveränderliche ist, und weiterhin vorausgesetzt — was an sich sehr wahrscheinlich ist — dass das Zureisen oder Wegreisen von Blinden nur in ganz vereinzelten Fällen vorkommt, dann würde die Abnahme der Blindenzahl nur durch den Tod, die Zunahme nur durch neue Erblindungsfälle möglich sein. Die Sterbefälle und die neuen Erblindungen müssten sich also das Gleichgewicht halten und müssten ungefähr durch dieselbe Ziffer vertreten sein.

Nach unseren Listen sind nun in Mecklenburg-Strelitz 10 gestorben, und sind 6 neue Erblindungen vorgekommen. Nur wenn wir die 5 neuen noch hinzurechnen, welche (siehe p. 292) die Gesammtzahl der Blinden auf 80 bringt, von denen wir übrigens aber nichts Näheres wissen, und wenn wir fernerhin annehmen, dass diese sämmtlich oder grösstentheils Neuerblindete sind, halten sich die beiden Zahlen ungefähr das Gleichgewicht.

In Mecklenburg-Schwerin haben wir 54 Gestorbene und 60 Neuhinzugekommene. Unter diesen 60 neu hinzugekommenen Blinden sind aber nur neun, die mit Bestimmtheit, und ausser diesen etwa noch drei, die mit Wahrscheinlichkeit erst seit ca. $1^1/_2$ Jahren, d. h. seit dem Zäh-

20*

lungstermin erblindet sind. Die übrigen 48 sind zur Zeit der Zählung bereits blind gewesen, aber bei der Zählung übersehen worden.

Unsere revidirten Listen enthalten also weniger neue Erblindungen als Todesfälle.

Inzwischen fragt es sich aber, ob wir unsere Listen als hinreichend vollständig betrachten dürfen, um sie d i e s e r Frage gegenüber als beweisend gelten lassen zu können. Wir zweifeln daran und glauben vielmehr, dass in der Aufzählung der in jüngster Zeit Erblindeten, bezüglich der Vollständigkeit, Manches zu wünschen übrig bleibt, und dass also unsere oben ausgesprochene Annahme vielleicht doch richtig ist.

Die Neuerblindeten sind auch die unbekanntesten Blinden, diejenigen, welche am schwersten zu erfragen sind; mancher Neuerblindete mag daher wohl der einmaligen Nachfrage der Herren Pastoren entgangen sein.

Ist aber die Annahme richtig, dass unser Blindenstand ungefähr gleich gross bleibt, dann müssen wir weiterhin annehmen, dass wir von einigen und 40, vom 3. Dec. 1867 bis Mitte Sommers 1869 erblindeten Personen noch keine Nachricht erhalten haben, und dadurch erklärt es sich, dass die Blindenzahl für 1867 viel grösser erscheint, als die für Mitte Sommer's 1869 berechnete Blindenzahl. Erstere Summe würde unter Hinzurechnung von 48 früher nicht mitgezählten Blinden 488; letztere Summe dagegen nur 446 betragen.

IV.
Die Todesfälle.

Aus dem vorhergehenden Abschnitte ersahen wir, dass in dem Zeitraum von ca. 18 Monaten, von den Blinden im Grossherzogthum Mecklenburg-Schwerin, nicht weniger als 54, und von den Blinden im Grossherzogthum

Mecklenburg-Strelitz, nicht weniger als 10 gestorben sind; mithin sind in beiden Grossherzogthümern in Zeit von 18 Monaten 64 Blinde gestorben.

Wenn wir nach vollen Jahren rechnen, so finden sich in Mecklenburg-Strelitz 7, die vom 3. December 1867 bis 3. Dec. 1868, und 3, welche im Jahre 1869 gestorben sind. — In Mecklenburg-Schwerin lässt sich das Verhältniss nicht so genau angeben, weil 21mal das Todesjahr nicht angemerkt worden; durchschnittlich sind hier aber monatlich 3 (oder 54/18) gestorben. — In beiden Mecklenburg zusammen würden also monatlich $3^5/_9$, oder jährlich $42^2/_3$ Blinde sterben. Dies ist aber, im Vergleich zu der übrigen Bevölkerung, eine ganz colossale Sterblichkeit.

Nach den Untersuchungen des Herrn Ministerial-Rath Dippe in Schwerin ist in den Jahren
1818 bis 1853
auf 44,9 lebende Einwohner Einer jährlich gestorben; nach den Daten des Staatskalenders von 1866 würde schon auf 43,7 lebende Einwohner Einer jährlich gestorben sein. Die Sterblichkeit unter den Blinden ist also durchschnittlich ungefähr $3^1/_3$mal so gross wie die Sterblichkeit unter der ganzen Bevölkerung, denn nach unseren numerischen Voraussetzungen würde von 13,6 blinden Einwohnern jährlich durchschnittlich Einer sterben.

Es ist bei statistischen Untersuchungen von jeher üblich gewesen, das Sterblichkeits-Verhältniss (die Sterblichkeitsziffer) ähnlich wie das Geburtsverhältniss (die Geburtsziffer) lediglich nach der Zahl der Sterbefälle in einem Jahre zur Gesammtbevölkerung, ohne Rücksicht auf die Altersverhältnisse, zu bestimmen. Eine solche Bestimmung gestattet aber keineswegs ein Urtheil über die durch das Sterblichkeitsverhältniss bedingte mittlere Lebensdauer des Menschen oder — mutatis mutandis — über die mittlere Lebensdauer des Blinden, denn, zur Feststellung derselben, ist die Angabe der Sterblichkeitsziffer für jede verschiedene Altersklasse unerlässlich.

Zur Vergleichung der Sterblichkeit in den verschiedenen Altersperioden fehlt es inzwischen gänzlich an **hinreichend genauen** Erhebungen.

Zur Vergleichung der Sterblichkeit unter den Blinden in den verschiedenen Altersperioden kann aber unsere Tabelle II. wenigstens einen ganz kleinen Beitrag liefern. Könnten wir solche Blindenregister und solche Tabellen über sämmtliche Todesfälle Jahre lang weiter fortführen, dann würden sich allmälig ganz interessante Resultate gewinnen lassen. Man ersieht inzwischen daraus, dass die Sterblichkeit unter den Blinden in der Jugend sehr gering ist, dass sie dagegen im späteren Alter recht beträchtlich wird. Mit dem 60. Lebensjahr beginnt erst die Sterblichkeit erheblich zu werden, so dass in diesem Alter und über dasselbe hinaus, auf 7 bis 8 Blinde **ein** jährlicher Todesfall kommt. In noch höherem Alter, nämlich nach zurückgelegtem 75. Jahre, steigert sich das Verhältniss sogar so, dass von 3 bis 4 Blinden jährlich **Einer** stirbt.

Aus unseren beiden ersten Tabellen ist aber auch deutlich erkennbar, dass die meisten Blinden alt, theilweise sogar sehr alt sind. In Mecklenburg-Schwerin ist die Hälfte aller Blinden älter als 55 Jahre, in Mecklenburg-Strelitz steigt dies Verhältniss so, dass dort die Hälfte der Blinden sogar älter als 60 Jahre ist.

Betrachten wir die Altersverhältnisse der verstorbenen Blinden im Einzelnen etwas näher, so finden wir, dass in Mecklenburg-Schwerin nur 6 gestorben sind, die jünger waren als 45 Jahre. In Mecklenburg-Strelitz war der jüngste unter den Verstorbenen sogar schon 61, die zweit jüngste 64 Jahre alt; sechs hatten das 70. Lebensjahr bereits überschritten oder doch nahezu errreicht; die beiden ältesten sind im 82. Lebensjahre gestorben. — Die Blinden scheinen hiernach durchschnittlich in recht hohem Alter zu sterben.

Wenn auch zur Zeit unsere dürftigen Notizen noch nicht hinreichen, um daraus eine mittlere Lebensdauer der

Blinden zu berechnen, so geht aus denselben doch hervor, dass ihre Lebensdauer durchschnittlich wohl nicht viel kürzer sein wird als die der übrigen Bevölkerung; man möchte im Gegentheil fast glauben, dass sie eher ein höheres Alter erreichen; auffallend bleibt jedenfalls die grosse Anzahl in hohem Alter verstorbener Blinden.

Wir wollen inzwischen keine Conjecturen aufstellen, die aus Mangel an hinreichendem Beweismaterial jedenfalls noch auf sehr unsicherem Boden stehen.

V.
Die Altersverhältnisse.

Was in dem vorigen Abschnitt in Bezug auf die Todesfälle bemerkt wurde, gilt ganz in demselben Maasse auch für die lebende Bevölkerung.

Um das wahre numerische Verhältniss der Blinden zur Gesammtbevölkerung kennen zu lernen, ist es nicht genügend — wie dies bisher allgemein üblich war — die Summe der Blinden mit der ganzen Einwohnerzahl eines bestimmten Landbezirkes zu vergleichen; man muss vielmehr die verschiedenen Altersklassen unter sich in Vergleichung bringen.

Wir haben für diesen Zweck die Tabelle I entworfen, aus welcher die Relation des Alters und des Geschlechtes zur Zahl der Erblindungen klar ersichtlich ist.*)

Aus dieser Tabelle geht hervor, dass, nach zurückgelegtem 50. Lebensjahre, Blindheit sehr viel häufiger vorkommt als in jüngeren Jahren.

Sucht man die Blinden ihrem Alter nach in zwei gleiche

---

*) Die in dieser Tabelle enthaltenen Angaben über die Bevölkerungszahl in den verschiedenen Altersklassen haben wir den Beiträgen zur Statistik Mecklenburgs vom Grossherzogl. statistischen Bureau zu Schwerin Bd. VI. Heft I. entnommen.

Hälften zu theilen, so ergiebt sich, dass das 55. Jahr so ziemlich die Mitte bildet. Wir finden:

> bis zum zurückgelegten 55. Jahr 252 Blinde;
> nach zurückgelegtem 55. Jahr 244 „
> zusammen 496 Blinde.

Es geht ferner aus jener Tabelle hervor, dass in dem
höchsten Alter die Erblindungsziffer oder das Verhältniss
der Blinden zur gleichaltrigen übrigen Bevölkerung bis auf
1 zu 40 steigen kann, und dass sie in früher Jugend fast
bis auf 1 zu 6000 herabsinkt.

Um unsere Blindenregister mit den Resultaten der
Blindenzählung anderer Länder vergleichen zu können ist
es nothwendig auf die ursprünglichen officiellen Listen
zurückzugehen, weil wir sonst, — unter Mitberücksichtigung
unserer Correctionen — sehr ungleichartige Comparativ-Be-
dingungen haben würden.

Wenn wir nun solche Vergleichungen vornehmen, so
ist nach unseren Mecklenburgischen officiellen Blindenlisten
die Verhältnisszahl der unter-20jährigen zu den über-20-
jährigen Blinden in beiden Grossherzogthümern zusammen:

> wie 1 : 8,3. (59 : 493)

In Mecklenburg-Schwerin allein:

> wie 1 : 7,7. (55 : 425).

In auffallender Weise contrastirt aber diese Verhältnisszahl zu den Nachrichten, welche wir aus den Provinzen des Königreichs Preussen erhalten haben*). — Hier
ergiebt sich das Verhältniss im Ganzen

> wie 1 : 5,8. (2070 : 12011).

Mithin ist die relative Zahl der unter-20jährigen Blinden bei uns viel geringer wie in Preussen.

In einzelnen Preussischen Provinzen steigt dies Verhältniss noch recht ansehnlich, wie z. B. in der

> Provinz Preussen   = 1 : 4,8 (308 : 1482)
> Provinz Pommern   = 1 : 4,8 (148 : 709)

---

*) Vergl. d. Tabelle III.

Provinz Brandenburg = 1 : 4,5 (227 : 1020),
während nur im

Rheinlande   = 1 : 7,8 (234 : 1837)
ungefähr dasselbe Verhältniss wie in Mecklenburg-Schwerin besteht.

In allen übrigen Preussischen Provinzen sind verhältnissmässig mehr unter-20jährige Blinde als in Mecklenburg. Um eine richtige Anschauung dieser Verhältnisse zu gewinnen, kommt es nun noch darauf an die unter- und die über-20jährige Bevölkerung mit einander zu vergleichen. — Dies Verhältniss ist beispielsweise in der

Provinz Preussen   = 1 : 1,109,
Provinz Pommern   = 1 : 1,116,
Provinz Posen   = 1 : 1,070.

Dagegen in

Mecklenburg-Schwerin = 1 : 1,353.

In der That hat also Mecklenburg relativ auch weit mehr über-20jährige Einwohner als die vorgenannten preussischen Provinzen.

Von Mecklenburg-Strelitz sind uns die ausführlichen Berichte über die Zählungsresultate vom 3. Dec. 1867 nicht zur Hand, dagegen besitzen wir einige Notizen des Herrn Ministerialrath Dippe *) über die Volkszählung in Strelitz vom Herbste 1851. Derselbe bemerkt:

„Kinder unter 14 Jahren bilden in Mecklenburg gegen $^1/_3$ der Bevölkerung; Die Volkszählung in Strelitz vom Herbste 1851 ergiebt 30 % der städtischen Bevölkerung für dieses Alter, dagegen 33,1 % der totalen Bevölkerung.“

Es hätten demnach in Mecklenburg-Strelitz etwa 33,000 Einwohner das 14. Jahr noch nicht erreicht. Die Summe der Blinden bis zum 14. Jahr beträgt aber nur 4; demnach würde auf ca. 8000 unter-14jährige Kinder beiderlei Geschlechts eine Erblindung vorkommen.

„In Bezug auf die Anzahl der Personen von höherem

---

*) Archiv f. Landeskunde in den Grossherzogth. Mecklenburg. Jahrg. VIII. p. 560.

Alter weiss man aus Mecklenburg nur, dass in Strelitz 8 %
der Bevölkerung als über 60 Jahre alt gezählt sind."

Demnach würden in Meklenburg-Strelitz gegen 8000
über-60jährige Menschen leben, von denen — unseren
Listen zufolge — 35 blind sind.

„Die Zahl der Personen von mehr als 70 Jahren wird
man mit 2,77 % nicht zu hoch schätzen."

Die absolute Zahl der über-70jährigen Einwohner
würde also 2700 betragen, wovon 19 blind sind.

Es ist hier natürlich nicht der Ort, und es kann auch
nicht unsere Aufgabe sein, diesen vergleichenden Betrachtungen näher nachzugehen; wir begnügen uns damit sie
wenigstens flüchtig berührt zu haben. Wenn sich aber
daraus ergiebt, dass in Mecklenburg relativ mehr ältere
Bewohner leben als in manchen anderen Ländern, und
wenn namentlich auch noch, durch Berechnung der mittleren Lebensdauer von Dippe gefunden wurde, dass Mecklenburg ein in dieser Beziehung sehr begünstigtes Land
ist, dann muss man — mit Hinweis auf die vielen in späteren
Lebensjahren entstehenden Erblindungen — zu dem Schluss
kommen, dass, gerade wegen der längeren Lebensdauer
und wegen der damit verbundenen Altersschwächen, eine
relativ grössere Blindenzahl in Mecklenburg nothwendig
vorfindlich sein muss.

An diese Betrachtungsweise anknüpfend, können wir
in der für Norwegen festgestellten, relativ noch weit grösseren Blindenzahl eine unterstützende Thatsache finden.

In Norwegen, wo das Verhältniss der Blinden zur
Gesammtbevölkerung ist:

$$\text{wie } 1 : 733,$$

lässt sich nämlich durchaus kein recht überzeugender Erklärungsgrund für die überaus grosse Blindenzahl ermitteln.
Weder die geringe Zahl der Aerzte, noch die Besonder-
heiten in Lebensweise und Sitten, noch die Vermuthungen
der Aerzte, von denen, in den am Schlusse dieser Arbeit
mitgetheilten Briefen, die Rede ist, geben hierüber befrie-

digende Auskunft. Vergleichen wir aber die verschiedenen Altersklassen der Blinden wie sie in der Tabelle IV. zusammengestellt sind mit den gleichen Altersklassen der Blinden in Mecklenburg-Schwerin, dann ergiebt sich in einigen Punkten eine gewiss sehr bemerkenswerthe Uebereinstimmung.

Die Zahl der unter-20jährigen Blinden ist nämlich in Norwegen relativ noch kleiner als in Mecklenburg, und sehr viel kleiner als in Preussen.

Diese Verhältnisszahlen sind in:

Norwegen wie 1 : 93,
Mecklenburg wie 1 : 83,
Preussen *) wie 1 : 58.

Interessant ist nun der Vergleich zwischen Mecklenburg und Norwegen bezüglich der höheren Altersklassen. Während nämlich bei uns die ältesten Blinden 93 Jahre alt sind, und überhaupt nur 5 Blinde das 90. Jahr überschritten haben, finden sich in Norwegen noch 4, die das 100. Jahr bereits überschritten haben und 80, die in einem Alter zwischen 90 und 100 Jahren stehen.

Offenbar ist also die Zahl der ganz alten Blinden in Norwegen noch viel grösser als in Mecklenburg. Die Totalsumme der Blinden in Norwegen ist mehr als 4 mal so gross wie bei uns; die Summe der Blinden, welche zwischen 90 und 100 Jahr und darüber alt sind, ist aber 14 mal grösser. Hieraus folgt, dass in Norwegen die Menschen durchschnittlich noch älter werden als in Mecklenburg, und, da im höchsten Alter die Sehkraft nicht selten völlig erlischt, so folgt hieraus weiter, dass in Norwegen viele Menschen erst blind werden in einem Alter, in welchem sie bei uns sterben und in manchen anderen Ländern schon längst gestorben sind. — Kein Wunder, wenn die Relativ-Zahl der Blinden unter solchen Verhältnissen ungewöhnlich anwächst.

*) Wie sich in Preussen die höheren Altersklassen verhalten, ist aus unserer Tabelle III. nicht ersichtlich, weil diese alle später als 1837 Geborenen in eine einzige Columne umschliesst.

Wir müssen zwar zugeben, dass Norwegen verhältnissmässig etwas mehr Blinde hat als z. B. Mecklenburg,
allein, man würde sehr irren, wenn man nach den oben
angegebenen Proportionen

Norwegen wie 1 : 733,
Mecklenburg wie 1 : 1199

das Verhältniss zur Gesammtbevölkerung bemessen und
daraus auf ein fast doppelt so grosses Blindenelend schliessen wollte. Die Menschen leben länger; daher die vielen
hochbetagten Blinden, welche den Blindenetat auf solch' an-
sehnlicher Höhe erhalten.

Um besser vergleichbare Zahlen zu gewinnen, muss
man die einzelnen Altersklassen neben einander stellen.
Wenn wir beispielsweise unsere Mecklenburgischen Blinden
in Altersklassen von 10 zu 10 Jahren ordnen, und — da
Norwegen fast 3 mal so viel Einwohner hat wie Mecklenburg — mit 3 multipliciren, dann stimmen bis zum 70.
Jahre die Zahlen ausnehmend gut mit den gleichen Altersklassen der Norwegischen Blinden überein, wie nachfolgende Tabelle zu zeigen bestimmt ist.

Alter der Blinden.	Mecklenburg.		Norwegen.
	wirkl. Zahl.	mit 3 multiplicirt.	wirkl. Zahl.
bis zum 10. Jahre	22	66	92
— — 20. —	59	177	224
— — 30. —	108	324	322
— — 40. —	160	480	489
— — 50. —	217	651	655
— — 60. —	300	900	852
— — 70. —	402	1206	1203

In noch höherem Alter müssten wir unsere Blinden freilich
mit weit höheren Coefficienten multipliciren, um mit Norwegen gleichen Schritt halten zu können.

Mann kann also sagen, dass die Zahl der Blinden in Mecklenburg sich, wenn man die Altersverhältnisse mit in Rechnung bringt, zu der Zahl der Blinden in Norwegen, verhält wie der Quotient beider Bevölkerungssummen zu ¹/₃, während man ohne Berücksichtigung des Alters ein viel weiter klaffendes Verhältniss (etwa wie 2 : 3) findet.

Dies Wenige mag genügen, um zu zeigen, dass wir in Mecklenburg, bezüglich zu unserer grossen Blindenzahl, keineswegs unter besonders beklagenswerthen Bedingungen stehen.

VI.

Der Grad der Erblindung, der Erblindungsbeginn und die Erblindungsdauer.

1. Der Grad der Erblindung.

Unterscheiden wir die absolute Blindheit (total blind, völlig blind und dergl.), wobei die Blinden den Unterschied von hell und dunkel, von Tag und Nacht gar nicht mehr wahrzunehmen im Stande sind, von dem geringen und von dem guten Lichtschein, wobei die Blinden etwa noch hell und dunkel unterscheiden, oder sogar noch grosse Gegenstände, die Umrisse einer vor ihnen stehenden Person u. dergl. erkennen können, dann ergiebt sich, wenn wir die mannigfach verschiedene Wahl der Bezeichnungen immer richtig verstanden oder gedeutet haben, nachfolgende Uebersicht:

Mecklenburg-Schwerin.

Absolute Blindheit . . .	183
geringer Lichtschein . .	141
guter Lichtschein	100
unbeantwortet	16
zusammen	440

Mecklenburg - Strelitz.

Absolute Blindheit . . .	33
geringer Lichtschein . . .	28
guter Lichtschein	14
zusammen	75

Der zweite Theil unserer Frage, ob nämlich die betr. Blinden noch ungeführt an unbekannten Orten umhergehen können oder nicht, ist in Mecklenburg-Schwerin 99 mal, in Mecklenburg-Strelitz 30 mal unbeantwortet geblieben; in der Regel wohl desswegen, weil sich die Antwort aus der Beantwortung des ersten Theils der Frage zuweilen schon ganz von selbst ergiebt. — Das Resultat der Zusammenstellung lautet wie folgt:

Mecklenburg-Schwerin.

1) der Führung an fremden Orten bedürftig sind .	274
2) der Führung nicht bedürftig	67
unbeantwortet	99
zusammen	440

Die unbeantworteten Blätter zerfallen wiederum in völlig unbeantwortete und in solche, bei denen die richtige Antwort sich mit mehr oder weniger Wahrscheinlichkeit aus den übrigen Beantwortungen entnehmen lässt. Mit Rücksicht hierauf zerfallen unsere Blinden:

1) in solche, die der Führung an fremden Orten bedürfen	337
2) in solche, die der Führung nicht bedürfen . . .	90
völlig unbeantwortet	13
zusammen	440

Mecklenburg--Strelitz.

1) nicht frei und ohne fremde Führung umhergehen können	30
2) der Führung nicht unbedingt bedürftig	10
3) unbeantwortet	30
4) bettlägerig, gelähmt oder dergl., mithin überhaupt des Umhergehens unfähig	5
zusammen	75

Mit Rücksicht auf die Angaben im ersten Theil der Frage, zerfallen aber die 30 Unbeantworteten in 12 absolut blind, 14 mit geringem und 4 mit gutem Lichtschein. Wenn man annimmt, dass nur solche Blinde ungeführt umhergehen können, welche noch guten Lichtschein besitzen, dann ergiebt sich:

1) Blinde, die nicht mehr ungeführt oder gar nicht mehr gehen können 61
2) Blinde, die sich ohne Führung noch einigermaassen umherbewegen können 14

zusammen 75

Es ist indessen die freie eigene Führung nicht ausschliesslich abhängig von dem geringen Grade des vorhandenen Lichtscheins. — So wie es Halbblinde oder Schwachsichtige giebt, die kaum oder gar nicht ohne Führung umhergehen können, eben so giebt es mitunter auch sogen. Stockblinde, die vielleicht mit Hülfe eines Hundes oder mit Hülfe eines Stockes sich in kaum begreiflicher Weise tastend zurecht finden.

In Mecklenburg-Strelitz ist z. B. ein solcher, angeblich stockblinder Mann, der sich mit Besenbinden beschäftigt und seine Besen mehrere Meilen weit zum Verkauf in die Stadt bringt. In Mecklenburg-Schwerin, in Stavenhagen, lebt ferner ein etwa 30jähr. völlig blinder Mann, welcher „ohne Führung in der Stadt und in der ihm bekannten Umgegend umhergeht, einzig und allein geleitet durch sein feines Gehör und durch seinen Tastsinn." Von einem anderen über 70jähr. Blinden wird uns mitgetheilt, dass er „ohne Führer umhergeht, obwohl er nichts mehr unterscheiden kann."

Unter denjenigen, welche beim Umhergehen fremder Hülfe nicht bedürfen, finden sich etwa 8, die wohl kaum unter die völlig Blinden zu rechnen sind, die wir aber aus unseren Listen nicht eigenmächtig ausstreichen mochten, obschon wir, nach Angabe dessen, was sie noch zu sehen im Stande sind, wohl dazu berechtigt wären. — Bei einem angeblich Blinden heisst es z. B. „das eine Auge ist jetzt wieder ziemlich gut", bei einem anderen „er sieht noch ziemlich gut; kann alle Gegenstände unterscheiden und jeden Weg ungeführt gehen." Bei einigen anderen wird angemerkt, dass sie noch grosse Buchstaben erkennen, oder grobe Druckschrift (im Gesangbuche) lesen, oder in einem Zoll Entfernung noch lesen und feinere Gegenstände erkennen können. Solche Leute sind offenbar nicht blind oder sind doch nur halbblind; wir haben inzwischen aus unseren Listen nur diejenigen entfernt, welche von den Herren Pastoren selbst ausdrücklich für „nicht blind" erklärt wurden.

2. Die Zeit des Beginnes der Erblindung.

Der Zeitpunkt des Beginnes der Erblindung lässt sich zuweilen schwer feststellen. Ist es oft schon ausserordentlich schwierig, genau festzustellen, ob Jemand wirklich blind oder nur hochgradig schwachsichtig ist, so ist es, weil völlige Blindheit sehr oft mit allmälig zunehmender Schwachsichtigkeit beginnt, nicht selten noch weit schwieriger den Zeitpunkt genau anzugeben, in welchem Jemand wirklich blind geworden ist.

In manchen anderen, im Allgemeinen aber seltenen, Fällen lässt sich freilich wiederum der Tag, ja vielleicht sogar die Stunde angeben, in welcher die Erblindung plötzlich eingetreten ist.

Die von uns aufgeworfene Frage nach dem Beginn der Erblindung ist im Allgemeinen ziemlich regelmässig beantwortet worden. Unter den hier in Betracht kommenden 440 Fällen findet sich die Frage 413mal durch bestimmte Zahlenangaben und 27mal mit weniger bestimmten Bezeichnungen wie z. B. im höheren Alter, in früher Jugend, im späteren Leben, beantwortet. Die Zahlenangaben lassen freilich zuweilen noch einen Zeitraum von mehreren Jahren offen, in welchem die Blindheit eingetreten sein soll. Inzwischen genügt es für unsere Zwecke eine ungefähre Uebersicht zu gewinnen über den Zeitpunkt, in wel-

chem Erblindungen am häufigsten zu beginnen pflegen und
hierüber giebt die nachstehende, nach Jahrzehenten geord-
nete Tabelle genügende Auskunft.

Zeitpunkt der eingetretenen Erblindung.	Zahl der erblindeten Individuen.		Zusammen.
	Mecklenb.-Schwerin.	Mecklenb.-Strelitz.	
Blindgeboren	43	2	45
Im 1. Lebensjahre	53	5	58
Vom 1. bis 10. Jahre	43	9	52
— 10. — 20. —	39	6	45
— 20. — 30. —	32	9	41
— 30. — 40. —	41	7	48
— 40. — 50. —	38	9	47
— 50. — 60. —	48	6	54
— 60. — 70. —	48	9	57
— 70. — 80. —	25	5	30
— 80. — 90. —	3	3	6
Noch später	—	1	1
Summe	413	71	484
Ungenau oder gar nicht beantwortet	27	2	29
Zusammen	440	73	513

Zunächst scheint aus obiger Tabelle hervorzugehen,
dass das erste Lebensjahr, wie bekanntermaassen durch eine
grössere Sterblichkeit, ebenso auch durch eine grössere
Gefahr der Erblindung bedroht ist.

Im Uebrigen aber scheint der Beginn der Erblindung,
ohne merklichen Unterschied, in allen Altersklassen mit
ziemlich gleichbleibender Häufigkeit einzutreten; wir sehen,
dass der Erblindungsbeginn, vom ersten bis zum 70. Lebensjahr, in jedem Jahrzehend ungefähr mit gleicher
Häufigkeitsziffer eintritt. Die Zahlen schwanken um Differenzen, die so gering sind, dass man darauf keinen wei-

teren Werth legen darf. Wir könnten daher annehmen, dass die Wahrscheinlichkeit des Beginnes einer Erblindung in jeder Periode des menschlichen Lebens ungefähr gleich gross ist; nur dürfen wir nicht vergessen — und dies ist aus der Tabelle I. recht deutlich zu ersehen, — dass die Zahl der Menschen von einem bestimmten Lebensalter um so kleiner wird je älter sie sind. Demgemäss muss also auch der Beginn der Erblindung, in zunehmender Proportion, die Menschen im höheren Lebensalter treffen. Beispielsweise würde, nach jener Tabelle berechnet, auf 2860 Individuen im Alter von 10 bis 20 Jahren, der Erblindungsbeginn einmal eintreten; im Alter von 60 bis 70 Jahren aber einmal auf 654 Individuen. In diesem letzteren Jahrzehent von 60 bis 70 Jahren würde also, relativ zur gleichaltrigen Bevölkerung, die Erblindung durchschnittlich mehr als 4 mal so oft ihren Anfang nehmen als in dem Jahrzehent von 10 bis 20 Jahren.

Die Dauer der Erblindung.

Da wir von 413 Blinden in Schwerin und von 71 Blinden in Strelitz das Alter kennen, welches sie im Jahre 1869 erreicht hatten, und da wir zugleich über den Zeitpunkt des Beginnes der Erblindung die erforderlichen Nachrichten haben, so war es leicht die Dauer der Erblindung in tabellarischer Uebersicht zusammenzustellen.

Die Angaben über den Zeitpunkt der Erblindung sind aber nicht immer ganz genau; es schien daher rathsam die Erblindungsdauer nur von 5 zu 5 Jahren anzugeben. In der That tritt die Erblindung oft genug so allmälig ein, dass die Erblindeten selbst nicht recht wissen, oder vielleicht auch schon vergessen haben, in welches Jahr der wirkliche Beginn ihrer Erblindung zu setzen ist.

Das Alter der Erblindeten wurde bis Mitte 1869 gerechnet, so dass, wer im Jahre 1868 geboren oder erblindet, als einjährig, oder als seit 1 Jahre erblindet, betrachtet wurde.

rblindungsdauer.	Zahl der erblindeten Individuen.		Zusammen.
	M.-Schwerin.	M.-Strelitz.	
0 bis 5 Jahre	74	19	93
5 — 10 —	76	14	90
10 — 15 —	49	8	57
15 — 20 —	57	8	65
20 — 25 —	31	4	35
25 — 30 —	39	3	42
30 — 35 —	26	2	28
35 — 40 —	17	2	19
40 — 45 —	10	1	11
45 — 50 —	14	5	19
50 — 55 —	7	2	9
55 — 60 —	5	2	7
Noch länger	8	1	9
Summe	413	71	484

Diese Tabelle ergiebt, dass Erblindungen bis zur Dauer von 10 Jahren, bei Weitem am häufigsten vorkommen. Im Allgemeinen nimmt dann die Häufigkeit einer noch längeren Dauer allmälig ab, bis endlich Erblindungen von mehr als 50jähriger Dauer höchst selten zu werden beginnen, und Erblindungen von mehr als 60jähriger Dauer nur vereinzelt vorkommen. Erblindungen von 60 bis 70jähriger Dauer zählen wir noch sechs, von 70 bis 72jähriger Dauer nur zwei.

Ein blindgeborener 72jähr. Mann — Erblindung von längster Dauer — befindet sich übrigens im besten Wohlsein; eine in ihrem 5. Lebensjahre erblindete 75jährige Blinde ist allerdings bettlägerig; eine im Strelitzischen im Jahre 1798 geborene, seit ihrem 8. Lebensjahre Erblindete, ist dagegen ebenfalls im Allgemeinen recht gesund. — Man kann also früh erblinden, dabei recht alt werden, und übrigens doch gesund bleiben.

21*

312

VII.

Die Ursachen der Erblindung.

Die Frage nach den Ursachen einer Erblindung ist in der Regel schwer zu beantworten. Dem erblindeten Auge lässt es sich nicht mehr ansehen, wie die Entstehung der Erblindung gewesen, auf welche Weise das Auge zu Grunde gegangen ist. Namentlich nach langjähriger Dauer wird es in vielen Fällen selbst dem erfahrenen Augenarzte sehr schwer oder unmöglich, ein bestimmtes Urtheil darüber abzugeben, welche Ursachen den Ruin des Auges herbeigeführt haben; um wie viel weniger wird man eine befriedigende Antwort hierauf von Nichtärzten erwarten dürfen.

Die eigenen Angaben der Blinden oder ihrer Angehörigen sind es fast allein, auf welche man, der Regel nach, sich verlassen muss; der Arzt kann durch Inspection und genauere Untersuchung des erblindeten Auges gewöhnlich nur darüber noch ein Urtheil abgeben, ob jene Angaben glaubwürdig sind oder nicht, ob sie mit den thatsächlich am Auge noch erkennbaren pathologischen Veränderungen übereinstimmen oder ob sie denselben vielleicht geradezu widersprechen, und also mit Recht als falsch oder irrthümlich zu betrachten sind.

Unter so schwierigen Verhältnissen war es nicht zu erwarten, dass unsere Frage nach den Ursachen der Erblindung in allen Fällen eine befriedigende Beantwortung finden werde; es war vielmehr im Gegentheil zu erwarten, dass die Beantwortung um so unvollständiger ausfallen würde, als die Blinden über die Ursache ihrer eigenen Erblindung oft genug selbst sehr im Unklaren sind, und entweder gar Nichts wissen oder sehr schlecht und unvollkommen darüber unterrichtet sind. Es ist unter diesen Umständen ganz besonders anerkennens- und dankenswerth, dass viele der Herren Pastoren, um möglichst zuverlässige Nachrichten geben zu können, sich nicht mit den Aussagen der Blinden begnügt, sondern bei der Beantwortung auch noch die Mithülfe benachbarter oder befreundeter Aerzte in Anspruch genommen haben.

Wenn wir es nun unternehmen unsere dürftigen Nachrichten zusammenzustellen, so müssen wir uns von vorneherein damit zu trösten suchen, dass vollkommnere und zuverlässigere Zusammenstellungen von Erblindungsursachen bis jetzt noch nicht gegeben worden sind und zur Zeit überhaupt wohl noch nicht gegeben werden können.

Von den 440 Nummern, welche in Mecklenburg-Schwerin, nach Abzug der Gestorbenen, der Nichtauffindlichen und der Nichtblinden in Betracht kommen, sind noch 125 zu eliminiren, welche theils unbeantwortet, theils mit unwahrscheinlichen Angaben, theils endlich mit der Antwort zurückgekehrt sind, die Ursache der Erblindung sei unbekannt. Es bleiben demnach nur 315 Nummern übrig, welche, so weit es möglich war, Antworten enthalten, die verwendbar sind und worüber die nachfolgende Tabelle genauere Auskunft giebt:

Angebliche Erblindungsursachen von 315 Erblindungsfällen in Mecklenburg - Schwerin, nach der Häufigkeit des Vorkommens geordnet.

1) Augenentzündungen	44 + 5	49
2) Blindgeboren	43 + 2	45
3) Verletzungen	43 + 7	50
4) Grauer Staar	34 + 4	38
5) Erkältung	33 + 11	44
6) Nervenkrankheiten, Cerebral- und Spinal-Affectionen	31 + —	3,
7) Acute Exantheme, Cholera und Syphilis	18 + 7	2
8) Skropheln und englische Krankheit . .	15 + 2	')
9) Verschiedene Allgemeinerkrankungen .	12 + —	/
10) Blennorrhoe	12 + —	'
11) Wochenbett und Menstruationsstörungen	8 + 2	/
Transport	293	33

314

Transport 293

12) Altersschwäche . . . . 6 +3
13) Unheilbarer Graustaar . . . . 4 + 7 4
14) Vereinzelte andere Ursachen . . . 12 +9

Summe 315

Von den 91 Nummern des M.-Strelitzischen Blinden-Verzeichnisses sind 36 zu eliminiren; diejenigen Nummern nämlich, welche die Gestorbenen, die Nichtauffindlichen, die Nichtblinden, sowie diejenigen enthalten, in denen die Frage ganz unbeantwortet geblieben oder mit der Bezeichnung „unbekannt" beantwortet worden (18). — Es bleiben mithin nur 55 Nummern, in welchen die nachfolgenden Erblindungs-Ursachen angegeben sind.

Angebliche Erblindungsursachen von 55 Erblindungsfällen in Mecklenburg-Strelitz.

1) Blindgeboren 3, (wovon eine jedoch bereits gestorben) 2
2) Verletzungen 4
3) Acute Exantheme, (Rötheln, Masern, Pocken, Scharlach) 7
4) Skropheln (ausserdem noch 3 Kinder) . 2
5) Augenentzündungen 5
6) Erkältung 11
7) Grauer Staar 4
8) Altersschwäche 8
9) Nach Operationen erblindet 3
10) Im Wochenbette erblindet 2
11) Vereinzelte andere Ursachen 9

Summe 55

Zu diesen beiden übersichtlichen Zusammenstellungen haben wir noch einige Bemerkungen hinzuzufügen.

Die Blindgeborenen. — Das Blindgeborensein ist eigentlich nicht eine Ursache der Erblindung, es ist vielmehr ein Blindsein ohne Anfang und ohne bekannte

Ursache, ein Blindsein dessen Anfang und Ursachen in die Zeit vor der Geburt fallen. Dass ein Kind, bevor es das Licht der Welt erblickt, schon an mancherlei Augenerkrankungen leiden und endlich auch erblinden kann, darüber besteht wohl kein Zweifel. Weil wir aber die intrauterine Erblindungsursache meistens nicht kennen, so müssen wir uns damit begnügen die Frage nach der Aetiologie der Erblindung mit der Bemerkung „blindgeboren" zu beantworten.

Die Augen neugeborner Kinder werden aber selten so genau inspicirt, dass man über die Fähigkeit oder Unfähigkeit des Sehens mit Sicherheit ein Urtheil abgeben könnte; dies geschieht wohl nur dann, wenn etwa leicht erkennbare Spuren einer gänzlichen Zerstörung des Auges vorliegen, was allerdings zuweilen der Fall ist. Einmal wurde z. B. in unseren Frageblättchen angegeben, dass das Kind mit „leeren Augenhöhlen", also völlig ohne Augen, geboren sei. — Wenn aber keine solche, leicht erkennbare Merkmale einer Zerstörung des Auges zugegen sind, wenn die Augen äusserlich vollkommen gesund und klar aussehen, dann bemerkt man die Erblindung meistens erst in einer etwas späteren Zeit und es bleibt ungewiss, ob die Erblindung, in dieser späteren Zeit wo sie bemerkt wurde, erst entstanden, oder ob sie von der Geburt an bereits da gewesen sei.

In anderen Fällen tritt in den ersten Tagen nach der Geburt eine Erkrankung ein — wir haben hier besonders die sogen. Blennorrhoe der Neugeborenen im Sinn — welche zuweilen in kurzer Frist das Sehorgan zerstört, und nachträglich können zuweilen Zweifel darüber entstehen, ob das Kind in seinen ersten Lebenstagen noch gesehen habe oder ob es von Geburt an blind gewesen.

Nach diesen Vorbemerkungen ist es klar, dass wir auf unsere Frage nach angeborenen Erblindungen, nicht immer ganz genaue Angaben erhalten konnten, wenn wir auch zur grösseren Sicherheit, das Wörtchen „zweifellos" in unsere Frage mit eingeführt haben. Diejenigen, welche die Erkundigungen einzogen, konnten sich nur an die Aussagen der Eltern und Angehörigen halten, und Eltern und Angehörige sind gewiss oft genug ausser Stande hierüber eine bündige und zweifellose Antwort zu geben.

Praktisch genommen ist übrigens die strenge Festhaltung dieses Unterschiedes ohne grossen Werth, denn Kinder, die blindgeboren, und Kinder, die in den ersten Lebenstagen oder selbst erst in den ersten Lebensmonaten erblindet sind, stehen in Bezug auf ihre ganze Lebensentwicklung, und in Bezug auf die äusseren Bedingungen ihrer bürgerlichen Existenz so ziemlich auf gleicher Stufe. Es bleibt also nur der theoretischen Gewissenhaftigkeit wegen zu berücksichtigen, dass, bei strengerer Sonderung, die Zahl der wirklich Blindgeborenen wohl noch etwas kleiner ausgefallen sein würde als sie in unseren Tabellen angegeben wird.

In unseren Tabellen finden sich aber 43 Blindgeborene, auf eine Gesammtzahl von 440 Blinden; das macht also nahezu einen Blindgeborenen auf je 10 Blinde. — In den Tabellen von Mecklenburg-Strelitz finden sich unter 71 Blinden nur 2, oder — eine inzwischen im 72. Lebensjahre verstorbene Blinde mitgerechnet — nur 3 Blindgeborene.

Unter den 43 Blindgeborenen in Mecklenburg-Schwerin sind 18 männlichen und 25 weiblichen Geschlechts. Die beiden Blindgeborenen in Mecklenburg - Strelitz sind beide männlichen Geschlechts.

Ueber das Alter, welches die 43 Blindgeborenen in Mecklenburg-Schwerin in dem Zählungsjahre 1867 erreicht hatten, giebt die nachstehende Uebersicht hinreichende Auskunft.

Im Zählungsjahre hatten die Blindgeborenen ein Alter erreicht:

	M.	W.	Zusammen.	Summirt von 10 zu 10 Jahren.	Summe der Blinden von demselben Alter. cf. Tabelle II.	Verhältniss-zahl.
von 0 Jahren	1	—	1			
— 3 —	—	1	1			
— 7 —	1	—	1	5	27	1 : 5,4
— 9 —	1	1	2			
— 13 —	1	1	2			
— 17 —	1	—	1	4	39	1 : 10
— 18 —	—	1	1			
— 20 —	1	—	1			
— 21 —	1	1	2			
— 22 —	1	—	1			
— 23 —	1	1	2			
— 24 —	—	3	3	13	44	1 : 3,4
— 25 —	—	2	2			
— 26 —	1	—	1			
— 28 —	—	1	1			
— 30 —	1	1	2			
— 31 —	—	1	1			
— 32 —	—	2	2			
— 34 —	—	1	1			
— 35 —	1	1	2	13	48	1 : 3,5
— 36 —	—	2	2			
— 37 —	1	—	1			
— 38 —	1	—	1			
— 39 —	1	—	1			
— 44 —	—	1	1			
— 45 —	—	1	1	3	54	1 : 18
— 48 —	—	1	1			
— 51 —	—	1	1			
— 53 —	1	—	1	3	84	1 : 28
— 57 —	1	—	1			
— 66 —	—	1	1	2	207	1 : 103
— 70 J. u. ält.	1	—	1			
	18	25	43	43	503	1 : 11,7

NB. In dieser Tabelle wurden die seither Verstorbenen mitgerechnet.

Betrachtet man diese tabellarische Uebersicht genauer, so könnte man leicht auf die Vermuthung kommen, dass Blindgeborene im Allgemeinen nicht ebenso alt werden, wie Späterblindete. Während die Verhältnisszahl sich im Ganzen herausstellt etwa wie 1 zu 12, ist sie sehr viel grösser bei den unter-40jährigen Blinden; von diesen ist etwa der 3te oder 4te blindgeboren; in den höheren Altersklassen dagegen sind die Blindgeborenen sehr viel schwächer vertreten. Nun entstehen aber die meisten Erblindungen erst im höheren und höchsten Alter, so dass eine Vergleichung kaum zulässig erscheint; vergleicht man dagegen das Alter, welches die Blindgeborenen erreichen, mit den Altersverhältnissen der Gesammtbevölkerung wie sie aus Tabelle I. ersichtlich sind, so ergiebt sich kein bemerkenswerthes Missverhältniss. Wir nehmen daher an, dass Blindgeborene, in Bezug auf Lebensdauer, ihren sehenden Mitmenschen nicht nachstehen.

Auch von anderer Seite wird uns diese Annahme sehr nahe gelegt, denn nach den näheren Angaben welche wir erhalten haben, werden die Blindgeborenen grösstentheils als gesund bezeichnet. Die einzigen Ausnahmen hiervon sind, ein 25jähr. Mädchen, welches neben ihrer Blindheit zugleich taubstumm und blödsinnig ist, ein 30jähr. Mann, welcher an Epilepsie leidet und endlich 4 weibliche Individuen, welche theils als krank, theils nur als kränklich bezeichnet werden. Alle übrigen sind angeblich gesund, einige sogar sehr gesund, wie z. B. ein 70jähriger Blindgeborener, welcher niemals krank gewesen sein will.

Mit den Vermögensverhältnissen der Blindgeborenen steht es durchgehend recht schlecht, woraus man schliessen möchte, dass das Blindgeborenwerden besonders häufig unter dürftigen Lebensverhältnissen vorkommen mag. Die Frage nach der Aufnahme in eine Versorgungs- oder Beschäftigungs-Anstalt wird dem entsprechend auffallend oft bejaht. Unter den 43 Blindgeborenen finden sich, nach Angabe unserer Gewährsmänner, 10, bei denen die Aufnahme in eine solche Anstalt „wünschenswerth"; und 2 oder 3, bei denen sie sogar „sehr wünschenswerth" sein soll.

Zu der Mecklenburg-Strelitz'schen Tabelle haben wir zu bemerken, dass eine angeblich blindgeborene Frau, welche seither gestorben ist, ein Alter von 71 Jahren erreicht hatte. Auch bei dieser Frau hat also die Blindheit ein verfrühtes Ende gewiss nicht herbeigeführt. Die beiden anderen Blindgeborenen, welche zu verschiedenen Zeiten, wiederholt, wenn auch nur mit „sehr geringem Erfolg" operirt worden sind, waren im Zählungsjahr 1867, der eine 47, der andere 14 Jahr alt.

Eine grosse Zahl von Augenerkrankungen und — insofern diese möglicherweise den schlimmsten Ausgang nehmen können — eine grosse Zahl von Erblindungen, sind indirect bedingt durch

Allgemeinerkrankungen.

Unter den acuten Allgemeinerkrankungen werden nach unseren Registern ganz besonders hervorgehoben die acuten Exantheme und die Erkältungen.

Unter den übrigen, grösstentheils chronischen Allgemeinerkrankungen sind die Skrophulose und die sogen. Englische Krankheit (16 Fälle), dann Rheumatismus und Gicht (2), ferner Brustkrankheiten und andere Allgemeinleiden (12), und endlich eine Reihe von Erkrankungen, deren Sitz hauptsächlich in den Nervencentren zu suchen wäre, namhaft gemacht worden.

Bei den acuten Exanthemen, besonders bei Scharlach, Masern und Pocken findet man allerdings sehr oft eine entzündliche Theilnahme der Bindehaut des Auges an dem allgemeinen Erkrankungsprocess. Gewöhnlich tritt dieses Leiden in der Eruptions- oder in der Blüthezeit des Exanthems auf, in selteneren Fällen erst später, zur Zeit der Abschuppung, oder noch später, zu einer Zeit, wo der ursächliche Ursprung bereits zweifelhaft zu werden beginnt. In der Regel behält das Augenübel den Charakter eines einfachen Bindehautkatarrhes; mitunter kommt es indessen vor, dass geschwürige Hornhautprocesse hinzutreten oder dass das Uebel vielleicht von Anfang an als eine pustulöse Hornhautefflorescenz auftritt. Solche Hornhauterkrankungen können aber — wie allgemein bekannt — unter ungünstigen Umständen, zur Perforation der Hornhaut und späterhin zur völligen Atrophie des Auges führen. — Es gehört hierzu aber immerhin ein gewisser Grad von Vernachlässigung oder von verkehrter Behandlung; bei übrigens gesunden Menschen pflegen solche Uebel nur selten einer richtig geleiteten Therapie zu widerstehen.

Wenn nun der Glaube an die Gefährlichkeit der acuten Ausschlagskrankheiten bezüglich zum Sehorgan im Publikum ziemlich allgemein verbreitet ist, so erscheint es nicht ohne Interesse die Häufigkeit einer solchen Causalität auch durch einen numerischen Ausdruck repräsentirt zu sehen. — In unserem Grossherzogthum befinden sich unter 294 Blinden, bei denen die Ursachen der Erblindung ermittelt wurden, angeblich 16, welche in Folge von acuten Ausschlagskrankheiten ihr Augenlicht verloren haben, und zwar 7 in Folge von Pockenkrankheit und 9 in Folge von Scharlach, Frieseln, Masern u. s. w. — In Mecklenburg-Strelitz sollen von 55 Erblindeten, in Folge von acuten Exanthemen 7 ihr Augenlicht völlig verloren haben.

Wenn auch vielleicht nicht ganz passender Weise, haben wir in diese Rubrik noch einen Fall aufgenommen, bei welchem — wenn wir die Andeutung richtig verstanden haben — die Erblindung in Folge von Syphilis entstanden sein mag, und einen anderen Fall, wo, nach Angabe der Eltern, das Sehvermögen dadurch verloren gegangen sein soll, dass, während das Kind an der Cholera erkrankt war, eine Fliege demselben in Verderben bringender Weise ins Auge gestochen habe.

Dass übrigens, unter der genannten Anzahl von Blinden, das Sehvermögen beider Augen mehr als nur einmal in Folge von Syphilis, namentlich in Folge von syphilitischer Iritis und Iridochoroiditis zerstört worden sei, glauben wir mit Bestimmtheit annehmen zu dürfen, obwohl uns hierüber keine sicheren Angaben vorliegen.

Die Erkältungen bezeichnen wiederum ein sehr vages Gebiet aetiologischer Erklärung einer Blindheits-Entstehung. Allerdings kann Blindheit entstehen nach oder in Folge einer Erkältung; nur in ganz ausnahmsweisen Fällen wird aber diese Erkältung direct als Ursache der Erblindung beschuldigt werden können. Allermeistens, wenn eine Augenerkrankung nachfolgt, wird diese als Theilerscheinung einer allgemeinen Erkältungskrankheit anzusehen sein.

Wenn unsere Blindenlisten nun 33 Fälle enthalten, in denen die Blindheit angeblich durch Erkältung entstanden sein soll, so ist diese Angabe jedenfalls im allerweitesten Wortsinne zu nehmen.

Ganz dasselbe gilt aber auch in Bezug auf die 11 in Mecklenburg-Strelitz angeblich in Folge von Erkältung entstandenen Erblindungen.

Als Ursache der Erblindung wird ferner, leider nur allzu oft, ganz allgemeinhin und ohne nähere Bezeichnung,
„eine Augenkrankheit"
genannt. Irgend eine Augenkrankheit liegt freilich wohl jeder Erblindung zu Grunde; es wird also damit eigentlich soviel wie Nichts gesagt.

Augenkrankheit oder Augenentzündung wird aber in unseren Verzeichnissen 44 mal als Ursache einer Erblindung angegeben, und selbst noch öfter, wenn wir einige nicht mehr übliche, oder doch nichts Bestimmtes bezeichnende Benennungen, wie schwarzer Staar, blauer Staar u. dergl. mit hierher rechnen wollten.

In den Mecklenburg-Strelitz'schen Registern sind 5 Fälle enthalten, welche angeblich in Folge von Augenentzündung erblindet sind.

Blennorrhoe. — Ueberraschend wäre für uns die geringe Zahl derjenigen, welche an Blennorrhoe der Augen erblindet sein sollen, wenn wir nicht annehmen dürften, dass ein grosser Theil unter der allgemeinen Rubrik „Augenkrankheit" oder „Augenentzündung", und vielleicht auch unter der Rubrik „Erkältung" versteckt geblieben wäre. Die Blennorrhoe ist eine durchaus nicht seltene, und ist zugleich eine für das Sehorgan äusserst gefährliche Augenentzündung. Wir können daher kaum annehmen, dass unter einer Zahl von 315 Blinden nicht mehr als 12 sein sollten, welche in Folge von Blennorrhoe erblindet sind.

In den Registern von Mecklenburg-Strelitz kommt das Wort Blennorrhoe gar nicht einmal vor.

Die Blennorrhoe ist aber eine Augenkrankheit, welche in jedem Lebensalter vorkommen kann und welche, wenn sie sich in reiferem Alter zeigt, nicht selten mit einem gonorrhoischen Uebel in Verbindung steht. Die Krankheit entsteht aber meistens durch Uebertragung eines giftigen, inficirenden Eiters auf die Bindehaut des Auges. — Eine besondere Form dieser Krankheit ist die sogen. Blennorrhoe der Neugeborenen. Dieselbe entsteht oft gewiss auch auf ähnliche Art, wozu bei unreinlichen Wöchnerinnen genügende Gelegenheit gegeben ist. Die Blennorrhoe der Neugeborenen, welche bekanntlich in den allerersten Lebenstagen auftritt, ist dieser allerfrühesten Lebensperiode so eigenthümlich, dass man fast mit Sicherheit annehmen kann, eine Erblindung sei Folge von Blennorrhoe der Neugeborenen, wenn festgestellt werden kann, dass die Erblindung in den ersten Lebenstagen, etwa unter starker Anschwellung des oberen Augenlides entstanden ist.

Hiernach glauben wir annehmen zu dürfen, dass von den 12 blennorrhoisch erblindeten Personen, 9 (5 weibliche und 4 männliche) ihr Augenlicht durch Blennorrhoea neonatorum verloren haben; denn von diesen wird ausdrücklich angeführt, dass sie in den ersten Lebenstagen oder in den ersten Lebenswochen erblindet seien. — Einen 5jähr. Blinden, der in dem letzten Quartal seines ersten

Lebensjahres an Blennorrhoe erblindet ist können wir streng genommen nicht mehr hierherrechnen. Die beiden übrigen blinden Frauen, welche im Alter von 60 bis 70 Jahren stehen, und von denen die eine im 40., die andere im 62. Lebensjahre an Augenblennorrhoe erblindet ist, sind die einzigen Beispiele spät auftretender Blennorrhoe, obwohl wir nicht daran zweifeln, dass solcher Fälle noch mehrere vorgekommen sein müssen. Bei der einen dieser beiden Frauen wird ausdrücklich bemerkt, dass die Erblindung wahrscheinlich in Folge von Syphilis entstanden sei, worunter man sich wohl eine specifische Leukorrhoe zu denken hätte.

Die Skrophel- oder Drüsenkrankheit ist ein so allgemein verbreitetes Uebel, dass es unter kränklichen Menschen nur Wenige giebt, die nicht wenigstens Spuren dieses Leidens an sich tragen. Es kann daher nicht erwartet werden, dass hierauf in allen Fällen besondere Rücksicht genommen, und dass das Vorhandensein skrophulöser Symptome, resp. das Vorhandensein von Drüsenanschwellung stets angemerkt worden wäre; wir dürfen annehmen, dass dies nur dann geschehen sei, wenn solche Symptome in recht bemerklichem Grade hervorgetreten sind, oder wenn auf dieselben besonders aufmerksam gemacht worden ist. Wenn wir einen vereinzelten Fall von englischer Krankheit, der freilich schwerlich Ursache einer Erblindung gewesen sein kann, mit hinzurechnen dürfen, beläuft sich die Zahl unserer hierhergehörigen Fälle nur auf 15.

Die sogen. skrophulöse Augenentzündung oder jenes Leiden, welches gewöhnlich als pustulöse oder als phlyktaenuläre Hornhaut- oder Bindehautentzündung bezeichnet wird, ist in seinen mannigfaltigen Formen vielleicht die häufigste aller Augenkrankheiten. Glücklicherweise verläuft sie aber allermeistens ziemlich ungefährlich; es ist schon recht schlimm — wiewohl durchaus nicht selten — wenn störende Hornhauttrübungen zurückbleiben. Ausnahmsweise, und namentlich dann, wenn die erforderliche Sorgfalt in der Pflege fehlt, nimmt das Uebel aber einen weit schlimmeren Charakter an; es kommt zu ausgedehnter Geschwürsbildung, zu Perforation der Hornhaut und zu argen Zerstörungen des ganzen Augapfels, die natürlicher Weise Blindheit zur Folge haben.

In solcher Weise sind wahrscheinlich die genannten Erblindungsfälle, zu denen gewiss noch manche aus der Rubrik der Augenentzündungen hinzuzurechnen sind, zu Stande gekommen.

Die sämmtlichen hierhergehörigen Erblindungen sind in zarter Jugend entstanden, in demselben Alter, in welchem die Krankheit überhaupt am häufigsten, ja fast ausschliesslich vorkommt. Wenn wir einen Fall ausnehmen, in welchem die vollständige Erblindung erst im 21. Lebensjahr eingetreten, so finden wir alle übrigen Erblindungen von weit früherem Datum. Der am frühesten Erblindete war $3/4$ Jahre, der am spätesten Erblindete 12 Jahre alt; die meisten sind zwischen dem 3. und 9. Jahre erblindet.

Während der Schwangerschaft, zur Zeit der Entbindung, nach dem Wochenbette, sowie auch bei gestörter Menstruation treten zuweilen Erblindungen auf, deren tiefere Ursachen noch ziemlich unbekannt sind. Die Untersuchung des inneren Auges mit dem Augenspiegel ergiebt gewöhnlich ein ziemlich negatives Resultat; alle Therapie zeigt sich meistens dabei völlig wirkungslos.

Unsere Listen zeigen 11 solcher Fälle, von denen jedoch 2 durch eine hinzugetretene Erkältung und 1 in Folge einer „Augenkrankheit" entstanden sein soll; wir haben desshalb in der tabellarischen Uebersicht nur 8 Fälle verzeichnet. Zwei von den 11 wären hier vielleicht noch zu streichen, weil das eine Mal von „bewachsener Hornhaut", das andere Mal von einem „ausgelaufenen Auge" die Rede ist. In beiden Fällen handelt es sich also wahrscheinlich nur um eine zufällig zur Zeit der Schwangerschaft entstandene Augenkrankheit, nicht aber um jenes eigenthümliche, mit dem Geburtsvorgange in ursächlichem Connex

stehende amaurotische Augenübel. Denn bei diesem pflegen
äusserlich sichtbare Krankheitserscheinungen nicht hervorzutreten.

In allen Fällen war die Erblindung total oder fast
total; die blinden Frauen waren höchstens noch im Stande
hell und dunkel, oder allerhöchstens noch grosse Gegenstände wahrzunehmen.

Fast in allen Fällen trat die Erblindung mehr oder
weniger plötzlich auf; in einem Falle entstand sie im Zeitraum von 8 Tagen; in einem anderen Falle wird freilich
zugegeben, dass die Blinde von frühester Kindheit an
schwache Augen gehabt und alsdann erst in ihrem 30.
Lebensjahr, in ihrem letzten Wochenbette vollständig erblindet sei.

Zwei Fälle beziehen sich auf Menstruationsstörungen.
In dem einen dieser beiden Fälle soll die totale Erblindung im 21. Lebensjahr in Folge einer Erkältung während
der Menstruation eingetreten sein; in dem anderen Falle
war es eine Blinde, welche als 17jähriges Mädchen, unter
Kopfschmerzen das Augenlicht plötzlich und vollständig
verloren hat, und zwar unter Umständen, welche vermuthen liessen, dass die bis dahin noch nicht eingetretene,
und seither stets ungeregelt gebliebene Menstruation
Schuld an der Erblindung sei. — Diese letzgenannte war
die am frühesten Erblindete; bei einer jetzt (1869) 64jährigen Blinden hat das Augenlicht im 52. Lebensjahre in
Folge eines Wochenbettes angefangen schwächer zu werden und ist endlich völlig erloschen. Der lang ausgedehnte Zeitpunkt der Erblindung fällt also zwischen das
17. und 52. Lebensjahr.

Krankheiten der Nervencentren. — Eine ganz
eigene Gruppe von Erblindungen wird gebildet durch Erkrankungen der Centralorgane des Nervensystems, des Gehirns sowohl wie des Rückenmarkes; es sind dies die
sogen. Cerebral- und Spinal-Amaurosen.

Durch Erkrankungen der Centralorgane des Nervensystems können nämlich die Nervenfasern, welche zusammengenommen als Sehnerv in das Auge eintreten, ihrer
Fähigkeit beraubt werden dem Sehsinnorgane des Gehirns
die Gesichtseindrücke der Aussenwelt zuzuführen, die das
innere Auge empfangen hat. Der Nichtarzt vermag solchen Augen Nichts anzusehen, oder er bemerkt vielleicht
nur etwas Ungewöhnliches und Eigenthümliches im Blick,
welches darauf beruht, dass die beiden Augen keine
übereinstimmende Thätigkeit zeigen, dass sie keinen
Gegenstand fixiren, weil sie diesen Gegenstand eben nicht
sehen, dass sie — mit anderen Worten — sich stets in
einer unsicheren und schielenden Weise umherbewegen. —
Noch vor wenigen Jahrzehnten war auch der Augenarzt
nicht im Stande einem solchen amaurotischen Auge etwas
Krankhaftes anzusehen; er konnte höchstens durch die
Unbeweglichkeit der Pupille bei Differenzen der Beleuchtung zu dem Schluss kommen, dass das Innere des Auges
wahrscheinlich kein Licht mehr empfinde. — Erst seit wir
durch den Gebrauch des Augenspiegels auch das Innere
des Auges sehen und betrachten können, wissen wir die
Erkrankungen des Sehnerven, und indirect auch die Erkrankungen derjenigen Organe, in welche sich die Fasern
des Sehnerven verlieren, genauer zu beurtheilen.

Bei unseren Nachforschungen über die Blinden musste
freilich auf Anwendung des Augenspiegels verzichtet werden; soviel sich aber, ohne die Sicherheit der Beurtheilung, welche wir durch dieses Instrument erlangen, annehmen lässt, finden sich etwa 20 Fälle, welche mit mehr
oder weniger Gewissheit hierherzurechnen sind.

Wir finden zunächst zwei männliche Blinde, im Alter
von 49 und 50 Jahren, welche als am Rückenmark lei-
dend bezeichnet werden und von denen der eine zugleich
wahnsinnig sein soll.

Ferner finden wir zwei, gleichfalls männliche Blinde,
im Alter von 22 und 30 Jahren, welche vollständig blöd-

sinnig sind; höchst wahrscheinlich entspringen Blödsinn und Blindheit bei diesen aus ein und derselben Quelle, aus einer Erkrankung des Gehirns.

Ferner finden wir ein 9jähr. blindes Mädchen, welches nach ärztlicher Aussage, in Folge von Hydrocephalus aequisitus in ihrem 7. Lebensjahre erblindet ist.

Dann werden zwei andere, fast 80jähr. Männer angeführt, welche wahrscheinlicher Weise in Folge eines Schlaganfalles erblindet sind.

Von den übrigen 13 Blinden wird endlich bemerkt, dass sie an einer Kopf- oder Gehirnkrankheit, oder dass sie an Krämpfen und Epilepsie erblindet sind, wodurch die Hierhergehörigkeit dieser Fälle gleichfalls wahrscheinlich gemacht wird. Die überwiegende Mehrzahl aller dieser Fälle ist männlichen Geschlechts.

In Folge von Nervenfiebern, wie auch von anderen schweren und angreifenden Erkrankungen, kommen gewisse Störungen des Sehvermögens vor, die zuweilen allerdings sehr hochgradig sind, in der Regel aber mit der völligen Rückkehr der Gesundheit und der Körperkräfte, sich wieder ausgleichen. Es ist uns wenigstens nicht bekannt, dass Nervenfieber wirklich Ursache von Erblindungen werden könne. In unseren Registern finden sich aber 10 Fälle verzeichnet, in denen, zur Hälfte wenigstens, ein Nervenfieber, zur anderen Hälfte „Nervenkrankheiten", „Krankheiten der Kopfnerven" u. dergl. als Ursache der Erblindung beschuldigt wird. Obwohl nun das sogen. Nervenfieber, nicht mehr und nicht weniger mit den Nerven zu thun hat wie jede andere fieberhafte Krankheit, so reihen wir diese kleine Gruppe aetiologisch anscheinend zusammengehöriger Fälle doch hier ein, weil unter der Benennung Nervenfieber sich möglicherweise auch cerebrale Erkrankungen eingeschlichen haben mögen.

Der graue Staar. — Ganz besonders interessant wäre es, wenn durch statistische Nachforschung ermittelt werden könnte, wie viel Menschen in einem bestimmt begrenzten Länderbezirk durch Staarkrankheit erblindet sind. Unsere Angaben enthalten für Mecklenburg - Schwerin 32 Fälle, wozu noch 6 angeblich unheilbare Staarerblindungen und 6 durch Altersschwäche entstandene Blindheiten zu rechnen sind. — In Mecklenburg-Strelitz zählen wir 4 Staarblinde nebst 3, angeblich durch Altersschwäche entstandenen Erblindungen.

Wir glauben in der That, keinen grossen Fehler zu begehen, wenn wir die Erblindungen aus Altersschwäche hierher rechnen und annehmen, sie seien sämmtlich durch Alterskatarakt bedingt; denn Erblindungen in hohem Alter, wenn man dem Auge weiter nichts ansieht als eine grauliche Verfärbung der Pupille, und wenn keine Entzündungserscheinungen zugegen sind, beruhen allermeistens auf Trübungen der Linse. Dagegen ist es bekannt, dass Trübungen der Linse auch sehr oft noch zu anderen inneren Augenleiden, wie z. B. zum Glaukom, hinzutreten, und dann handelt es sich nicht mehr um einen einfachen, primären Staar, sondern um einen Secundärstaar, der von dem gewöhnlichen, primären Graustaar wesentlich verschieden ist. Die 6 unheilbaren Graustaare gehören aber gewiss zu den secundären Formen und wahrscheinlich gehört der grössere Theil der 34 Staarblinden gleichfalls zu denen, bei welchen der graue Staar nicht die erste und einzige Ursache der Blindheit ist, sondern zu denjenigen, bei welchen die Blindheit erst nach oder neben einem anderen Augenleiden oder in Folge unglücklicher Operation entstanden ist. Denn der einfache und primäre Graustaar ist auf operativem Wege heilbar; es giebt aber heute wohl kaum noch ein civilisirtes Land von der Grösse Mecklenburgs, in welchem 34, auf beiden Augen an einem noch operirbaren und heilbaren grauen Staar erblindete Menschen leben, ohne dass ihnen Hülfe zu Theil geworden wäre. Ja, man kann vielleicht mit Recht behaupten, dass solche doppelseitige und vollständige Erblindungen am grauen Staar, Dank der Sorge für den besseren Unterricht in der Augenheilkunde, in heutiger Zeit nur selten noch vorkommen. In der Regel tritt der graue Staar zuerst auf einem und dann erst auf dem anderen Auge auf, und daher erblindet auch zuerst das eine und dann erst das andere Auge. Nun aber gilt es gegenwärtig als ärztliche Regel — wenn nicht wichtige Gründe dagegen sprechen — das zuerst erblindete Auge zu operiren, bevor noch das andere vollständig erblindet ist, um den Patienten dem traurigen Zustande vollständiger Blindheit nicht Preis zu geben. Nur in selteneren Fällen bildet sich der Staar gleichmässig auf beiden Augen, oder entwickelt sich so schnell, dass eine doppelseitige Erblindung nicht verhütet werden kann.

Wir haben in Mecklenburg-Strelitz einen, in Mecklenburg-Schwerin zwei Fälle verzeichnet, welche nach mehrjähriger doppelseitiger Staarblindheit mit gutem Erfolg operirt worden sind, welche daher als „nicht blind" aus den Verzeichnissen ausgestrichen werden mussten.

Betrachten wir nun die vorliegenden 32 Fälle angeblicher Staarblindheit etwas genauer, so finden sich 4 darunter, bei welchen an der Richtigkeit der Diagnose nicht gezweifelt werden kann, weil sie von den namentlich angeführten Aerzten als grauer Staar erklärt worden sind, und hieran reihen sich noch 2 andere Fälle, welche gleichfalls „nach ärztlicher Angabe" staarblind sein sollen, nur wird bei diesen der Name des Arztes, welcher die Angabe gemacht, nicht ausdrücklich genannt. Bei den übrigen 26 ist die Diagnose insofern wohl nicht ganz sicher, als sie sich lediglich auf das Urtheil der Herren Pastoren stützt; mitunter ist, durch den Zusatz „wahrscheinlich", oder „scheint zu sein" u. dergl. die Unsicherheit noch etwas vergrössert.

In einem Falle, wo es heisst, die Augen seien deutlich „mit Staar bewachsen", möchten wir sogar geradezu einige Zweifel hegen und glauben, dass es sich hier um Hornhauttrübungen handle.

Eine Anzahl anderer Fälle — es sind ihrer 9 — müssen wir für Staar halten, bei welchen die Erblindung aber erst in Folge misslungener Operation eingetreten ist. Zwei dieser Fälle sind, laut Angabe, in Berlin ohne Erfolg operirt worden, zwei andere in früherer Zeit hier in Rostock; von den übrigen wird nur gesagt, dass sie früher unglücklich operirt worden.

Dem Alter und dem Geschlechte nach verhalten sich die 32 Fälle in folgender Weise

	männlich.	weiblich.
älter als 90 Jahre	1	—
„ „ 80 „	2	—
„ „ 70 „	7	10
„ „ 60 „	1	3
„ „ 50 „	1	4
ca. 30 „	1	2
	13	19

Zusammen 32.

Bei weitem die meisten Patienten — wie es bei Staarblindheit zu sein pflegt — sind sehr alt. Von einem 92jährigen Staarblinden, welcher erst in spätem Alter erblindet ist, wird ausdrücklich angegeben, er sei, wiewohl im Uebrigen gesund, so altersschwach, dass er das Bett gar nicht mehr verlassen kann. Und ebenso wird von einer 82jährigen Blinden angegeben, dass sie altersschwach sei.

Die meisten unter diesen Staarblinden sind erst seit wenigen Jahren blind geworden; einige, und zumal solche, die unglücklich operirt worden, sind schon seit längerer Zeit blind. Eine 52jährige Blinde soll seit frühester Jugend blind, vielleicht sogar blindgeboren sein; sie wurde in ihrem 17. oder 19. Lebensjahre von weil. Dr. Alban, links ohne, und rechts mit sehr geringem Erfolg operirt. Eine andere 30jährige Blinde ist seit dem 3. Lebensjahre

„ganz" erblindet; vielleicht ist auch bei dieser eine innere Complication vorhanden.

Einer 54jährigen Frau soll, angeblich wegen Krebserkrankung, in Hamburg das linke Auge herausgenommen worden sein; später sei sie auf dem anderen Auge am grauen Staar erblindet, welcher bis jetzt unoperirt geblieben ist.

Operative Misserfolge. — Wir haben nun noch eine Reihe von ursächlich zusammengehörigen Erblindungsfällen zu berühren, deren Betrachtung für den Augenarzt eine Quelle schmerzlicher und wehmüthiger Gefühle bildet, es sind dies die misslungenen Operationen. Die Zahl derselben ist eine fast erschreckend grosse; doch schwindet das Erschreckende wenigstens einigermaassen, wenn man bedenkt, dass sich diese operativen Misserfolge auf eine sehr lange Kette von Jahren vertheilen. Viele von denen, welche die misslungenen Operationen vorgenommen haben, liegen längst unter der kühlen Erde; die Unglücklichen aber, an denen die Operation, vielleicht in einer frühen Lebenszeit, vollzogen wurde, leben noch, und werden zum Theil vielleicht noch lange leben.

Es giebt aber noch eine andere Reflexion, welche die grosse Zahl dieser operativen Misserfolge in einem weit weniger düsteren Lichte erscheinen lässt. Jeder gewissenhafte und unverzagte Augenarzt operirt, wofern nur ein Schimmer von Hoffnung vorhanden ist, dass durch die Operation ein kleiner Bruchtheil von Sehvermögen wieder hergestellt werden kann. Ja, gerade in solchen desperaten Fällen, wo die Patienten bereits vollständig blind sind, wo an Sehvermögen kaum noch etwas zu verlieren ist, wird es oft zur ärztlichen Pflicht, das Aeusserste zu wagen und unter den allerungünstigsten Aussichten eine Operation doch noch vorzunehmen. Oft genug sind solche Operationen völlig erfolglos, oft werden sie auch von einem nur vorübergehenden Erfolge gekrönt; die Kranken gewinnen wieder einiges Sehvermögen, aber nur auf Wochen, auf

Monate, oder selbst auf Jahre; dann erlischt es wieder und trotz aller Bemühung sinkt das Endresultat wieder in die traurige Kategorie des Misserfolges zurück. Wenn aber auch nur der geringste dauernde Erfolg erzielt wird, dann rettet man die Unglücklichen doch wenigstens vor dem traurigen Loos vollständiger Erblindung, man giebt ihnen vielleicht so viel Selbstständigkeit wieder, dass sie im Stande sind, ohne fremde Führung umherzugehen, und dies ist weit mehr als wenn es sich z. B. bei einer gelungenen Staaroperation um gewisse äquivalente Differenzen der wiedergewonnenen Sebschärfe handelt. Ob Jemand nach gelungener Staaroperation im Stande ist, gewöhnliche Druckschrift zu lesen, oder ob er die Fähigkeit wiedererlangt, allerfeinste Druckschrift zu erkennen — dieser Unterschied fällt für seine ganze Lebensstellung bei Weitem nicht so schwer ins Gewicht, als wenn man einen total Blinden so weit bringt, dass er — wie man wohl sagt — Feuer und Wasser ausweichen kann. Kurz, die Misserfolge haben oft nur die Bedeutung eines Wagnisses für den Arzt, bei dem der Kranke nichts mehr zu verlieren hatte!

Eliminirt man die Fälle, in welchen unter fast hoffnungslosen Bedingungen eine Operation unternommen wurde, betrachtet man vielmehr nur die unter guten Aussichten ausgeführten Operationen, und bedenkt man zugleich, wie sehr der glückliche Erfolg auch von dem vernünftigen Verhalten und von der Folgsamkeit des Patienten nach verrichteter Operation abhängt, dann bleiben vielleicht nur noch wenige — wir wollen hoffen gar keine — übrig, bei denen die Schuld des Misserfolges auf einen Mangel an Umsicht und Geschicklichkeit von Seiten des Arztes zu schieben ist.

Bei vielen dieser operativen Misserfolge ist gar nicht angegeben, wo, von wem, wie oft die Operationen gemacht worden sind. Da, wo aber der Ort, in welchem die Operation stattgefunden, angegeben wurde, fallen die meisten, nämlich 16, auf Rostock; 3 Fälle wurden in anderen Mecklenburgischen Ortschaften, zwei in Greifswald, einer in Lübeck und 7 Fälle in Berlin unglücklich operirt. Mehrere dieser unglücklichen Operationen waren Staaroperationen, zum Theil wohl unter ungünstigen Complicationen ausgeführt, einige andere waren künstliche Pupillenbildungen; in der Mehrzahl der Fälle ist aber nichts Näheres darüber angegeben und also auch nicht zu ersehen, ja nicht einmal zu errathen, was für eine Operation vorgenommen sein mag.

Verletzungen. — Einen nicht unbedeutenden Theil der Erblindungsursachen bilden die Verletzungen. — Sie umfassen mehr als 10 % der angegebenen aetiologischen Momente.

Hierbei bleibt noch Folgendes zu bemerken.

Verletzungen treffen gewöhnlich nur das eine Auge; war also, vor der Verletzung, das andere Auge noch gesund, dann entsteht zunächst nur einseitige Erblindung. Einseitige Erblindung kann aber — in unserem Sinne genommen — nicht als Erblindung gelten.

Mit einem Auge sieht man, für die gewöhnlichen Beschäftigungen des Lebens, eben so viel, wie mit beiden, und, wenn auch gewisse Vortheile des binoculären Sehens nicht geläugnet werden können, so steht doch der Einäugige in Bezug auf seine Arbeitsfähigkeit dem Zweiäugigen in der Regel ganz gleich. Giebt es doch manche Menschen, die es selbst gar nicht einmal wissen, dass sie auf einem Auge schwachsichtig oder selbst blind sind.

Es fragt sich also, wie kommt nach (einseitiger) Augenverletzung, doppelseitige oder vollkommene Erblindung zu Stande.

Dies kann auf mehrfache Weise geschehen.

Zunächst darf man nicht übersehen, dass allerdings doch zuweilen, wenn auch selten, beide Augen gleichzeitig durch eine Verletzung getroffen oder zerstört werden, wodurch doppelseitige Erblindung sogleich entsteht. Was aber oft, und weit öfter vorkommt, als man glauben sollte, ist, dass beide Augen ungleichzeitig durch Verletzung zerstört werden. Nachdem das eine Auge bereits verletzt oder zerstört war, oder auch auf andere Art erblindet ist, ereignet es sich gar nicht ganz selten, dass späterhin auch noch das andere Auge durch eine neu hinzukommende Verletzung zu Grunde geht. Ja, man möchte fast glauben, dass, bei bereits bestehender einseitiger Erblindung, das gut sehende Auge öfter als das bereits erblindete, von einer etwa stattfindenden Verletzung getroffen wird. — Es kann dies vielleicht auf Zufall beruhen, vielleicht ist es aber auch nur Schein, und ist dadurch zu erklären, dass, bei bestehender einseitiger Erblindung, eine Verletzung oder eine völlige Zerstörung dieses erblindeten Auges verhältnissmässig wenig beachtet und seltener zur ärztlichen Kenntniss gelangt, als wenn, durch Verletzung des gutsehenden Auges, die Gefahr der vollständigen Erblindung nahe herantritt. Die Verletzung und Zerstörung des gesunden Auges, welche den Verletzten, der früher nur einseitig erblindet, und mit dem nicht erblindeten Auge vielleicht sogar sehr scharfsichtig war, plötzlich zum völlig Blinden macht, wird sich seinem Gedächtnisse unauslöschlich einprägen, während etwaige Verletzungen des functionsunfähigen und bereits erblindeten Auges bald wieder in Vergessenheit gerathen und daher seltener vorzukommen scheinen.

Man hat inzwischen die öftere Verletzung des sehenden Auges, bei bereits bestehender einseitiger Erblindung, auch dadurch zu erklären gesucht, dass man annahm, das sehende Auge wende sich unwillkührlich dem betrachteten Gegenstande am meisten zu, komme demselben am nächsten und sei daher einer von ihm etwa ausgehenden verletzenden Wirkung am meisten exponirt. Diese Erklärung mag für manche Fälle passen — für alle Fälle passt sie gewiss nicht; denn oft genug geht die verletzende Gewalt, ganz unvorhergesehener Weise, von einer Stelle aus, auf welche der Blick des Verletzten durchaus nicht hingerichtet war. Vollständige und doppelseitige Erblindung kann aber auch noch auf eine andere, leider gar nicht seltene, Weise aus einseitiger Verletzung hervorgehen; wir meinen nämlich, durch die, allen Augenärzten wohlbekannte, sogen. sympathische Augenentzündung.

Beide Augen stehen mit einander in sensitiver Verbindung, und zwar in solcher Weise, dass, wenn die Empfindungsnerven des einen, heftig und anhaltend gereizt und in Erregung versetzt werden, nach Verlauf kürzerer oder längerer Zeit auch das andere Auge anfängt an symmetrischer Stelle empfindlich und schmerzhaft zu werden. In der Regel und mit der Zeit entsteht aus dieser Empfindlichkeit und Schmerzhaftigkeit des anderen Auges eine schleichende, höchst gefährliche und sehr oft, trotz aller ärztlichen Fürsorge, zur Erblindung führende, sogen. sympathische Augenentzündung. Wir haben aus unseren Listen alle diejenigen Fälle hierhergerechnet, bei welchen angegeben wurde, dass, nach Verletzung des einen Auges, bald darauf oder späterhin auch das andere schwachsichtig geworden und endlich erblindet sei. Solcher Fälle finden sich 12. Wir könnten aber vielleicht noch mehrere andere hierherrechnen; diejenigen nämlich, bei welchen über die Erblindung des zweiten Auges, nach traumatischer Zerstörung des einen, Nichts Näheres angegeben wird; denn die sympathische Consecutiv-Erblindung ist dann doch der gewöhnlichste Zusammenhang der Dinge. — Die Zahl der mit ziemlicher Sicherheit constatirten sympathischen Erblindungen (12) ist keine ganz kleine, und daher mag es hier wohl am Platze sein zu erwähnen, dass die sympathische Augenentzündung nur in ihren allerfrühesten Anfängen heilbar ist, dass sie aber unrettbar zur Erblindung führt, wenn sie bereits einen gewissen Höhegrad erreicht hat.

Wenn alle Kranke, welche ein Auge durch Verletzung und namentlich durch eine solche Verletzung, wobei ein

Fremdkörper im Auge zurückgeblieben ist, verloren haben, sich rechtzeitig, sobald sie nämlich die geringste Mitleidenschaft des anderen Auges, sei es in Bezug auf Schmerzhaftigkeit, sei es in Bezug auf abnehmende Sehschärfe, bemerken, zu einem fachkundigen Arzt begeben würden, so würde die Zahl der nach Augenverletzung vollständig Erblindeten gewiss eine weit geringere sein. Leider aber geschieht dies verhältnissmässig selten, und ganz besonders selten bei Leuten aus niederen Ständen, welche gewöhnlich so lange warten, bis sie durch Schmerzen oder durch beträchtliche Abnahme des Sehvermögens gleichsam erst genöthigt werden, ärztliche Hülfe in Anspruch zu nehmen. In dieser späteren Periode der Erkrankung des unverletzten Auges giebt es aber kein Mittel mehr, wodurch das Sehvermögen noch gerettet oder erhalten werden könnte.

Wir wollen schliesslich noch hinzufügen, dass, nach traumatischer Zerstörung eines Auges, und zur Zeit einer vielleicht noch latenten, beginnenden sympathischen Entzündung des anderen Auges, dieser sympathische Entzündungsprocess durch die geringfügigste noch hinzukommende Verletzung des zweiten Auges sehr lebhaft angefacht werden kann, und dass allgemeinhin ein an sich schon krankes und schwachsichtiges Auge, durch Verletzungen und durch sympathische Entzündung, sehr viel leichter und gefahrvoller erkrankt wie ein völlig gesundes Auge. — Ein völlig gesundes und sehkräftiges Auge kann unter Umständen — wie man wohl sagt — einen tüchtigen Puff vertragen ohne grossen Schaden zu leiden. Bei einem bereits erkrankten, schwachsichtigen oder hochgradig kurzsichtigen Auge, kann dagegen eine anscheinend sehr geringfügige Verletzung die Ursache einer völligen Zerstörung der Sehkraft werden. Ohne Zweifel gehören manche der von uns registrirten Fälle hierher, denn wir haben alle Fälle mitgerechnet, in denen eine Verletzung notirt war, wie geringfügig dieselbe auch sein mochte. Ohne Zweifel ist manches halbkranke Auge durch eine Verletzung zu Grunde gegangen, welche zu unbedeutend gewesen wäre, um einem ganz gesunden Auge schaden zu können. Unter solchen Verhältnissen ist die Verletzung also nur ein unglücklicher Zufall, welcher die ohnehin vielleicht bevorstehende Erblindung der Zeit nach beschleunigt. Dass eine sympathische Augenentzündung unter solchen Bedingungen ebenfalls weit leichter auftritt als gewöhnlich, bedarf wohl kaum einer ausdrücklichen Versicherung.

Unter dieser letzten einschränkenden Bemerkung, wonach es zweifelhaft werden kann, ob die Verletzung eines kranken Auges den Zerstörungsvorgang der Sehkraft nur beschleunigt und begünstigt, oder ob sie denselben wesentlich, und für sich allein, bedingt habe, darf man behaupten, dass unter den angeführten Erblindungsursachen die Verletzungen als die zweifellosesten zu betrachten sind. Wahrscheinlich ist in allen Fällen, in denen eine Verletzung als Erblindungsursache angegeben wurde, diese Verletzung auch wircklich Ursache der Erblindung gewesen, und ebenso wahrscheinlich sind alle Verletzungserblindungen als solche namhaft gemacht worden; wir dürfen also annehmen, dass unsere aetiologischen Angaben über Verletzungs-Erblindungen vielleicht von allen Erblindungsursachen die richtigsten und vollständigsten sind.

Betrachten wir nun noch, nach Angabe der empfangenen Beantwortungen, die Art der Verletzung etwas specieller, so findet sich eine solche Mannichfaltigkeit der verletzenden Gegenstände, dass man kaum zu einer Uebersicht gelangen kann; fast jede Verletzung ist auf verschiedene Weise zu Stande gekommen.

Zunächst finden sich unter den 43 Verletzungen 7 Fälle, wo jede nähere Angabe über die Art der Verletzung fehlt, wo es also nur heisst, die Erblindung sei durch Verletzung des Auges entstanden.

Dann finden sich 5 Fälle, in denen die Verletzung beim Steinsprengen stattgefunden haben soll. Dies scheint von allen die häufigste Ursache der Erblindung gewesen zu sein; auch scheint es, als ob bei dieser Gelegenheit häufiger als bei den meisten anderen, doppelseitige Verletzungen vorkommen. Zuweilen mag wohl das eine Auge schwer, das andere leicht verletzt, und erst später zerstört worden sein, zuweilen, und vielleicht in allen übrigen Fällen, mag auch das zweite Auge durch sympathische Entzündung zu Grunde gegangen sein; denn gerade bei Verletzungen durch Steinsprengen bleiben gar leicht kleine Steintrümmer im verletzten Auge zurück, die dann einen fortdauernden Reiz unterhalten und endlich das unverletzte Auge in Mitleidenschaft versetzen. Nur einmal wird freilich deutlich darauf hingewiesen durch die Bemerkung, das zweite Auge sei ein Vierteljahr später ohne bekannte Ursache erblindet.

In 3 anderen Fällen war es dasselbe Material, nur auf andere Art in Bewegung gesetzt — nämlich ein Steinwurf — wodurch das Auge verletzt und zu Grunde gerichtet wurde. Auch hierbei scheint zweimal eine sympathische Entzündung die Zerstörung des unverletzten Auges herbeigeführt zu haben.

Hieran reihen sich eine Anzahl Fälle, bei welchen die Verletzung durch grössere, entweder abspringende oder geworfene Gegenstände zu Stande gekommen ist, durch abspringende Splitter beim Holzspalten, oder durch einen Stock, einen Besenstiel, einen Dunghaken, eine Heugabel und dergl. mehr.

Ferner wird in etwa 5 oder 6 Fällen als Ursache der Erblindung das Eindringen kleiner Gegenstände ins Auge angeführt, und zwar bei Verletzungen durch eine Kornähre, durch einen Strohhalm, durch Glassplitter oder Glasstaub, durch ein feines Reis und ähnliche Dinge.

Dann sind es wiederum grobe Stösse, sei es von Menschen, sei es von Hausthieren verschiedener Art, die den Verlust des Gesichtsinnes herbeigeführt haben. Hierher zählen wir auch zwei Fälle, in denen durch den Hufschlag eines Pferdes, in einem Falle beide Augen ausgelaufen sind, in dem anderen das e i n e Auge ausgeschlagen wurde, nachdem das andere Auge bereits früher erblindet war.

Durch Unvorsichtigkeit und Spielerei von Kindern wurde einmal durch einen Pfeilschuss, einmal durch das Geschoss eines Blassrohres, einmal durch das Sprengstück einer Knallerbse und zweimal durch Messerstich das Sehorgan vernichtet.

Endlich wurden beide Augen, einmal durch einen Schrotschuss, einmal durch Verbrennung und einmal nur das eine Auge durch eine „Flamme" glühenden Eisens zerstört.

In 5 Fällen wird ausdrücklich angegeben, dass das Auge zuvor schwachsichtig gewesen, und dass daher die Verletzung vielleicht nicht für sich allein die Erblindung verschuldet habe. Vielleicht mag zuweilen auch die Schwachsichtigkeit selbst, in so fern Schuld an der Verletzung gewesen sein, als wegen derselben die Gefahr der Verletzung nicht deutlich genug erkannt, und daher auch nicht rechtzeitig vermieden werden konnte.

Hervorzuheben bleibt noch, dass 31 männliche und nur 11 weibliche Individuen ihr Augenlicht in Folge von Verletzungen verloren haben.

Besondere Fälle. — Bei einem 45jährigen Manne, welcher während seines Militairdienstes, im Alter von etwa 24 Jahren, drei Monate lang an Intermittens gelitten und während dieser Zeit viel Arzenei gebraucht hatte, stellte sich Anfangs „Geschwulst des Körpers", dann Lähmung der linken Seite und dann eine plötzlich auftretende Erblindung ein. Aller Wahrscheinlichkeit nach wird die gebrauchte Arzenei Chinin gewesen sein; es wäre daher nicht ganz unmöglich, dass dieser Fall in die Reihe jener allerdings sehr selten vorkommenden Chinin-Erblindungen gehörte, von denen sich einige in der Litteratur verzeichnet finden. Leider sind bei dem Patienten nachträglich verschiedene operative Heilungsversuche vorgenommen worden, welche ein „Zusammenfallen", mithin wohl eine vollständige Phthise beider Augapfel, zur Folge hatten; eine ophthalmoskopische Untersuchung würde daher gewiss nicht mehr möglich sein.

Von einem ca. 33jährigen Mädchen wird uns erzählt, dass die Erblindung entstanden sei im 2. Lebensjahre nach Anwendung einer Arzenei, um einen Gesichtsausschlag zu vertreiben. Was es für eine Arzenei gewesen, wird leider nicht angegeben.

In einem anderen Falle war es eine gegen Krätze angewendete Quecksilbersalbe, welche im 25. Lebensjahre die Erblindung einer gegenwärtig ca. 50jähr. Frau angeblich herbeigeführt haben soll.

Von einer ca. 50jähr. weiblichen Blinden wird uns berichtet, dass die Erblindung im 36. Lebensjahre in Folge von Blutbrechen entstanden sei. — Bekanntlich ist eine ganze Reihe von Fällen veröffentlicht, in denen Magengeschwür, resp. Blutbrechen und Blindheit in einer bis jetzt noch unerklärten ursächlichen Verbindung vorkommen; höchst wahrscheinlich gehört also auch dieser Fall hieher.

Ferner wird von einem 54jähr. Blinden mit aller Bestimmtheit behauptet, dass er seit etwa einem Jahre in Folge seiner Trunksucht erblindet sei; bei einem anderen ca. 60jähr. Manne soll dagegen die Erblindung im 45. Lebensjahre in Folge von Erkältung und Trunksucht entstanden sein. — Es besteht darüber kein Zweifel, dass unheilbare Blindheit in Folge unmässigen Genusses von Alkohol und Taback entstehen kann; nach der Zahl derjenigen Fälle, die aus derselben Ursache an mehr oder weniger hochgradiger Schwachsichtigkeit leiden, möchten wir aber annehmen, dass derartige Erblindungsfälle noch öfter vorkommen müssten, als es nach Ausweis unserer Listen der Fall zu sein scheint.

In Neukalen sind 3 unverehelichte Schwestern (geb. i. J. 1815, 17 und 27) je in ihrem 14. bis 16. Lebensjahre erblindet. Eine besondere Ursache wird nicht angegeben, nur wird bemerkt, dass die Erblindung in allen 3 Fällen allmälig entstanden, und ebenso allmälig bis zur völligen

Blindheit sich fort entwickelt habe. Ungeführt kann keine
von ihnen an unbekannten Orten umhergehen. Die älteste
wird als gesund, die beiden anderen als schwächlich und
kränklich bezeichnet. Sie beschäftigen sich alle 3 mit
Stricken und Spinnen, ohne jedoch im Stande zu sein, sich
ihren Unterhalt damit zu erwerben. Zwei von ihnen werden aus der Armenkasse unterstützt; für die älteste sorgt,
so lange er lebt, laut testamentarischer Verfügung, ein
Bruder, welcher nach Ausweis der statistischen Listen
Ackerbürger ist. Sollte dieser Bruder früher sterben als
sie, dann würde für alle 3 Schwestern, bis dahin aber
jedenfalls für die beiden jüngeren Schwestern, die Aufnahme in eine Blinden-Versorgungs- oder Beschäftigungs-
Anstalt, erwünscht sein.

Drei unverehelichte blinde Schwestern leben in W a r n e -
m ü n d e, welche angeblich alle 3 blindgeboren sind und
Mitte d. J. 1869, im Alter von resp. 34, 36 und 38 Jahren
standen. Alle 3 können hell und dunkel ein wenig unterscheiden; sie stricken gut, verrichten mancherlei häusliche
Arbeiten und erhalten sich und ihre alten Eltern, von denen
der Vater seit 13 Jahren gelähmt und arbeitsunfähig ist.
Die Hülfsbedürftigkeit ist gross.

Endlich leben in D u t z o w noch drei angeblich blindgeborene Geschwister, von denen der älteste 40 Jahre, der
jüngere Bruder und die Schwester, resp. 24 und 26 Jahre
alt sind. Alle 3 müssen noch einen sehr guten Lichtschein haben, denn sie erkennen grössere Gegenstände
an ihren Umrissen und beschäftigen sich mit allerlei
häuslichen und anderen Arbeiten.

Hatten wir in den officiellen Zählungslisten bereits
ein angeblich blindes Ehepaar vorgefunden, welches nicht
blind ist, so haben wir hier zwei wircklich blinde Ehepaare zu erwähnen.

Das eine dieser beiden Ehepaare ist i. J. 1797 geboren. Die Frau ist zuerst erblindet im Alter von einigen
und 60 Jahren, der Mann, wie es scheint, etwas später.

Beide Eheleute können nicht mehr hell und dunkel unterscheiden; sie leben bei ihren Kindern, bei denen sie wohl aufgehoben sind.

Von dem zweiten Ehepaar wissen wir nur, dass der i. J. 1793 geborene Mann nicht total blind ist, sondern noch umhergehen kann, während die um 9 Jahre jüngere Frau hell und dunkel nicht mehr unterscheidet. Beide sind übrigens körperlich gesund und werden vom Amts-Armen-Institute erhalten.

VIII.

Die Gesundheitsverhältnisse. Die Hülfsbedürftigkeit. Die Beschäftigungsfähigkeit.

Die Gesundheitsverhältnisse.

Auf unsere Nachfrage nach den Gesundheitsverhältnissen der Blinden haben wir aus Mecklenburg-Schwerin 416 Antworten erhalten; 24mal ist also die Nachfrage unbeantwortet geblieben.

Die Antworten lassen sich, mit gleichzeitiger Berücksichtigung des Geschlechts, folgendermaassen zusammenstellen.

	Männlich.	Weiblich.	Zusammen.
gesund	153	141	294
nicht gesund	35	51	86
schwächlich	14	22	36
Zusammen	202	214	416

Unter den Kränklichen und Schwächlichen überwiegt — wie gewöhnlich — das weibliche Geschlecht, wenn auch nicht gerade mit einer beträchtlich hohen Ziffer.

Es schien uns noch von einigem Interesse, nachzuforschen, in wie weit das hohe Alter, in welchem die meisten Blinden stehen, bei den Gesundheitsverhältnissen in Rechnung zu bringen ist. Da ungefähr das 56. Lebensjahr

oder das Geburtsjahr 18¹³/₁₄ die ganze Summe der Blinden,
über welche wir Antworten erhalten haben, in zwei ziemlich
gleiche Hälften theilt, so haben wir, mit Rücksicht hierauf,
folgende Uebersicht zusammengestellt:

	Jünger als 56 Jahr.			Aelter als 56 Jahr.		
	M.	W.	Zusammen.	M.	W.	Zusammen.
gesund	80	70	150	73	71	144
nicht gesund	17	29	46	18	22	40
schwach	3	8	11	11	14	25
			Summe 207			209

Die correspondirenden Zahlen differiren aber unter
sich so wenig, dass man auf die Annahme hingeleitet wird,
die Gesundheitsverhältnisse der Blinden seien von dem
Alter, in welchem sie sich befinden, im Allgemeinen ziemlich unabhängig. Nur die Zahl der Schwachen ist — wie
man von vorn herein erwarten konnte — in der älteren
Hälfte merklich grösser als in der jüngeren.

Endlich suchten wir zu ermitteln, ob das Angeboren-
sein der Erblindung häufig zusammentrifft mit weniger
guten Verhältnissen des Allgemeinbefindens, ob also die
Blindgeborenen, ganz abgesehen von dem Mangel des Gesichtsinnes, mehr als die übrigen Blinden, an schwachen
und gebrechlichen Gesundheitszuständen leiden. Unsere
Nachrichten geben darüber folgenden Aufschluss:

gesund 33
nicht gesund 7
schwach 1
unbeantwortet 2
Zusammen 43.

Die weit überwiegende Zahl der Blindgeborenen wird
also als gesund, theilweise sogar als sehr gesund bezeichnet; doch dürfen wir nicht unterlassen daran zu erinnern,
dass unter den 43 Blindgeborenen nur 3 sich vorfinden,
welche das 55. Jahr bereits zurückgelegt haben, ein Um-

stand, welcher darauf hindeuten könnte, dass Blindgeborene durchschnittlich nicht alt werden, denn, wie bereits gesagt wurde, das 55. oder 56. Lebensjahr theilt die Summe unserer Blinden in zwei ziemlich gleiche Hälften; es müsste also auch die Blindgeborenen in gleiche Hälften theilen, wenn nicht vielleicht gerade in dem Blindgeborensein ein Grund zur Ausnahme liegen sollte.

In Mecklenburg-Strelitz ist die Frage nach den Gesundheitsverhältnissen 2 mal unbeantwortet geblieben. Die übrigen Antworten lauten wie folgt:

	Männlich.	Weiblich.	Zusammen.
gesund sind	27	16	43
nicht gesund	11	19	30
Zusammen	38	35	73

Unter diesen 73 Nummern sind 34 über-60jährige und 39 unter-60jährige Blinde. Mit Bezug auf das Alter würden, nach den erhaltenen Antworten, die Hälfte der über-60jährigen und $2/3$ der unter-60jährigen gesund, die übrigen nicht gesund, schwächlich, gebrechlich u. s. w. sein. — Uebersichtlicher zusammengestellt und numerisch angegeben, ist das Verhältniss wie folgt:

		Gesund.	Nicht gesund.	Summe.
Aelter	als 60 Jahr	17	17	34
Jünger		26	13	39
	Zusammen	43	30	73

Die Hülfsbedürftigkeit.

Die Frage nach der Hülfsbedürftigkeit der Blinden ist 17mal unbeantwortet geblieben. Die übrigen 423 Fragen wurden zum Theil sehr genau beantwortet, genauer wenigstens als es für unsere Absichten erforderlich war. Wenn wir uns nun aus den erhaltenen Antworten 3 allgemeine Kategorien bilden, die nicht sowohl gleichförmige Abstufungen der Hülfsbedürftigkeit, als vielmehr nur möglichst gut abzutheilende Gruppen darstellen, so könnten wir nachfolgende Eintheilung entwerfen:

1) Blinde, die nicht unterstützt werden . . 106
2) Blinde, die von Angehörigen oder Verwandten Unterstützung erhalten 68
3) Blinde, die aus Armenkassen oder aus ähnlichen öffentlichen Mitteln unterstützt werden 249

Zusammen 423
Unbeantwortet . . 17
Gesammtsumme 440

In die erste Kategorie gehören nicht nur die wohlhabenden und reichen, sondern auch diejenigen, die ihr Auskommen sich nothdürftig selbst verdienen. Diese letzteren mögen freilich zum Theil noch recht hülfsbedürftig sein, in so fern ihr Besitzthum oder ihr Erwerb oft vielleicht kaum ausreicht um ihre nöthigsten Bedürfnisse ganz zu bestreiten. Inzwischen — wie schwer es ihnen auch werden mag — sie können doch ohne fremde Hülfe bestehen und leben! Liesse sich diese Klasse, je nach der Grösse des Vermögens noch in Unterabtheilungen bringen, dann würde sich vielleicht ergeben, dass nur sehr wenige wirklich wohlhabend sind und ganz ohne Nahrungssorgen leben. — Zwei völlig Blinde dieser letzteren Klasse, von denen der eine jedoch inzwischen verstorben ist, gehören zu den adeligen Familien des Landes.

In die zweite Abtheilung haben wir alle blinden Kinder, die nicht im elterlichen Hause leben, eben so wohl aber auch solche Blinde, die von ihren Geschwistern oder von ihren Kindern unterstützt und erhalten werden, untergebracht.

In die dritte und letzte Abtheilung haben wir endlich Alles eingereiht, was aus öffentlichen Kassen oder durch dauernde mildthätige Beiträge unterstützt wird, gleichviel ob nebenher auch noch aus anderer Quelle Beiträge fliessen. Eine kleine Quote dieser Abtheilung mag sich daher in ganz gut erträglichen Verhältnissen befinden, die grosse Mehrzahl aber ist hülfsbedürftig, zum Theil selbst äusserst hülfsbedürftig, insofern die bewilligten Unterstützungen für die Beschaffung der nothwendigsten Lebensbedürfnisse, kaum oder gar nicht ausreichend sind.

In Mecklenburg-Strelitz ist die Frage nach der Hülfsbedürftigkeit 5 mal unbeantwortet geblieben, und stellt sich bei den übrigen 70 Blinden die Antwort wie folgt:

Nicht hülfsbedürftig sind	19
Von Eltern oder Verwandten werden verpflegt und erhalten	17
Hülfsbedürftig sind	20
Sehr hülfsbedürftig	14
Zusammen	70

Wir haben auch hier alle diejenigen als hülfsbedürftig betrachtet, welche im Armenhause wohnen oder aus Armenkassen unterstützt werden; nicht als ob sie nun noch alle der Hülfe bedürftig wären, wohl aber insofern sie ohne die ihnen zu Theil gewordene Hülfe nicht existiren können. Nur diejenigen, welche als „sehr hülfsbedürftig" bezeichnet worden, sind wohl als solche zu betrachten, die ungenügend, oder trotz ihrer hülflosen Lage, gar nicht unterstützt werden.

Die Beschäftigungsfähigkeit.

Ueberblicken wir die Nachrichten, welche wir von der Arbeits- oder Erwerbsfähigkeit der Blinden erhalten haben, so entrollt sich vor unseren Augen ein trauriges Bild. Fast die Hälfte aller Blinden ist vollständig arbeits- und erwerbsunfähig! — Und was versteht man unter Arbeits- und Erwerbsfähigkeit, wenn von blinden Menschen die Rede ist? Das monotone Register der verschiedenen Blindenarbeiten beschränkt sich auf Beschäftigungen, die meistentheils gar nicht, oder jedenfalls nur sehr wenig über das Niveau des Nichtsthun sich erheben.

Frauen, die an Thätigkeit gewöhnt, erst in späteren Jahren erblindet sind, können gewöhnlich noch kleine häusliche und gewisse Handarbeiten verrichten; sie können Spinnen, Stricken, Häckeln, Garnabwinden; doch bedürfen sie dabei in der Regel noch fremder Hülfe, wenn ihnen der Faden etwa abreisst, oder wenn eine Masche fällt, oder wenn überhaupt die Arbeit erst einzurichten ist. — Eine völlig Blinde, die hell und dunkel nicht mehr unterscheiden kann, soll freilich angeblich noch im Stande sein eine Nähnadel einzufädeln. Im Allgemeinen wird aber auf die bessere oder weniger gute Befähigung zu derlei Arbeiten das Mehr oder Weniger etwa noch vorhandenen Lichtscheines sehr wesentlich einwirken.

Männer, wenn sie nicht zufällig ein Handwerk erlernt haben, welches von Blinden betrieben werden kann, sind im Allgemeinen noch schlimmer daran; doch können manche von ihnen gewisse ländliche Arbeiten, wie Dreschen, Häckerlingschneiden, Pferde- und Kühefuttern u. dergl. noch leidlich gut verrichten. — In der Regel ist es aber das leidige Orgeldrehen und andere Musikmacherei, womit sie sich ihr Brod erwerben. Kartoffelschälen, Rübenschaben, kleine Kinder hüten, Holzsägen, Korbflechten, Besenbinden — das sind ausserdem noch die gewöhnlichsten Arbeiten, mit denen sich die überhaupt noch beschäftigungs- und arbeitsfähigen Blinden befassen.

Dass bei solchen Arbeiten, zumal wenn sie, wie es bei Blinden gewöhnlich der Fall ist, nur unvollkommen, langsam und nicht ohne fremde Mithülfe ausgeübt werden, ein für den Lebensunterhalt ausreichender Erwerb nicht herauskommen kann, ist wohl von selbst einleuchtend.

Wir lassen nun eine numerische Uebersicht über die Beschäftigungsweisen der Blinden nachfolgen so wie sie sich aus den uns vorliegenden Materialien ergeben hat.

U e b e r s i c h t
über die Beschäftigungsweisen von 360 Blinden in
M e c k l e n b u r g - S c h w e r i n.

	Männlich.	Weiblich.	Zusammen.
Arbeitsunfähig sind:	85	55	140
Arbeitsfähig sind:	87	133	220
		Kinder	44
		unbeantwortet	36
		Gesammtsumme	440.

**Von den 220 arbeitsfähigen Blinden
beschäftigen sich:**

	männlich	weiblich	zusammen.
mit häuslichen Arbeiten	22	24	46
„ Stricken	—	60	60
„ Spinnen	2	26	28
„ Kinderwarten	—	4	4
„ ländlichen Arbeiten	11	2	13
„ Holzsägen	9	—	9
„ Viehfuttern und Hüten	8	1	9
„ Kartoffelschälen	—	3	3
„ Korbflechten	3	—	3
„ Strohflechten	6	1	7
„ Musik	11	1	12
„ verschiedenen nicht näher bezeichneten Arbeiten	13	10	23
Grobe Druckschrift können noch lesen	2	1	3
Zusammen	87	133	220.

Uebersicht

über das Verhältniss der Arbeitsfähigkeit und Gesundheit von 73 Blinden in Mecklenburg-Strelitz.

	Geschlecht.		Gesundheit.		Summa.
	männl.	weibl.	gut	nicht gut	
Völlig arbeits- und erwerbsunfähig sind	16	20	14	22	36
Es beschäftigen sich mit:					
Musik (wenn auch nur zum Vergnügen)	5	—	4	1	
Holzsägen und dergleichen	4	—	4	—	
Spinnen	—	9	6	3	
Stricken und Spinnen	—	6	4	2	33
Korbflechten u. Besenbinden	3	—	1	2	
Knopfmachen	1	—	1	—	
Anderen Erwerbszweigen . .	5	—	5	—	
	18	15	25	8	
Kinder			4	—	4
					73
unbeantwortet					2
zusammen					75

Um ein Urtheil darüber zu gewinnen, in wie weit die frühzeitige Erblindung oder das angeborene Blindsein einen Einfluss übt auf die Thätigkeit oder auf die Beschäftigungswahl der Blinden möge noch folgende kleine Zusammenstellung dienen.

Uebersicht
über die Beschäftigungsweisen von 41 Blindgeborenen in Mecklenburg-Schwerin.

	Männlich.	Weiblich.	Zusammen.
Arbeitsunfähig	3	5	8
Es beschäftigen sich			
mit häuslichen Arbeiten	4	5	9
„ spinnen und stricken	—	7	7
„ Musik	4	1	5
„ verschiedenen anderen Arbeiten	2	4	6
	13	22	35
Kinder			6
			41
unbeantwortet			2
		Summa	43.

Wenn man diese Uebersicht mit der Hauptübersicht vergleicht, so darf man dabei nicht vergessen, dass unter den 43 Blindgeborenen verhältnissmässig wenige sind, die in sehr hohem Alter stehen. Im Allgemeinen ist aber nicht zu verkennen, dass die Zahl der arbeitsunfähigen Blindgeborenen relativ sehr klein ist.

Nach diesen Uebersichten ist also das Verhältniss der Arbeitsunfähigen zu den Arbeitsfähigen
      in Mecklenburg-Schwerin wie 7 zu 11,
      in Mecklenburg-Strelitz   „ 18 zu 11.

Spinnen und Stricken sind die numerisch überwiegenden Beschäftigungsweisen, dadurch kommt es auch, dass die Zahl der arbeitsfähigen Frauen diejenige der arbeitsfähigen Männer weit überragt, und dass die arbeitsunfähigen Frauen mit einer relativ kleinen Zahl vertreten sind, während bei den Männern die Fähigkeit und die Unfähigkeit zu arbeiten numerisch nahezu gleich gross erscheint.

Ein für die Blinden sehr wichtiger und relativ sehr einträglicher Erwerbszweig, die Seilerei, ist in unseren Uebersichten gar nicht vertreten, und doch lässt sich dieses Gewerbe verhältnissmässig leicht ohne Mithülfe des Gesichtssinnes betreiben. Es fehlt aber, wie es scheint, der erforderliche Unterricht.

Ein anderer, sehr beliebter Beschäftigungs- und Erwerbszweig ist die Musik. In der That muss man zugeben, dass eine Kunst, welche sich ganz ausschliesslich an den Gehörssinn wendet, welche den Gesichtsinn völlig entbehren kann, in welcher also der Blinde, wenn ihm die natürlichen Fähigkeiten dazu nicht fehlen, dieselbe Vollkommenheit erreichen kann wie der Sehende, eine willkommene Beschäftigung sein muss. Leider ist das Talent für Musik nicht allen Blinden gegeben; es entfaltet sich daraus gewöhnlich ein Musiciren und Drehorgeliren, welches den musikalisch gebildeten Sinn zuweilen sehr unangenehm berührt, und welches nur darauf berechnet zu sein scheint, das Mitleid der Menschen zu erregen. — Diese Art des Erwerbes, die dem Bettel jedenfalls sehr nahe steht, ist übrigens fast die einzige Erwerbsquelle, welche den Blinden mit einiger Sicherheit reichlich ernährt, ja, wodurch er zuweilen, nicht allein sich selbst, sondern auch seine Angehörigen zu ernähren im Stande ist. — Wie sehr man dem unglücklichen Blinden einen leichten und reichlichen Erwerb gönnen möchte, so hat die Sache doch ihre zwei Seiten, auf welche wir hier freilich nicht näher eingehen können. Es wäre nur zu wünschen, dass wahre Humanität sich durch den unmittelbaren oft herz- und ohrenzerreissenden Eindruck nicht zu leicht erweichen liesse und mehr darauf bedacht sein möchte, zur Erleichterung und Verbesserung des traurigen Looses der Blinden in besser überlegter Weise ihr Scherflein beizutragen.

Unter den Mecklenburg-Strelitz'schen Blinden finden sich 5 oder 6 verzeichnet, welche sich mit Musik — zum Theil zum eigenen Vergnügen und Zeitvertreib — beschäf-

tigen. Einige geben Musik-Unterricht und nur etwa zwei
scheinen zuweilen im Lande herumzuziehen um mit Musik-
machen ihr Brod zu verdienen.

Kehren wir nun noch einmal zu den arbeitsunfähigen
Blinden zurück und vergleichen wir in numerischer Beziehung das Geschlecht, das Alter und die Gesundheitsverhältnisse, so lässt sich darüber die nachfolgende Tabelle
zusammenstellen.

Uebersichts-Tabelle

über die Geschlechts-, Alters- und Gesundheitsverhältnisse
von 140 arbeits- und erwerbsunfähigen Blinden in
Mecklenburg-Schwerin.

Geschlecht.	Alter.				Gesundheitsverhältnisse.			
	älter		jünger		gesund.		nicht gesund.	
	als 56 Jahre.							
männl. weibl.	männl.	weibl	männl.	weibl.	männl.	weibl.	männl.	weibl.
85 55	60	39	25	16	48	29	35	26
	99		41		77		61	
						138		
						2 unbeant-		
						wortet.		
140.	140.				140.			

Erinnern wir uns daran, dass das 56. Lebensjahr die
Summe unserer Blinden in zwei ziemlich gleiche Hälften
theilt, so springt es sogleich in die Augen, dass das hohe
Alter einen wesentlichen Antheil nimmt an der Arbeits-
unfähigkeit. Mehr als $^2/_3$ der Arbeitsunfähigen ist älter
als 56 Jahre, und vergleichen wir hiermit die verhältnissmässig grosse Zahl der Nichtgesunden — worunter auch
die schwächlichen, resp. die altersschwachen Blinden zu
rechnen sind — so lässt sich auch dieses durch die vielen

hochaltrigen Blinden hinreichend erklären. Inzwischen mag noch hinzugefügt werden, dass gerade unter den jüngeren Arbeitsunfähigen sich ziemlich viele vorfinden, die wegen wirklicher Krankheit zur Arbeit untauglich sind.

Für Mecklenburg-Strelitz wird die oben mitgetheilte Hauptübersicht ausreichend sein, obwohl die Altersverhältnisse darin nicht ausdrücklich angegeben sind. Es ergiebt sich daraus, dass mehr als $1/3$ aller Arbeitsunfähigen gesund ist und zum Theil gewiss arbeitsfähig sein würde, wenn diese Blinden irgend eine Beschäftigung, welche ohne Hülfe des Gesichtssinnes betrieben werden kann, erlernt hätten; doch wollen wir nicht unterlassen hinzuzufügen, dass von den 14 arbeitsunfähigen gesunden Blinden in Mecklenburg-Strelitz, die Hälfte das 70. Lebensjahr bereits überschritten oder doch nahezu erreicht hat. Unter den übrigen (unter-70jährigen) Blinden sind zwei Männer im besten Lebensalter, nämlich im 38. und 49. Lebensjahre, welche bereits seit resp. 20 und 29 Jahren erblindet sind und also lange Zeit gehabt hätten, einen Blindenberuf zu erlernen, ferner ein angeblich blindgeborener 16jähr. Knabe von gesunder Constitution, welcher, wie die Nachrichten lauten, sich durch Beschäftigung wohl etwas erwerben könnte, wenn er nur etwas erlernt hätte. Endlich finden sich noch 4 Blinde im Alter von 25 bis 44 Jahren, welche erst im Laufe des Jahres 1868 ihr Augenlicht verloren haben.

Unter den Gesunden überwiegen in Mecklenburg-Strelitz die Männer, unter den Kranken und Kränklichen, wie gewöhnlich, die Frauen. Das Verhältniss zerlegt sich wie folgt:

$$
\text{Blinde}\;\begin{cases} \text{gesunde} \begin{cases} \text{männlich} & 9 \\ \text{weiblich} & 5 \end{cases} = 14 \\ \text{kranke} \begin{cases} \text{männlich} & 7 \\ \text{weiblich} & 15 \end{cases} = 22. \end{cases}
$$

Bemerkenswerth ist das hohe Alter der kränklichen und gebrechlichen blinden Frauen. Während das durchschnittliche Alter der gesunden Männer und Frauen und der kränklichen Männer zwischen 52 und 56 schwankt, erhebt sich die durchschnittliche Alterszahl bei den kränklichen Frauen fast auf 80 Jahr. Ja, wenn wir ein 14jähriges Mädchen aus dieser Abtheilung streichen — wozu wir insofern berechtigt sind, weil Kinder von 14 Jahren weniger unter die Arbeitenden als unter die Arbeitlernenden gerechnet werden dürften — dann erhebt sich die durchschnittliche Alterszahl auf die sehr beträchtliche Höhe von mehr als 83 Jahren; ein eclatantes Beispiel, dass Blindheit und hohes Alter — selbst bei vorhandener Körperschwäche — recht gut mit einander verträglich sind.

IX.

Blinden - Anstalten.

„Der Blinde ist bürgerlich todt" — sagt der berühmte Augenarzt Beer*) — „er ist unbehülflich wie das kleinste Kind, wenn sich nicht gute Menschen seiner annehmen; seine ganze Existenz hängt vom Augenblicke ab, denn ein einziger gewagter unglücklicher Schritt kann ihm das Leben kosten."

Ein einziger gewagter, unglücklicher Schritt kann freilich auch dem Sehenden das Leben kosten; Beer wollte gewiss damit sagen, dass jeder Schritt eines Blinden, wenn er nicht von fremder Hand geleitet wird, ein gewagter ist, und demgemäss auch ein unglücklicher werden kann.

*) Einladungsschrift zur Eröffnung der Klinik für die Augenkrankheiten in Wien, im Jänner 1813.

Ist dem wirklich so, dann ist es auch Menschenpflicht, dem Blinden die Hand zu reichen und, von der Wiege bis zum Grabe, jeden seiner Schritte zu bewachen.

Diese Menschenpflicht erfüllt sich zunächst durch die natürlichen, unveräusserlichen Bande der Blutsverwandtschaft. Der Vater lässt sein blindes Kind nicht im Stiche; er wird es schützen und schirmen vor aller Gefahr, er wird sorgen dafür, dass es körperlich keinen Schaden nimmt und dass die geistige und sittliche Entwickelung durch den Mangel des Gesichtssinnes keine Hemmung und Schädigung erleide. So wird auch im umgekehrten Falle das Kind seinen blinden Vater oder seine blinde Mutter nicht verlassen, es wird ihnen willig als Führer dienen, und wird ihnen den Verlust des Augenlichtes nach allen Kräften zu ersetzen bemüht sein; ebenso werden Geschwister unter sich, sich gegenseitig helfen und unterstützen, wenn eines unter ihnen blind ist. — Ausnahmen von dieser Regel gehören bei uns — wie wir hoffen wollen — unter die Seltenheiten.

Es giebt aber auch Blinde, die ganz allein stehen in der Welt, die weder Vater, noch Mutter, noch Geschwister haben, und es giebt Blinde, bei denen die Verwandten und Angehörigen ihre natürlichen Pflichten der Blutsverwandtschaft nicht erfüllen, oder aus eigener Armuth und Dürftigkeit nicht erfüllen können. Bei diesen muss christliche Liebe die Stelle verwandtschaftlicher Angehörigkeit vertreten.

Wir kommen nun, am Schlusse unserer Arbeit, zur Erörterung der Frage, ob es wünschenswerth sei, dass für die Blinden in Mecklenburg noch besser und aufmerksamer gesorgt werde als bisher.

Diese Frage lässt sich nach den Ergebnissen der vorausgehenden Abschnitte, theilweise wenigstens mit „ja" beantworten. — Es ist z. B. nicht zu bezweifeln, dass die Zahl der Erblindungen noch verringert werden kann, und zwar nicht allein dadurch, dass bei heilbaren

Erblindungsfällen das Sehvermögen durch ärztliche Fürsorge wiederhergestellt wird, sondern ganz besonders dadurch, dass bei beginnenden Erblindungen rechtzeitig Hülfe gesucht und Hülfe gebracht wird. Der Abschnitt über die Erblindungsursachen bietet zur Stütze dieser Behauptung zahlreiche Beispiele.

Doch, auf diese Seite der Frage und auf die Frage, wie man den Hülfe Bedürftigen die Hülfe fachkundiger Aerzte am besten sichern könne, wollten wir nicht eingehen; wir haben es hier vorzugsweise nur mit wirklichen und unheilbaren Blinden zu thun, deren trauriges Loos alles Mitleid und alle Theilnahme ihrer Mitmenschen in Anspruch nimmt, nicht aber mit solchen, die von dem traurigen Loos der Erblindung für die Zukunft nur bedroht sind.

Die Frage, durch welche wir die Sachlage ins Klare zu setzen wünschten, ging darauf hinaus zu ermitteln, wie gross die Zahl derjenigen sein möge, für welche besser gesorgt werden kann, als gegenwärtig gesorgt wird, oder, wie gross die Zahl derjenigen ist, bei welchen die Aufnahme in eine geeignete Blinden - Anstalt wünschenswerth erscheint.

Von den 385 eingelaufenen Antworten lauteten:
1) nicht wünschenswerth	297
2) wünschenswerth	88
	Zusammen 385.

Diejenigen Antworten, welche die Aufnahme in eine Anstalt als nicht wünschenswerth bezeichnen, lassen sich aber wiederum in verschiedene Unterabtheilungen bringen, und zwar in folgender Weise:

1) absolut nicht wünschenswerth	157
2) zur Zeit nicht wünschenswerth	58
3) aus besonderen Gründen nicht wünschenswerth	14
4) von den Blinden selbst nicht gewünscht	68
	Zusammen 297.

Ebenso lassen sich auch die bejahenden Antworten in folgender Weise unterabtheilen:

1) wünschenswerth   47
2) sehr wünschenswerth   26
3) wünschenswerth unter gewissen einschränkenden Bedingungen   15

Zusammen 88.

Man sieht leicht, dass die Unterabtheilungen 2 und 3 der negativen Antworten, und die dritte Unterabtheilung der positiven Antworten unter Umständen mit einander confluiren, und dass sie nur wegen der stylistischen Fassung der Antwort getrennt werden mussten. — Wenn die Aufnahme aus gewissen Gründen zur Zeit nicht wünschenswerth erscheint, so kann sie, nach Wegfall dieser Gründe und zu einer anderen Zeit vielleicht erst recht wünschenswerth sein.

Die verschiedenen Gründe, welche hier angeführt werden, beziehen sich aber zum Theil auf das hohe Alter oder auf die Kränklichkeit der Blinden, wesswegen eine Veränderung ihrer Lebensverhältnisse nicht mehr wünschenswerth erscheint; allermeistens aber beziehen sie sich auf das Ableben gewisser Personen, von denen sich die Blinden bei Lebzeiten gar nicht, oder vielleicht nur aus Zweckmässigkeitsgründen nicht trennen können oder dürfen; zuweilen beziehen sie sich aber auch auf das Zusammenleben mit Personen, von denen eine Trennung besonders zweckmässig wäre.

In Mecklenburg-Strelitz ist die Frage nach dem etwa vorhandenen Bedürfniss der Aufnahme in eine Blindenbeschäftigungs- oder Blindenversorgungsanstalt 68 Mal beantwortet worden und zwar:

nicht wünschenswerth   50
wünschenswerth   18

zusammen 68.

Unter den 18 Blinden, für welche die Aufnahme wünschenswerth erscheint, sind 5 Kinder. Eines derselben

hat z. Z. bereits Aufnahme gefunden in der Blindenerziehungs-Anstalt zu Neukloster, und die 3 übrigen werden — so darf man hoffen — dorthin kommen, sobald
sie das erforderliche Alter von etwa 10 Jahren erreicht
haben werden.

Von den noch übrigen 14 Blinden wünschen 4 (im
Alter von 48, 32, 29, 25 Jahren) die Aufnahme in eine
Beschäftigungs-Anstalt ausdrücklich selbst; bei 5 anderen
wird die Aufnahme als wünschenswerth, und bei den
letzten 5 als s e h r oder als d r i n g e n d wünschenswerth
bezeichnet.

Zu den 50, bei denen die Aufnahme in eine Beschäf-
tigungs- oder Versorgungs-Anstalt nicht wünschenswerth
scheint, oder denen selbst eine solche Veränderung ihrer
Lebenslage nicht erwünscht wäre, kommen vielleicht noch
einige der unbeantwortet gebliebenen Nummern hinzu.
Meistens sind es nämlich Blinde, die nicht mittellos sind,
oder die noch Verwandte und Angehörige haben, welche
für sie sorgen, oder Blinde, die bereits zu alt oder zu
kränklich oder zu schwach sind um in andere und ganz
veränderte Verhältnisse hinein zu passen. Unter solchen
Umständen mag dann die Antwort, als selbstverständlich verneinend, zuweilen weggeblieben sein. Dagegen
muss noch angeführt werden, dass unter den 50 zur Aufnahme nicht geeigneten sich 5 finden, bei denen der
Antwort „nein" noch der beschränkende Zusatz „z u r
Z e i t " hinzugefügt ist. Zu einer anderen Zeit, d. h.
später, wenn vielleicht gewisse Veränderungen oder Sterbefälle eingetreten sein sollten, würden sie eventuell in die
Kategorie „wünschenswerth" übergehen; ja in e i n e m
Falle wird, unter den näher angegebenen Eventualitäten,
die Aufnahme sogar als „sehr wünschenswerth" bezeichnet.

Rundet man die aufgefundenen Zahlen ein wenig ab,
so ergiebt sich, dass das Verhältniss derjenigen, bei
denen die Aufnahme in eine Anstalt der genannten Art

wünschenswerth ist, zur Gesammtzahl der eingegangenen Beantwortungen sich verhält, etwa:

wie 1 zu 4 (18 : 68).

Fasst man aber nur das dringende Bedürfniss oder diejenigen Blinden ins Auge, bei denen die Aufnahme als sehr wünschenswerth bezeichnet wird, dann würde das Verhältniss sein, etwa:

wie 1 zu 15 (5 : 68).

Hiermit stimmen die für das Grossherzogthum Mecklenburg - Schwerin ermittelten Thatsachen ziemlich genau überein. Auch hier findet sich das Verhältniss derjenigen, bei denen die Aufnahme wünschenswerth erscheint zur Gesammtzahl der erhaltenen Antworten ungefähr

wie 1 zu 4 (88 : 385)

und fast genau findet sich das Verhältniss derjenigen, bei denen die Aufnahme sehr wünschenswerth erscheint zur Gesammtzahl der erhaltenen Antworten

wie 1 zu 15 (26 : 385).

Wenn wir diesen Verhältnisszahlen allgemeinere Gültigkeit beilegen und wenn wir die Blinden, über die wir keine nähere Nachricht erhalten haben, mit in Rechnung bringen, so lässt sich annehmen, dass die Aufnahme in eine Anstalt für 100 bis 150 Blinde einfach wünschenswerth, für 30 bis 40 Blinde aber höchst wünschenswerth erscheint.

Diese Zahlen sind gewiss gross genug, um mit Ernst an die Erfüllung solcher Wünsche zu mahnen.

Wie aber sollen und wie können diese Wünsche in zweckmässigster Weise in Erfüllung gesetzt werden?

Die Sorge für die Bildung der Blinden zu bürgerlicher Brauchbarkeit und die darauf beruhende Beschäftigung und Versorgung derselben ist von Frankreich und Oesterreich ausgegangen. Valentin Hauy legte i. J. 1785 in Paris den Grund zu dem ersten Blindenbildungsinstitute, und Joh. Wilh. Klein trat i. J. 1804 in Wien als Vertreter der Blindenbildung auf. Von diesen beiden

24*

Culturstätten der Humanität verbreitete sich der Sinn für
thätige Theilnahme an dem traurigen Schicksal der Blinden über die ganze civilisirte Welt.

Frankreich hat bei einem Bestande von etwa
30,000 Blinden, 14 Blindenbildungs- und 2 Blindenversor-
gungsanstalten.

Unter die letzteren gehört das von Ludwig dem
Heiligen von Frankreich i. J. 1260 gegründete Hôpital
des quinze-vingts, in welchem 300 Blinde aller Klassen
Versorgung finden. Dasselbe war ursprünglich bestimmt
für die in seinem ersten Kreuzzuge, in Egypten erblindeten
Krieger, und hat von jener Zeit an bis in die Gegenwart
denselben Personalbestand von 300 Blinden, von welchem
das Hospital den Namen erhalten hat.

Oesterreich besitzt 6 Blindenbildungs- und 2 Ver-
sorgungs- und Beschäftigungs-Anstalten.

In Preussen und in dem übrigen Deutschland
mögen gegenwärtig etwa 30, zum Theil kleinere Anstalten
bestehen, welche theils als Unterrichts-, theils als Ver-
sorgungsanstalten wirken.

. Mecklenburg besitzt in Neukloster eine neue und
vortrefflich eingerichtete Unterrichtsanstalt, welche gegenwärtig 24 Zöglinge zählt.*)

Die Blindenanstalt in Neukloster hat am 7. Oct. 1863
ihre ersten Zöglinge aufgenommen, ihre Thätigkeit dauert
also erst wenige Jahre. Die Blinden lernen dort, was sie
ihren Sinneskräften nach zu lernen noch im Stande sind.
Unzweifelhaft werden die Früchte dieser Thätigkeit mit
der Zeit in erfreulicher Weise bemerklich hervortreten.
Ein nach Art unserer Uebersichten zusammengestelltes
Verzeichniss der Blindenbeschäftigungen (vergl. pag. 348),

---

*) Diese 24 Zöglinge, von denen 2 aus Mecklenburg-Strelitz,
sind bei den oben mitgetheilten numerischen Zusammenstellungen
nicht mitgerechnet, weil bei ihnen der Wunsch, nach welchem
gefragt wurde, bereits in Erfüllung gegangen ist.

wird nach wenigen Decennien ohne Zweifel ein weit mannigfaltigeres und reicheres Aussehen annehmen. Nach dieser Seite hin wäre in unserem Lande ausreichend gesorgt.

Wie segensreich und erfreulich diese Anstalt auch wirken möge, so ist damit aber noch keineswegs für alle Bedürfnisse und für alle Altersklassen unter den Blinden gesorgt.

Die Blinden lassen sich ihrem Alter nach so classificiren, dass in die jüngste Klasse alle Kinder bis zu 10 Jahren, in die II. Klasse die 10 bis 20jährigen, in die III. Klasse die 20 bis 60jährigen und in die letzte Klasse alle diejenigen Blinden kommen, welche älter als 60 Jahre sind.

Wir wählen diese anscheinend sehr willkührliche Eintheilung aus folgenden Gründen:

1. Blinde Kinder sollten billigerweise ihrer Familie nicht ganz und nicht allzufrüh entzogen werden, denn die erste körperliche Pflege und die allerfrüheste sittliche und geistige Erziehung kann doch nirgends besser sein als im elterlichen Hause und unter den sorgenden Augen der Mutter — seltene Ausnahmen abgerechnet. Wollen wir ein bestimmtes Alter fixiren, so dürfte das Verbleiben im elterlichen Hause bis etwa zum 10. Lebensjahre wünschenswerth erscheinen. Bis dahin mag allenfalls der Unterricht im Hause und in den untersten Klassen der Elementarschulen für das blinde Kind eben noch genügen. Von nun an aber bedarf es einer besonderen Unterrichts- und Erziehungsweise, die nur in besonderen Erziehungs-Anstalten ertheilt werden kann.

II. Der Aufenthalt in einer Blinden-Erziehungs- und Unterrichts-Anstalt wird durchschnittlich vom 10. bis zum 20. Jahre dauern. Dies sind die eigentlichen Lehrjahre der Blinden.

III. Nach dem 20. Jahre kommt eine Zeit, in welcher der Blinde das, was er gelernt hat, verwerthen muss. Er muss — oder sollte wenigstens — arbeiten wie jeder

Andere. Weil er aber, selbst bei übrigens gleicher Befähigung, stets im Nachtheil ist gegen den vollsinnigen
Arbeiter, so muss von anderer Seite dafür gesorgt werden,
dass er nicht in Armuth und Arbeitslosigkeit versinkt.
Es müssen entweder besondere oder mit der Erziehung in
Verbindung stehende Anstalten bestehen, in welchen und
durch welche der blinde Arbeiter seine Arbeit möglichst
vortheilhaft verwerthet. — Der auf sich selbst angewiesene
blinde Arbeiter ist nicht im Stande, sich vor Betrug zu
schützen, auch ist er nicht im Stande, in Bezug auf Güte
und Schnelligkeit der Arbeit mit dem sehenden Arbeiter zu
concurriren. In jetziger Zeit aber, wo, im ausschliesslichen
Dienste des consumirenden Publicums, die absoluteste Concur-
renz angestrebt wird*), muss der blinde Arbeiter, wenn er
nicht unterstützt wird, oder wenn er nicht anderweitig bemit-
telt ist — nothwendiger Weise „im Kampfe um das Dasein"
zu Grunde gehen. Dazu kommt noch, dass die wenigen
Arbeiten, zu denen der Blinde überhaupt befähigt ist, ihn
auch in der Wahl eines erwerblich - vortheilhaften Arbeits-
zweiges wesentlich einschränken; es ist daher gerade in
jetziger Zeit doppelt nothwendig, ihn in dem gegenseitigen,
permanent gewordenen Vernichtungskrieg, welchen die freie
Arbeitsconcurrenz eröffnet hat, nach Möglichkeit zu schützen.
    IV. Die wenigen Erwerbsbeschäftigungen, denen die
Blinden sich widmen können, sind körperlich nicht an-
strengend; wir glauben daher annehmen zu dürfen, dass
die Blinden, in ihrer Weise und in ihren Beschäftigungen,

---

*) Die jetzt populär gewordene Ansicht, wonach der Arbeit-
geber allein berücksichtigt wird, der Arbeiter aber dem Arbeit-
geber um möglichst billige Preise dienstbar sein soll, ist jedenfalls
eine sehr einseitige; sie ist im Grunde genommen nur eine Rückkehr zu den Zuständen jener Zeiten, in denen die Arbeit noch nicht
durch die Zünfte geschützt war, und führt in letzter Consequenz,
einerseits zur Verarmung des Arbeiterstandes im Ganzen, und andererseits zur unverhältnissmässigen Bereicherung Einzelner, derjenigen
nämlich, welche — durch gute oder schlechte Mittel — die Con-
currenz aushalten konnten.

durchschnittlich noch bis in das 60. Jahr als relativ arbeitsfähig betrachtet werden können. — Ueber das 60. Jahr hinaus wird aber nur ausnahmsweise noch Arbeits- und Erwerbsfähigkeit vorausgesetzt werden dürfen.

Wenn wir nach diesen 4 Altersklassen die Zahl der Blinden zusammenzählen, so findet sich Folgendes:

	Alter.	Anzahl.
I.	0 bis 10 Jahr	30
II.	10 bis 20 Jahr	42
III.	20 bis 60 Jahr	262
IV.	60 Jahr und noch älter	247
	Zusammen	581.

Wenn für die erste dieser 4 Klassen nicht gesorgt zu werden braucht, es sei denn, dass die Eltern der blinden Kinder der Sorge und Unterstützung selbst bedürften, und wenn ferner für die 2. Klasse in unserem Lande in erfreulichster Weise bereits gesorgt ist, so zeigt es sich doch, dass die Bedürfnisse der 3. und 4., numerisch sehr stark hervortretenden Klasse, bis jetzt noch ganz unberücksichtigt geblieben sind. Es giebt in unserem Lande noch viele Blinde, denen es sehr kümmerlich ergeht, die mit Drehorgelspiel oder Bettel ihren Lebensunterhalt sich erwerben und die gerne etwas Besseres treiben würden, wenn ihnen nur die Gelegenheit dazu geboten würde.

Solche Gelegenheit bietet sich aber dar in den sogen. Blindenbeschäftigungs-Anstalten; dort wird gesorgt für Arbeit und Beschäftigung, wie sie den Fähigkeiten der einzelnen Blinden angemessen ist, und zugleich wird gesorgt dafür, dass diese Arbeiten und Beschäftigungen für sie selbst möglichst nutzbringend und vortheilhaft verwerthet werden.

Für arbeitsunfähige Blinde, die mittellos und ohne Angehörige in der Welt dastehen, ist endlich noch eine Versorgungs-Anstalt sehr wünschenswerth, um nicht zu sagen erforderlich, die jedoch in den meisten Ländern, wo solche Anstalten bestehen, mit den Beschäftigungs- und

Unterrichtsanstalten, ja an einzelnen Orten sogar auch mit einer Augenheilanstalt in Verbindung stehen.

Unter den 26 Blinden in Mecklenburg-Schwerin, bei denen die Aufnahme in eine Anstalt als sehr wünschenswerth bezeichnet wird, finden wir 4 unter-10jährige Kinder. Bei diesen handelt es sich natürlicher Weise nur um die dereinstige Aufnahme in die Blindenerziehungs-Anstalt zu Neukloster. Dann finden wir unter ihnen 3, die im Anfange dieses, oder selbst am Ende des vorigen Jahrhunderts geboren sind, und die ausgesprochener Maassen sich nur für eine Versorgungs-Anstalt eignen. Die meisten übrigen stehen in einem Alter von 20 bis 40 Jahren, und wünschen zum Theil selbst sehnlichst, zum Theil wird es von Anderen als dringend wünschenswerth bezeichnet, dass sie in eine Beschäftigungs-Anstalt aufgenommen werden, weil sie aus Unkenntniss jeder für sie etwa noch geeigneten Arbeit völlig unthätig zu Hause sitzen, und zuweilen entfernteren Verwandten, die selbst hülfsbedürftig sind, zur Last liegen. — Ein Theil dieser Blinden ist von frühester Jugend an blind gewesen; diese würden, wenn unsere Blindenerziehungs-Anstalt seit längerer Zeit in Thätigkeit wäre, dort gewiss schon eine nützliche Beschäftigung gelernt haben, wie zu hoffen ist, dass es in Zukunft sein werde. Ein anderer, noch weit mehr zu beklagender Theil ist aber in späteren Jahren erblindet, in einem Alter, in welchem, nach den in der Anstalt Neukloster geltenden Grundsätzen, die Aufnahme daselbst nicht mehr gestattet wird.

Für solche Blinde — und es giebt ihrer unter der Rubrik „wünschenswerth", hier sowohl wie in Mecklenburg-Strelitz, noch eine grosse Zahl — wäre eine Beschäftigungs-Anstalt gewiss ein wahrer Segen, der manchen unter ihnen vor Bettel und völliger Verkommenheit schützen und sichern würde.

Vielleicht werden mit der Zeit die Mittel sich finden, um auch bei uns eine solche segensreiche Anstalt ins Leben zu rufen.

Anhang,

enthaltend vier statistische Tabellen, zwei briefliche Mittheilungen und eine nachträgliche Notiz.

––––––

Vorbemerkung.

Die Tabellen I. und II. enthalten die Zählungsangaben von den 480 Blinden der ursprünglichen Zählung vom 3. Dec. 1857, wovon jedoch 40 Nichtblinde oder Nichtauffindliche und 4 ohne Angabe des Geburtsjahres abgerechnet, dagegen 60 neuangemeldete Erblindungsfälle hinzugezählt sind. — Da von den 60 Neuangemeldeten die Neuerblindeten (ca. 12) sich nicht streng aussondern liessen (vergl. pg. 297), so haben wir vorgezogen eine weitere Scheidung nicht eintreten zu lassen, und bemerken nur, dass 9 unter diesen erst seit einem Jahre Erblindeten, geboren sind:

	männlich.	weiblich.
im Jahr 1797	1814
—	1807
—	1808
—	1810
—	1814
—	1815
—	?
—	?

––––––

Tabelle I.

Vergleichende Uebersicht der Blindenzahl in verschiedenen Lebensaltern und der gesammten gleichaltrigen Bevölkerung.

Ge-burts-jahr.	Alter i. J. 1867	Bevölkerung.		Davon sind blind.		Summe	
		M.	W.	M.	W.	der ganzen Bevöl-kerung.	der Blin-den.
1766	101	1	2	—	—	3	
1767	100	3	3	—	—	6	
1768	99	—	1	—	—	1	
1769	98	1	1	—	—	2	
1770	97	4	10	—	—	14	
1771	96	2	3	—	—	5	
1772	95	6	6	—	—	12	
1773	94	3	9	—	—	12	
1774	93	10	13	—	—	23	
1775	92	8	22	—	—	30	1 : 39
1776	91	11	15	1	1	26	2
1777	90	28	37	1	1	65	2
1778	89	30	34	—	—	64	
1779	88	37	58	1	3	98	4
1780	87	58	104	1	2	162	3	1 : 65
1781	86	63	110	—	—	173	
1782	85	93	131	2	2	224	4
1783	84	104	160	—	1	264	1
1784	83	138	156	3	2	294	5
1785	82	162	202	1	—	364	1	1 : 128
1786	81	167	197	—	—	364	
1787	80	229	283	5	2	512	7
1788	79	255	252	2	1	507	3
1789	78	292	377	2	3	669	5
1790	77	519	624	4	5	1133	9	1 : 104
1791	76	431	549	6	2	980	8
1792	75	523	663	7	9	1186	16
1793	74	634	783	7	5	1417	12
1794	73	690	737	3	6	1427	9
1795	72	735	966	3	4	1701	7	1 : 157
1796	71	800	871	3	8	1671	11
1797	70	1016	1070	9	5	2086	14

Ge-burts-jahr.	Alter i. J. 1867.	Bevölkerung.		Davon sind blind		Summe der ganzen Bevöl-kerung.	der Blin-den.	
		M.	W.	M.	W.			
1798	69	856	972	2	4	1828	6	
1799	68	1082	1152	2	4	2234	6	
1800	67	1659	2024	6	3	3683	9	1: 379
1801	66	1573	1734	3	7	3307	10	
1802	65	1579	1760	3	4	3339	7	
1803	64	1674	1924	2	9	3598	11	
1804	63	1635	1826	9	4	3461	13	
1805	62	1569	1743	1	5	3312	6	1: 405
1806	61	1395	1482	3	—	2877	3	
1807	60	1791	1968	4	5	3759	9	
1808	59	1583	1798	8	6	3381	14	
1809	58	1773	1990	2	2	3763	4	
1810	57	2110	2381	5	6	4491	11	1: 518
1811	56	2334	2463	3	3	4797	6	
1812	55	2221	2583	2	4	4804	6	
1813	54	2267	2539	5	3	4806	8	
1814	53	2474	2731	5	2	5205	7	
1815	52	2701	2785	4	4	5486	8	1: 667
1816	51	2513	2609	2	5	5122	7	
1817	50	2903	3145	2	9	6048	11	
1818	49	2689	2900	1	6	5589	7	
1819	48	2799	3052	2	3	5851	5	
1820	47	3051	3185	8	2	6236	10	1: 921
1821	46	2951	3189	4	---	6140	4	
1822	45	3225	3369	3	4	6594	7	
1823	44	3342	3707	1	2	7049	3	
1824	43	3178	3411	3	2	6589	5	
1825	42	3070	3269	4	2	6339	6	1:1567
1826	41	2980	2973	1	—	5953	1	
1827	40	3301	3681	1	5	6982	6	
1828	39	2933	3315	1	1	6248	2	
1829	38	3161	3433	5	—	6594	5	
1830	37	3524	3762	5	1	7286	6	1:1290
1831	36	3229	3509	3	7	6738	10	
1832	35	3218	3417	1	2	6635	3	

Geburts-jahr.	Alter i. J. 186?	Bevölkerung.		Davon sind blind		Summe der ganzen Bevöl-kerung.	der Blin-den.	
		M.	W.	M.	W.			
1833	34	3379	3701	3	2	7080	5	
1834	33	3806	4068	2	—	7874	2	
1835	32	3736	4030	—	6	7766	6	1:1747
1836	31	3609	3782	1	3	7391	4	
1837	30	3946	4369	2	3	8315	5	
1838	29	3790	3948	4	2	7738	6	
1839	28	4351	4560	1	5	8911	6	
1840	27	4238	4684	1	3	8922	4	1:1680
1841	26	4059	4536	2	2	8595	4	
1842	25	4645	5021	2	3	9666	5	
1843	24	4353	4963	—	4	9316	4	
1844	23	4378	4974	2	1	9352	3	
1845	22	4430	5192	2	2	9622	4	1:2520
1846	21	5139	4739	3	1	9878	4	
1847	20	4618	5084	3	1	9702	4	
1848	19	4960	5215	2	1	10175	3	
1849	18	5679	5947	3	2	11626	5	
1850	17	5931	5844	5	2	11775	7	1:2613
1851	16	5472	5344	—	4	10816	4	
1852	15	5292	5206	—	2	10498	2	
1853	14	5442	5403	4	2	10845	6	
1854	13	5280	5299	3	2	10579	5	
1855	12	5931	5791	1	2	11722	3	1:3338
1856	11	5838	5688	—		11526		
1857	10	6093	5996	1	2	12089	3	
1858	9	5874	5788	2	3	11662	5	
1859	8	6243	6107	1	1	12350	2	
1860	7	6142	5850	3	1	11992	4	1:4007
1861	6	6098	5890	—	1	11988	1	
1862	5	6120	5990	2	1	12110	3	

Geburtsjahr.	Alter i. J. 1867.	Bevölkerung. M.	Bevölkerung. W.	Davon sind blind M.	Davon sind blind W.	Summe der ganzen Bevölkerung.	Summe der Blinden	
1863	4	6724	6425	2	—	13149	2	
1864	3	6483	6551	3	1	13034	4	
1865	2	6566	6376	—	2	12942	2	} 1 : 5540
1866	1	6794	6657	1	1	13451	2	
1867	0	7105	6769	2	—	13874	2	
Summe		273940	286017	240	256	559957	496	
Ohne Angabe des Geburtsjahres		338	333	1	3	671	4	
		274278	286350	241	259	560628	500	

Nicht blind und nicht auffindlich   40

Zusammen 540

Tabelle II.

Vergleichende Uebersicht der Blindenzahl in den verschiedenen Altersklassen, sowie der in dem Zeitraum von anderthalb Jahren gestorbenen Blinden.

	Mecklenburg-Schwerin		Mecklenburg-Strelitz.		Gestorben in				Summirt von 5 zu 5 Jahren.		von 10 zu 10 Jahren.	
					Mecklenburg-Schwerin		Mecklenburg-Strelitz			davon sind im Zeitraum von 1½ Jahren gestorben.		davon sind im Zeitraum von 1½ Jahren gestorben.
	männlich.	weiblich.	männlich.	weiblich.	M.	W.	M.	W.				
0 bis 5	8	4	1	1	1	1	...		14	2	30	2
5 „ 10	8	7	—	1	...		..		16	—		
10 „ 15	9	8	1	1	—	1		—	19	1	42	4
15 „ 20	10	11	2	—	1	2	—	—	23	3		
20 „ 25	10	9	2	1	—		—		22	—	50	—
25 „ 30	10	15	2	1	—		—		28	—		
30 „ 35	8	14	1	2	—		—		25	—	53	—
35 „ 40	15	11	2	—	—		—		28	—		
40 „ 45	10	11	2	1	—		—		24	—	61	2
45 „ 50	18	15	4	—	1	1		—	37	2		
50 „ 55	18	23	6	4	2	1		—	51	3	98	6
55 „ 60	20	21	3	3	2	1		—	47	3		
60 „ 65	19	23	5	4	3	3	1	1	51	8	102	18
65 „ 70	16	22	6	7	3	4	2	1	51	10		
70 „ 75	25	28	4	5	1	4	2	1	62	8	107	20
75 „ 80	21	20	2	2	6	6	—	—	45	12		
80 „ 85	9	5	1	3	3	1	1	1	18	6	33	10
85 „ 90	4	7	—	4	2	2	—		15	4		
über 90	2	2	—	1	1	1	—		5	2	5	2
	240	256	44	41	26	28	6	4	581	64	581	64
	496		85		54		10					
	581				64							

Tabelle III.

Die Blinden im Königreich Preussen (nach der Zählung vom 3. Dec. 1867).

Provinzen.	Blinde auf beiden Augen geboren in den Jahren:														Summe.	
	1867—1863		1862—1858		1857—1853		1852—1848		1847—1843		1842—1838		1837 und früher			
	männl.	weibl.	männl.	weibl.	männl.	weibl.	männl.	weibl.	männl.	weibl.	männl.	weibl.	männl.	weibl.	männl.	weibl.
Preussen	30	37	50	39	42	29	43	38	49	27	40	50	602	714	856	934
Posen	18	12	21	16	26	16	28	20	26	28	30	41	327	439	476	572
Brandenburg	16	26	28	21	39	26	46	25	38	28	41	26	418	460	626	621
Pommern	13	10	26	14	26	18	23	18	29	25	19	16	305	315	441	416
Schlesien	32	40	43	38	54	35	46	35	52	33	49	49	849	944	1125	1174
Sachsen	19	6	24	12	30	24	27	20	33	23	28	18	448	491	609	594
Westfalen	19	12	21	9	28	21	28	22	21	30	35	19	414	362	566	475
Rheinland	9	15	34	19	45	29	44	39	40	42	54	60	856	785	1082	989
Jadegebiet	—	—	—	—	—	—	—	—	—	—	—	—	—	—	—	—
Sigmaringen	—	1	2	1	—	1	—	1	1	1	1	2	18	19	22	26
Schleswig-Holstein	8	1	11	6	16	7	16	7	14	9	6	10	232	190	303	230
Hannover	11	6	21	15	19	20	33	33	29	20	25	24	412	364	550	482
Hessen-Nassau	13	12	22	13	16	12	15	12	26	19	20	22	380	330	492	420
Der Staat:	188	178	303	203	341	238	349	270	358	285	348	337	5261	5422	7148	6933

Siehe Zeitschr. des Königl. Preuss. statistischen Bureaus, Jahrg. IX. p. 342 u. 343, p. 351.

Tabelle IV.
Die Blinden in Norwegen
am 31. Dec. 1865.

Alter.	Männer.	Frauen.	Summe.
0 bis 5 Jahren	25	17	42
6 — 10 —	27	23	50
11 — 15 —	31	34	65
16 — 20 —	37	30	67
21 — 25 —	28	23	51
26 — 30 —	26	21	47
31 — 35 —	47	27	74
36 — 40 —	50	43	93
41 — 45 —	34	41	75
46 — 50 —	40	51	91
51 — 55 —	43	44	87
56 — 60 —	53	57	110
61 — 65 —	72	67	139
66 — 70 —	91	121	212
71 — 75 —	136	167	303
76 — 80 —	129	170	299
81 — 85 —	100	125	225
86 — 90 —	94	112	206
91 — 95 —	28	29	57
96 — 100 —	5	18	23
über 100 —	—	4	4
Summe	1096	1224	2320

Das ist 1 Blinder zu 733,3 Einwohner, indem die Einwohnerzahl 1,701,756 beträgt.

Wir lassen hier anhangsweise und in abgekürzter Form noch zwei Briefe, aus Christiania und aus Helsingfors, nachfolgen, welche manche lesenswerthe Details über die Blinden in Norwegen und Finnland enthalten.

I.

Christiania, den 12. April 1869.

Nach der letzten Volkszählung, 31. December 1865, zählte Norwegen 1,701,756 Einwohner, vertheilt auf 5,750 Quadrat-Meilen. Die Anzahl der Blinden war nach derselben Zählung 2,320, oder 1 Blinder auf 733,3 Einwohner. Die Vertheilung auf die verschiedenen Altersklassen ist nach dem mitfolgenden Schema (Tabelle IV.) ersichtlich. — Es ist aber zu bemerken, dass die Volkszählung durch die Pfarrer und Schullehrer ausgeführt wurde, und dass die Angaben über die Blinden von diesen herstammen. — Wiewohl nur diejenigen zu „den Blinden" gerechnet werden sollten, welche sich nicht selbst auf der Strasse führen können, werden wahrscheinlich einige Halbblinde mitgezählt sein, und dies um so mehr, als viele Personen sich für „blind" ausgeben, um Armenunterstützung zu erhalten. Man sieht ja sehr oft, dass ältere staarblinde Leute sich aus demselben Grunde nicht operiren lassen wollen.

Seit einigen Jahren (1862) wurde es versucht, eine Statistik durch die Aerzte zu bekommen; sie ward aber unvollständig. Es wurden 1124 Blinde angemeldet, ich glaube aber kaum, dass alle Aerzte Angaben eingeschickt haben, da diese Zählung ein privates Unternehmen war. Auf der anderen Seite aber erklärten viele Aerzte, dass die öffentliche Volkszählung viele „Halbblinde" mitgenommen hatte. Von diesen 1124 Blinden wurde für 536 die Ursache der Blindheit folgendermaassen angegeben. Läsionen 68, Variola 25, Katarakt 205, Elephantiasis Graecorum (3. Lepra „Spedalskhed") 27, Schwarzer Staar 130, Entzündungen 81.

Ich glaube, und es ist wohl auch so allgemein angenommen, dass der frühere Mangel an ärztlicher Hülfe die grösste Schuld an der Häufigkeit der Blindheit trägt. Die Zahl der Aerzte mehrt sich aber jetzt bedeutend, und ich hoffe, dass auch die Zahl der Blinden sich bald besser stellen wird. Es spricht auch für diese Anschauungsweise, dass die meisten Blinden in den einsamsten Gebirgsgegenden und unter den armen Leuten sich finden, und speciell sollte ich glauben, dass die Ophthalmia neonatorum ein ganzes Contingent zur Blindenstatistik giebt. Soweit man aus der ärztlichen Praxis schliessen kann, sollte ich meinen, dass z. B. Glaukom bei uns ziemlich selten ist, nicht aber so selten die reine Amaurose mit Atrophie des Sehnerven; dann haben wir die „Spedalskhed", welche durch Knotenentwickelung im Auge eine ziemlich grosse Menge Blinde schafft. (Es giebt im Lande 2,137 Spedalske, und mehrere von diesen werden blind.) Weiter ist Misshandlung skrofulöser Augenaffektionen durch sogenannte „Volksmittel" nicht selten. Verwandschaftliche Ehen sind auch ziemlich häufig.

Durch private Subscription wurde hier in der Stadt im Jahre 1861 ein Blinden-Institut gegründet; im Anfange nur für 6 oder 8 Schüler. Jetzt ist aber (zum Theil auf Staatskosten) ein hübsches Haus erbaut, und die Anstalt kann jetzt 32 Pensionäre aufnehmen. Die jährliche Zugabe des Staates beträgt 500 Species (1 Species = 1 $\frac{1}{2}$ Thaler). Jeder Schüler bezahlt für Unterricht und Aufenthalt im Institute von 90 bis 120 Species. Das Institut hat einen Vorsteher, der zugleich Lehrer ist, und einige Secundarlehrer. Dennoch ist es eine aus 3 Mitgliedern bestehende Direktion.

Von den übrigen skandinavischen Ländern kann ich leider nur so viel berichten, dass man das Verhältniss der Blinden nach den letzten Zählungen folgendermaassen angiebt. Für Dänemark 1 : 1908. Schweden 1 : 1419. Finnland 1 : 391.

II.

Helsingfors, den 9. Mai 1869.

Die gesammte Einwohnerzahl Finnlands war nach der letzten Volkszählung, Ende des Jahres 1865: 1,802,248 Protestanten, wozu noch ungefähr 40,000 Personen griechischer Confession kommen.

Die Volkszählung wird jedes fünfte Jahr (nächstens also 1870) vorgenommen. Die Zählung geschieht amtlich durch die Priesterschaft, und das Resultat wird durch die Bischöfe der Regierung eingesandt; da aber die griechischen Priester nicht unter unseren Bischöfen stehen, haben wir von ihnen keine zuverlässigen Berichte bekommen.

Im Jahr 1865 wurde zum ersten Male eine Zählung der Blinden im Lande versucht. Zu dem Ende wurden eigene Formulare gedruckt und durch die Regierung den Pastoren sämmtlicher Gemeinden des Landes, so wie auch den Provincial- (Kreis-) Aerzten zugestellt. Jeder Pastor war verpflichtet, sein Formular auszufüllen und seinem Provincialarzte zuzusenden. Dieser wieder machte auf seinem Formular eine Zusammenstellung von allen in seinem Bezirke befindlichen Blinden und sogenannten Halbblinden, und sandte sein Verzeichniss an das Medicinal-Oberamt (Medicinal Ofverstyrelsen) ein.

Die so erhaltenen Resultate sind in den Verhandlungen des finnischen ärztlichen Vereins (Finska Läkaresollskapets Handlinger) Bd. X. Heft 1. pag. 309, in Tabellenform summarisch zusammengestellt.

Daraus geht hervor, dass, Ende des Jahres 1865, die Zahl der Blinden in Finnland 5187 (1 : 348) und der Halbblinden 7616 (1 : 237) betrug, dass also jede 140ste Person mit wenigstens so geschwächtem Sehvermögen begabt ist, dass sie grobe Druckschrift nicht mehr zu lesen vermag; denn das wird in den Formularen unter halbblind verstanden.

25*

Die Proportion der Blinden variirt in verschiedenen provincialärztlichen Bezirken (Distrikts) ziemlich viel.

Im Helsingfors-Distrikt, wo das Verhältniss am günstigsten ist, kommt 1 : 800; in Abo 1 : 606, dagegen in Jhalis 1 : 212; Willmanstrand 1 : 223; Salmis (auf der russischen Grenze am nördlichsten Theil von Ludoga) 1 : 197; in Uleaborg 1 : 170 und in Tohmajarvi (im südöstlichen Finnland) sogar 1 : 165.

In einem Distrikte St. André, zwischen den Städten Wiborg und Kexholm, ist das Verhältniss von allen übrigen ganz abweichend angegeben, nämlich 1 : 1139. Mir scheint aber diese Angabe sehr verdächtig, denn der Distrikt ist von anderen mit sehr hoher Blindenzahl umgeben, und auch von St. André werden unter endemischen Krankheiten Trachom mit deren Folgekrankheiten aufgeführt.

Den Zweck der Formulare, auch die Ursache der Blindheit zu eruiren, wurde zwar nicht erreicht, indem dieselbe fast immer als unbekannt angeführt ist; bekanntermaassen ist es aber das Trachom mit seinen Folgekrankheiten (Pannus, Trichiasis, Entropium, Symblepharon und Anchyloblepharon u. s. w.), wodurch am allerhäufigsten hier im Lande das Sehvermögen verloren geht. Es kommt in manchen Gegenden so häufig vor, dass man kaum eine Bauernstube findet, wo nicht jemand daran leidet. Wo mehr Wohlstand und Reinlichkeit vorherrscht, ist es besser. Unter Standespersonen, älteren und jüngeren, habe ich es auch gefunden, sogar in sehr wohlhabenden Familien, jedoch nicht häufig, und sehr selten, oder fast nie, so weit fortgeschritten, dass Blindheit droht.

Das Trachom tritt zuerst allgemein als Trachoma granulosum auf. Als Ursachen seiner Entstehung werden allgemein von den Provincialärzten — hier in der Gegend von Helsingfors kommt Trachom nicht sehr viel vor, so dass ich auch am meisten nur Folgekrankheiten zu behandeln habe — die Rauchstuben (Porten), die noch an sehr vielen Gegenden beibehalten sind; die rauchigen Badstuben, wie auch das staubige Dreschen in den „Rien", wo zuerst das Getreide durch Erwärmen, wodurch ebenfalls viel Rauch entsteht, getrocknet wird. Das Essen wird gewöhnlich über freiem Feuer zubereitet, wodurch die Augen ebenfalls durch Hitze und scharfen Rauch gereizt werden. Die Bereitung der Aecker durch Brennen von Holz und Torf, durch deren Asche das Land gedüngt wird (Schwedisch: Sredja), trägt auch das Ihrige bei, um das Trachom zu entwickeln. Später wird die Krankheit in den engen, überbevölkerten dumpfen Stuben, deren Fenster oft das ganze Jahr nicht geöffnet werden, durch Ansteckung weiter verbreitet. Dazu kommt noch, dass die Bevölkerung sehr arm ist, sodass die Patienten ihrer Arbeit immer nachgehen müssen, und weder Zeit noch Geld haben um eine Reise zu dem oft auf 10 bis 12 Meilen weit wohnenden Arzte zu machen und sich da aufzuhalten.

Finnland hat 63 Apotheken und ungefähr 120 Aerzte, (darunter 50 Provincialärzte) also in Mittelzahl 1 Arzt auf 15,000 Einwohner; in manchen Gegenden kommt aber das Doppelte auf einen Arzt. Eben darum wird das Trachom am häufigsten, wenigstens im Anfang, von Quacksalbern unter den Bauern behandelt, am meisten durch reizende Mitteln (Einblasen von pulverisirtem Zucker, Alaun etc.), sowie auch durch Umkehren der Lider und Reiben mit scharfen Gegenständen, gewöhnlich mit Hopfenblättern, wodurch unheilbare Narben der Conjunctiva, Entropien u. s. w. hervorgebracht werden. — Die meisten älteren Aerzte touchiren vielleicht auch zu stark mit Cupr. sulph., zuweilen sogar mit Lapis. Gegen das Entropium wird meistens die Flarer'sche Operation gemacht. Die harte Narbe der durch Anchyloblepharon gegen den Bulbus angespannten Lider reizt die Cornea fortwährend. Sehr oft wachsen auch die Cilien wieder und tragen in ihrer schiefen Richtung zur Vermehrung des Reizes bei. Bei manchen habe ich auch die Himly'sche Operation, durch Ausschneiden einer Hautfalte aus dem oberen Lide, ausgeführt sehen, wobei so viel Haut weggenommen worden war, dass der Bulbus beim Schliessen der Lider nicht mehr gedeckt wurde. In diesen Fällen war wieder Xerosis sehr oft die Folge. Uebrigens kümmern die Bauern sich auch nicht viel um ihre Augen, wenn es nicht schon ziemlich schlecht mit denselben steht. So traurig es ist, glaube ich übrigens kaum, dass eine Veränderung im Grossen zu erreichen sei, bevor der allgemeine Wohlstand grösser geworden ist, so dass die jetzige Lebensart geändert werden kann. Die in neuerer Zeit überall eingerichteten Volksschulen werden wohl auch durch Verbreitung von besseren hygienischen Ansichten und Reinlichkeit das Ihrige thun.

Vor ein paar Jahren wurde von dem Obermedicinalamt eine kleine Brochüre, allgemeine Verhaltungsregeln zur Verhütung und Behandlung der Augenkrankheiten, speciell das Trachom enthaltend, sowohl in schwedischer als finnischer Sprache unter den Gemeinden vertheilt.

Nächst Trachom kommen am häufigsten andere Conjunctivalkrankheiten vor, darunter auch sehr häufig Conjunctivis pustulosa.

Nachträgliches zu pag. 279.

Ueber das Verhältniss der verheiratheten Blinden zu den unverheiratheten haben wir bereits oben p. 279 einige numerische Angaben mitgetheilt; wir haben gezeigt, dass von 480 Blinden etwa 200 in heirathsfähigem Alter stehen und doch nicht verheirathet sind. Nun liegt es freilich auf der Hand, dass Blinde beiderlei Geschlechts keine sehr gesuchte Waare für Heirathslustige sein können. Es ist daher von vornherein schon wahrscheinlich, dass die meisten, wenn nicht alle verehelichten Blinden, erst im Verlaufe ihrer Ehe blind geworden, und dass jene 200 zum grössten Theil vielleicht schon blind gewesen, bevor sie heirathen konnten.

Vergleicht man die Resultate der Nachforschungen unseres fünften Abschnittes mit der hier vorliegenden Frage, so ergiebt sich, dass unter jenen 200 über-20jähr. unverheiratheten Blinden 30 Blindgeborene sich vorfinden, und dass überhaupt die ganze Summe derjenigen, die schon vor dem 20. Lebensjahre erblindet sind, sich auf 115 beläuft*).

Bemerkenswerth ist es nun, dass unter diesen 115 schon vor dem 20. Lebensjahre Erblindeten sich 7 verheirathete oder verheirathet gewesene Blinde finden. Zwei unter ihnen, männlichen Geschlechtes, sind sogar angeblich blindgeboren (von dem einen wird freilich zugegeben, dass er noch im Stande sei, grössere Gegenstände zu erkennen). Im Ganzen sind es 4 Männer und 3 Frauen, die sich entweder vor dem 20. Lebensjahre verheirathet haben, oder bei ihrer Verheirathung bereits blind gewesen sein müssen.

Es bleiben also nur 92 Blinde übrig, welche erst nach zurückgelegtem 20. Lebensjahre erblindet sind und sich nicht verheirathet haben.

---

*) Da wir über die Verheirathung der Blinden keine anderen Nachrichten besitzen, als diejenigen, welche den officiellen Zählungslisten entnommen sind, so haben wir hier auch nur die 480 Blinden jener Zählungslisten in Rechnung gebracht.

Klinische Monatsblätter

für

Augenheilkunde.

Herausgegeben

von

Dr. W. Zehender,

Grosshzgl. Meckl.-Strel. Med.-Rath a. D. und Prof. in Rostock.

VIII. Jahrgang.

Ausserordentliches Beilageheft.

Erlangen.

Verlag von Ferdinand Enke.

1870.

Schnellpressendruck von C. H. Kunstmann in Erlangen.

Zur Erklärung des an der Vena centralis retinae bemerkbaren Pulsphänomens.

Von

Dr. H. Berthold.

Wie ich es schon anderen Orts *) ausgesprochen habe, muss zu jeder Zeit aus jeder von einer unnachgiebigen Wandung umschlossenen Körperhöhle nahezu eben so viel Blut ausfliessen, wie zu derselben hinzukommt, weil entgegengesetzten Falles der Inhalt jener sich in seiner Quantität verändern müsste, was nur durch kolossale Druckschwankungen, zu deren Entstehen die ursächlichen Momente fehlen, ermöglicht werden könnte. Es müssen daher wegen der quantitativen Schwankungen der arteriellen Blutzufuhr auch solche in Betreff des venösen Blutabflusses bestehen, der Art, dass dieser während der Arterien-Systole vermindert und während der Arterien-Diastole vermehrt ist. Da nun die Wandungen der Augenkapselhöhle fast ganz unnachgiebig sind, so werden wir auch an den aus derselben austretenden Venen diese Erscheinung zu erwarten haben. Von allen Deutungen, die das Pulsphänomen der Vena centralis retinae gefunden hat, steht aber nur die eine, welche von Coccius *) herrührt, mit dem oben ausgesprochenen Grundsatz in Einklang, sie muss daher von vorne herein als die richtigste erscheinen; denn auch ein solcher Ausweg, wie ihn Donders einschlägt, indem er die chorioidealen Venen

---

*) Centralblatt f. d. med. Wissensch. 1869 Nro. 43.
**) Ueber die Anwendung des Augenspiegels. Leipzig 1853 S. 8 u. f.

1

eine vicariirende Thätigkeit für die Vena centralis retinae
entfalten lässt, scheint mir unstatthaft zu sein, da sich
kein Grund für ein verschiedenes Verhalten der genannten Gefässe auffindig machen lässt. Mit Rücksicht einerseits auf die vielen Angriffe, welche die Coccius'sche Erklärung erlitten hat, andererseits auf die Lobpreisungen,
und wie es scheint, allgemeine Anerkennung, die der
Donders'schen, welche jener direkt entgegengesetzt ist,
zu Theil geworden sind, dürfte der Versuch, diejenige des
ersteren Autor's näher zu begründen und die des letzteren zu widerlegen, wohl gerechtfertigt sein.

Indem ich das in Rede stehende Phänomen als bekannt voraussetze, beginne ich sogleich mit der Erklärung von Coccius; dieselbe lautet:

„Die Netzhaut befindet sich innerhalb einer geschlossenen elastischen Kapsel. Wenn nun durch die Systole
des Herzens, wobei Erweiterung aller in den Augapfel
eintretenden Arterien zu Stande kommt, ein Druck auf
die Kapsel ausgeübt wird, so muss sich dieser Druck
hauptsächlich in den Theilen bemerklich machen, welche
demselben am leichtesten nachgeben. Da dieses die das
Blut ausführenden Gefässe, die Venen, sind, so muss auf
diese bei der Diastole sämmtlicher in das Auge eintretender Arterien ein stärkerer Druck ausgeübt werden, in
Folge dessen sie sich verengen und das Blut schneller
ausführen."

v. Graefe*) sagt hiergegen:

„So richtig nun die Prämissen des genannten Autor's
sind, so kann doch ein vermehrtes Entweichen des Blutes
das Phänomen des Venenpulses nicht erklären. Wird
nämlich in einem mit Flüssigkeit ausgefüllten und von einer elastischen Membran umflossenen Raum, in dessen
Inneres röhrenförmige Abzugskanäle eingehen, Flüssigkeit

---

*) A. f. O Bd. I S. 382.

injicirt, so wird freilich aus den Abzugskanälen in entsprechender Weise Flüssigkeit entweichen, niemals aber wird vor deren Ausmündung im Innern des Raumes ein Vacuum entstehen, sondern es wird im Gegentheil die Flüssigkeit sich gegen die Ausmündungen am meisten hindrängen und die Röhren selbst, sofern sie elastische Wandungen besitzen, an diesen Stellen ausdehnen. Dies, auf das menschliche Auge angewendet, ergiebt, dass während der Arterien-Diastole allerdings ein vermehrter Ausfluss des Venenblutes stattfinden muss, dass aber ohne weitere Ursachen das Blut sich gerade vor der Austrittstelle der Venen anhäufen und den entsprechenden Theil der Venen erweitern müsste, während gerade das Gegentheil stattfindet. Auch sehen wir bei dem spontanen und künstlich hervorgerufenen Venenpulse, wie bereits Ed. Jaeger angiebt, deutlich genug, dass das Blut bei dem Leerwerden des entsprechenden Venenstücks nicht aus dem Auge heraus, sondern in dasselbe hereingedrängt wird. Es findet demnach, der Coccius'schen Erklärung entgegengesetzt, aus der Vena centralis retinae keine vermehrte, sondern gerade eine verminderte oder aufgehobene Entleerung statt."

Hie rgegen ist zunächst zu erwähnen, dass der angezogene Versuch gar keine Analogie mit den Verhältnissen, wie wir sie im Auge vorfinden, darbietet. v. Graefe spricht nur von röhrenförmigen Abzugs- und nicht von Zuflusskanälen seines gedachten Apparates; es soll daher nicht durch letztere, sondern direkt in den abgeschlossenen Raum Flüssigkeit injicirt werden; diese wird ferner durch nichts, was den Capillaren entspräche, verhindert, sofort in die Abzugskanäle einzudringen. Ich glaube daher, dass, wenn die Resultate dieses Versuches nicht mit den Erscheinungen, die wir am Auge wahrnehmen, übereinstimmen, hieraus kein Grund gegen die Richtigkeit der Coccius'schen Erklärung hergeleitet werden kann. Ich komme nun zu dem zweiten Einwand v. Graefe's, dass das

1 *

Blut beim Leerwerden des entsprechenden Venenstücks nicht aus dem Auge heraus, sondern in dasselbe hinein- getrieben werden soll. Diese Ansicht ist weit verbreitet unter den Ophthalmologen, und dennoch, wie mir scheint, nur aus einer optischen Täuschung hervorgegangen. Man sieht nämlich niemals das centrale Venenende leer wer- den und das Blut stromaufwärts fliessen, man nimmt viel- mehr an jenem nur eine nach der Ausmündungsstelle zu- nehmende Verengerung und eine damit verbundene Far- benveränderung wahr. Letztere besteht darin, dass zu- nächst die am meisten central gelegene, dann eine mehr periphere Stelle u. s. w. weiss wird, während der rothe Faden, welchen wir am peripheren Ende der entfärbten Strecke noch bemerken können, wegen der nach der Aus- mündungsstelle zunehmenden Verengerung sich in dersel- ben Richtung zuspitzt. Ob das centrale Venenstück voll- kommen leer werde, kann man aus dem ophthalmosko- pischen Bilde nicht entnehmen; denn man begreift leicht, dass bei geringer Füllung das Gefäss schon weiss erschei- nen kann, indem die rothen vom Blute reflektirten Strah- len durch die von der Gefässwand zurückgeworfenen weis- sen übertönt werden. Ist das centrale Venenende aber nicht vollkommen leer, so kann die nach der peripheren Ausbreitung der Vene fortschreitende Farbenveränderung dadurch erzeugt werden, dass der Abfluss des Venenblutes an der Ausmündungsstelle grösser ist, als der Zufluss; als- dann würde nämlich das Blutquantum in dem centralen Venenende mehr und mehr abnehmen und dieses sich fortschreitend verengern und heller gefärbt erscheinen müssen. Wir können daher das Spiegelbild weder für noch gegen die Richtigkeit der Coccius'schen Erklärung verwerthen, und sind zu der Entscheidung der Frage, ob der Ausfluss des Venenblutes während der Arterien-Dia- stole vermehrt oder vermindert sei, einzig und allein auf theoretische Betrachtungen angewiesen. Bevor ich aber zu denselben übergehe, will ich noch die Erklärung von Donders besprechen.

Dieser Autor meint, dass die Verengerung der Vene schon vor dem Eintreten des Radialpulses anfängt, die Erweiterung aber unmittelbar auf denselben folge, und sagt dann wörtlich: *)

„Um diese Erscheinung zu erklären, beginnen wir mit dem Momente der stärksten Ausdehnung der Vene. Hierbei ist der Druck in allen Theilen verringert, am meisten der Seitendruck in den Arterien, weniger der auf den Glaskörper übertragene (da bei geringerer Ausdehnung der Arterien ein grosser Theil des Blutdrucks auf dem Glaskörper ruht) und am wenigsten der in den Venen wie dies aus ihrer Ausdehnung gegen den Glaskörper hervorgeht. Beim höchsten Grade der Ausdehnung strömt das Blut leicht aus, und die Vene fängt schon an zusammenzufallen, ehe noch der Radialpuls gefühlt wird. Hierzu gesellt sich nun der höhere Druck, mit dem das Blut in die Arterien strömt und diese, wie ich in eizelnen Fällen erkennen konnte, ganz sicher etwas ausdehnt. Dieser höhere Druck ruht zum Theil auf dem Glaskörper, ehe er sich noch durch die Capillaren bis in die Venen fortgepflanzt hat, und diese werden demnach comprimirt. Wird die Compression nun alle Venen gleichmässig treffen? Keineswegs: die Stellen, wo der seitliche Blutdruck am geringsten ist, die Hauptstämme nämlich, werden zuerst eine Compression erleiden und eben dadurch wird das Ausfliessen des Blutes beschränkt, folglich das Zusammensinken der kleineren Aeste unmöglich gemacht.„

Hiergegen lässt sich nun nach der Reihe Folgendes sagen: Wenn bei der stärksten Ausdehnung der Venen der Druck in allen Theilen verringert ist, also auch das venöse Blut unter geringerem Druck steht, so muss darum weniger ausfliessen, weil der Ausfluss des Blutes von

---

*) Arch. f. Ophthalm. Bd. 1 Abth. II p. 94.

der Differenz des Blutdrucks in dem extra- und intraocularen Theile der Vene abhängt, diese Differenz aber am
geringsten ist, wenn das Blut der letzteren unter dem nie-
drigsten Druck steht. Es ist daher die Erweiterung des centralen intraocularen Venentheils nur die Folge davon, dass
weniger Blut ausfliesst, dass der Zufluss zu demselben stärker
ist, wie der Abfluss. Wenn nun die Vene schon zusammenzufallen scheint, bevor der Radialpuls gefühlt wird, so kommt
dies einfach daher, dass wir mit unserem Gesichtssinne
schneller, wie mit dem Tastsinne wahrnehmen können, und
dass wir gewohnt sind, beim Radialpuls nur das Höhestadium, das Maximum der Arterien-Ausdehnung, zu berücksichtigen, während wir bei Betrachtung des Pulsphänomens
schon den Einfluss des Anfangsstadiums sämmtlicher in das
Auge eintretender Arterien zu erkennen im Stande sind. Wir
werden daher aus diesen beiden Gründen die Verengerung der Venen früher wahrnehmen können, als wir den
Radialpuls fühlen, trotzdem jene einzig und allein von der
Diastole der Arterien abhängig ist. — Ferner kann der
gesteigerte Glaskörperdruck nicht zuerst eine Compression der venösen Hauptstämme bewirken, denn dies strei-
tet gegen das physikalische Gesetz, dass eine innerhalb eines abgeschlossenen Raumes befindliche Flüssigkeit gleich
stark und gleichzeitig auf sämmtliche Contenta und die
ganze Wandung desselben drückt. Es werden daher sämmtliche Venentheile zu gleicher Zeit comprimirt; nur kann
die Compression nicht überall gleich stark ausfallen; sie
muss im Gegentheil an den centralen Stellen beträchtli-
cher wie an den peripheren sein, weil der Blutdruck in
ersteren geringer ist, als in letzteren. Man muss sich aber
diese Verengerung im Ganzen äusserst gering und für
unser Auge unmerkbar vorstellen; es gehört bekanntlich,
das Wasser um 48 Milliontheile seines Volumens zusam-
menzupressen, ein ganzer Atmosphärendruck, und für das
Blut dürfte wohl ungefähr dasselbe gelten.

Wenn also der Blutausfluss nicht vermehrt sein würde, so dürfte die Zunahme des Glaskörperdrucks, die noch lange nicht die Stärke eines Atmosphärendrucks erreicht, wohl kaum für uns wahrnehmbare Verengerungen an den Venen bewirken können, und dennoch soll sie in einem so erheblichen Maasse zu Stande kommen, dass eine ganze Gefässstrecke leer wird, während gerade das Gegentheil von dem, was dazu erforderlich wäre, nicht eine Vermehrung, sondern eine Verminderung oder gar Aufhebung des Blutausflusses angenommen wird. Wie sich Donders überhaupt das Fortschreiten des Leerwerdens von der Ausmündungsstelle der Vene nach deren peripherer Ausbreitung hin bei gehindertem Blutausfluss, was doch mit Stromaufwärtsfliessen· des Blutes gleichbedeutend ist, vorstellt, vermag ich gar nicht einzusehen. Meiner Ansicht nach würde dies nur dann eintreten können, wenn der Glaskörperdruck am centralen Venenende absolut stärker wäre als an den anderen Stellen, was Donders doch nicht meinen wird. — Das schnellere Zustandekommen der Erweiterung gegenüber dem der Verengerung des centralen Venenendes erklärt Donders dadurch, dass das Venenblut vor demselben sich angestaut und daher eine Druckerhöhung erlangt haben soll. Eine solche Stauung, welche (wenigstens im gewöhnlichen Sinne des Wortes, womit man eine vermehrte Ansammlung von Flüssigkeit versteht) doch eine Erweiterung der betreffenden Gefässpartie zur Folge haben müsste, ist aber aus zwei Gründen in Abrede zu stellen: 1) weil man keine Erweiterung bemerkt, 2) weil die veränderten Druckverhältnisse eine solche unmöglich machen; denn wenn der Glaskörperdruck während der Arterien-Diastole stark genug ist, die Circulation zu hemmen, und eine ganze Gefässstrecke sichtbar zu verengen, so muss er einen stärkeren Zuwachs als der Venenblutdruck erhalten haben, da er nun nicht mehr durch diesen überwunden werden kann, was während der Arterien-Systole offenbar geschieht. Ist nun aber die Zunahme des Glaskörperdrucks grösser, als die des Venen-

blutdrucks, so folgt daraus, dass die Venen im Ganzen verengt sind. Es fällt also der von D o n d e r s angegebene
Grund für eine schnelle Füllung des centralen „leeren"
Venenendes fort, es besteht aber ein gewichtiger dafür,
dass jene langsam von statten gehe, weil das Blut vor
dem centralen Venenende sich in Ruhe befinden, oder
gar in rückläufiger Bewegung begriffen sein soll, und daher nur schwer und langsam fortbewegt werden könnte.
— Um den das Pulsphänomen verstärkenden Einfluss
eines mittelst des Fingers auf den Augapfel ausgeübten
sanften anhaltenden Drucks zu erklären, sagt D o n d e r s : *)
„Man begreift leicht, dass der künstliche Druck eine
bleibende Druckerhöhung auf den Glaskörper und damit
auch auf die Aussenfläche der Venen hervorbringt, und
dass diese dem zufolge verengt werden müssen, allein
der stärkere Puls macht zwischen dem Drucke, der zur
Zeit der Diastole und dem, der zur Zeit der Systole der
Arterien eintritt, eine grössere Verschiedenheit nothwendig, als dies unter normalen Verhältnissen der Fall ist.
Den Grund dieser Verschiedenheit sieht man nicht so
leicht ein, doch glaube ich, dass sie besteht. Um dies
wahrscheinlich zu machen, muss ich bemerken, dass bei
erhöhtem Druck auf den Augapfel auch die Arterien offenbar verengt werden, und diese Verengung bewirkt auf
zweifache Weise eine grössere Vermehrung des Druckes
zur Zeit der Systole des Herzens, nämlich: 1) dadurch
dass das ganze Gefässsystem plötzlich im Auge eine Verengung erleidet, und bei jeder Verengung nicht allein
eine örtliche Druckerhöhung, sondern auch eine Verstärkung des Einflusses, den die Blutwellen auf den Druck
ausüben, wahrgenommen wird, und 2) weil die Arterie, da
sie jetzt enger, mithin weniger gespannt ist, einen beträchtlich grösseren Theil des Drucks und dessen Modification
auf den Glaskörper überträgt. Ausser dieser Ursache

---

*) l. c. p. 97.

giebt es noch eine andere wichtigere, die eine gewisse Compression der Venen bei weitem stärker erscheinen lässt, dies ist die abgeplattete Form der Venen, welche dem durch den Finger künstlich hervorgebrachten, von aussen her wirkenden höheren Druck unmittelbar folgt. Wir haben schon früher erwähnt, dass man diese Erscheinung ohne künstlichen Druck am deutlichsten an den blassen, platten, spitz zulaufenden Venen beobachtet. Gerade in einer solchen Form verändern wir durch den Druck des Fingers auf den Augapfel die früher mehr cylinderförmigen Venen."

Gegen 1) lässt sich nun anführen, dass eine künstliche Vermehrung des intraocularen Drucks gerade das Gegentheil zur Folge haben müsste, als was Donders annimmt; denn wenn das ganze Gefässystem verengt, und somit der Blutdruck in demselben erhöht ist, so wird die Blutwelle mehr Widerstände zu überwinden haben, und daher einen geringeren Einfluss ausüben. Gegen 2) ist aber zu bemerken, dass die Prämisse, von der Donders ausgeht, um die stärkere Wirkung der Herzsystole wahrscheinlich zu machen, ich meine die Verengerung der Arterien, sich nicht mit seiner Ansicht über die Entstehung des an der Vene bemerkbaren Pulsphänomens verträgt. Denn wenn die Erhöhung des Glaskörperdrucks zuerst immer eine Verengerung des centralen Venenendes bewirken soll, und somit das Venenblut im Ausfliessen behindert und in Stauung versetzt, so wächst sowohl der Druck, wie auch die Quantität des Blutes im ganzen Gefässsystem vor der comprimirten Stelle desselben an, wodurch nicht eine Verengerung sondern eine Erweiterung der Arterien zu Stande kommt; es müsste daher die Modification des arteriellen Blutdrucks eine geringere Wirkung auf den Glaskörperdruck ausüben, als es unter normalen Verhältnissen der Fall ist. Es ergiebt sich hieraus wohl zweifellos, dass von Seiten der Arterien das Pulsphänomen zur Zeit des vermehrten intraocularen Drucks abgeschwächt werden müsste, und es lässt sich auch leicht nachweisen, dass das in noch höherem Grade in Bezug auf die Venen gilt; denn durch einen von aussen auf die Venen einwirkenden Druck werden die centralen Enden derselben gerade am meisten comprimirt und dadurch der Blutdruck hier relativ am stärksten erhöht; die Vermehrung des Glaskörperdrucks zur Zeit der Arterien-Diastole hat nun grössere Widerstände zu überwinden, und wird daher einen geringeren Einfluss auf die Venen ausüben, als wenn der intraoculare Druck nicht künstlich erhöht ist. Donders geht daher auch gar nicht auf die veränderten Druckverhältnisse, wie sie durch Zunahme des Venenblutdrucks entstehen, ein. Er legt hauptsächlich auf die Form-und Farbenveränderung, die die Venen durch den auf den Augapfel ausgeübten Druck erleiden sollen, grosses Gewicht; er meint, die Venen würden hierbei, ebenso wie diejenigen, an denen man unter normalen Verhältnissen das Pulsphänomen am besten wahrnimmt, es sein sollen, platt, blass und spitz zulaufend. Ich weiss nicht, wie ich mir das Blasswerden einer Vene, in der das Blut wegen gehinderten Abflusses zur Stauung geräth, erklären soll, und kann mir vollends kein Bild von einer platten und nach dem centralen Ende spitz zulaufenden Vene machen. Platt kann doch ein Rohr nur dann werden, wenn von zwei diametral entgegengesetzten Seiten auf dasselbe gedrückt wird; in welcher Richtung dies nun nach Donders geschehen soll, weiss ich nicht; am nächsten scheint mir noch die Ansicht zu liegen, dass die Venen zwischen Retinalgewebe und Glaskörper in die Mitte genommen in der Richtung der Augapfelradien platt gedrückt würden. Abgesehen nun davon, dass das weiche retinale Gewebe ebenso wie eine Flüssigkeit von allen Seiten einen gleichmässigen Druck auf die Gefässe ausüben müsste, so würden, wenn auf die angegebene Art dennoch die Venen platt gedrückt werden könnten, dieselben breiter erscheinen müssen, was nicht der Fall ist; ja es soll gerade die Gefässstrecke, welche den grössten Kreisumfang hat und daher am breitesten werden müsste, sich zuspitzen. Ich muss daher annehmen, dass das Plattwerden der Venen, ebenso wie das Leerwerden derselben, aus der Farbenveränderung erschlossen ist, und in Wirklichkeit nicht geschieht. Nach der Erklärung von Coccius würde die Retina bei vermehrtem Blutzufluss auch eine gesteigerte Blutabfuhr erleiden, die Blutmenge in derselben sich also nahezu gleichbleiben, und daher der intraoculare Druck zur Zeit der Arterien-Diastole und -Systole nur geringe Differenzen zeigen; nach der Ansicht von Donders würde aber mit dem vermehrten Blutzufluss ein verminderter Blutabfluss, und umgekehrt, mit verringerter Blutzufuhr gesteigerte Blutabfuhr gleichzeitig einhergehen; es wäre daher das retinale Blut grossen Schwankungen in der Quantität unterworfen, und hieraus würden auch solche in Betreff des intraocularen Drucks entstehen müssen. Da Donders solche Druckschwankungen nicht zugeben will, so hilft er sich damit, dass er die Chorioidea als Regulator für die Retina aufstellt, giebt dafür aber eigentlich gar keinen Grund an, er erwähnt nur eines Versuches an einem Albino-Kaninchen, bei welchem er die Venen der Chorioidea sich während des mit dem Finger auf den Augapfel ausgeübten Drucks stark verengern, und beim Aufhören des einige Zeit hindurch fortgesetzten Drucks beträchtlich erweitern sah. Ganz dieselbe Erscheinung hat er aber auch an den retinalen Venen wahrgenommen, es ergiebt sich hieraus also kein abweichendes Verhalten der retinalen und chorioidealen Gefässe. Ausserdem sagt Donders *) wörtlich:

„Die anatomische Disposition scheint hier (bei der Chorioidea) derartig zu sein, dass auch bei einem starken Drucke das Blut leichter ausfliessen kann.˙ Wenn wir bei vermehrter Zufuhr von arteriellem Blute den Ausfluss

---

*) l. c. p. 105.

des venösen Blutes aus der Netzhaut gehemmt sehen, und demnach zeitweise das Quantum des Blutes in der Netzhaut vermehrt ist, so glaube ich, eine Verminderung des Blutes in der Chorioidea annehmen zu müssen. Diese muss jedenfalls viel leichter zu Stande kommen, als eine Ausdehnung der schon gespannten Sclerotica, die fast aller Elasticität entbehrt. Ich betrachte also den Blutumlauf in der Chorioidea einigermaassen als Regulator für denjenigen in der Netzhaut."

Hierauf kann man nun erwidern, dass die anatomische Disposition der Chorioidea den meisten Ophthalmologen, gerade entgegengesetzt der D o n d e r s'schen Ansicht, derartig zu sein scheint, dass bei Vermehrung des intraocularen Drucks das Blut aus der Chorioidea schwerer abfliesst; man glaubt nämlich, dass wegen der schiefen Richtung, in der die Hauptstämme der Vasa vorticosa die Sklera durchbohren, bei Vermehrung des intraocularen Drucks die Durchtrittsgänge der Sklera, und somit auch die Stämme der Vasa vorticosa verengt, also der Ausfluss des venösen Blutes vermindert würde. Aber angenommen, es wäre die Chorioidea der Regulator für die Retina, es würde der Blutausfluss aus jener allein zur Zeit der Arterien-Diastole um so viel gesteigert werden, als die Vermehrung des Blutzuflusses zu dem Auge beträgt, so dass also der intraoculare Druck nicht erhöht würde, was sollte dann eigentlich die retinalen Venen in einem so hohen Grade comprimiren? Es scheint mir daher die Ansicht passender zu sein, dass während der Arterien Diastole auch aus der Chorioidea nur so viel Blut mehr ausfliesst, wie die Steigerung der arteriellen Blutzufuhr zu derselben beträgt.

Ich glaube zur Genüge nachgewiesen zu haben, dass keine der Einzelheiten, die wir an dem Pulsphänomen der Vena centralis retinae wahrnehmen können, durch die Theorie, die D o n d e r s für die Entstehung desselben gegeben hat, erklärt wird. Da nun aber die Verengerung des centralen Venenendes, welche während der Arterien-Diastole zu Stande kommt, nur die zwei Möglichkeiten der Deutung zulässt, dass das in jenem enthaltene Blut entweder aus dem Auge mit vermehrter Geschwindigkeit heraus, oder in entgegengesetzter Richtung sich bewegt, letztere Ansicht aber auszuschliessen ist, so bleibt nur noch die von Coccius vertretene, welche wegen der vielen Angriffe, die sie erfahren hat, noch näher begründet werden soll, übrig.

Wenn der intraoculare Druck während der Arterien-Diastole erhöht wird, so findet eine Compression sämmtlicher Venen, und eine Druckerhöhung des in ihnen enthaltenen Blutes statt. Die Compression wächst aus dem schon oben angeführten Grunde von der peripheren Ausbreitung der Vene nach ihrem centralen Ende allmälich an. Hierdurch nimmt die Elasticitätskraft der Venenwandung ab; es kann daher ein Theil des Blutseitendrucks, der vor der Compression dazu verwandt wurde, die Elasticitätskraft der Wandung zu überwinden, nun dem Glaskörperdruck entgegengesetzt werden, die Zunahme des Blutdrucks wird daher die des Glaskörperdrucks nicht erreichen. Es ist nun die Frage, ob die Wandungen der peripheren Venen mehr oder weniger als die der centralen an Elasticitätskraft einbüssen. Bei ersteren ist dieselbe wegen des stärkeren Blutdrucks mehr in Anspruch genommen, als bei letzteren, und wird daher schon bei geringer Verengerung der Vene bedeutend abgeschwächt; dafür werden aber die centralen Venen stärker comprimirt, und dadurch die Spannung ihrer Wandungen um einen beträchtlicheren Theil gemindert, so dass es schwer zu entscheiden sein dürfte, bei welchen Venen die Elasticitätskraft der Wandungen mehr abnimmt, und somit in höherem Maasse auf die Zunahme des Blutdrucks schwächend einwirkt. Da nun aber die Compression der Venen während der Arterien-Diastole, aus dem auch schon oben angeführten Grunde, unendlich klein ist, so glaube ich, dass wir

keinen grossen Fehler begehen, wenn wir bei unserer
Betrachtung über die Blutdruckzunahme die Elasticitätskraft der Wandungen sämmtlicher Venen gleich stark gemindert annehmen. Thun wir dies, so finden wir, dass
während der Arterien-Diastole ˙sämmtliches Venenblut einen gleich grossen Druckzuwachs erfährt, da ja der Blutdruck gleich dem Aussendruck plus der Elasticitätskraft
der Wandung ist. Wenn nun aber sämmtliches Venenblut
einen gleich grossen Druckzuwachs erhält, so bleibt die
absolute Differenz in den einzelnen Venentheilen ungeändert, es kann daher das Blut niemals stromaufwärts fliessen, es kann auch niemals eine Gefässstrecke leer werden,
da der Blutdruck immer höher wie der Glaskörperdruck bleibt,
nämlich um so viel, wie die Elasticitätskraft der Wandung
beträgt. Wenn nun auch die absolute Blutdruckdifferenz
ungeändert bleibt, so ist dies in Betreff der relativen nicht
der Fall. Wie immer, wenn zwei verschiedene Grössen
einen gleichen Zuwachs erhalten, das Verhältniss derselben zu Gunsten der kleineren sich ändert, der relative
Unterschied geringer wird, so muss auch die relative Differenz des in den peripheren und centralen Venentheilen
bestehenden Blutdrucks abnehmen. Die nach der Ausmündungsstelle der Vene zunehmende Verengerung vermehrt nun im Verein mit der Abnahme der relativen
Blutdruck-Differenz die Widerstände für den Blutstrom in
der Weise, dass dieser sich progressiv verlangsamen
müsste, wenn nicht ein anderes Moment die Geschwindigkeit desselben erhöhen würde. Dies ist die Blutdruck-
Differenz an der Austrittsstelle der Vene in ihrem intra-
und extraocularen Theile. Hier ist die Differenz die bei
weitem hervorragendste, weil der Blutdruck an der einen
Stelle die relativ stärkste, an der anderen gar keine Zunahme erfahren hat. Dass nun auch hieraus weder eine
Sistirung noch eine Umkehrung des Blutstroms resultiren
kann, sieht man leicht ein, wenn man bedenkt, dass die
durch die Arterien-Diastole an der Austrittsstelle der Vene

hervorg erufene Steigerung der Blutdruck-Differenz dieselbe Wirkung haben muss, wie eine an den extraocularen Theil der Vene angesetzte Saugpumpe, sobald sie zu arbeiten anfinge, ausüben würde, da ja der Effekt hievon zunächst auch nur der wäre, dass die Differenz zwischen dem Blutdrucke im intra- und extraocularen Theile der Vene vermehrt würde. Ebenso wie nun eine Saugpumpe den Ausfluss des Venenblutes beschleunigen würde, muss auch durch die Arterien-Diastole dasselbe bewirkt werden.

Wenn somit also feststeht, dass während der Arterien-Diastole der Blutausfluss aus der Vene vermehrt ist, während der Blutzufluss zu derselben wegen der Gleichmässigkeit, mit der das Blut durch die Capillaren strömt, unverändert bleibt, so ist es klar, dass die Menge des Venenblutes abnehmen muss. Dies bedingt nun wiederum eine Verminderung des Blutdrucks, welche durch Ausdehnung des Glaskörpers und Verengerung der Vene ausgeglichen wird. Die Wirkung der an der Austrittsstelle der Vene vermehrten Druckdifferenz wird in dem Grade, wie die Widerstände für den Blutstrom zugenommen haben, nach der peripheren Ausbreitung der Vene abnehmen, so dass die Beschleunigung desselben gleich Anfangs bedeutend, später in steigender Progression immer weniger und weniger beträchtlich abnimmt. Hieraus folgt nun, dass auch die Differenz in der Beschleunigung des zu- und abfliessenden Blutes, die an jeder Stelle der Vene besteht, von dem centralen Ende derselben nach ihrer peripheren Ausbreitung abnehmen muss. Diess bedingt nun eine Verminderung der Blutquantität und eine consecutive Verengerung in der Weise, dass dieselben von der peripheren Ausbreitung nach dem centralen Ende immer mehr und mehr zunehmen. Jemehr nun aber dieses Verhältniss in der Verengerung der centralen und peripheren Venentheile, und somit in den für den Blutstrom gesetzten Widerständen zunimmt, desto mehr liegt darin zugleich die Ursache für die Steigerung jenes. Es könnte nun so scheinen, als ob die Verengerung der Vene dadurch dass sie 1) den intraocularen Druck vermindert und 2) die Hindernisse für den Blutstrom vermehrt, diesen im weiteren Verlauf der Arterien-Diastole zu verlangsamen im Stande wäre. Dies ist aber in Abrede zu stellen, weil wir eben die Verengerung der Venen weiter fortschreiten sehen, was nur durch gesteigerte Blutabfuhr zu erklären ist, da entgegengesetzten Falles eine stärkere Anfüllung und somit Erweiternng der Vene zu Stande kommen müsste. Man sieht aus theoretischen Gründen auch leicht ein, dass es nicht anders sein kann; denn sobald der Ausfluss des Venenblutes nur für einen Augenblick nicht gesteigert sein würde, müsste wegen der fortdauernden Vermehrung der arteriellen Blutzufuhr die Blutmenge in der Retina und somit der intraoculare Druck gleich bedeutend anwachsen, während keine Veranlassung zu einer in Anschlag zu bringenden weiteren Verengerung der Vene und dadurch bedingten Vermehrung der Widerstände geboten wäre. Wenn somit ein Moment für die Beschleunigung des Blutstroms in der Vermehrung des intraocularen Drucks, keines aber für die Verlangsamung jenes gegeben ist, so geht daraus hervor, dass der Blutausfluss sofort wieder vermehrt werden müsste.

Da nun trotz der Vermehrung der Widerstände, welche stetig zunimmt, so lange die Arterien-Diastole andauert, der Ausfluss des Venblutes gesteigert ist, so ergiebt sich hieraus, dass der Venenblutdruck und somit auch der Glaskörperdruck immer mehr und mehr anwachsen, nur wird dies in Betreff des letzteren nicht entfernt in dem Maasse stattfinden, als es der Fall sein müsste, wenn die Donders'sche Theorie, nach welcher während der vermehrten arteriellen Blutzufuhr der Abfluss des Venenblutes vermindert sein soll, die richtige wäre.

Ebenso wie während der Arterien-Diastole der intraoculare Druck erhöht ist, muss derselbe während der Arterien-Systole sinken, damit nimmt nun auch der Blutdruck in den Venen ab, und der Ausfluss aus denselben wird verringert. Wegen des constant sich gleichbleibenden Zuflusses durch die Capillaren erfährt daher die Vene eine stärkere Anfüllung, welche ebenso wie die Verringerung der Blutquantität während der Arterien-Diastole am centralen Ende am stärksten und nach der peripheren Ausbreitung zunehmend schwächer sein muss. Denn nehmen wir an, dass die Elasticitätskraft der Gefässwandung sich wieder gleich stark auf der ganzen Ausdehnung der Vene ändere, so muss die relative Druckdifferenz nach der Ausmündungsstelle zunehmen, weil sämmtliches Blut eine gleich grosse Druckverminderung erfährt. Hieraus würde sich ergeben, dass das Venenblut innerhalb des Auges progressiv schneller fliessen müsste, wenn nicht an der Austrittstelle der Vene in der Abnahme der Differenz ein Moment für die Verlangsamung des Blutstroms gegeben wäre. Wir sehen also, dass dieser während der Arterien-Systole genau in entgegengesetzter Weise, als während der Arterien-Diastole modicifirt wird, und müssen daraus auch die entgegengesetzte Wirkung auf die Füllung der Vene ableiten, dass nämlich die Blutquantität an dem centralen Ende derselben am stärksten und nach der peripheren Ausbreitung immer schwächer und schwächer zunimmt. Wenn wir dennoch die Erweiterung der Vene in umgekehrter Richtung glauben fortschreiten zu seben, so kommt das einfach daher, dass wir das ganze Phänomen hauptsächlich an der Farbenveränderung, die die centrale Strecke eingeht, beurtheilen. Da nämlich das periphere Ende derselben gerade nur soviel Blut verloren hat, um noch entfärbt zu erscheinen, das centrale aber mehr, als dazu nöthig ist, so sieht man leicht ein, dass, trotzdem an letzterem die Vermehrung der Blutquantität während der Arterien-Systole stärker ist, als an ersterem, dieses uns doch eher roth erscheinen kann, als jenes.

Wenn nun die entfärbte Venenstrecke so viel Blut mehr aufgenommen hat, als gerade dazu gehört, um roth auszusehen, ist die Füllung derselben noch nicht so weit vorgeschritten, als sie es vor Beginn der Arterien-Diastole war, es wird daher die Blutmenge und somit auch die Ausdehnung der Vene bis zum Ende der Arterien-Systole noch zunehmen, wir sind nur nicht im Stande, so kleine Grössenunterschiede, wie die Durchmesser der Vene in dem Zustande, in dem diese gerade eben roth aussieht und in dem sie die stärkste Ausdehnung erlangt hat, darbieten, wahrzunehmen.

Wir erhalten daher den Eindruck, als ob eine Pause in dem Process eingetreten wäre, obgleich die Veranlassung zu einer ferneren Erweiterung der Vene in der Zunahme der Arterien-Verengerung fortdauert und eine Pause unmöglich macht. Um so viel Zeit, wie nun der vermeintliche Stillstand des Prozesses anhält, scheint uns die Erweiterung der Vene schneller als die Verengerung derselben von statten zu gehen.

Es bedarf nun noch der Erwähnung, woher das Pulsphänomen durch einen auf den Augapfel ausgeübten Fingerdruck verstärkt wird: Es ist klar, dass so lange dieser im Zunehmen begriffen ist, die Wirkung desselben auf die Vene dieselbe sein muss, wie die der Arterien-Diastole; es wird daher die Vene sich in ihrer ganzen Ausdehnung je nach Stärke des angewandten Drucks mehr oder weniger verengen und in ihrem centralen Ende entfärben.

Ausserdem werden auch die Capillaren und Arterien, wenngleich in viel geringerem Maasse, eine Compression erleiden. Sobald aber der Fingerdruck sein Höhestadium erreicht hat und constant sich gleich bleibt, wird der Prozess zum Stillstand kommen, und der intraoculare Druck mehr oder weniger, im Ganzen aber unbedeutend gesteigert sein. Woher nun in diesem Zustande das Pulsphänomen stärker hervortritt, ist leicht einzusehen: Da bei Vermehrung des intraocularen Drucks die Gefässe, in denen das Blut unter geringerem Druck steht, immer mehr komprimirt werden, als die anderen, in denen der Blutdruck höher ist, so wird auch bei ein und derselben Arterie zu der

Zeit, in der ihr Blutdruck niedriger ist, die Wirkung des vermehrten Glaskörperdrucks bedeutender sein, als zu der Zeit, in welcher der Blutdruck höher ist, d. h. es werden die Arterien während der Systole eine stärkere Compression als während der Diastole erleiden, und daher die Schwankungen in der Ausdehnung derselben grösser werden; es ist daher leicht verständlich, woher der für gewöhnlich nicht sichtbare Arterienpuls bei einer gewissen Stärke des künstlich erhöhten intraocularen Drucks wahrnehmbar wird. Selbstverständlich sieht man dann die Erweiterung der Arterien mit der Verengerung der Venen und umgekehrt, die Verengerung ersterer mit der Erweiterung letzterer zusammenfallen; es können aber niemals die Arterien, wie v. Gräfe und Donders meinen, leer werden, während die Venen noch gefüllt sind, denn dies würde gegen das von Donders selbst in seiner oft citirten Arbeit angeführte hämodynamische Gesetz, dass der Blutdruck vom centralen Ende der Arterie zu dem der Vene beständig abnimmt, verstossen, da eine Erhöhung des intraoculären Drucks die Blutdruck - Verhältnisse nicht umkehren kann. Wenn daher die Arterien uns leer erscheinen, d. h. entfärbt sind, während die Venen noch röthlich aussehen, so kann dies nur daher kommen, dass die Arterienwand dicker als die Venenwand ist, und somit von ersterer mehr weisses Licht, als von letzterer reflektirt wird, und dass ferner das arterielle Blut heller ist, als das venöse. — Es liegt nun auf der Hand, dass die grösseren Schwankungen in der Ausdehnung der Arterien eine Verstärkung des Pulsphänomens, das wir an der Vene wahrnehmen, bewirken muss; am meisten dürfte aber die Verengerung letzterer dazu beitragen. Es ist natürlich, dass eine engere, blutärmere Vene schon bei gleichem Blutverlust uns in einer grösseren Strecke entfärbt erscheinen muss, als eine weite strotzend gefüllte. Da nun aber wegen der relativ stärkeren Ausdehnung der Arterien zur Zeit ihrer Diastole die Blutquantität, die die Vene nun mehr ausgiebt, als zur Zeit der Arterien-Systole, noch grösser ist, so muss natürlich eine weit grössere Strecke während der Arterien-Diastole uns leer zu werden scheinen, als es unter normalen Verhältnissen der Fall ist.

Sollte die Erklärung von Coccius noch einer ferneren Stütze bedürfen, so glaube ich eine solche mit dem Hinweise auf die Analogie der Verhältnisse, unter denen die Gefässe innerhalb der Augenkapsel- und Schädelhöhle stehen, beibringen zu können. Auch die Schädelhöhle bildet im Verein mit dem Vertebralkanal einen von einer unnachgiebigen Wandung umschlossenen Raum, in welchem ebenso wie in der Augenkapselhöhle während der Arterien-Diastole eine Druckerhöhung stattfinden muss. Da nun aber kein Grund einzusehen ist, woher eine Vermehrung des Aussendrucks eine andere Wirkung auf die Venen der Schädelhöhle, als auf die der Augenkapselhöhle haben sollte, so werden wir auch ein gleiches Verhalten derselben annehmen müssen. Der Umstand, dass die venösen Blutleiter der harten Hirnhaut, wie es meistens angenommen wird, unnachgiebige Wandungen haben sollen, spricht nicht dagegen, weil sich dann die genannten Blutleiter dem intracraniellen Druck gegenüber so verhalten würden, als ob sie ausserhalb der Schädelhöhle sich befänden, und es würden demnach diejenigen Venen, welche ihr Blut in die venösen Blutleiter der harten Hirnhaut ergiessen, dem intracraniellen Druck gegenüber dieselbe Rolle spielen, die der Vena centralis retinae und den chorioidealen Venen mit Rücksicht auf den intraocularen Druck zuertheilt ist. Da nun aber der Ausfluss des Venenblutes aus der Schädelhöhle während der Arterien-Diastole vermehrt ist, so muss dasselbe auch in Betreff des aus dem Auge ausfliessenden Blutes der Fall sein.

KS

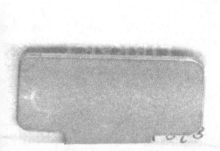

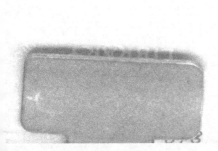

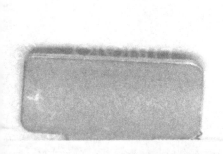

KS

FOR REFERENCE

NOT TO BE TAKEN FROM THE ROOM

 CAT. NO. 23 012

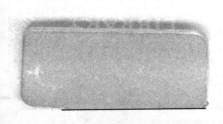